독자님들께 깊이 감사드립니다.
박스오피스

좀비국시즌 82-18

4

MOON
PHASE

4
좀비묵시록 82-08

초판 1쇄 인쇄	2023년 07월 17일
초판 1쇄 발행	2023년 08월 16일
ISBN	979-11-91841-36-7 [04810]

지은이	박스오피스
기획	이하늘
교정·교열	김경희, 윤화리
디자인팀장	공가을
디자인책임	이화정
편집디자인	임은영
타이틀제작	진유성

펴낸이	문상철
펴낸곳	주식회사 바이프로스트
주소	서울시 강남구 선릉로 549, 에본빌딩 3층 (역삼동 694-35)
출판등록	제2020-000007호, 2020년 1월 9일
대표전화	070-8833-7312
전자우편	bifrostkr@gmail.com

이 책은 저작권법의 보호를 받는 저작물로서 무단 복제 및 재배포를 금지합니다.
잘못된 책은 구입처에서 교환하여 드립니다.

BIFROST SERIES

CONTENTS

Chapter 27
악마는 어디에나 있다 ·············007

Chapter 28
테라와 제니 ·············048

Chapter 29
안전지대는 없다 ·············096

Chapter 30
인간 사냥꾼 ·············165

Chapter 31
산다는 것 ·············220

Chapter 32
Long and Winding Road ·············260

Chapter 33
둥지 ·············310

Chapter 34
암야행 ·············369

Chapter 35
멋진 신세계 ·············383

Chapter 27
악마는 어디에나 있다

01

보안관 일행이 아주 늦은 점심을 먹고 있을 때, 태양 그룹 건물 지하 제1연구실에서는 작은 회장의 이른 저녁을 위한 준비가 착착 진행되어 가고 있었다. 오늘의 식삿감으로 결정된 대상은 A708756. 나흘 전, 남산타운에서 구조해 온 40대 초반의 남자였다.

"아, 어서 오세요!"

A708756이 진료실 안으로 들어오자 오 박사는 예의 그 뺀질거리는 환한 미소를 지으면서 남자를 맞았다. 민구와 같이 있다가 구조된 간호사에게 모욕적인 말들을 퍼부을 때에도 그는 지금과 똑같이 웃고 있었다.

"어떻게 지내셨어요? 편안하시죠? 음식은 입에 맞으시던가요?"

"아, 네. 덕분에……. 그런데 검사를 추가로 받아야 한다고 하시던데…… 무슨 검사입니까, 선생님? 제 몸이 어디 안 좋은가요?"

어리숙한 표정으로 머리를 긁적이는 A708756을 보면서 오 박사는 속으로 낄낄거렸다. 인간이라는 건 너무나 어리석어서 이제 몇 분만 지나면 자신이 죽을 운명이라는 것도 까맣게 모른 채 저렇게 편안하다.

"별것 아닙니다. 혈압이 조금 높으신 것 같아서 약을 처방해 드리려고 그래요. 술, 담배 하시나요?"

차트를 대충 넘기면서 오 박사가 말했다. 남자는 고개를 끄덕인다.

"네, 잘 아시잖습니까. 직장 생활 하다 보면 다 하지요, 스트레스 때문에."

"하하하, 그렇죠. 뭐, 크게 문제 될 정도의 수치는 아니니까 약으로 조절하면 됩니다. 이건데요, 말 나온 김에 지금 하나 드세요."

오 박사는 플라스틱 약통에서 흰 알약 하나를 꺼내 사내에게 건넸다. 아이구, 감사합니다. 사내는 꾸벅 인사까지 하고 순순히 알약을 입에 넣고 물을 마셨다.

"쿠욱! 캑! 캑! 우욱!"

너무 급하게 물을 마신 탓일까, 사내는 곧바로 물을 뿜으면서 허리를 굽히고 격하게 기침을 해 댄다. 졸지에 물을 뒤집어쓴 오 박사와 그 곁에 서 있던 건장한 남자 간호사는 인상을 찌푸렸다.

"아, 그 참, 천천히 드시지. 왜 그렇게 급하게……."

오 박사는 사내에게서 눈을 떼고 책상에 있던 휴지를 뽑아 얼굴을 닦았다. 남자 간호사도 소매로 눈 주위를 훔친다. 바로 그 순간이었다.

"이야아~!"

A708756은 짐승처럼 고함을 지르며 남자 간호사를 향해 달려들었다. 난데없는 태클에 중심을 잃고 쓰러진 남자 간호사의 머리로 A708756의 발길질이 쏟아진다.

"죽어! 이 개새끼야!"

배 나온 40대 아저씨답지 않은 매서운 발길질이었다.

쿠쿵!

뒤통수를 바닥에 찧은 남자 간호사는 좀처럼 일어나지 못한다. 사내는 조금도 망설이지 않고 오 박사를 향해 돌아섰다.

"뭘 처맥이려고 했던 거야, 응? 이런 개새끼야!"

오 박사가 서랍 아래 벨을 누르기도 전에 A708756은 그의 넥타이를 꽉 잡아

채며 입에 플라스틱 약병을 쑤셔 넣었다.

"윽! 으윽!"

오 박사는 약을 넘기지 않으려 발버둥을 쳤다. 그러느라 사내에게 반항할 기회를 잃었다.

푹.

사내가 원피스 환자복 뒤춤에서 꺼낸 뭔가로 오 박사의 목을 찌른다. 플라스틱 포크를 부러뜨려 만든 흉기가 오 박사의 목에 얕게 박혔다.

"일어나, 이 개새끼야! 따라와!"

A708756은 흉기에 힘을 주며 말했다. 이 상태에서 깊숙이 쑤신다면 정말로 치명상이 될 수도 있다.

퉤ㅡ 퉤ㅡ.

필사적으로 약을 뱉어 낸 오 박사는 순순히 그의 명령을 따랐다.

"너희는 실수한 거야, 이 인간 양창훈이를 너무 우습게 봤어. 이 개씨부랄 새끼들. 응? 내가 모를 줄 알았어? 나도 뒷골목에서 20년이 넘도록 잔뼈가 굵었어. 같은 방 쓰던 놈이 말도 없이 사라졌을 때 벌써 딱 알아챘다고."

오 박사를 앞세우고 복도를 걸어가며 A708756은 계속 떠들어 댔다. 사내의 배에서 꼬르륵 소리가 울린다. 안정제 섞인 밥을 먹지 않은 게 분명하다.

"엇, 뭐야?"

그들을 발견한 경비원들이 다가서려 하자, 사내는 오 박사를 방패 삼아 내세우며 위협했다.

"가까이 오지 마, 이 새끼들아! 한 발짝만 더 다가오면 그냥 확!"

크윽! 목에 박힌 플라스틱 칼에 힘이 주어지자 고통스러운 신음을 토한 오 박사도 경비원들의 접근을 저지했다.

"이분 말 들어! 오지 마!"

A708756은 씩씩거리며 복도를 지나 엘리베이터 앞까지 오 박사를 끌고 갔다.

"엘리베이터 눌러! 나갈 거니까!"

"선생님, 이러지 마세요. 나가 봐야 별거 없습니다."

"눌러, 이 새끼야!"

오 박사가 팔을 움직이려 하자 사내는 플라스틱 포크를 꽉 눌렀다. 찌이익, 가느다란 핏줄기가 벌어진 상처 사이로 흘러나온다. 오 박사는 그래도 굴하지 않고 최선을 다했다.

"무슨 오해를 하신 건지는 모르겠지만, 일단 진정하시고 제 말 잘 들어 보세요. 이 엘리베이터, 아무나 누른다고 오는 게 아닙니다. 안전을 위해서 일부 경비 책임자들만 키를 가지고 있어요."

"닥쳐, 이 씨발 새끼야! 네가 목에 찬 출입증 대고 문을 여는 걸 내가 두 눈으로 똑똑히 봤는데도 개소리를 지껄이려고? 빨리 안 열면 죽일 거야! 어디 너도 죽고, 나도 죽고, 우리 그냥 다 죽어 볼까? 응? 그래야 속이 시원하겠어?"

젠장, 어지간히 유심히도 봤군.

오 박사는 포기하고 버튼을 눌렀다. 엘리베이터가 가까워질수록 오 박사의 목덜미에서는 더 많은 식은땀이 흘러내린다. 복도에 늘어선 구경꾼들도 늘었다. 지금쯤이면 비상벨이 울렸을 테고, 그러면 자동으로 문이 잠겼을 테니, 먹이로 만들기 위해 수용하고 있는 인간들은 아니다. 연구원, 직원, 경비원들이 웅성대며 엘리베이터 주변으로 모여든다.

"뭘 쳐다봐! 가까이 오지 말라고!"

A708756은 사람들이 늘어나자 한층 더 날카로워져서 바락바락 소리를 질렀다. 몇 초 뒤, 띠잉ㅡ 하는 소리와 함께 엘리베이터의 문이 열렸다. 안에는 두 사람이 타고 있었다. 모두 검은 옷에 검은 베레모까지 쓰고 있어 언뜻 특전사 복장처럼도 보인다.

"비켜! 빨리 내려!"

오 박사의 목을 좀 더 깊이 찌르며 A708756은 핏대를 세웠다. 두 검은 옷 중에서 좀 더 작은 사내가 삼단봉을 촤악, 소리가 나게 펴 들었다.

"까불지 말고 그분 놔드려. 더 설치면 그냥 안 넘어간다."

"지랄하고 자빠졌네. 누굴 좆으로 보고!"

A708756은 앞으로 한 발을 크게 내디디며 로우 킥을 날렸다. 오 박사는 이미 조금 전에도 느낀 바 있지만, 정말로 아저씨라고는 믿기 힘들 만큼 빠르고 매서운 킥이다.

빠악—.

검은 옷의 경비원이 휘청한다. 그 타이밍을 놓치지 않고 A708756은 한 번 더 세차게, 이번에는 무릎을 향해 발차기를 했다. 크윽, 경비원이 바닥에 뒹군다. A708756은 득의만면한 미소를 지으며 두 번째 검은 옷을 향해 말했다.

"봤지, 이 개새끼야? 너도 잽싸게 짜져, 망신당하고 싶지 않으면. 소싯적에 도 대표까지 했던 몸이시다."

두 번째 검은 옷은 아무 대답도 하지 않았다. 대신 그의 주먹이 번개처럼 뻗어 나왔다.

"어?"

A708756은 짧은 한마디만을 남기고 눈을 까뒤집으며 쓰러졌다. 오 박사의 목에 플라스틱 흉기를 깊숙이 찔러 넣을 만한 여유조차 없었다. 부러져서 엉망으로 뒤틀린 A708756의 코에서는 피가 왈칵왈칵 솟는다.

"아아~ 덕분에 살았어, 메이저!"

오 박사는 아직도 피가 나는 상처를 꾹 누르며 두 번째 검은 옷의 경비원에게 감사 인사를 건넸다. 메이저라 불린 경비원은 유난히 시꺼먼 근육질의 얼굴을 씰룩거리면서 조금 전 로우 킥에 맞아 쓰러졌던 경비원의 따귀를 후려갈기고 빽! 소리를 질렀다.

"드, 드, 드, 드, 등신 같은 새끼! 저, 저, 저, 저런 놈한테 맞고 자빠져! 지, 지, 지난주에는 세, 세, 세 놈이나 양아치 새끼한테 뒈, 뒈지지를 않나. 너, 너희 대, 대체 왜 이래!"

"죄송합니다, 메이저."

경비원이 고개를 숙인다. 메이저는 한 번 더 세차게 뺨을 올려붙였다.

"죄, 죄, 죄송한 줄 알면 또, 똑바로 해!"

"됐어, 됐어. 내가 보니까 저 새끼 겉보기에는 저래도 운동깨나 한 놈이야. 그리고 놀기도 꽤 험하게 놀았나 봐. 아까 내 진료실에서도 한 놈을 아주 찰지게 치는데, 인정이고 뭐고 그런 거 없더구만. 그런 것보다……."

오 박사는 손수건으로 피를 찍어 내고, 곁으로 다가온 자신의 연구원들을 향해 고개를 돌렸다.

"내일 아침 식삿거리로 정해져 있던 애 있지?"

"네, E828229입니다."

"바꿔. 다 한 줄씩 순서를 뒤로 미뤄."

"예? 그럼 내일 아침은 어떻게……."

"오늘 수감자들 식사 감시…… 담당이 누구였지?"

웅성거리던 사람들의 시선이 주방 인력들 쪽으로 쏠린다. 흰옷을 입은 주방 인력들 중 유난히 긴장하고 있는 젊은 여자 하나가 가장 주목의 대상이 되었다.

"저년인가 보네. 야이, 미친년아. 밥을 안 처먹는 새끼가 있으면 보고를 하라고 내가 몇 번을 이야기했냐? 그리고 이거 봐라, 이거."

오 박사는 바닥에 떨어진 플라스틱 흉기를 집어 올렸다.

"이렇게 식기가 없어졌는데도 아무 생각 없이 세상 편하게 농땡이를 피웠어?"

말을 하는 동안 오 박사의 얼굴은 점점 분노로 일그러졌고, 여자 직원의 표정은 파랗게 질려 간다. 메이저는 워커로 바닥을 울리며 그녀를 향해 성큼성큼 걸어갔다.

"너같이 멍청한 년은 살아 숨 쉬는 자체가 전부 죄야. 그러니까 내일 아침까지만 살아. 그게 지구 전체로 봐서도 큰 이득일 거다."

오 박사의 선고가 내려지자 여직원의 입에서 비명이 흘러나온다. 털썩 무릎을 꿇고 빌어 보려는 여자의 턱에 메이저의 워커가 꽂힌다. 곧바로 거품을 뿜으며 기절해 버린 그녀를 경비원들이 양쪽에서 잡아끌고 가 버렸다.

"뭐 해? 이거 안 데리고 가니? 작은 회장님 식사 시간 이미 지났을 텐데? 시범

케이스를 보고 나서도 느끼는 바가 없어? 누구 하나 더 지목해 줄까?"

오 박사는 코뼈가 으스러진 채 바다에 널브러진 A708756을 가리켰다. 뜻밖의 사건들에 놀라 어리벙벙해져 있던 연구원들은 서둘러 그를 이동 침대에 올리고 X-1을 주사했다.

"우리는 옥상에서 커피나 한잔하자고, 메이저."

오 박사는 메이저의 어깨를 툭툭, 두드리며 엘리베이터 안으로 앞서 들어갔다.

"그, 그러지."

메이저가 각진 턱을 끄덕인다. 탄력 있는 근육질의 검은 피부는 칼날도 튕겨 낼 것 같다.

흠, 말만 더듬지 않으면 정말 그럴듯해 보인단 말이야.

엘리베이터 내부에 설치된 거울을 통해 메이저의 옆얼굴을 보면서 오 박사는 생각했다.

02

"대체 뭣들 하는 거야! 회장님이 전화라도 하시면 뭐라고 대답할 건데, 엉? 빨리 식사 준비해!"

A708756을 끌고 방 안으로 들어가자, 안절부절못하고 있던 중년 남자는 버럭 화부터 낸다. 연구원들은 땀을 뻘뻘 흘리며 작업을 서둘렀다. 에어컨이 가동되고 있지만, 긴장한 그들의 등은 아까부터 흠뻑 젖어 있다.

"10분 내로 작은 회장님이 식사 마치셔야 돼! 서둘러!"

중년 남자가 종종걸음으로 사라지자, 의식을 잃은 A708756의 옷을 벗기고 수갑을 채우던 신 차장이 투덜거린다.

"에이, 진짜! 이 새끼 때문에 분위기 험악해졌잖아! 그냥 곱게 뒈질 것이지."

말만으로는 부족했는지 신 차장은 크레인에 걸린 A708756의 옆구리에 주먹질을 하는 것으로 분풀이를 했다. 두툼한 옆구리 지방이 출렁거린다.

"근데…… 신 차장님, 내일 아침에는 진짜로 아까 그 여직원이 와요?"

"그럴걸? 오 박사 표정 봤지? 그 사람은 동정이라고는 없어. 그냥 사이코야. 그러니까 우리도 늘 조심해야 돼."

"어우, 너무 무서워요. 그 메이저라는 사람도 그렇고. 어쩜 그렇게 여자를 인정사정없이 후려쳐요? 완전 야만인이야."

A708756을 매단 크레인을 아래로 내리면서 연구원들은 그런 잡담을 했다. 버튼을 누르자 한쪽 구석의 강화 플라스틱 문이 열리고 작은 회장이 미친 듯이 달려 나온다.

그롸아아아—.

와자작! 꿀쩍, 꿀쩍, 쩝쩝.

작은 회장은 여느 때와 똑같이 피를 사방에 흩뿌리며 살아 있는 사람의 가죽을 찢고 살을 삼켰다.

"그런데 메이저라는 사람은 뭐예요?"

"여기 경비 총책임자라던데."

"그럼 군인이었나 보네. 정말 소령 출신이에요, 그 사람? 그럴 나이가 안 돼 보이잖아요."

"소령이 되고 싶었는데, 성폭행인가 뭔가로 불명예제대 했다던가 그랬어. 하여간 별명 가지고 그 사람 앞에서 피식거리면 안 돼. 전에도 어떤 놈 하나가 영어 별명 재수 없다고 뒤에서 비웃다 걸렸었는데, 아주 곤죽이 되도록 터졌었대."

발아래에서 A708756의 생명이 끊어져 가는 걸 구경하며 연구원들은 그런 잡담을 하고 있었다. 잠시 후, 심장이 멈췄음을 알리는 삐이— 소리가 울리고, 파블로프의 개처럼 작은 회장도 식사를 마쳤다.

그롸아아아!

작은 회장은 또 위로 고개를 든 채 살아 있는 사람들을 향해 포효했다. 옷을 갈아입히지 못해 고급 정장에는 검붉은 피딱지가 두껍게 말라붙어 있다.

"서두르자!"

A708756을 끌어 올려 침대에 눕히고 신 차장과 연구원들은 작업 속도를 높였다. 여느 때처럼 몸 네 군데에 볼트를 박아 놓고 머리에는 철망을 고정했다.

"후후, 또 기록 경신이다. 어제보다 15초 앞당겼어. 이것도 계속하니까 느는구나."

작업을 마친 신 차장은 마스크를 벗으며 안도의 한숨을 내쉬었다. 이제 이 내장이 덜렁거리는 배불뚝이 중년 남자가 다시 살아날 때까지 기다려서 시간을 기록하고 오 박사에게 인계하면 된다.

지금까지 가장 빠르게 좀비로 변했던 시간은 15세 소녀가 이틀 전 기록한 8분 15초였다. 지금까지 알려져 있던 10분보다 무려 2분 가까이 빠른 것이어서 연구원들은 더욱 서둘러 신체를 고정해야만 했다.

"이놈은 좀 늦는군."

좀처럼 되살아나지 않는 A708756을 향해 눈을 한 번 흘긴 신 차장은 시계를 봤다. 심장이 정지한 지 30분. 이제 슬슬 변해 줘야 그들도 일과를 마무리하고 좀 쉴 수 있을 텐데 하는 심정이었다.

그리고 또 30분이 지났다. 여전히 좀비화는 일어나지 않았다. 신 차장의 얼굴은 당혹감으로 일그러져 간다.

또다시 20분. 신 차장은 파랗게 질린 자신의 얼굴을 쥐어뜯었다. 아무래도…… 이 중년 사내는 그냥 완전히 죽어 버린 것 같다.

"이, 이런 제기랄! 이런 개 씨팔!"

신 차장은 자신의 얼굴을 쥐어뜯으며 욕설을 퍼부었다. 그간 100여 명의 사람들에게 실험을 하면서 잠정적으로 내렸던 결론은 '항체 따위는 없다.'였다. 좀비들의 이빨에 물어뜯기도록 하고 격리해 두었던 실험 대상들은 백이면 백, 전부 변해 버렸기 때문이다.

그런데…… 그런데 이 중년 사내는 여전히 핏기 없는 얼굴을 하고 자는 듯 누워 있다. 탈모가 진행 중인 배불뚝이⋯⋯. 그토록 애타게 찾아 헤매던 인류의 구세주가 이런 외모일 거라고 누가 상상이나 할 수 있었겠는가 말이다.

"뭘 멍하니 서 있어? 제세동기라도 가져와! 강심제도! 아무거라도 좀 해 보라고! 손을 써야 할 거 아냐!"

주변에 늘어서 있는 연구원들을 향해 바락바락 악을 쓰면서도 신 차장은 이미 늦었다는 것을 잘 알고 있었다. 심장이 멎은 지도 대략 한 시간 반. 지혈도 하지 않고 피가 줄줄 흘러내리도록 방치해 두었었다. 이 중년 사내가 다시 살아날 가능성은 로또에 4주 연속 1등 당첨되는 것보다도 희박하다.

어쨌든 그의 명령이 떨어지자마자 연구원들은 허둥지둥 뛰어다니기 시작했다. 그 방은 먹이로 줘서 죽이기 위한 방이었지, 살리는 방이 아니었으므로 설비나 약을 가져오기 위해서는 외부로 나가야 한다.

때르르릉— 때르르릉—.

벽에 걸린 인터폰이 운명의 벨처럼 울린다. 신 차장은 마른침을 꿀꺽 삼키고 나서 떨리는 손으로 수화기를 집었다.

"왜 샘플 안 보내? 아직 식사 중이야?"

냉기가 서린 말투, 오 박사다. 신 차장은 부들거리며 간신히 목소리를 끌어 올렸다.

"바, 박사님, 아무래도 이 샘플은 변하지 않는 것 같습니다."

수화기 너머의 오 박사는 잠시 침묵했다. 그 몇 초의 시간 동안 신 차장은 등 전체가 흠뻑 젖을 만큼 많은 식은땀을 흘렸다. 오 박사가 묻는다.

"⋯⋯그게 무슨 소리야? 심장 정지하고 정확히 몇 분이 지났는데?"

"한 시간 반입니다."

우당탕— 수화기를 집어 던지는 소리. 그러고는 더 이상 아무 소리도 들려오지 않았지만, 신 차장은 그래도 수화기를 귀에서 떼지 못했다.

잠시 후, 콰당— 요란하게 문을 박차고 오 박사가 조수들과 함께 뛰어 들어왔다.

"이 멍청한! 한 시간 반 동안이나 보고도 하지 않았단 말이야? 대갈통은 뭣 때문에 달고 다니는 거야? 이런 미친!"

씩씩거리며 이동식 침대로 걸어간 오 박사는 볼트에 의해 고정되어 있는 중년 사내를 물끄러미 바라보았다. 지금까지의 경험으로 미루어 심장이 멎었을 때, 좀비화는 훨씬 더 빨리 진행된다. 이만한 시간이 흐르도록 변화하지 않았다면 그것이 의미하는 바는 하나밖에 없다. 그들은 오늘 천우신조로 만난 항체 보유자를 허무하게 죽여 버린 것이다.

젠장, 오 박사는 이를 빠드득, 갈며 고개를 흔들어서 머릿속을 가득 채워 버린 후회를 털어 냈다. 아쉽기는 하지만 아직도 기회는 있다.

"물러나 주세요! 감전됩니다!"

제세동기를 가지고 돌아온 여자 연구원이 숨을 헐떡이며 침대 주변을 물리치려 하자, 오 박사는 그녀의 머리끄덩이를 잡아챘다.

"이 등신아! 한 시간 전이었다면 몰라도 이제 와서 그런다고 살아나겠어? 뭔 헛짓거리야?"

"엑…… 그, 그러면…….

바닥에 넘어진 연구원은 두려움이 가득해서 말을 제대로 맺지 못했다. 오 박사는 다시 중년 남자의 시체로 시선을 옮겼다. 비록 죽어 버리기는 했지만, 모처럼 손에 얻은 귀한 물건이다. 이것으로 뭔가 해야만 백신이든 항체든 만들어 낼 수 있다.

"혈액 샘플, 타액 샘플 추출해. 그러고 나서 냉동시켜. 더 이상 부패가 진행되지 않도록."

머리를 쓸어 넘긴 오 박사는 금세 냉정을 되찾고 차가운 목소리로 명령했다. 연구원들이 머뭇거리자 그는 가장 가까운 위치에 서 있던 남자 연구원 하나를 시체 쪽으로 밀쳐 버렸다.

"빨리! 서둘러!"

"네, 넷!"

연구원들이 넷이나 달라붙어 침대를 밀고 문을 열며 허겁지겁하는 동안, 오 박사는 다시 입을 열었다.

"누구야?"

"네?"

오 박사에게서 난데없는 질문을 받은 여자 연구원은 잔뜩 움츠리며 되물었다.

"오늘 여기 책임자가 누구였냐고?"

"저…… 저기…….."

말로는 대답하지 않았지만, 그녀의 머리는 신 차장을 향해 돌아갔다.

나머지 연구원들의 시선 역시 신 차장에게 고정된다. 오 박사의 쏘아보는 눈빛을 마주한 신 차장은 본능적으로 일단 손부터 휘저었다.

"아, 아니! 그, 그게 아닙니다! 저, 저는 규정에 따라서! 어디까지나 규정에 적힌 대로만…… 그, 그건 잘못이 아니잖습니까."

"누가 잘못이라고 했어? 나는 아무 말 안 했는데?"

"네? 아…… 네, 죄송합니다."

한숨 돌린 신 차장이 두 손으로 이마의 땀을 씻어 내는 동안 그에게서 시선을 떼지 않고 있던 오 박사가 묻는다.

"어땠어?"

"네? 무슨 말씀이신지……."

"하~ 진짜 답답하기는. 말귀를 알아먹는 놈들이랑 일을 좀 했으면 좋겠다. 항체가 있는 놈이었잖아. 죽어 가는 과정에서 일반인들과는 다른 특이 사항이 없었느냐는 말이야. 예를 들어 더 오래 버텼다든지, 아니면 더 빨리 심장이 멎었다든지, 심장이 정지한 뒤에 이상한 징후가 보였다든지 하는 것들! 그런 게 전혀 없었어?"

"소, 솔직히 말씀드려서 그다지 눈에 띌 만한 특징은 없었습니다. 확실합니다."

신 차장은 재빨리 대답했다. 실은…… 자세히 보지 않았다. 눈앞에서 사람이 좀비에게 물어뜯겨 죽어 가는 참극을 보는 것이지만, 계속 반복되다 보니 어느 순간엔가 익숙해져 버렸다.

처음엔 눈을 질끈 감거나 손에 땀을 쥐며 부들거렸지만, 요새는 잡담이나 하면서 심장 정지를 알리는 부저 소리만을 기다리는 식이다. 오늘 샘플은 기절한 상태로 끌려온 바람에 전혀 반응을 하지 않아서 더 현실감이 없기도 했다.

"그래? 그렇단 말이지……."

코 주변을 비비며 잠시 생각에 잠겨 있던 오 박사는 곁에 서 있던 남자 경호원을 돌아보며 말했다.

"아냐, 안 되겠어. 내가 직접 봐야지, 이런 놈들 말만 믿어서는……. 어이! 너 경비실 가서 오늘 여기 CCTV 자료 가지고 와."

그러고는 신 차장에게 한마디를 남기고 돌아서서 나가 버렸다.

"어디 규정을 잘 지켰는지 아닌지 한번 보자고. 후후후."

당황한 신 차장은 고개를 들어 주변을 두리번거렸다. 작업실 위층과 아래층 구석에 달린 총 네 개의 CCTV. 그중 작은 회장이 식사를 하는 장소는 크레인이 내려지는 것에 맞춰 자동으로 고화질 카메라가 녹화를 시작하고 음성까지도 녹음한다. 저 차갑고 기계적인 렌즈를 통해 기록으로 남은 시간 속에서 자신이 무엇을 했었는지 잘 기억이 나지 않는다.

나는 과연 정말로 규정을 지켰었나? 저 미친 사이코패스 새끼가 눈에 불을 켜고 찾아내려 해도 보이지 않을 만큼 흠결 없는 근무 태도를 보였었던가? 아니…… 그보다, 내가 저놈 욕이라도 하지는 않았던가?

자문해 보아도 확신할 수가 없다.

만약…… 만약…… 아주 작은 꼬투리라도 발견된다면…… 그럼 나는 어떻게 되는 거지?

끔찍한 상상들이 순식간에 그의 뇌리를 스치고 지나간다. 25도로 맞춰진 에어컨이 가동되고 있지만, 그의 온몸은 끈적이는 땀으로 범벅이 되었다. 갑자기

어지러워진 신 차장은 벽에 의지하고서야 간신히 서 있을 수 있었다.

03

"아우, 짱나. 강 실장 오빠, 우리 그냥 갔다가 이따가 오자. 언제까지 이렇게 기다려야 돼?"

초희가 신경질적으로 손톱을 물어뜯으며 투덜거린다. 민구는 대꾸하지 않았다. 시간은 이미 오후 7시가 넘었다. 이곳에서 기다린 지도 한 시간은 족히 지난 것 같다.

그들이 서 있는 곳은 2루 베이스에 위치한 서류 접수처. 어제 훑고 지나간 태풍 때문에 천막이 날아가 버려서 테이블 몇 개만 휑뎅그렁하게 놓여 있다. 민구가 못 들었다고 생각했는지 초희는 또 한 번 졸랐다.

"오빠아~ 진짜, 나 이렇게 할 일 없이 죽 때리는 거 제일 싫어한단 말이야. 심심해. 그냥 가자. 내일 와도 되잖아요, 네?"

"죽 때리지 않으면 뭘 할 건데? 달리 바쁜 일이라도 있어?"

민구는 엉겨 붙는 초희의 팔을 떼어 내며 물었다.

음, 입술에 손가락을 대고 가만히 생각을 해 보던 초희가 해죽 웃는다.

"헤~ 진짜 그러네. 어차피 그냥 시간 죽이는 거였구나. 아후, 그래도 이렇게 가만히 서 있는 건 힘들어요. 오빠, 우리 담배라도 한 대 빨고 오자. 너무 심심하다."

그 제안은 민구에게도 솔깃한 부분이 있었다. 이곳에 서 있던 시간은 한 시간 정도지만, 그 이전에 군인들에게 귀동냥을 하느라 여기저기 돌아다녔던 시간까지 합치면 벌써 두 시간 이상 담배를 피우지 못했다.

이 쉘터의 모든 것이 낯선 민구에게는 건대 쉘터로 이동 신청을 하려면 어디에 서류를 접수해야 하고 어떤 과정을 밟아야 하는지 알아낸다는 게 꽤나 힘들고 복잡한 일이었다.

그를 데려오라는 명령을 듣고 남아 있던 초희의 조그만 머리통 속은 하얗게 비어 있어서 아무런 도움도 되지 못했다. 게다가 경비를 서는 소수의 병사들을 제외하면 군인을 보기가 어려웠다. 장교는 더욱 그렇다.

"여기는 원래 이렇게 군인 얼굴 구경하기가 힘드냐?"

민구의 질문에 초희는 고개를 저었다.

"아냐, 오빠. 원래 이 자리에 항상 군인들이 앉아 가지고 일하고 있었어. 회장님이랑 우리도 처음 이리로 날아왔을 때, 여기에서 서류 작성하고 그랬는데……. 무슨 일이 있나? 아니, 아니, 그런 거 말고 오빠, 우리 담배 피우고 오자~."

민구도 니코틴의 유혹을 어지간히 느끼고 있었으므로 이번에는 그냥 초희가 잡아끄는 대로 못 이기는 척 외야석을 향해 걸었다. 푸른색 방수포가 아직까지도 방치되어 있는 외야 잔디를 지나 흡연석에 들어간 두 사람은 나란히 서서 담배 연기를 하늘로 뿜었다.

"아우, 저 여우 같은 년. 저기서 또 관심 끌고 자빠졌네. 어휴, 정말 눈꼴시어서 못 봐 준다니까."

초희의 시선을 따라 고개를 돌리니 배식소 앞에 한 무더기의 어린아이들이 모여 서 있고, 그들 가운데에는 테라가 허리를 굽힌 채 웃고 있다. 그녀는 옆구리에 메고 있는 허름한 천 가방에서 사탕 따위를 꺼내 차례로 나눠 주면서 아이들의 머리를 도닥이는 중이다.

민구의 눈길은 자연스럽게 자신의 주먹이 스쳤던 그녀의 입가로 향했다. 가깝지 않은 거리라 얼마나 부어올랐는지 잘 보이지 않는다.

"그러고 보니 저녁 먹을 때인 것 같은데……."

민구가 중얼거리자 초희도 잊고 있었다는 듯 손뼉을 친다.

"어머, 맞다! 5시 반부터 줬었는데. 오늘은 너무 늦네."

아직도 배식소의 셔터는 굳게 내려진 채고, 밥을 지으면서 나는 음식 냄새도 풍겨 나오지 않고 있다.

흐음, 애들이 징징대는 게 듣기 싫어서 사탕으로 입막음을 하는 건가? 하긴 애새끼들이 빽빽 울어 대기 시작하면 짜증이 나지, 라고 생각하던 민구는 한 가지 이상한 점을 발견했다.

도대체 저 애는 저 많은 사탕이 다 어디서 났단 말인가.

그에게 지급된 보급품 상자에도 사탕이 한 봉지 들어 있기는 했다. 초희 년의 말에 의하면, 매일 그만큼 새로 지급된다고는 했다. 하지만 고작 서너 알이다. 저만한 양이 되려면 한 달 동안을 꼬박 모아도 부족할 것이다.

"아유, 진짜. 군인 새끼들이 미친 거지. 저런 빼짝 꼴은 년이 어디가 그렇게 좋다고 눈이 돌아가서 만날 음식을 갖다 바치고 생지랄을 쳐요. 암만 그래 봐야 한 번 대 주지도 않는 년을. 어휴, 등신들!"

초희가 투덜댄 덕에 민구의 궁금증은 곧바로 풀렸다. 세금을 거두는 거라면 저만한 물량이 납득된다.

나름 군림하는 계집애였군. 크크크.

남이 갖다 바치는 것으로 펑펑 쓰며 산다는 점에서 묘한 동질감을 느낀 민구는 자신도 모르게 피식 웃었다. 그 웃음을 보고 기분이 좋아진 것으로 오해한 초희는 민구의 팔에 가슴을 비비며 다시 한번 말을 꺼냈다.

"저기요, 오빠. 아까는 내가 말을 좀 싸가지 없이 했나 본데요, 오해하지 마시구요, 전 진짜 심부름 시키고 그런 거 아니라……. 아니, 제가 감히 어떻게 강 실장 오빠한테 그런 생각을 하겠어요. 그런 건 진짜 아니었거든요. 그냥 단지 나는 저년이 너무 꼴 보기 싫어서, 가슴에 한이 맺혀서 그래요. 요즘만 이런 생각을 하는 게 아니구요…… 텔레비전 촬영하러 가서도 저년들한테 피디들이 굽실거리면서 실실 웃어 댈 때마다 만날 생각했었어요. 아주 죽이고 싶었어, 정말. 싸가지 없는 제니 년이 더 싫기는 했는데, 그년은 벌써 뒈져 버린 모양이니까 이제는 저년 얼굴에 흉터 댓 개만 만들어 주면 진짜 소원이 없을 것 같아. 내가 진짜 오빠 원하는 대로 다 해 줄 건데……."

"초희야."

민구는 팔짱을 낀 그녀의 엄지손가락을 잡고 지그시 뒤로 꺾었다.

아~ 아아~. 초희는 비명도 제대로 못 내고 눈을 크게 뜨며 애원하는 표정을 짓는다.

"내가 도대체 몇 번을 말해야 네가 정신을 차릴 건지 모르겠다. 응? 왜 자꾸 잊어버리냐? 아~ 하긴 너는 머리가 좀 그렇지. 그럼 아예 글씨로 써서 항상 보고 까먹지 않게 해 줘야겠다. 여기에 이걸로 써 줘? 깝.치.지. 마.라. 이렇게 다섯 글자?"

민구는 물고 있던 담배를 쥐고 그 뜨거운 불똥을 초희의 가슴팍 가까이 가져다 댔다. 헐렁하게 파인 셔츠 아래 흰 피부와 불똥의 거리는 0.5센티 이내로 가까워졌다. 풍만한 가슴골 사이로 식은땀이 주르륵 흐르고 초희의 입에서 곧바로 우는 소리가 흘러 나왔다.

"아, 아니에요, 오빠. 이제 정말 잘 기억했어요. 저, 정말이에요. 잘못했어요."

"아닌 것 같은데……."

"제발, 용서해 주세요, 오빠. 다, 다신 안 그래요."

손가락에서는 뼈가 꺾이는 고통, 가슴에는 솜털이 타 버릴 만큼의 고열과 공포. 초희는 이를 딱딱 부딪치며 자신이 굴복했다는 것을 알렸다. 민구는 그 자세를 잠시 더 유지하다가 슬그머니 손에서 힘을 뺐다.

"으흐흐흐~ 너무 아프게 했잖아. 오빠, 진짜. 으흑~."

겨우 풀려난 초희가 엄지손가락을 움켜쥐고 닭똥 같은 눈물을 뚝뚝 떨어뜨린다. 그러거나 말거나 민구는 두 대째 담배에 불을 붙였다. 저것도 일단은 배우 나부랭이. 눈물쯤은 아무 때라도 마음만 먹으면 콸콸 쏟아 낼 수 있을 터다.

"허허, 이거 또 무슨 상황이죠? 미녀는 울고 있고 남자는 먼 산 보면서 담배 피우고……. 뭔가 애절하구만요. 허허허, 초희 씨, 괜찮으십니까?"

잠시 후, 흡연 구역 안으로 들어와 불을 붙이려던 몇 명의 장교가 훌쩍거리는 초희를 보고 말을 걸었다. 연예인이라 얼굴을 기억하는 모양이다. 군인들은 모두 흠뻑 땀에 젖고 먼지에 절어 있다.

　네, 신경 쓰지 마세요. 초희는 가볍게 손사래를 쳤다.

　"말은 그렇게 하셔도…… 신경이 쓰이죠. 초희 씨 같은 미인분들을 보면서 그나마 저희가 힘을 내면서 버티고 있는데."

　"어머, 정말요?"

　초희는 칭찬에 또 바로 방긋 모드로 들어갔다. 민구가 2루 베이스의 접수대를 가리키며 물었다.

　"저쪽 담당 군인들은 언제 오는 겁니까?"

　"아, 접수대요. 저기뿐 아니라 오늘은 잠실 병력 거의 전체가 정신이 하나도 없어요. 오죽 바쁘면 장교들까지도 이렇게 같이 작업을 했겠습니까. 그러고 보니 배식도 아직 개시를 못 했네. 후우~ 덥다."

　대답을 해 준 중위는 모자를 벗고 얼굴에 묻은 땀과 먼지를 떨어냈다.

　"어머, 왜요? 왜 그렇게들 바쁘셨어요? 어휴, 그런 줄 알았으면 계속 기다리고 서 있지 말걸."

　초희가 입술을 샐쭉거리자, 중위는 담배 연기와 웃음소리를 함께 내뿜었다.

　"허허, 어제 태풍이 지나갔잖습니까. 밖에 설치해 둔 차단벽이 훼손된 데가 많습니다. 그거 수리하랴, 유실된 크레모어 회수하고 다시 설치하랴, 아주 정신이 하나도 없습니다. 그나마 여기는 배수가 되니까 좀 낫긴 한데……. 참, 접수대는 무슨 일 때문에 찾으셨습니까? 따라오세요. 지금이라도 도와드릴 수 있으면 도와드리죠."

　중위는 담배를 급히 빨고 나서 민구와 초희에게 가자고 손짓을 한다. 그러고 보니 오늘 하루 종일 바깥이 어지간히 시끄러웠었다. 그의 뒤를 따라 걸으며 민구가 말했다.

　"건대 쉘터라는 곳으로 가야 합니다. 언제 이동이 가능합니까?"

　"건대 쉘터요? 하~ 어제 출발했는데."

　"그 이야기는 들었습니다."

"그게…… 며칠 내로 추가 이동이 있을 계획이긴 한데…… 태풍이 곧바로 또 온다고 해서 스케줄 잡기가 영……. 뭐, 군대 갔다 오셨으니까 아시겠지만, 여기 일 처리되는 게 영 구리거든요. 어제만 해도 하필이면 태풍 오는 날 쉘터 간 이동이랑 신병 징집을 함께 잡아 놔서……. 하여간 위에서는 무슨 생각인지를 모르겠다니까요. 태풍이 온다는 걸 알고 있었으면서……. 신병 교육대도 준비를 다 해 놨을 텐데, 공연히 헛고생만 했을 테죠. 아, 근데…… 실례지만 연세가……."

의자를 빼고 앉은 중위는 두툼한 서류철을 꺼내면서 물었다.

"그게 중요합니까?"

"아니, 뭐, 저도 남자 나이가 알고 싶어서 그러는 건 아닙니다. 한데 35세 이하인 남자들은 첫 번째 징집 대상이라서요. 그쪽 남자분께서는 건대가 아니라 군대로 이동하시게 될 것 같은데요. 그것도 내일 당장."

'대'로 라임을 맞춘 말장난을 치고 나서 그게 뿌듯했는지 중위는 히죽 미소를 지었다. 초희가 깜짝 놀라며 묻는다.

"어머, 웬일이야? 우리 강 실장 오빠 군대 가야 돼요? 어떡해."

"어떡하기는요. 다들 고생하고 있고, 병력 자원이 모자라니 어쩔 수 없죠. 뭐, 그래도 군필자들은 전역할 때 계급 달고 들어가는 거니까 막내 설움은 없을 겁니다. 확실한 게 좋으니까 일단 확인은 해 보겠습니다. 성함이 어떻게 되시죠? 그리고 언제 여기 오셨어요?"

이게 대체 무슨 소리지?

너무 갑작스러워서 민구는 잠시 혼란스러워졌다. 일찍부터 법무부 밥을 먹었던 그는 군복을 입어 본 적도 없다.

"강민구요. 들어온 건 어제요."

"아 참, 그랬죠. 이렇게 정신이 없다니까. 오늘 워낙 바빠서 그렇습니다. 이해해 주세요. 강민구 씨…… 강민구…… 여기 있네요. 맞네, 내일 1차 입영 대상."

서류철 뒤쪽에서 그의 이름을 찾은 중위는 손가락으로 빨간 줄이 쳐진 부분을 짚는다. 민구가 어처구니없다는 듯 웃었다.

"무슨 권리로 나한테 그런 명령을 하는지 모르겠군. 고작 밥 몇 끼 주고서 주인 행세를 하려는 건가?"

"에이, 왜 그렇게 말씀하십니까. 여기 자원 입대서에 다 자필 서명 하셔 놓고서. 어제 들어오셨으면 오늘 막 사인하신 거니까 기억도 생생하시겠구만. 자, 자, 여기서 이렇게 시간 허비하시지 말고 입대하기 전 마지막 저녁을 후회 없이 보내세요."

중위는 서류철에서 종이 한 장을 빼 들고 흔든다. 민구에게도 낯이 익다. 분명 독방을 나오기 직전 보초병들이 몇 장의 종이를 내밀었고, 그는 읽어 보지도 않고 휘리릭 펜을 갈겨 사인을 했었다.

그게 자원 입대서였나?

후우우~. 민구는 성질을 죽이기 위해 가볍게 숨을 내쉬고 입을 열었다.

"그…… 건대 쉘터라는 곳에 있는 사람들은 입영 대상이 아닌 거요?"

"거기라고 예외겠습니까? 다만, 시기가 좀 늦춰진다 뿐이지, 아무 차이 없습니다. 아마 다음 주나 열흘 뒤 정도에는 그쪽에서도 징집이 시작되지 않을까 싶은데요."

"그럼 간단하군. 먼저 건대 쉘터로 가게 해 주시오. 그다음에 당신들이 하고 싶은 걸 하면 되잖소?"

"아니, 왜 그렇게 번거롭게 하십니까? 어차피 가야 하는 군대인데."

"난 건대에서 만나야 할 사람이 있소."

"아, 그렇습니까? 누구를 그렇게 애타게 찾고 계실까요?"

"그런 건 알 필요 없잖소."

"강민구 씨……."

중위는 얼굴에서 웃음기를 거두고 등받이 깊숙이 기대앉았다.

"여기 있는 사람들 전부가 다 만나야 할 사람이 있습니다. 만나고 싶은데 다시 못 보고 있는 사람투성이죠. 저기 저 1루 쪽 응원석 벽에 붙어 있는 종이들을 보세요. 저게 다 누군가가 봐 주었으면 하고 붙여 둔 작은 포스트잇 종이들입니다.

수천 장이 넘어요. 하지만 구조된 사람이 저걸 읽고서 그 붙인 사람을 만난 경우는 아직 못 봤습니다. 군인들도 마찬가지입니다. 여기 서 있는 이 친구도 자기 집이 바로 3킬로미터도 떨어지지 않은 곳에 있습니다. 하지만 가 보질 못했어요. 부모님 생사도 모르고요. 왜? 개인 사정에 따라 헬기 운용을 하면 금방 엉망이 되어 버린단 말입니다. 우리가 지금 그렇게 살고 있어요. 잘 모르시나 본데, 누군가 만나고 싶다는 게 특별하지도 않고, 입영 대상에서 제외되어야 하는 이유가 될 수도 없습니다. 특별 대우를 바라면 안 됩니다."

"아니, 잘 모르고 있는 건 그쪽이오."

민구는 두 손을 벌려 테이블을 짚고 자신의 얼굴을 중위의 눈에 바짝 붙였다.

"나는 11일 동안 저 밖에서 살아남았소. 당신들이 이 단단한 콘크리트 벽과 철망 뒤에 끼리끼리 모여 세상의 모든 고생을 혼자 다 떠안은 척하며 서로 동정하고 있을 때, 나는 혼자서 괴물들의 목을 따면서 여기까지 내 발로 찾아왔소. 알겠소? 만나야 할 사람을 찾아서 11일에 걸쳐 저 괴물 천지를 헤치고 온 거요. 그런데 지금 당신은 고작 며칠을 기다릴 수 없다고 하고 있고! 난 특별 대우를 해 달라는 게 아니오. 당신 입으로 조금 전 말하지 않았소? 태풍만 아니었다면 어제 이미 첫 번째 입영 대상들이 이동했을 거라고. 그때였다면 나는 독방 속에 들어가 있었겠지."

이야기를 마친 민구는 다시 몸을 세우고 중위의 눈을 똑바로 쳐다봤다. 흠, 중위는 잠시 고민에 빠졌다. 이 사내의 인상이나 싸가지 없는 태도는 마음에 들지 않지만, 억울하게 됐다는 것은 알겠다.

어제 병력 수송이 조금만 빨리 진행되었거나 태풍이 하루만 늦게 왔어도 이런 승강이를 할 일은 없었을 것이다. 특히 더 마음에 걸리는 부분은 그가 헬기로 수송된 것이 아니라 제 발로 걸어 들어왔다는 점이다. 이 사내가 어제 아침 철책 앞에서 벌인 일대 활극은 군인들 내부에서도 적잖이 화제가 되었었다.

아무런 동요도 없이 좀비 몇 마리를 쓰러뜨리고 문 쪽으로 걸어갔다고 했었지······.

중위는 생각했다. 11일을 버텨 내며 걸어왔다는 그의 말이 사실이라면, 그 과정이 얼마나 지독한 아수라장이었을지 상상조차도 잘 되지 않는다. 오직 한 사람을 만나겠다는 일념 하나로……. 음, 중위는 손가락으로 테이블을 두드리며 갈등했다.

중위는 민구라는 이 사내가 남자답고 기특해서 도와주고 싶기도 했다. 사실 군의 시선에서 보자면 이까짓 보병 하나는 아무 가치도 없다. 그가 얼마나 대단한 싸움꾼인지는 모르지만, 입대하게 되면 남들과 똑같은 소총을 지급받고, 다른 병사들과 나란히 서서 경계 근무나 서게 될 것이다. 목숨을 건 가치와 무가치. 너무나 선명한 대비가 아닌가.

"에이, 진짜. 이러면 안 되는데!"

한동안 더 고민하던 중위는 주머니에서 볼펜을 꺼내 민구의 이름 옆에 찍힌 붉은색 스탬프 옆에 두 줄을 쫙쫙 그었다. 그러고는 건대 쉘터라고 적고 나서 자신의 이름을 기입했다.

탁, 소리 나게 서류철을 덮은 중위는 민구에게 말했다.

"남자다워서 한 번 봐드린 겁니다. 며칠 뒤라고 확답은 못 드리지만, 하여튼 곧 출발할 거니까 방송 나올 때까지 맘 편하게 쉬세요. 그래 봐야 건대 도착하면 또 일주일도 안 돼서 징집이 시작될 거라는 건 염두에 두시고요."

"……고맙소."

민구는 무감정하게 대답하고 다시 흡연 구역으로 걸어갔다. 연신 허리를 90도로 굽히고 뛰어서 다가온 초희가 숨을 헐떡이며 말했다.

"아우, 난 오빠 끌려가는 줄 알고 깜짝 놀랐었네. 근데 오빠, 사람이 사정 봐줬으면 좀 더 고마운 척이라도 해라. 고맙소, 무뚝뚝하게 이게 뭐야? 저 사람 아니었으면 큰일 날 뻔했잖아."

민구의 생각은 달랐다. 만약 저 중위가 허락하지 않았다면 그는 오늘 밤 어떻게 해서든 여기에서 탈출할 생각이었다. 온통 밖으로만 신경이 곤두서 있는 곳이라서 나가려는 사람을 막아서는 보초병이 있을 것 같지는 않지만, 혹시 있더라도 조용히 처리해 버리면 그만이다.

그런 속을 모르는 초희는 옆에서 계속 귀가 따갑도록 잔소리를 해 대다가 민구가 흘겨보고 나서야 입을 다물었다.

"노을 지네……. 아, 나 저 색깔 보면 이상하게 센치해지더라. 꼭…… 씨발 오래 못 살 것 같아지기도 하고, 어릴 때 생각도 나고……. 오빠, 오늘 기분도 영 그런데 우리 연애 한번 할까? 응? 그러고 보니까 오빠는 나랑 한 번도 섞은 적이 없었다. 그치?"

민구가 담배 한 대를 천천히 태우고 있는 동안 그의 어깨에 머리를 기댄 채 붉게 물든 하늘을 보고 있던 초희가 중얼거린다.

쿵— 쿵—.

야구장 바깥에서는 마지막 햇살 속에서 작업에 박차를 가하는 중장비들이 시끄럽게 움직이고 있다. 민구가 아무 반응이 없자, 그녀는 그의 탄탄한 허벅지를 살살 쓸면서 가슴을 더 바짝 밀착시켰다.

04

"오늘따라 하늘 엄청나게 예쁘네요. 봐요, 오빠. 완전 장밋빛이에요."

나무토막을 잡아끌다가 잠시 허리를 펴며 숨을 돌리던 제니가 꿈꾸는 듯한 목소리로 말했다. 그녀의 말을 듣고 모두 고개를 들었다. 주황과 분홍의 매력적인 부분만 절묘하게 섞어 놓은 것 같은 하늘빛이다.

"저까짓 게 뭐가 그렇게 예뻐. 네가 훨씬 예쁘…… 크읍, 크흡."

느끼한 대사를 읊다 말고 보안관은 코를 들이마셨다.

"여기요, 삼키지 말고 뱉어요."

제니가 다급하게 뛰어와 티슈를 내민다. 보안관이 너무 자주 코를 들이마시는 탓에 제니는 아예 갑 티슈를 자동차 보닛 위에 꺼내 놓았다. 보안관은 뻔뻔한 표정으로 거짓말을 했다.

"아니, 나 가래 안 나왔어. 뱉을 거 없어."

"뭐가 안 나와요, 조금 전에 목젖이 꿀꺽하는 걸 다 봤구만. 에이, 삼키지 말고 계속 뱉으라니까. 그러다가 맹장염 걸린다고요."

제니는 보안관의 넓은 어깨를 때리며 타박을 한다.

"헐, 맹장염? 나는 튼튼해서 그런 거 안 걸리…… 크윽, 크윽."

"자! 자요! 여기!"

이번엔 바로 코앞에서 보고 있던 제니가 휴지를 가져다 대는 바람에 마지못한 보안관은 부끄러워하며 톱밥이 잔뜩 섞인 가래를 뱉었다. 몇 시간 동안 전기톱으로 작업을 했더니 풀어 버려도, 풀어 버려도 콧속에서 계속 톱밥이 나온다.

손바닥은 얼얼하고 신발 속, 속옷 안에까지 미세한 나무 가루들이 잔뜩 들어가 있어서 무척 간지럽다. 그래도 전기톱을 찾은 덕에 해가 지기 전에 길을 막고 누운 나무들을 모두 잘라 끌어낼 수 있었다.

"야, 너희 둘 다 진짜 바보인 거 알아? 뭘 휴지를 가져다 대고, 또 삼키고 그래? 그냥 나오는 족족 바닥에 뱉어. 그러면 되잖아. 크윽~ 퉤! 이렇게 말이야."

마지막 나무토막을 발로 차서 개천으로 밀어 버리던 삼식이가 참견을 하며 직접 가래를 뱉는 시범까지 보여 준다.

"하지 마, 이 더러운 새끼야. 누가 네 침 뱉는 거 보고 싶대? 역겨워!"

"하하하, 언제부터 우리 남광훈 씨가 그렇게 깔끔을 떠셨지? 하하."

"에이, 삼식이 오빠, 진짜 막 익숙해지려는 참인데 방해하지 마요. 이렇게 휴지에다 뱉는 게 익숙해져야 나랑 차 안에 있을 때도 몰래 삼키질 않는단 말이에요. 맹장염 걸리면 수술도 못 하는데."

"제니야, 맹장염 이야기는 왜 자꾸 해? 설마…… 내가 걸렸으면 좋겠어?"

정신없이 잘도 떠들어 대는 보안관과 삼식이, 제니를 보면서 유빈은 맥없이 웃었다.

하하, 기운 좋은 것들…….

힘들다. 노가다를 뛰면서 살았었지만, 요즘처럼 열흘이 넘도록 아프든 말든 매일 죽어라 일을 해 본 경험은 없지 싶다. 필사적인 도끼질을 계속한 덕에 팔과 손바닥이 떨어져 나가는 것 같고, 전기톱 엔진 소리 때문에 아직도 귀가 윙윙 울린다.

그리고 그렇게 열심히 일을 하는 동안에도 자꾸 뒤가 켕겨서 제풀에 흠칫흠칫 놀라곤 했다. 불안함은 사람을 지치게 하고 소모시킨다.

물을 벌컥벌컥 들이켠 유빈은 뙤약볕 아래에서 익어 따끔거리는 목덜미에도 부었다. 덥고, 갈증이 나고, 온몸이 찐득하고…….

힘들다. 하아~.

그래도 이제 나무를 다 끌어냈으니 가볍게 달리기만 하면 된다.

"일어나. 정신 차려. 물 좀 마시고."

유빈은 코롤라 뒷좌석에 누워 머리에 물 적신 수건을 덮은 채 뻗어 있던 신입을 흔들어 깨웠다. 두어 시간 열심히 심부름이라도 좀 하는가 싶더니, 결국 더위를 먹고 저렇게 널브러졌다.

하긴 정말 덥게 푹푹 찌는 하루였고, 육체노동에 서툰 녀석이 그래도 제 딴에는 요 며칠 바짝 용을 써 댔으니 이해 못 할 일도 아니다.

"으으~ 머리야. 아우, 씨발. 대가리 쪼개지는 것 같다."

신입은 인상을 쓰며 일어나 물을 얼굴과 입에 들이붓고 나서 옆에 놓여 있던 진통제를 꺼내 씹어 삼켰다. 열 정짜리 케이스가 벌써 반은 비워졌다.

"이제 약 그만 먹어. 그거 하루에 몇 개까지만 먹으라는 말은 없었어?"

"몰라. 설명서 같은 게 있기는 했는데, 안 읽어 봤어. 근데 어떡하냐, 계속 두통이 내려가지를 않는데. 아으, 씨발. 내 머리."

신입은 양손으로 머리를 감싸고 꾹꾹 눌러 댄다. 그러는 녀석을 보고 있자니 자신까지도 속이 울렁거리는 것 같아 유빈은 시선을 먼 곳으로 돌리고 크게 숨을 들이마셨다.

"하여간 이제 다 끝났어. 나무 다 잘랐고, 다 끌어냈으니까 가기만 하면 돼. 힘 내 봐. 뭐 좀 먹을래? 초코바라도 줄까?"

트렁크에서 먹을 것들을 꺼내 온 유빈이 신입에게 권했다. 신입은 아주 느리게 도리질을 한다.

"못 먹겠어. 아까도 뭐 좀 먹어 보려다가 다 올렸어."

"그래, 알았어. 그럼 조금 더 쉬어, 우리는 간단하게라도 저녁을 먹어야 하니까. 어이, 그만 장난치고, 이제 이거 먹자!"

유빈은 세 명에게 다가가 물과 에너지 바를 나눠 줬다. 후식은 과일 통조림이다. 나무토막을 하나씩 차지하고 둘러앉은 네 사람은 소진된 에너지를 채우기 위해 열심히 씹고 마셨다.

"그…… 수용소라는 데 가면 이거보다 잘 먹게 될까? 혹시 매일 희멀건 우거짓국에 쉰 밥 반 덩어리 말아 주면서 일 시키고 그러면 어떻게 하지?"

일회용 수저로 후르츠 칵테일 통조림을 떠먹고 있던 삼식이가 갑자기 이상한 걱정을 시작했다. 보안관은 가당찮다는 반응이다.

"멍충아, 그럴 리가 있냐? 무슨 2차 대전 때 전쟁 포로도 아니고. 잘은 모르지만, 생존자가 얼마 안 될 거라서 먹을 건 남아돌걸? 크윽."

"여기요, 휴지."

"……미안해, 지저분하게 굴어서…… 밥맛 떨어졌겠다."

"어휴, 그런 게 어디 있어요. 신경 쓰지 말고 나오는 대로 계속 뱉어요."

일부러 더 밝게 웃으며 에너지 바를 베어 문 제니가 한마디를 보탠다.

"뭐, 그래도 내가 해 주는 요리같이 맛있지는 않겠죠? 그쵸, 오빠?"

"응? 으응, 그렇겠지."

예상 밖의 공격에 당황한 보안관이 1초 정도 머뭇거리다가 고개를 끄덕였다. 사랑에 눈이 멀었을지언정 혀는 정직하다.

수용소가 구체적으로 어떤 곳일까 하는 질문이 새삼 떠오르자, 덩달아 마음이 복잡해진 유빈이 가볍게 한숨을 쉬었다. 삼식이가 걱정하는 만큼 이상한 대우를 받을 리는 없겠지만, 지금처럼 자유롭지는 않을 것이다.

남녀가 강제로 분산 수용될 가능성도 있다. 만난 지 2주도 되지 않은 사이라고는 도저히 믿기지 않을 만큼 제니와 가까워진 지금, 그런 건 싫다. 뭔가 소중한 보석을 손에 넣었다가 잃어버린 기분이리라.

하지만…… 그래도 친구들이나 그녀가 좀비들에게 물려 죽어 가는 걸 보는 것보다는 안전한 수용소가 훨씬 나을 테지.

"무슨 생각 하느라 그렇게 멍해져 있어요? 한숨까지 쉬고. 왜요? 너무 힘들어서?"

수용소에 대한 걱정을 골똘히 하고 있는 유빈에게 제니가 묻는다.

응?

유빈은 아무렇지 않다는 듯 도리질을 했다.

"자, 이제 배도 대충 채웠겠다, 슬슬 출발해 볼까?"

남은 생수로 얼굴에 달라붙은 톱밥과 먼지를 한 번 더 씻어 낸 보안관이 기지개를 켠다. 출발! 제니도 분위기를 맞춰 주며 발랄하게 팔을 쫙쫙 폈다.

그녀의 오똑한 코끝은 햇볕에 타서 허물이 조금 벗겨졌다. 처음 출발할 때처럼 보안관과 제니는 코롤라에, 나머지 셋은 오피러스에 타고 시동을 걸었다.

"담배 피운다?"

유빈이 차를 돌리는 동안 삼식이가 주머니에서 담배를 꺼내며 물었다. 유빈은 고개를 끄덕이며 창문을 열었다. 한나절 이상을 꾹 참으며 일만 했으니 그 정도야 당연히 누릴 수 있다. 그리고 이제부터 달릴 테니 혹시 그 연기를 맡고 좀비가 몰려온다고 해도 이미 그들은 그 자리에 없을 것이다.

"나도 하나 줘 봐."

뒷좌석에 누운 신입이 손을 뻗친다. 하지만 두어 모금 빨다가 머리가 아파서 안 되겠는지, 곧장 음료수 병에 꽁초를 집어넣어 버렸다.

후우우~. 창문 밖으로 연기를 내뿜는 삼식이의 얼굴 가득 황홀한 표정이 떠올랐다. 두 대의 자동차는 마지막 햇살과 함께 천천히 달렸다. 좁은 강변 산책로 전체가 태풍의 영향으로 흙과 바위로 범벅이 된 터라 시속 25킬로미터 이상을 내기는 어려웠지만, 그 정도만이라도 충분했다. 어쨌든 8킬로미터만 가면 한강이니까.

"수용소에서도 담배 피우게 해 주겠지?"

두 번째 담배에 불을 붙인 삼식이가 묻는다.

"그렇겠지. 근데 가지고 온 담배 다 피우면 그때는 어떻게 할래?"

"음, 열 보루 정도 남은 것 같은데, 그거 떨어지기 전에는 이 상황이 대충 마무리되지 않을까? 하루에 한 갑씩으로 잡아도 석 달이 넘어. 그때쯤이면 좀비들 다 죽고, 사람들도 일상으로 돌아가고, 담배도 다시 사서 피울 수 있겠지."

"그러면 좋겠지만……."

삼식이의 낙관적인 전망을 들으며 유빈은 말끝을 흐렸다. 정말 좀비들이 다 죽어 주기는 할까? 어쩌면 그럴지도 모른다. 아무것도 처먹지 않고 100일을 산다는 건 생각하기 어려우니까. 하지만 그렇다고 해도 세상이 예전으로 다시 돌아갈 수 있을 것 같지는 않다.

여태까지 수천에 가까운 좀비들을 구경했지만, 그들 외에 살아 있는 사람을 본 것이라곤 머리 위로 야속하게 지나가 버린 헬기 두 대가 전부다. 그야말로 압도적인 비율이다.

"뭐, 어차피 그래 봐야 우린 또 노가다 뛰겠지……."

삼식이의 말에 유빈은 헛웃음을 지었다. 노가다를 뛰든, 허름한 선술집에서 우리가 한때 제니랑 같이 살았노라고 떠들어 대며 술 취한 또라이 취급을 받든 간에, 그렇게 일상이라는 게 있는 시절로 돌아갈 수만 있다면 좋겠다. 그러려면 일단 수용소로 가서 이 힘든 시기를 넘겨야 한다.

그런 생각을 하고 있을 때, 유빈은 뭔가 이상하다는 걸 느꼈다. 저 멀리 앞쪽 길 전체가 반짝거린다. 아니…… 길의 너비보다 반짝거리는 면적이 훨씬 더 넓은 것 같다. 유빈은 조금이라도 잘 보려고 눈을 가늘게 떴다.

"뭐지, 저거?"

개천 건너편의 아파트 단지들을 보고 있다가 시선을 전방으로 돌린 삼식이도 고개를 갸웃거렸다. 앞서 달리던 보안관의 차가 점차 속도를 줄인다. 그리고 거리가 줄어들면서 반짝거리는 것의 정체가 밝혀졌다.

물이다. 아주 넓고, 넓은 물이 찰랑거리며 햇살을 금빛으로 반사하고 있었다. 거의 동시에 멈춘 두 대의 차 문이 열렸다.

"아, 뭐야…… 이런 염병."

보안관이 바닥에 침을 뱉으며 원망스러운 눈으로 그들의 앞을 가로막은 물을 바라보았다. 사이드에 설치된 수문 펌프가 가동되지 않아 낮은 지대에 고여 버린 개천은 동부 간선 도로를 절반 이상 잠기도록 만들고 있었다. 게다가 중랑천 상부에서 아직도 계속해서 엄청난 양의 물이 이곳으로 흘러드는 중이다.

"완전히 호수네."

삼식이가 중얼거린다. 이 길은 막혔다. 한강까지 11킬로미터니, 밟기 시작하면 20분도 안 걸린다느니 따위의 자신이 했던 말들이 떠오른 유빈은 얼굴을 감싸고 킬킬거리기 시작했다. 누군가 자신을 손바닥 위에 놓고서 못된 장난을 치며 가지고 노는 것 같다.

"크크크크, 아나, 진짜 어이가 없어서……. 크크, 아니, 이게 뭐야……. 그 나무를 다 잘라서 기껏 뺑이를 쳤더니, 바로 이 앞에 이렇게 이 물난리가 났다고? 크크큭, 장난하는 거야, 뭐야? 하아~."

조금 전, 시동을 걸어 실제로 달려온 거리는 3킬로미터가 조금 넘을 뿐이다. 아까 나무에 가로막혔을 때 걸어서 전방을 살펴보았더라면, 그래서 바로 코앞에 이렇게 물난리가 나 있다는 걸 확인만 했더라면 오늘 오후 내내 그렇게 진땀을 쏟아 가며 톱질을 하지 않았어도 됐다.

뱃속 깊숙한 곳에서 분노가 치밀어 오른다. 허탈하게 웃고 있던 유빈은 결국 화를 못 이겨 자동차 지붕을 쾅쾅! 내려쳤다.

"멍청한 새끼! 그렇게 정찰 좋아한다고 잘난 척을 해 대더니! 이게 뭐 하는 짓이야! 조금만 걸어왔어도 빤히 볼 수 있는 거였잖아! 이익! 이익!"

신중하지 못했던 자신에게 실컷 욕설을 퍼붓는 동안 주먹의 살갗이 찢어지고 피가 흐른다. 자신의 아이디어만 믿고 찢어진 손바닥으로 전기톱과 씨름하느라 톱밥을 한 주먹은 삼킨 보안관에게, 담배를 꾹 참으며 일한 삼식이에게, 제니에게, 심지어 신입에게도 미안하다. 허탈해진 유빈은 차 문을 붙잡고 기대섰다.

"하아~ 씨발, 이게 뭐냐고……."

유빈처럼 자해를 하지는 않았어도 다들 어지간한 충격을 받았다. 잠실의 수용소는 이제 그야말로 물 건너간 이야기가 되어 버렸다. 그들의 앞을 가로막고 출렁이며 호수를 이루고 있는 물이 자연히 빠질 때까지 시간을 두고 기다리든가, 아니면 저 건너편까지 우회해서 이동한 후 새로운 차를 찾아 언덕 아래로 구르지 않도록 끌어 내리는 수밖에 없다.

둘 중 어느 쪽을 택하더라도 적지 않은 시간이 걸리게 될 것이다. 그리고 그런 걱정을 하는 동안에도 꾸준히 시간은 흘러서 이제는 사방이 어둑해졌다.

"이제 어떻게 할 거야? 계획을 좀 세워 봐."

잠시의 침묵을 깨고 보안관이 유빈에게 묻는다. 유빈이 씁쓸하게 웃으며 되물었다.

"야, 너 진짜…… 이렇게 된 상황에서도 아직 나를 믿어? 봤잖아, 계속 헛발질만 하는 거. 11킬로미터만 가면 된다고 방방 뛰더니, 안전하게 잘 지내던 동네에서 괜히 너희 끌고 나와 가지고 계속 고생만 시키잖아."

"바보 소리 그만해, 새끼야. 안전한 동네가 아니었잖아. 좀비들이 들이닥치기 직전에 도망쳐 놓고 뭔 소리를 하는 거야. 그리고 헛발질 좀 할 수도 있지. 이 세상에 실수 안 하는 사람은 없어. 쓸데없는 말 하지 말고, 당장 오늘 밤 어떻게 새울지부터 정하자고."

주저앉아 버리고 싶은 마음뿐인데, 무너지려는 그 마음을 보안관이 억지로 잡아당겨 일으켜 세웠다. 유빈은 고개를 끄덕이고 나서 마음을 가라앉혔다. 보안관의 말이 맞는다. 여기서 발을 뺀다고 책임이 사라지는 건 아니다.

"일단 저기로 갈래? 이 근처에는 눈에 띄는 큰 건물이 저거 하나뿐인데?"

삼식이가 말했다.

후우~. 잠시 고민해 본 유빈은 차 지붕을 퉁퉁, 두들겼다.

"뒤로 후진해서 빠져나가자. 오늘은 차에서 자야 할 것 같다. 불침번도 돌아가면서 서야 돼."

05

또 새로운 하루가 밝았다. 잠실 쉘터에서는 아침 식사를 배급받기 위해 식당 앞으로 하나둘씩 모여든 사람들이 이른 시간부터 긴 줄을 이루고 있었다.

"아, 빨리빨리 좀 받지, 오늘따라 왜 이렇게 느려?"

행렬이 줄어드는 속도가 시원치 않자, 중간에 서 있던 중년 사내 하나가 투덜거린다. 그의 의견에 동조한다는 듯 다른 사람들도 웅성거리며 앞쪽을 기웃거렸다.

충분히……라고까지는 할 수 없을지 모르지만, 그래도 나름 하루 세끼의 식사를 제공받고 있고, 건빵도 한 봉지씩 지급받는데도 사람들은 이상하리만큼 허기를 느꼈다.

물론 허술한 식사 메뉴가 가장 큰 원인이다. 찐쌀로 만든 밥 한 덩이, 말린 야채를 불려 넣고 멀겋게 끓인 된장국, 입에 넣고 씹는 동안에도 도대체 무슨 고기인지를 분간하기 어려운 햄버거 패티 한 조각으로는 그간 고칼로리 식사를 계속해 왔던 현대인들의 식욕을 충족시키기 어려웠다.

그리고 제한된 시간, 제한된 양 외에는 먹을 수 없다는 두려움이 일종의 강박증처럼 사람들의 뇌리를 장악하고 있었다. 그래서 사람들은 식사 시간이 가까워지면 남들보다 조금이라도 빨리, 조금이라도 더 많이 먹기 위해 노력했다. 거기에는 취사병들이 양 조절을 잘 못하기 때문에 늦게 가는 사람들에게 음식을 더 적게 준다는 헛소문도 한몫을 거들었다.

며칠째 감지 않은 머리를 긁적이며 스테인리스 식판을 통통, 두들기고 있는 여드름쟁이 청년도 다른 사람들처럼 그 소문을 믿었다. 그러나 오늘은 평소보다 조금 늦게 일어났고, 그래서 뒷줄로 밀려날 수밖에 없었다.

평소였다면 화가 날 법한 일이지만, 오늘은 특별했으므로 그런 사소한 일 따위에는 신경이 쓰이지 않았다. 그것은 그의 바로 뒤에 서 있는 한 여자 때문이다.

테라잖아…….

처음 그녀가 다른 여자들과 함께 자신의 등 뒤에 설 때, 여드름쟁이는 심장이 멎는 것 같았다. 같은 공간 안에 있다고는 해도 워낙 주목을 받는 대상이고, 항상 아줌마나 아이들 사이에 묻혀 있어서 그녀를 근거리에서 본 경험은 별로 없었다.

드물게 아줌마들의 장벽에서 벗어나 돌아다닐 때면, 그때는 또 늘 군인 놈들이 좋아서 죽겠다는 표정으로 다가가 뭔가를 건네고 '사랑합니다.'를 외치며 도망가 버리곤 했다. 그런데 오늘 그 대단한 테라가 바로 자신의 등에서 30센티미터도 떨어지지 않은 곳에 서 있는 것이다.

씨발, 이럴 줄 알았으면 목욕이나 좀 할걸. 땀 냄새가 엄청날 텐데…….

여드름쟁이는 뒤늦은 후회를 하면서도 티를 내지 않고 계속 뒤를 힐끔거렸다.

예쁘다! 정말이지, 더럽게 예쁘다. 현실 속의 살아 있는 생물이라는 생각이 들지 않을 만큼 예쁘다! 저 오똑한 코, 선명한 분홍색 입술, 윤이 흐르는 검은 머리, 가녀리고 흰 팔, 그리고 짧은 치마 아래 빛나는 긴 다리…….

만화 속 캐릭터가 현실로 튀어나와 살아 숨 쉬는 기적을 보는 것 같다. 여드름쟁이는 마른침을 꿀꺽 삼켰다. 운동을 한 것도 아닌데 난데없이 온몸에 땀이 흐르고 숨이 차 왔다.

"하여간, 희한하다니까. 우리랑 똑같은 데에서 먹고 자는데 얘는 어쩜 이렇게 피부가 매끈매끈하고 윤이 나나 몰라. 애초부터 타고나기를 그렇게 타고난 걸까?"

테라의 곁에 선 중년 여자가 그녀의 팔을 손바닥으로 쓸면서 떠든다. 다른 여자가 얼른 나서서 깔깔거리며 대꾸한다.

"어이구, 얘처럼 부지런히 씻기나 하면서 그런 말을 하면. 얘는 매일 샤워해요. 우리처럼 그렇게 땀 찬 엉덩이 깔고 앉아서 목 주변만 수건으로 대충 훔치는 게 아니라고."

"어머, 진짜? 샤워실이라고 차려만 놨지, 물도 잘 안 나온다면서? 나도 처음에 한 번 갔다가 허탕 치고 온 다음부터 거기는 안 가. 그 쫄쫄 흐르는 물로 뭔 샤워를 해? 그냥 화장실에서 대충 씻고 말지."

"아, 그거요. 펌프를 가동하는 시간이 따로 정해져 있어서 그래요. 오후 2시부터 3시 반 사이, 한 시간 반 동안만 샤워실로 물을 보내 준대요. 그 시간대에는 전기에 조금 여유가 있나 봐요."

테라가 샤워를······.

가뜩이나 강제 금욕 생활을 하느라 괴로웠던 여드름쟁이는 그녀가 얌전한 목소리로 말하는 샤워란 단어를 듣는 것만으로도 배꼽 아래가 뜨거워지는 것 같았다.

쉘터의 급수 시스템은 한강에서 곧바로 물을 끌어다가 여과해 사용하는 것이어서 물이 부족한 일은 거의 없지만, 수천의 수용자들에게 24시간 샤워를 제공할 수는 없었다. 그렇게 낭비를 하기에는 전력도, 여과기의 여력도 부족했다.

2시라고 했지? 좋아, 나도 그때쯤에 샤워실 부근에서 기웃거리고 있어야지······.

여드름쟁이는 턱의 수염을 쥐어뜯으며 생각했다. 톱스타에 아이돌이라고는 해도 어차피 이제 와서는 같은 배급을 받아 먹고 사는 사이. 지나가다가 눈만 잘 맞고 마음만 통하면 사귈 수 있을지도 모른다는 망상이 머릿속에 자리를 잡았다.

아니, 그렇게 구체적으로 관계가 진전되지 않아도 괜찮다. 샤워를 막 마치고 나온, 상기된 얼굴의 그녀를 보는 것만으로도 꽤나 큰 눈요기를 할 수 있을 것이다.

"총각, 무슨 생각 해요? 앞으로 가요. 줄 비었어요."

"호호호, 테라 때문에 넋이 나갔나 보네, 이 아저씨."

여드름쟁이의 기분 좋은 망상은 뒷줄 아줌마의 지적 때문에 깨졌다. 마음을 들킨 것 같아 얼굴이 상기된 그는 재빨리 앞으로 걸어갔다. 배식대의 앞에는 시야를 가리기 위한 칸막이가 쳐져 있었다. 어제까지만 해도 없던 물건이다.

"뭐야, 이건?"

칸막이 안으로 들어간 여드름쟁이의 눈에 한 분대의 병사들이 들어온다. 두툼한 서류철과 볼펜을 들고 있던 병장이 식판을 내미는 여드름쟁이에게 물었다.

"성함이 어떻게 되십니까?"

"네?"

여드름쟁이가 고개를 갸웃거리자 병장은 질문을 고쳐 다시 물었다.

"이름. 이름이 뭐예요?"

"김승준요. 그, 그건 왜요?"

"김승준, 김승준⋯⋯ 아, 여기 있네."

여드름쟁이에게 답을 하지 않고 서류철을 넘기던 병장은 그의 이름을 발견하고 두 줄을 그었다. 서류상으로는 동명이인이 있는 것으로 되어 있지만, 크게 신경 쓰지 않았다. 어차피 김승준이라는 이름을 가진 대상은 다 똑같이 처리될 테니까.

"여기 있다는 게 뭔 소리예요? 그, 그 서류가 뭔데요?"

대답을 듣지 못한 여드름쟁이는 재차 물었다. 병장은 서류철을 덮으며 미소를 지었다.

"김승준 씨, 축하합니다. 현역 입영 대상자입니다. 저기 쳐 놓은 노란 테이프 보이십니까? 그걸 따라서 쭈욱 끝까지 걸어가십니다. 거기에서 대기하시면 저희가 안내를 따로 해 드릴 겁니다."

"네? 현역……."

너무도 갑작스러운 처분에 얼떨떨해진 여드름쟁이가 뭐라 할 말을 찾기 위해 눈을 굴리고 있자, 병장은 차갑게, 그리고 강압적으로 명령했다.

"빨리 이동합니다. 다른 분들 기다리시니까."

"하, 하지만 아직 밥도 못 먹었는데……."

병장 곁에 서 있던 병사가 다가와 여드름쟁이의 식판을 빼앗아 반납하는 곳에 놓으며 말했다.

"그쪽에서 따로 챙겨 드릴 겁니다. 이제부터는 군인으로 대접해 드릴 테니까 안심하십쇼."

"어, 어어……."

아직도 상황을 온전히 받아들이지 못하고 입을 뻐끔거리던 여드름쟁이는 병사 둘에게 밀리다시피 해서 노란 테이프 안쪽으로 멀어져 갔다. 등을 떠밀려 걸어가면서도 그는 계속 뒤쪽으로 고개를 돌려 테라를 힐끔거렸다. 병장은 무심한 표정으로 줄 선 사람들을 향해 손을 까딱거린다.

"자, 다음 분 오십쇼. 그렇게 서 계시지 마시고."

테라는 머뭇거리며 식판을 배식대에 올리고 취사병들을 향해 고개를 숙였다. 바로 눈앞에서 군에 끌려가는 수용자를 본 터라 잠깐 동안 일말의 두려움이 마음속을 휘저었다.

하지만 그녀에게, 그리고 그녀와 나란히 서 있는 여자들에게 취사병들은 평소와 다름없이 친절하게 밥과 국을 퍼 줬다. 잠실 쉘터의 제1차 입영 대상들은 어디까지나 20세에서 35세까지의 젊은 남자들만으로 국한되어 있었기 때문이다.

"이, 이게 뭐야? 씨이, 왜 아침도 못 먹게 하고……. 난데없이 입영은 또 뭔 소리야?"

미리 쳐 둔 경계선을 따라 걷다가 좌익수 쪽 객석까지 이른 여드름쟁이는 울상을 지으며 투덜거렸다. 이럴 줄 알았다면 아침 먹는 줄에 서지 않는 건데, 이 놈들이 꼼수를 부리는 바람에 꿈에도 모르고 있다가 걸려들어 버렸다.

객석 앞에서 대기하고 있던 병사들은 여드름쟁이를 보자 아무 말도 없이 박스에서 주황색 트레이닝복 한 세트와 커다란 봉투를 꺼내 건넸다.

"이, 이걸 어떻게 하라고요?"

여드름쟁이가 묻자, 병사는 바로 곁에 쳐 둔 커다란 국방색 장막을 가리킨다.

"저기에서 환복합니다. 지금 입고 있는 옷은 그 봉투에 넣어서 갖고 나옵니다. 빨리 환복하도록 합니다."

강압적이다. 젠장, 여드름쟁이는 울고 싶은 심정으로 장막 안으로 들어갔다. 안에서는 이미 대여섯 명이 똥 씹은 표정을 하고서 툴툴대며 옷을 갈아입고 있었다. 개중에 서른이 훌쩍 넘어 보이는 아저씨까지 있는 걸 보면 이놈들은 나이도, 군필 여부도 따지지 않은 채 무조건 입영시키는 것 같다.

"아, 씨발. 하다 하다 이제는 군대를 두 번 가네. 좆도."

주황색 트레이닝복으로 갈아입은 30대가 욕설을 내뱉으며 봉투를 뒤져 반쯤 남은 담배꽁초를 꺼내 입에 문다. 후우우~. 불을 붙인 사내는 인상을 팍팍 쓰면서 외야 객석에 자리를 잡고 앉았다.

흡연 구역이 아니지만 거기까지 입을 대는 병사는 없었다. 어쨌든 남자들로서는 가장 가기 싫은 곳으로 끌려가는 날이고, 아직 정식으로 훈련이 시작된 것도 아니었으므로 조금은 아량을 베풀어 주는 모양이다.

담배…… 피우고 싶다…….

여드름쟁이는 30대의 입에서 뿜어져 나오는 뿌연 연기를 빤히 바라보았다. 불안감이 몰려온다. 이렇게 갑자기 군대에 끌려가게 되다니, 도대체 어떤 대접을 받게 될까?

"아침 식사입니다."

넋을 놓고 앉아 있는 여드름쟁이의 무릎에 박스 하나가 놓였다. 여드름쟁이는 가볍게 한숨을 쉬고 박스를 열었다. 햇반에 즉석 카레, 즉석 미트볼, 포장 김치, 포장 김, 종이팩에 든 과일 주스, 감자 칩, 그리고 손바닥만 한 캐러멜 한 통과 생수가 들어 있다. 평소 쉘터에서 먹던 것에 비하면 진수성찬이다.

이렇게 우울한데도 음식을 보자마자 식욕이 동한다는 것에 여드름쟁이는 한편 놀라면서 허겁지겁 포장을 뜯고 포크를 놀렸다. 그러는 동안에도 속속 새로운 입영 대상자들이 들어왔고, 그림자가 드리워진 얼굴로 장막 안에서 옷을 갈아입고 외야석으로 와 앉았다. 밥을 다 먹어 치우고 과일 주스를 빨 때쯤 돼서야 비로소 다시 암울한 현실이 그의 마음을 짓눌렀다.

에에에에에에에엥~ 에에에에에에엥~.

잠실 쉘터에 사이렌이 울린 것은 점심시간이 다 끝나 갈 무렵이었다. 그전까지 맞은편의 아파트 단지 주변을 배회하던 좀비들이 점점 그 규모를 불리는가 싶더니, 2시 10분 전에 마침내 도로를 가로질러 뛰어나오기 시작했다.

규모 넷짜리 좀비들의 난입이다. 평소라면 크게 문제가 되지 않았겠지만, 태풍으로 인해 방어벽이 무너지고 크레모어가 유실돼 버린 상황이라 이야기가 좀 달랐다.

"전방에 좀비! 전방에 좀비! 위치로!"

철책 마무리 공사를 진행하던 병사들은 작업을 중지하고 재빨리 후퇴했다. 후방에서 버티고 있던 K-21 장갑차의 중기관총이 가장 먼저 목표물을 확보하고 불을 뿜는다.

콰콰콰쾅— 콰콰콰쾅—!

요란한 소리와 함께 기관총이 훑고 지나간 지역에는 사지가 떨어져 나가고 허리가 잘린 좀비들이 나뒹군다. 하지만 좀비와의 싸움이 늘 그렇듯이 그런 기선 제압 따위는 아무 의미도 없다.

그롸아아아아!

사람의 기척을 느낀 좀비들은 괴성을 지르며 빠르게 돌진해 온다. 망설이거나 두려워하는 기색 따위는 찾아볼 수가 없다. 넓게 퍼져 뛰어오는 좀비들을 향해 40㎜ 기관포와 공축기관총이 동시에 발사되었다.

콰쾅! 파파파파파바바ㅡ.

엄청난 화력이지만, 문제는 너무 근접해 있다는 것이다. 놈들과의 거리는 불과 50여 미터. 잠시라도 한눈을 팔거나 조준을 놓치는 날에는 끝장이라는 것을 알기에 병사들의 등에서는 식은땀이 흘러내렸다.

쿠르르르르ㅡ.

산개해 있던 탱크들과 장갑차들이 화력을 보태기 위해 여섯 시 방향으로 몰려든다. 하지만 그들의 이동보다 좀비들의 난입이 훨씬 빠르다.

콰앙ㅡ! 콰앙ㅡ!

10여 초의 간격을 두고 K-2 전차의 주포가 학교 운동장을 향해 연속 사격을 날린다.

"크레모어!"

장교의 명령을 받은 병사가 폭파 스위치를 누르자, 정신여고를 향해 설치되어 있던 다섯 발의 크레모어가 일제히 폭발했다.

콰아앙ㅡ!

엄청난 굉음과 함께 수십 마리의 좀비들이 산산조각 나면서 하늘로 날아가 버렸다. 그렇게 하는 동안에 거리를 확보한 보병들은 K-2 소총의 방아쇠를 당겼다.

타타타타다ㅡ 투투투투두ㅡ.

갑자기 수십 기의 소총이 일제히 발사되면서 잠실의 하늘은 온통 총성으로 뒤덮였다.

여기까지만 해도 그다지 심각한 수준은 아니었다. 상황은 아시아 공원의 나무숲이 흔들리면서 더욱 심각해졌다.

사사삿ㅡ 사삿ㅡ.

짙푸른 나무들이 흔들리는가 싶더니, 그 사이를 뚫고 좀비들이 달려 나오기 시작했다. 이제 야구장을 향해 달려드는 좀비들은 여섯 시와 다섯 시, 두 방향에서 밀려온다. 정신여고 쪽의 작업에 집중하고 있었기 때문에 공원 쪽은 상대적으로 방어선이 더 허술했다.
"지원 요청해! 지원!"
야구장으로부터 떨어진 학생 체육관 옥상에 배치되어 있던 저격 소대에서도 긴급 신호가 날아온다. 이 미친놈들이 마치 작당이라도 한 것처럼 거의 동시에 세 방향에서 몰아치고 있는 것이다.
"빨리! 빨리!"
쉘터 내에 배치되어 있던 병사들까지도 서둘러 무기를 지급받고 뛰어나갔다. 마지막 하나 남은 철책 방어선이 무너지기라도 한다면 꼼짝없이 야구장에 갇히는 신세가 될 것이기 때문이다. 야구장 내부는 그야말로 필수적인 소수의 병력만이 남겨진 채 순식간에 공동화되었다.

"야, 밖에 난리 났나 본데? 총소리, 대포 소리 완전 장난 아니야."
주황색 트레이닝복 차림으로 앉아 있던 사내들의 귀에도 당연히 그 소리가 들렸다. 비슷한 또래의 남자들은 서로 부족한 정보나마 나누면서 주변을 두리번거렸다. 그라운드에서는 병사들이 바쁘게 뛰어다닌다.
"됐어, 씨발. 싸우든가 말든가, 지들이 알아서 하겠지. 어차피 우리도 내일부터 저렇게 뺑이 쳐야 돼. 아, 좆같다, 진짜. 군대가 웬 말이냐."
껄렁거리는 몇몇은 노골적으로 불만을 늘어놓았다. 며칠 동안 이 쉘터 내에서 소위 일진 행세를 하며 군인들의 눈을 피해 톡톡히 재미를 보던 부류들이어서 군대로 끌려간다는 것에 더 강하게 반발하는 중이다.
여드름쟁이도 그들을 잘 안다. 화장실 부근에서 노상 머물다가 약해 보이는 사람이 눈에 띄면 협박해서 별것도 아닌 물건을 빼앗고, 군인들의 감시를 피해 여자들을 희롱하기도 하던 놈들이다.
"아아, 씨발. 잠깐 동안이지만 좋았는데. 계집애들 따먹는 재미도 쏠쏠했고."
"그러게. 건빵 한 봉지에 대 주는 년들이 있을 거라고 상상이나 해 봤냐?"

한데 모여 앉은 녀석들은 잔뜩 허세를 부리며 위악적인 목소리로 자신의 무용담을 털어놓았다. 앉은 위치가 바로 근처여서 애써 귀를 기울이지 않아도 여드름쟁이는 녀석들의 대화를 고스란히 들을 수 있었다.

으아아악! 바깥에서는 어느 병사가 내지르는 단말마가 총성에 섞여 울렸다.

"지금 군대에 끌려가면 결국 우리도 저렇게 돼지겠지? 진짜, 씨발. 이왕 죽는 건데 테라도 한번 따먹어 보고 죽었으면 좋겠다. 그러면 나도 내가 이 나이에 뒈지는 걸 납득할 수 있을 것 같아. 바로 근처에서 며칠이나 살았으니까 기회는 있었는데."

쥐를 닮은 놈이 중얼거리자, 다른 놈들도 고개를 끄덕인다.

"닥치라고. 방법이 있는 걸 좀 이야기해. 군인 새끼들이 완전 밀착 수비를 해 줘서 그년은 못 건드린다고. 내가 아무 욕심이 없었는 줄 아냐? 군인들만 없었으면 그년은 내가 벌써 열 번도 더 따먹었을걸?"

덩치는 쥐의 머리통을 쥐어박으며 면박을 준다. 이성적으로는 너무도 한심한 이야기들이지만, 가만히 앉아 듣고 있는 동안 여드름쟁이 역시 차츰 그들의 욕망과 동화되어 갔다.

씨발, 이럴 줄 알았으면 아침에 미친 척하고 와락 끌어안아라도 보는 건데…….

바로 뒤에 테라가 서 있었을 때, 그 찬스를 놓쳤다는 것이 갑자기 너무나 후회가 된다.

"……야, 이상해. 군인이 없어. 복도도 텅 비었어."

자리를 이탈해 살금살금 위쪽을 살피고 온 녀석 하나가 덩치에게 다가가 속삭이자, 덩치와 여드름은 거의 동시에 고개를 돌렸다. 정말 조금 전까지도 그들을 감시하고 있던 병사들이 모두 사라져 버렸다.

"어쩌라고, 이 새끼야. 군인이 없는데 뭐!"

"하~ 이 등신. 굳이 다 풀어서 말해 줘야 되나……. 찬스잖아. 네가 조금 전에 뭐라고 했어. 군인들만 없으면 테라 년 아주 죽여 버린다고 했었지? 지금 군인이 싹 다 빠졌다고."

어라?

덩치의 표정이 묘하게 바뀌었다. 그리고 눈빛에 사악한 욕망이 꿈틀거린다. 꺽다리가 끼어들어 겁먹은 목소리로 묻는다.

"야, 근데 따먹는 건 그렇다 쳐도 뒷감당은 어떻게 할래? 그년 당한 걸 알면 군인들이 우릴 찢어 죽일걸?"

"등신아, 그런 건 걱정 안 해도 돼. 저 앞에를 좀 봐라."

덩치가 턱으로 다른 입영 대상자들을 가리킨다. 그리고 자신의 주황색 트레이닝복을 잡아당긴다.

"전부 다 똑같은 옷을 입은 남자가 수백 명인데, 그년이 무슨 수로 우리를 찾아낼 거냐? 그리고 막상 지목을 해도 증거 있어? 응? 이건 거의 완전 범죄야. 가자!"

덩치는 콧김을 씩씩거리며 일어났다. 그의 성기는 벌써부터 발기해서 트레이닝복 위로 빳빳이 서 있다.

"다 좋은데, 테라가 어디 있는지는 알고 설치는 거야? 야구장 전체를 다 뒤지려고? 생각을 좀 하고 살아라. 그냥 우리 군인들 오기 전에 가까운 데서 눈에 띄는 년 아무나 붙잡고 하자. 그게 훨씬 현실적이다."

쥐가 만죽을 걸자 열 놈들은 웅성거리기 시작했다. 덩치도 이내 고개를 끄덕인다.

"하긴 그 말도 맞네. 그년이 어디 있는 줄 알고……."

놈들이 포기하려는 기미를 보인다. 여기까지 엿들은 여드름쟁이는 전광판의 시계를 살폈다. 2시 5분.

훗, 이것 봐라?

여드름쟁이는 사악한 미소를 지으며 자리에서 일어나 덩치와 그 일행에게 다가갔다. 그러고는 말했다.

"나는 걔 어디 있는지 알 것 같은데."

Chapter 28
테라와 제니

01

고요.

말 그대로 싸늘한 침묵이 외야석 주변을 휘감았다. 여드름쟁이는 침을 꿀꺽 삼켰다.

내가 실수한 건가?

기세 좋게 말을 내뱉었을 때와 달리 여드름쟁이의 등에서는 후회와 긴장의 식은땀이 줄줄 흘러내렸다.

"뭐? 이건 뭐야?"

덩치가 눈을 부라리며 노려보자 위축된 여드름쟁이는 자기도 모르게 한 걸음을 물러났다. 그러고는 곧바로 현실감각을 되찾았다.

지금까지 이들의 이야기에 너무 몰두해 있어서 잠시 잊고 있었지만, 자신은 이 덩치와 같은 멤버가 아니다. 지금껏 말을 섞어 본 적도 없는 사이다. 열 명의 시선이 일제히 여드름쟁이에게 집중되었다.

"이 씨발, 뭐냐고? 뭐 하는 새끼인데 갑자기 친한 척 끼어들어?"

덩치는 여드름쟁이의 멱살을 움켜쥐며 다그쳤다.

캑, 캑……. 숨이 꽉 막힌 여드름쟁이는 풀어 보려 용을 쓰지만, 애초에 완력의 수준이 많이 다르다.

"야, 너희들 중에 이 새끼 아는 놈 있어?"

"몰라, 생판 처음 보는 새끼야. 야, 근데 이 씨발, 생각해 보니까 이 새끼가 우리 하는 소리를 다 엿들은 거잖아. 뭐, 이런 개새끼가 다 있지?"

"어, 그러네? 가뜩이나 기분도 엿 같은데, 이 간첩 같은 새끼가 누구한테 뭘 꼰지르려고."

열 명이 사방을 에워싸고 수군대기 시작하자 여드름쟁이의 등에서는 땀이 솟는다. 공연히 끼어들었다는 후회가 들지만, 이미 늦었다. 덩치의 주먹이 옆구리를 내지르는 것을 신호로 따귀가 사방에서 날아온다. 정강이도 계속 차였다.

"허걱~! 으으윽!"

고통과 두려움에 신음하면서 변명조차 제대로 하지 못하는 그를 위기에서 구해 준 것은 쥐였다.

"야, 잠깐! 잠깐! 좀 있어 봐, 이 등신 같은 새끼들아!"

쥐는 덩치와 다른 놈들에게서 여드름쟁이를 떼어 내고 주변을 두리번거렸다. 그들의 주위에 있던 입영 대상자들은 이미 멀찍이 떨어진 곳으로 옮겨 가 있다.

가뜩이나 가까이하고 싶지 않은 놈들인 데다가 흥분해서 린치까지 시작되려는 참이었으니, 당연한 일이라고도 할 수 있었다.

"뭔데? 왜 말리고 지랄이야?"

덩치의 질문에 한숨을 푹 내쉰 쥐는 목소리를 낮춰 말했다.

"이 멍청아, 무조건 쥐 패는 일에만 집중하지 말고 생각을 좀 해."

일행들의 흥분이 가라앉은 것을 확인한 쥐는 여드름쟁이를 향해 고개를 돌려 물었다.

"야, 너 조금 전에 뭐라고 했어?"

"그…… 나는 그…… 테라가 어디 있는지 알 것 같다고……."

여드름쟁이는 얼얼해진 뺨을 비비면서 더듬거렸다. 쥐는 의기양양한 목소리로 주변을 돌아보았다.

"들었지? 이 새끼가 어디 있는지 안다잖아. 이제 얘를 앞세워 가서 따먹기만 하면 돼. 씨발, 얘는 우리를 생각해서 그런 걸 알려 주려고 하는데, 너희는 왜 다 짜고짜 주먹부터 날리냐, 이 등신들아."

쥐는 여드름쟁이의 목덜미를 움켜쥐고 의기양양하게 지껄였다. 덩치는 그래도 미심쩍은지 재차 확인을 했다.

"정말이야? 씨발, 괜히 엉뚱한 데로 끌고 다니기만 해 봐, 그때는 아주 뒈져."

여드름쟁이가 침울한 표정으로 눈을 흘기자 쥐가 얼른 나서서 두둔해 주었다.

"씨발, 그렇게 해 가지고 얘가 퍽이나 입을 열겠다. 괜찮아, 걱정하지 마. 헛걸음한 거면 그때는 다른 년 따먹으면 되는 거지. 그년 어디 있어? 응?"

쥐의 교활한 얼굴을 보면서 여드름쟁이는 생각했다. 이런 상황에서 장소를 불어 버리면 어차피 이놈들만 재미를 보고 자신은 여기에 버려지게 될 것이다. 그것도 어디 다른 곳에 신고할 수 없도록 흠씬 두들겨 맞은 다음에 버려지게 될 게 분명했다. 그래서 머리를 굴렸다.

"마, 마…… 말해 줄 수는 없어. 내가 앞장서서 데려다줄게. 단, 나도 하게 해 주는 조건으로."

"어? 이 새끼 봐라? 카하하하하! 이거, 골 때리는 새끼인데? 그래, 씨발. 인심 썼다. 네가 3번으로 해. 마음 바뀌기 전에 빨리 앞장이나 서 봐."

낄낄거리던 쥐는 여드름쟁이의 어깨를 감싸 안은 채 볼을 쥐고 흔들어 댄다. 그러고는 덩치와 다른 놈들을 돌아보며 눈을 한 번 찡긋했다.

긴장과 두려움, 아주 작은 양심의 가책 같은 것들 때문에 여드름쟁이의 주황색 트레이닝복은 어느새 땀으로 흥건히 젖었다. 그의 망설임을 눈치챈 쥐는 주머니에서 담배 한 개비를 꺼내 입에 물리고는 불까지 붙여 주었다.

"쿨럭, 쿨럭."

여드름쟁이는 격하게 기침을 했다. 오랜만에 얻어 피우는 담배는 달콤하면서도 구토가 일 만큼 머리를 핑 돌게 만들었다.

"새끼, 어지간히 좋은가 보네. 야, 인마. 이런 상황에서는 서로 믿어야 돼. 그러니까 나를 믿고 안내해. 너한테도 나쁘게는 안 할 테니까."

"으응."

여드름쟁이는 쥐에게 홀려 비틀거리며 걸음을 뗐다. 너무 간만에 들어온 담배 연기 때문에 욕지기가 일었지만, 귀하다는 걸 잘 알기에 그걸 차마 손에서 놓을 수가 없었다.

타타타타타다— 그롸아아아—.

콰콰쾅— 으아아악—.

투투투두—.

바깥쪽에서는 여전히 숨 막히는 총성과 비명이 한데 얽혀 울리며 귀를 찌르지만, 그런 것은 별로 신경 쓰이지 않았다. 군인들이 알아서 잘 막을 테지, 하는 막연한 믿음이 있던 것이다.

"이쪽이야."

다시 건물 안으로 들어간 여드름쟁이는 샤워실이 있는 홈베이스 뒤쪽을 향해 방향을 틀었다. 쥐는 여전히 그의 어깨를 꽉 안은 채였고, 다른 놈들은 서너 걸음 뒤처져 따라왔다.

아까 망을 보고 온 녀석의 말처럼 건물 내에는 정말로 군인들이 싹 사라져 있었다. 늘 두세 명씩 짝을 지어 순찰을 다니던 것에 익숙해진 이들에게는 낯설기까지 한 광경이었다.

여드름쟁이와 열 명의 악당은 아무런 제지도 받지 않고 야구장의 3분의 1가량을 통과했다. 주황색 트레이닝복을 단체로 갖춰 입은 놈들 여남은 명이 담배까지 물고 떼를 지어 다닌다는 것 때문에 한 번씩 눈길을 주는 사람들도 있었지만, 그 관심은 이내 사라져 버렸다. 외부의 사소한 자극에 일일이 반응하기에 그들은 너무 무력해져 있었기 때문이다.

게다가 외부의 소음을 들으며 되살아난 좀비의 악몽에 비하면 그깟 어린애들 따위는 중요한 문제도 아니었다. 사람들은 외부가 보이는 곳이라면 어디든, 아주 작은 틈 사이에라도 달라붙어 좀비와 군인들의 생사를 건 싸움을 지켜봤다. 그럴 용기가 없는 사람들은 며칠 동안 친해진 이들과 부둥켜안고 눈물을 삼키거나 신경질적인 비명을 질러 댔다.

"야! 너희 뭐야? 돌아가, 이 새끼들아!"

샤워실에 닿기 직전, 한 무리의 병사들이 철모를 고쳐 쓰며 뛰어나오다가 주황색 트레이닝복을 발견하고 소리를 질렀다. 움찔한 쥐는 얼른 여드름쟁이의 뒤로 몸을 숨기며 대답했다.

"아, 알았어요! 얘가 토할 것 같다고 해서 의무실에 약 받으러 가는 거예요. 총소리가 나니까 무서워서 그러잖아요."

"이 정신 나간 새끼들! 지금 상황이 어떤 줄도 모르고! 의무실에 가 봐야······."

병사 하나가 멈춰서 방향을 바꾸려 할 때, 인솔자가 그를 잡아끌었다.

"최 상병! 내버려 두고 가자! 너희들도 빨리 돌아가!"

주춤했던 병사들은 다시 출구를 향해 뛰기 시작했다. 수용자들의 보급품 박스와 돗자리를 걷어차며 달리는 모습만 봐도 지금 그들이 얼마나 다급한지 짐작할 수 있을 정도였다. 군인들이 멀어진 것을 확인한 쥐는 뒤로 숨기고 있던 담배를 다시 물고 연기를 내뱉으며 킬킬거렸다.

"야, 들었지? 의무실에도 아무도 없대. 크크크, 이거, 진짜 완전 우리 세상이잖아."

테라가 샤워실 앞에 도착해서 줄을 서 있던 것은 2시 20분 전의 일이었다. 2시에 샤워기 가동을 위한 펌프가 가동되기는 하지만, 그 전부터 이미 손에 다 꼽지 못할 정도의 사람들이 줄을 선다. 맨 앞에 선 사람은 5분 전에 탈의실로 입장한다. 옷을 벗고 샤워기 꼭지를 돌리면 그때쯤 딱 맞춰 펌프가 가동되기 때문이다.

푹푹 찌는 날씨 탓에 오늘은 평소보다 조금 더 많은 사람들이 와 있었다. 샤워실을 지키는 보초병들에게 눈인사를 건네면서 그렇게 10분 정도 더 기다리고 있을 때, 사이렌이 울렸다.

에에에에엥~.

사이렌 소리를 듣는 것이 그리 낯선 경험은 아니었다. 이틀 걸러 한 번 정도는 여러 가지 이유로 외부에 설치된 스피커를 울리며 사이렌이 울어 대곤 했다. 그리고 그중 상당한 경우는 합선과 같은 기계적 오작동이 원인이었다. 하지만 오늘은 뭔가 조금 달랐다.

타타탕―.

첫 총성이 울리고, 곧이어 더 많은 총들이 총알을 발사하는 소리가 하늘을 가득 메웠다. 게다가 가까이서 들리는 폭발음. 그것은 좋지 않은 징조였다. 테라는 두근대는 가슴을 진정시키며 놀란 눈으로 주위를 둘러보았다.

"뭐, 뭐야…… 왜 이래?"

샤워실이 열리기만 기다리며 줄지어 있던 사람들은 당황해하며 웅성거리기 시작했다. 테라는 일행인 아이 엄마들의 곁으로 돌아가기 위해 줄에서 벗어나 걸었다. 아무래도 한가하게 샤워나 할 때가 아닌 것 같았다.

"비켜요! 비키세요!"

연락을 받은 군인들이 떼를 지어 달려 나가며 통로를 막고 있던 사람들을 한쪽으로 밀친다. 테라도 벽에 붙어 서서 군인들이 지나가기를 기다렸다.

철모 아래 비치는 긴장된 눈빛, 상기된 표정, 웃음기가 사라진 입술. 모든 게 평소와 달랐다.

타타타타다―.

밖에서 들려오는 쉼 없는 총성. 수용자들의 발걸음도 덩달아 빨라진다. 쉘터 내부에서 질서와 양보가 걷혀 가는 게 눈에 보일 지경이 되었다.

"악!"

모두가 혼란스럽게 얽히는 와중에 누군가에게 발을 밟힌 테라는 외마디 비명을 질렀다. 발가락이 훤히 드러나는 핑크색 샌들은 예쁘고 여성적이지만, 보호

측면에서는 지독하게 무능했다. 아프다. 발가락이 끊어져 나가는 것 같다. 테라는 고개를 숙여 밟힌 곳을 살폈다.

자신의 손으로 잘라 버린, 10여 일이 지나서 이제는 겨우 다 아물었나 싶던 새끼발가락의 상처가 다시 터졌다. 잘려 나간 뼈의 단면이 욱신거리고 피가 흐른다.

테라는 이를 악물고 절룩이며 걸었다. 벽에 손을 짚어 가며 천천히 걸어가자니, 야구장이라는 곳이 이렇게나 넓었나 싶어진다. 평소였다면 언제라도 다가와 도움의 손길을 내밀었을 군인들이 단 한 사람도 눈에 띄지 않는다. 불안하다. 그때, 낯선 목소리가 소리치는 게 들렸다.

"엇! 저기 있다! 진짜잖아!"

소리가 나는 방향으로 고개를 돌리자, 똑같은 주황색 옷을 입은 남자들이 우르르 달려왔다. 비록 짧은 순간 동안 보았을 뿐이지만, 테라는 그들에게서 뿜어져 나오는, 분명한 악의를 느낄 수 있었다. 본능이 그녀에게 외쳤다.

도망쳐!

그녀는 방향을 돌려 왔던 길을 다시 거슬러 뛰었다. 남자들, 그게 누구든 간에 남자들이 잔뜩 모여 있는 곳으로 가야 한다. 저 주황색 옷들의 흥분을 막을 수 있는 힘과 수가 있는 곳으로…….

탁탁탁탁—.

주변의 모든 소음들을 뚫고 울리는 주황색 옷들의 발소리가 가까워질수록 테라의 심장은 벅차게 뛰었다. 발가락뼈가 으깨지는 듯한 고통을 참아 가며 그녀 딴에는 최고로 노력을 했지만, 좀처럼 속도는 오르지 않았다.

이번에도 또 핑크색 샌들이 발목을 잡는다. 그녀가 조금만 더 침착했더라면 애초에 그렇게 높고 가느다란 굽의 신발을 벗어 던지고 뛰었겠지만, 그런 것을 계산에 넣을 수 없을 만큼 모든 일이 너무 갑작스러웠다.

"하하하! 잡았다!"

허리에 실리는 묵직한 체중!

중심을 잃은 테라는 앞으로 고꾸라졌다. 하지만 그녀는 필사적으로 팔꿈치를 휘둘러 뒤에서 끌어안은 남자의 얼굴을 후려치며 다시 일어나 보려 애를 썼다.

"이런 개 같은 년이! 어디서!"

눈 주변을 얻어맞은 남자는 곧바로 욕설을 내뱉으며 테라의 옆구리를 찍었다. 흐윽, 강편치에 숨이 콱 막힌 테라는 비명도 지르지 못하고 다시 주저앉았다.

"끄으…… 도와주…… 읍!"

주변을 향해 외치려는 그녀의 입을 두툼한 손바닥이 틀어막았다. 그리고 담배 냄새와 불쾌한 땀 냄새가 풀풀 풍기는 커다란 주황색 트레이닝복이 머리 위에서부터 허리까지 뒤집어씌워졌다. 그 주변을 나머지 놈들이 둥글게 에워싸 시선을 가렸다.

"씨발 년아, 또 소리 지르기만 해. 그냥 푹 쑤셔 버릴 거야."

날카로운 쇠붙이가 목의 핏줄에 닿는 게 느껴진다. 남자의 손바닥을 깨물어 보려고 이를 댔던 테라는 천천히 입을 다물었다. 심한 악취를 풍기며 남자는 그녀의 귀에 바짝 입술을 댄 채 말을 계속 이었다.

"쑤신 다음 우리는 그냥 가 버리면 그만이야. 알아? 사람들 지금 정신없는 거 알지? 주황색 포대 덮어쓰고 죽은 게 누구인지 신경이나 쓸 것 같아? 피 질질 흘리다가 뒈지고 싶어? 응? 또 소리 지를 거야?"

테라는 아주 천천히 고개를 저었다. 이 상황에서 이 남자를 자극해 봐야 얻을 수 있는 건 아무것도 없다. 테라에게 더 저항할 의지가 없다는 걸 확인한 남자는 만족한 듯 낄낄거리며 입을 막았던 손을 아래로 내려 그녀의 가슴을 꽉 움켜쥐었다.

윽, 고통과 수치심에 비명을 터뜨리려 할 때, 남자가 귀에 바람을 불었다.

"쉿! 조용히 하라니까. 흐흐흐흐하하~ 야이, 씨발. 졸라 좋아. 별로 크지는 않은데, 탄력이…… 오호호호!"

소름이 끼친다. 테라는 온몸을 사시나무 떨듯 떨며 입술을 꽉 깨물었다.

"야이, 미친 새끼야! 여기서 쪼물딱거릴 때냐? 빨리 방을 잡자!"

"그래, 이 씨발 놈아. 너 혼자서 꽉 끌어안고 뭐 하자는 거야!"
"알았어, 이 개새끼들아. 어디로 갈 거야? 너희들이 앞장을 서!"

다른 놈들이 욕설을 퍼붓자 남자는 테라를 끌어안고 천천히 일어났다.

몇 명이나 되는 걸까…….

어떤 일을 겪게 될 것인지 뻔히 예측할 수 있기 때문에 저절로 눈물이 흘러나온다. 테라가 두려움에 떨면서 주저앉으려 하면 뒤에서 끌어안은 남자는 거칠게 목을 잡고 그녀를 당겼다. 머리에 덮어씌워진 주황색 트레이닝복 때문에 앞이 잘 보이지 않는다.

끼이익— 문을 여는 소리, 그리고 자박거리는 바닥의 타일 소리.

화장실이다.

쾅쾅쾅!

으아아악~.

또다시 들려오는 비명 소리.

"야이 씨발 놈아! 꺼져! 나가!"

"어, 어……."

"뭐가 어어야, 이 개새끼야! 안 꺼져?"

팍, 엉덩이를 걷어차는 소리.

화장실 안에 있던 두어 명의 남자들이 쫓겨 나가는 소리가 들린다. 이제 이 더럽고 역겨운 여정이 슬슬 종착역으로 도착하는 것 같다.

테라는 두려움으로 혼탁해진 머리를 최대한 가동해서 고민했다. 어쩌면 마지막 기회일지도 모르는 이 순간, 저 쫓겨나는 남자들을 향해 도움을 요청해 볼까…….

아니, 그건 안 될 것 같다. 고작 두어 명이 이 많은 남자들과 싸워 줄 리도 없고, 혹시 그런 용기를 냈다고 해도 이길 가능성이 없다. 공연히 다치는 사람만 늘어날 뿐이다. 그러면 이제 선택은 두 개로 줄어든다.

이대로 순순히 당할 것인가, 아니면 저항을 하다가 죽을 것인가.

저벅, 저벅, 저벅, 저벅.

그녀의 뒤를 따라 화장실 안으로 들어오는 발소리들, 웅성대는 제각각의 목소리들. 적어도 여덟 명, 어쩌면 그 이상일지도 모른다. 극한의 공포와 수치는 자연스럽게 테라를 잊고 싶던 그 날의 기억으로 이끌었다.

영원히 떠올리고 싶지 않은 그날, 겨우 열일곱이었던 그녀와 제니는 손을 꽉 붙잡고 훌쩍이며 기다리고 있었다. 그리고…… 그때, 절대로 잊히지 않을 것 같던, 씻기지 않을 것 같던 마음의 상처는 옷을 흠뻑 적시는 수십 번의 악몽과 눈물을 거치면서 아주 천천히 옅어져 갔다.

그렇다면 이 일도 참아 낼 수 있지 않을까? 제니였다면 나에게 뭐라고 했을까?

'후우우~.'

테라는 속으로 한숨을 삼켰다. 살아야 한다는 결론에 도달했다. 생명이 붙어 있다면 죽는 건 나중에라도 또 선택할 수 있다고 스스로를 설득했다.

콰당탕!

좌변기의 뚜껑이 내려지고 테라는 그 위에 주저앉혀졌다. 그리고 놈들은 포대처럼 덮어 두었던 주황색 트레이닝복을 확 들쳐 냈다. 테라는 두 눈을 질끈 감았다.

"와, 씨발. 이거 봐. 가까이에서 보니까 진짜 장난 아니다. 예쁘긴 존나게 예쁘네. 아, 씨발. 벌써 쌀 것 같아."

땀 때문에 얼굴에 들러붙은 그녀의 긴 머리카락을 쓸어 넘기면서 한 놈이 중얼거렸다.

"근데 이건 왜 이렇게 눈을 꽉 감고 있어? 야, 눈 좀 떠 봐. 얼굴 좀 제대로 보자."

다른 목소리가 뺨을 톡톡 두드리며 말했다. 테라는 여전히 눈을 감은 채 고개를 저었다.

"저…… 아무것도 안 볼게요. 그러니까 제발…….."

"어! 오호호하하! 야, 이 씨발. 요거 말하는 것 좀 봐! 얼굴 안 볼 테니까 죽이지 말아 달라고? 이런 거 많이 당해 봤나 봐! 캬캬캬캬!"

주변의 놈들이 킥킥거리며 따라 웃었다. 처음 그녀를 넘어뜨렸던 굵은 목소리의 남자가 손가락으로 눈꺼풀을 당겨 억지로 그녀의 눈을 뜨게 하고는 위압적으로 속삭였다.

"눈 뜨라고! 눈깔을 보면서 하고 싶으니까!"

더 버티지 못한 테라의 눈꺼풀이 열리자 안에 담겨 있던 눈물이 주르륵 흘러내렸다. 윤기를 머금은 그녀의 까만 눈동자가 드러난다. 그것을 본 덩치는 못 견디겠다는 듯 부르르 몸을 떨며 곧바로 입을 맞췄다. 그러고는 테라의 다리를 더듬었다.

며칠 동안 깎지 않은 수염과 악취가 가득한 입 냄새는 수치스러움에 비하면 괴로움 축에도 들지 못했다. 테라는 두 주먹을 아래로 내리고 꽉 쥐어 비틀면서 견뎠다.

"쩐다, 씨발. 핸드폰만 있으면 인증 샷 찍는 건데."

뒤에서 구경하던 놈이 중얼거렸다. 계속 입술을 빨고 있는 덩치를 쥐가 잡아 당겼다.

"야! 씨발, 다른 사람 생각도 좀 해! 그딴 거만 하느라 시간 다 보낼래? 빨리빨리 하고 넘겨! 한 사람 앞에 5분만 잡아도 50분을 해야 돼!"

"캬하하~ 5분이래! 무슨 토끼냐? 등신아! 넌 5분만 해라. 난 30분 동안 존나게 할 거니까! 키키킥!"

다른 놈들이 낄낄거리는 동안 여드름쟁이는 주변을 돌며 놈들의 수를 헤아려 봤다. 분명 자신까지 열한 명인데…….

자신의 내부에 이런 가학성이 있던 것인가 스스로도 놀라울 만큼 억지로 당하는 테라의 모습은 자극적이고 그를 흥분시켰다. 팽팽해진 트레이닝복 바지 앞이 벌써 축축하게 젖어 있다. 덩치가 숨을 헐떡이며 말했다.

"알았으니까 망이나 봐, 씨발 새끼들아!"

"못 들었냐? 야! 망보라고! 나가서!"

쥐도 흥분을 감추지 못하고 가쁜 숨을 몰아쉬며 여드름쟁이에게 소리를 질렀다. 여드름쟁이는 억울하다는 표정으로 더듬거렸다.

"아, 아까 분명히 내, 내가 세 번째라고……."

"좆 까는 소리 말고 나가, 이 개새끼야! 맨 마지막에 여유 가지고 실컷 하면 되잖아! 그게 더 좋은 거야!"

쥐는 여드름쟁이의 따귀를 사정없이 후려갈겼다. 다른 놈들도 일제히 노려보았다. 기가 꺾인 여드름쟁이는 계속 뒤를 돌아보며 화장실 밖으로 아쉬운 걸음을 옮겼다. 순서가 밀린 게 아쉽긴 하지만, 못 하는 것보다야 나을 테니까.

"나 할 때도 망봐 줘야 돼."

여드름쟁이는 문을 나서며 중얼거렸지만, 아무도 대답해 주지 않는다.

"뭐 해! 개새끼야! 빨리 옷부터 벗기고 바닥에 눕혀! 핑크 펀치 떡 치는 거 라이브로 구경 좀 하자!"

꺽다리가 아우성을 쳤다. 덩치는 고개를 저었다.

"아니야, 이 등신아. 이 옷을 입혀 놓고 하다가 중간에 벗으라고 할 거야."

"아, 이런 변태 또라이 새끼! 팬티 입고 할 새끼네!"

"크흐흐~ 팬티는 벗겨야지. 씨발, 어디 우리 테라는 이 안에 뭐 입고 있나 좀 볼까? 만날 궁금했는데…… 오호~ 오빠가 좋아하는 분홍 팬티 입고 왔네? 흐흐흐~."

테라의 다리를 거슬러 올라간 덩치의 손이 허벅지를 거쳐 짧은 스커트를 들어 올렸다. 그 촉감은 각오했던 것보다 더 역겹고 소름이 끼치게 두려운 것이어서 테라의 입에서는 참고 참았던 울음이 터져 나왔다.

02

민구는 외야석에서 담배를 문 채 바깥의 사투를 구경하고 있었다. 곁에 선 초희는 불안해서 그러는지, 지루해서 그러는지 몸을 비비 꼬아 대며 담배 연기를 길게 내뿜었다.

"오빠, 설마 우리 오늘 다 죽어?"

초희의 말에 민구는 짧게 대답했다.

"아니."

그러면서도 여전히 그의 눈은 전투가 벌어지고 있는 밖을 향해 고정되어 있다.

투투투투투두—.

쉬지 않고 불을 뿜는 소총들, 그 막강한 화력 앞에서 조금도 기죽지 않고 뛰어 오는 괴물들, 그리고 방어선이 돌파될 때마다 터져 나오는 괴로운 비명.

바로 눈앞에서 삶과 죽음이 생생하게 갈리고 있었다.

"저 난리가 났는데 정말 괜찮아, 오빠? 식칼이라도 좀 챙겨 둬야 하는 거 아니야? 쟤들 뚫리면 여기까지 그냥 고속도로야."

민구는 대꾸하지 않았다. 처음 사이렌이 울리고 난리가 난 것처럼 군인들이 뛰어다닐 때에는 그 역시 비슷한 생각에 자신의 칼을 찾으러 가 봐야 하는 게 아닐까 싶기도 했다. 하지만 잠시 지켜본 지금은 의견이 달라졌다.

총격전이라는 건 잘 모르지만, 수없이 많은 아수라장을 헤쳐 온 그의 경험은 이 전투가 군인들의 패배로 끝장나지 않으리라는 걸 직감하게 해 주었다.

일단 군인들의 수가 많다. 그리고 저 군복을 입은 어린 녀석들은 허둥대는 와중에도 용케 드문드문 목표를 맞혀 나가고는 있다. 뒤에서 받쳐 주는 탱크와 장갑차의 화력도 큰 힘이 된다. 한 번씩 대포에서 불이 뿜어져 나올 때마다 괴물들은 수십 마리씩 갈가리 찢겨 하늘로 솟구친다.

반면, 괴물들은 너무 두서없고 맹목적으로 넓게 퍼져 달려오고 있다.

시선을 분산시키면서 뒤통수를 치는 전략 따위, 괴물들은 쓸 줄 모른다. 실탄이 떨어지거나 하는 치명적인 문제만 없으면 전투는 곧 끝이 나게 될 것이다. 물론 중요한 저지선 역할을 하던 철책이 다 부서져 버린 지금, 곧바로 이만한 규모의 놈들이 또 몰려온다면 이야기가 달라지기는 할 테지만……

"안달하지 마라, 군인 애들이 이겼으니까."

확신을 얻은 민구는 손가락을 꺾으며 뒤로 물러났다. 더 구경할 필요가 없어졌다.

"정말? 아직 저렇게 죽어라 싸우고 있는데? 정말이지?"

"그래. 그러니까 쓸데없이 방방 뛰지 말고 군인들 돌아오면 박수나 열심히 쳐. 쟤들도 오늘 아주 죽을 똥 쌌을 거다."

"어디 가, 오빠? 무서워 죽겠는데 나만 혼자 여기 내버려 두고!"

"세수 좀 하고 온다, 이것아. 군인 애들 오면 화장실도 엄청 북적일 테니까."

화장실로 가는 동안 보초병들이 사라진 복도를 걸으며 민구는 콧노래를 흥얼거렸다. 그것이 얼마나 치열하든 간에 유능한 지휘관이 이끄는 싸움은 늘 보기 좋다. 이 지독한 난리 속에서 쉘터가 이나마 시스템을 유지하고 있는 이유가 오늘 납득되었다.

누구인지는 모르지만, 이곳의 군인들을 총지휘하는 대장은 꽤나 냉정하고 주도면밀하다. 망설이지 않고 내부의 경비들까지 한 번에 동원해서 필요한 때에 화력을 집중한 게 승패를 가른 변수였다.

냉정한 지휘관이나 군인들과 달리, 총소리에 충격을 받은 사람들은 여전히 혼란 속에서 헤어 나오질 못하고 있었다. 외부와 이어진 벽에 달라붙은 채 손에 땀을 쥐고 구경을 하거나, 담요 속에 머리를 처박고 훌쩍거리는 사람들, 어수선한 틈을 타서 물건을 훔치는 녀석들까지.

행동의 양상은 조금씩 달라도 초식동물처럼 겁에 질려 있다는 점에서는 별 차이가 없어 보인다. 군인들이 뚫리는 순간, 이놈들은 전부 죽은 목숨일 터였다.

"나 할 때도 망봐 줘야 돼."

화장실 앞에 도착했을 때, 여드름이 잔뜩 난 녀석 하나가 문을 닫고 나오며 안을 향해 중얼거리는 게 보였다. 무슨 개소리인지 전혀 짐작조차 되지 않았지만, 민구는 신경 쓰지 않고 성큼성큼 걸어 들어갔다.

"어어! 아저씨! 여기 오면 안 돼! 다른 데로 가요!"

여드름쟁이가 화들짝 놀라며 손을 뻗는다. 민구는 슬쩍 고개를 틀어 놈의 손을 피하고 노려봤다. 여드름쟁이는 화장실 문을 막아서며 소리를 질렀다.

"야! 누가 좀 나와 봐! 사람 들어가려고 해!"

"비켜."

민구는 낮고 짧게 말했다. 여드름쟁이가 고개를 저어 그렇게 해 줄 수 없다는 의사를 전달하려 할 때, 민구의 주먹이 놈의 배에 꽂혔다.

우욱, 여드름쟁이는 배를 움켜쥐고 앞으로 무너졌다. 호흡이 막힌 놈의 얼굴은 금방 빨갛게 달아올랐다.

"아이, 씨발! 등신 같은 새끼가 망도 제대로 못 보네. 뭐야?"

두 놈이 동시에 문을 열고 튀어나왔다. 둘 중 키가 더 작은 놈이 뒤춤에서 날카로운 플라스틱 조각을 꺼내 위협적으로 휘둘렀다. 칫솔을 부러뜨려 바닥에 대고 간 것이다.

"꺼져! 씨발아! 모가지에 빵꾸 난 다음에 질질 싸지 말고!"

꺽다리가 손가락질을 하며 목소리를 높였다.

"어? 나, 이 새끼 알아! 이 새끼, 엊그저께 이 앞에서 칼로 좀비를 썰······."

침을 튕겨 가며 떠들던 꺽다리는 말을 다 맺지 못하고 눈을 까뒤집으며 바닥에 뒹굴었다. 민구의 빠른 발길질에 차인 사타구니가 극심한 통증을 선사한다. 격통을 이기지 못해 바닥에서 몸을 꼬는 꺽다리의 엉덩이를 민구는 한 번 더 걸어찼다.

"새끼라니······. 말을 좀 가려서 해라, 이 어린놈의 새끼야."

"이런 씨발 놈이!"

순식간에 동료가 쓰러지는 것을 본 두 번째 놈은 민구의 눈을 향해 칫솔 조각을 내질렀다. 그따위 기술로 덤벼드는 놈의 용기가 너무 어이가 없어 헛웃음이 날 지경이다. 민구는 슬쩍 몸을 틀어 도발을 흘려보내고는 놈의 팔을 비틀어 칫솔을 빼앗아 쥐었다.

조금 열린 문틈으로 여자의 흰 다리가 얼핏 보인다. 이놈들이 안에서 무슨 짓을 하고 있던 건지, 왜 그렇게 기를 쓰고 못 들어가게 하려고 애를 썼던 건지 한 번에 파악한 민구는 키득거리며 말했다.

"참 기운도 좋은 새끼들이네. 밖에서는 죽어라 싸우고 있는데, 그게 그렇게 하고 싶었냐?"

"으아악~ 놔, 이 씨발! 너 우리가 몇 명인 줄이나 알고 깝치는…….."

"에이, 이놈아. 놔주세요…… 해야지."

민구는 빙글거리며 놈의 팔을 좀 더 올려 꺾었다.

끄아악~.

여자 소프라노만큼 높아진 키로 비명을 지른 놈이 사정을 했다.

"으! 으! 놔주세요. 부, 부탁드립니다."

민구는 화장실 안으로 놈을 밀어 처넣으며 놈에게서 빼앗은 조잡한 무기도 바닥에 던져 버렸다.

콰당탕ㅡ.

갑자기 문이 열리자 안에 있던 녀석들은 화들짝 놀라 뒤를 돌아보았다.

"뭐, 뭐야? 이 씨발!"

움찔한 놈들이 화장실 중간 칸을 둘러싸며 뒷걸음질을 쳤다. 마치 거기에 여자가 있다는 걸 알려 주기라도 하는 듯한 모양새다. 한 놈이 당황하며 소리를 빽! 질렀다.

"나가, 이 개새끼야! 뒈지고 싶지 않으면!"

나머지 놈들이 주춤거리기만 하고 덤벼들지 못하는 걸 보면, 좀비와 싸운 사람임을 알아챈 게 맞다. 더 쥐어 패기도 귀찮아진 민구는 놈들에게 조금의 관심도 주지 않은 채 뚜벅뚜벅 두 번째 변기 앞으로 걸어가 지퍼를 내렸다. 그가 마음대로 정해 둔 자기 변기다.

놈들의 숫자가 예상했던 것보다 많아 당하는 여자가 누군지 안되기는 했지만, 모르는 사람의 성범죄에 나서서 주먹을 휘두를 만큼 오지랖이 넓지는 않다. 만약 그렇게 엄격한 도덕적 잣대를 들이댔다가는 그가 데리고 있던 동생 놈들도 모두 턱뼈가 남아나지 못했을 것이다.

"야! 뭐야! 뭔데 이 씨발, 이렇게 시끄러워! 할 수가 없잖아!"

놈들이 둘러싸고 있던 중간 칸에서 씩씩거리는 목소리가 울려 나온다.

쏴아아—.

민구는 시원하게 오줌을 갈기면서 대꾸해 줬다.

"새끼, 간이 작구나. 이 정도 가지고 집중을 못 해? 아무 방해도 안 하고 그냥 오줌만 싸고 가는 건데?"

나프탈렌 볼을 맞혀 흔드는 것에 집중하고 있을 때, 문제의 가운데 칸이 벌컥 열리며 눈에 핏발이 잔뜩 선 두 놈이 뛰어나왔다.

"이런 씨발 놈들이 진짜! 보자 보자 하니까!"

두 놈이나 더 숨어 있었다는 게 놀라워서 민구는 변기 위에 걸려 있는 스테인리스 거울을 통해 놈들의 얼굴을 힐끔 쳐다봤다.

한 놈은 덩치가 꽤 크고, 또 다른 놈은 쥐 상이다…… 라고 생각하려던 순간, 눈에 들어온 광경이 그를 멈칫하게 만들었다.

살짝 휘어 있어서 일렁거리는 거울에 비친 여자의 얼굴. 분명히 아는 얼굴이다. 그가 마음에 빚을 지게 만든 바로 그 계집애였다.

"어후, 씨발! 막 넣으려던 참인데…… 등신들아! 이걸로 콱 그어 버려! 죽여도 괜찮아!"

덩치와 쥐는 다른 놈들의 손에 송곳과 공업용 커터를 쥐여 주며 다시 되돌아 들어가려 했다. 열린 문틈으로 보이는 테라의 눈동자는 뻥 뚫린 듯 멍하니 허공을 응시하고 있다.

무슨 취미인지 놈들은 그녀의 입에다가 분홍 레이스 팬티까지 쑤셔 박아 놨고, 그래서 그녀의 울음은 소리가 아니라 들썩이는 가슴의 움직임으로만 전달됐다.

"잠깐, 스톱! 거기, 너희들!"

민구가 몸을 돌리자 아직 멈추지 않은 오줌이 덩치와 쥐를 향해 날아간다.

으앗!

이런 씨발!

예상치 못한 오줌 세례를 뒤집어쓴 놈들은 기겁을 하고 오줌을 털어 낸 뒤, 동료들에게서 연장을 빼앗아 쥐었다. 그러는 동안 민구는 지퍼를 올렸다.

"걔는 내가 데리고 가야겠다. 사연이 있는 애라서."

"닥쳐! 이 씨발아!"

덩치와 쥐가 동시에 흉기를 앞세워 몸을 날렸다.

파박—.

민구의 로우 킥이 빠르게 날아가 두 놈의 무릎을 거의 동시에 꺾었다. 중심을 잃고 고꾸라지는 놈들의 턱에 다시 두 방의 발차기가 꽂혔다.

뒤늦게 덤벼들던 세 놈의 인중과 명치, 그리고 관자놀이에 민구의 팔꿈치가 박혔다. 물이 흐르듯 민구가 한 바퀴를 돌고 나자 세 놈이 나무토막처럼 쓰러졌다.

"끄으으윽~! 끄아아아~!"

턱뼈가 깨진 덩치와 쥐는 바닥을 훑으며 고통에 몸부림을 쳤다. 우두머리 격인 두 놈과 개중 주먹 좀 쓴다던 셋이 눈 깜짝할 사이에, 아니, 조금 더 정확히 말하면 왜 저러는지도 모르게 자빠져서 뒹굴자, 나머지 놈들의 전의는 완전히 사라져 버렸다.

덤벼 보려 해도 발이 얼어붙어 꼼짝도 안 한다. 애초에 레벨이 다르다는 걸 몸이 먼저 가르쳐 주었다. 민구가 걸음을 옮기자 남아 있던 놈들이 양쪽으로 갈라진다. 그중 문 쪽으로 달아나려는 녀석의 목덜미를 잡아채며 민구가 말했다.

"아냐, 아냐. 지금은 그냥 안 보내 줘."

말이 채 끝나기도 전에 민구의 무릎이 놈의 옆구리를 찍었다. 하늘이 노랗게 변하면서 곧바로 쓴 신물이 목을 타고 치솟아 올랐다.

우웨에엑, 놈은 엄청난 양의 토사물을 바닥에 토해 내고 그 위에 얼굴을 묻은 채 쓰러져 버렸다.

겁에 질린 나머지 두 놈은 눈알만 굴리며 어쩔 줄을 몰라 했다. 그들의 앞에 선 민구는 손바닥을 휘둘러 코뼈를 후려갈겼다.

와직! 와직!

주저앉은 코뼈를 부여잡고 쓰러지는 놈들의 눈에서 번쩍 불이 나는가 싶더니, 다리가 맥없이 풀린다.

이제 아직까지도 의식이 남아 있는 놈은 덩치와 쥐, 둘뿐이었다.

"내가 원래 그렇게 속 좁은 사람이 아닌데 말이지, 지금은 화가 좀 났거든?"

덩치의 얼굴을 꾹 밟으며 민구가 중얼거렸다.

"왜 화가 나는 건지 그 이유를 잘 모르겠어서 그게 더 화가 난다. 내가 무슨 말 하는지 알겠어?"

덩치는 아무 대답도 하지 못하고 부들부들 떨기만 했다. 몇 줄이나 금이 간 턱뼈가 밟히자 저절로 경련이 일어날 만큼 극심한 고통이 온몸을 휘감았다.

민구는 쥐의 얼굴로 발을 옮겼다.

우득!

덜렁거리며 겨우 붙어 있던 앞니가 부러져 나갔다.

"끄으윽!"

쥐는 얼굴을 감싸 쥐며 발버둥을 쳤다. 그래도 민구는 여전히 발을 떼지 않았다.

"너희들이 까분 걸 생각하면 죽여 버려도 시원치 않은데, 군대 끌려가면 어차피 오래 살기는 그른 목숨이니까 더 고생하라고 명줄을 붙여 놓은 거다. 대신 이것만 기억해. 죽는 데도 여러 길이 있다. 또 내 눈에 띄면 그중에서 제일 고생스럽고 먼 길을 가게 될 거야."

네, 네, 쥐와 덩치는 눈을 깜빡이며 필사적으로 대답했다. 놈들이 경고를 이해했다고 생각한 민구는 자비를 베풀 듯 힘차게 턱을 걷어찼다.

캑, 고무줄이 튕기는 것처럼 고개가 팩 돌아간 놈들은 더 이상 움직이지 못하고 거품을 뿜었다.

"후우우~."

민구는 주머니에서 담배를 꺼내 불을 붙였다. 그러고는 아직까지도 변기에 앉아 있는 테라를 향해 고개를 돌렸다.

"흑~! 흐으윽~! 으윽~!"

그녀는 입에서 겨우 꺼낸 팬티를 손에 꼭 쥔 채 온몸을 떨며 계속 울고만 있었다. 꽉 감은 눈, 경련하는 가느다란 두 다리.

정신이 멀쩡하다면 벌써 일어나서 도망을 나갔을 텐데 저러고 있는 걸 보니, 아직까지도 충격에서 온전히 벗어나지 못한 모양이었다. 아마 내버려 두면 기절할 때까지 저렇게 울어 댈 게 분명하다.

어쩔까……. 민구는 잠시 연기를 내뿜으며 고민했다.

구구절절 잔소리를 하고 뒤를 챙겨 주는 건 그의 스타일이 아니다. 특히 우는 여자를 달래고 어르고 하는 건 딱 질색인 짓이다. 하지만…… 남자 화장실인 이곳에 저런 상태인 저 계집애를 내버려 두고 나가는 건 뒤에 들어오는 놈들에게 재미를 보라고 부추기는 것이나 다름없다. 그래서야 끼어들지 않은 것과 다를 바가 없지 않은가.

젠장…….

민구는 담배를 바닥에 비벼 끄고 테라에게 다가갔다.

"이봐!"

"헉!"

민구의 손이 어깨에 닿자 테라는 반사적으로 몸을 움츠리며 고개를 숙였다. 부어오른 입술을 보니 속이 좋지 않다. 자신의 주먹이 스친 자국이 아니라 오늘 새로 생긴 상처라는 걸 알고 있는데도 그렇다.

"후우우~."

민구는 한 번 더 한숨을 내쉰 뒤, 테라의 손 위에 천천히 자신의 손을 가져다 댔다. 그러고는 그 차갑고 가느다란 손가락을 천천히 토닥거렸다.

"다 끝났다. 너 아무 일도 당하지 않았고, 저놈들은 이제 못 까불어. 그러니까 이제 정신 차려. 안전하니까."

민구는 테라가 알아듣는 기미를 보일 때까지 인내심을 최대한 발휘해서 똑같은 말을 천천히 몇 번이고 반복해 줬다. 눈동자에 사라졌던 총기가 희미하게나마 돌아오자, 테라는 주변을 둘러보았다. 바닥에 처박혀 뻗어 있는 주황색 트레이닝복.

하아아~. 한숨을 내쉰 그녀는 민구의 얼굴로 시선을 돌렸다. 그러고는 다시 또 울음을 터뜨렸다.

젠장!

민구는 속이 오글거리는 것을 꾹 참으며 테라의 손을 쥐었다.

"그래그래, 고생했어. 이제 괜찮아."

"아저씨! 고맙습니다! 흐윽~!"

10여 분 만에 처음으로 말을 한 테라는 민구의 목을 와락 끌어안으며 또 눈물을 펑펑 쏟아 냈다. 알고 하는 짓인지, 모르고 있는 것인지 그녀의 손에 쥐어진 레이스 팬티가 자꾸 민구의 볼을 스친다.

마음이 급해진 것은 민구 쪽이었다. 조금 전부터 더 이상 총소리가 들리지 않았다. 그의 배팅이 어긋날 리는 없으니 군인들이 승리를 거뒀다는 의미이고, 살아남은 놈들은 이제 슬슬 쉘터 내로 복귀할 시간이다.

만약 지금 이런 꼴을 씻으러 들어온 군인들이 본다면…… 그렇다면 제아무리 강민구라고 해도 살아남기가 어려울 터였다.

민구는 극한까지 인내심을 끌어 올려 최대한 친절해 보이는 거짓 얼굴로 테라의 팔을 풀어냈다.

"자, 나가자. 이것부터 입고, 응?"

민구가 등을 돌린 사이, 테라는 팬티를 다시 입고 흘러내린 드레스 어깨를 바로잡았다. 옷매무새를 다듬은 그녀는 다시 민구의 팔을 꽉 잡았다.

"일어날 수 있겠나?"

다리가 풀려 버린 테라를 부축해 일어설 때, 피가 흐르는 그녀의 새끼발가락이 민구의 시야에 들어왔다. 피 속에서 살아왔다고 해도 과언이 아닌 그였지만, 그 선명한 붉은색은 왠지 각별한 그 무엇처럼 찡했다.

이게 대체 뭐지? 민구는 스스로를 이해할 수 없어 고개를 갸웃거렸다.

03

"끄응차~!"

보안관은 다시 한번 긴 파이프를 물속에 담그고 수문 쪽으로 휘저었다. 오전에 공원에서 잘라 온 파이프다. 물살이 워낙 세서 그 정도를 하는 데도 꽤 힘이 들었다.

풀럭, 커다란 기포들이 솟아나며 수문 창살을 꽉 막고 있던 쓰레기들 중 몇 개가 둥둥 떠올랐다가 소용돌이에 휘말려 뱅글뱅글 돈다.

비닐봉지, 스티로폼, 플라스틱 슬리퍼 따위의 가벼운 물건들은 금방 물살에 밀려 하류로 떠내려가 버렸지만, 좌우에 난 수문은 어느 한쪽도 물이 빠질 기미가 없다. 아니, 오히려 점점 더 불어나고 있다. 쉼 없이 빠르게 떠내려오는 물살을 보면 당연한 일이었다.

"그만하자."

이마에 흘러내린 땀을 훔치며 유빈이 말했다. 서너 시간 이상 번갈아 교대를 해 가며 계속 시도해 본 결과, 온갖 쓰레기로 꽉 막혀 저수지를 만들고 있는 이 수문을 뚫는다는 건 불가능하다는 게 확인됐다.

"그래, 답이 안 나오는 것 같다."

보안관도 순순히 고개를 끄덕이고 땀에 찌든 셔츠 소매로 얼굴을 닦았다. 덥다. 뜨거운 햇볕과 힘든 노동으로 올라간 체온을 식히기 위해 그들의 몸은 엄청난 양의 땀을 배출해 내고 있었다. 보안관과 유빈은 두어 발짝 뒤로 물러나 바닥에 주저앉은 채 벌컥벌컥 물을 들이켰다.

　어제 밤새도록 번갈아 보초를 서 가며 차 안에서 쪽잠을 잔 탓에 온몸에는 피로가 덕지덕지 붙어 있었다. 간선 도로 쪽으로 고개를 돌려 보니 철책 위에 걸터앉은 채 망을 보고 있던 삼식이는 여전히 아무 신호도 내지 않는다. 아직 근처에 좀비는 없는 모양이다.

　"참 웃기지? 이렇게 온갖 잡동사니가 다 떠내려오는데, 정작 우리한테 필요한 건 안 와 주네."

　발 근처에서 물살을 따라 빙빙 도는 페트병을 톡, 차며 유빈이 중얼거렸다.

　"정작 우리한테 필요한 거? 그게 뭐야?"

　"뭐긴, 고무보트나 뭐 그런 거지. 이 염병할 저수지를 건너갈 수 있을 만한 거. 한창 휴가철이었으니까 어느 계곡 유원지에서 쓰던 게 좀 떠밀려 올 수도 있잖아."

　"행여나 그런 복이 잘도 우리한테 있겠다. 우리가 동네로 가서 하나 구해 온다면 또 모를까."

　보안관이 콧방귀를 뀌었을 때, 뒤쪽에서 살금살금 다가온 제니가 두 사람의 어깨를 한쪽씩 콱 끌어안았다.

　"에비! 놀랐죠! 하하하!"

　별것도 아닌 장난을 쳐 놓고 혼자서만 신이 난 그녀가 개구지게 웃는다.

　"어때요? 잘돼 가고 있어요?"

　둘이 말없이 고개만 젓자, 제니도 미간을 찌푸렸다.

　"영 아니에요?"

　"응. 영 아니야. 암만 후벼 파 봐도 물이 빠질 기미 같은 건 안 보여."

　보안관은 원망스러운 듯 파이프 끝을 잡고 수문을 쿡, 질렀다.

　"음, 역시 그렇구나……. 그럼 이제 차에 가서 에어컨 바람 좀 쐬어요. 어제부터 너무 무리하고 있잖아요. 이러다가 더위 먹고 쓰러지기라도 하면 정말 아무것도 못 하게 되니까."

"그래, 알았어."

보안관은 순순히 고개를 끄덕였다. 어제 나무를 자르고 옮기느라 땀을 잔뜩 흘린 뒤 일사병에 걸린 신입은 오늘 아침까지도 고생을 했다.

계속 노가다를 뛰어 온 덕에 체력적으로 어느 정도 단련이 되어 있다고는 해도 그들 역시 무한한 에너지를 가진 게 아니고, 며칠 동안이나 불편한 쪽잠을 잤으니 아슬아슬한 선 위에 있는 셈이었다. 몇 시간 만에 결판을 낼 수 없다면 차라리 적절하게 쉬어 가며 일을 하는 게 나았다.

그리고 이 지독한 날씨……. 지난 몇 년간 이렇게 더운 적이 있었던가 싶을 만큼 푹푹 찌는 기온과 따갑게 내리쬐는 태양 덕에 스무 살의 쌩쌩한 몸도 금방 방전이 되어 버릴 만큼 지친다.

"그렇게 말만 하지 말고 빨리 와요! 조금 전부터 에어컨 켜서 음료수 식혀 놨다고요."

양손으로 잡아당기는 제니에게 못 이기는 척 끌려온 두 남자는 코롤라 좌석에 털썩 몸을 던졌다.

하아아~. 에어컨으로 청량해진 실내 공기가 피부의 땀을 식히자 저절로 한숨과 탄성이 섞여 나온다.

"으아~ 시원해."

운전석에 앉아 에어컨 통기구의 방향을 얼굴 쪽으로 조절하며 보안관이 말했다. 뒷좌석에 널브러진 유빈도 고개를 끄덕였다.

"그래. 이제야 좀 살 것 같다."

치익~!

조수석에 따라 들어와 앉은 제니가 얼른 캔을 따서 보안관의 뺨에 가져다 댄다.

웃! 예상하지 못했던 차가운 감촉에 보안관의 목덜미는 소름이 돋아 올랐다. 그가 놀라는 걸 본 제니는 만족스럽게 웃으며 두 번째 캔을 유빈에게 건넸다.

"이거 맥주잖아?"

"맥주라고 해 봐야 겨우 캔 하나인데, 어린애도 아니고 이 정도는 괜찮아요. 그냥 음료수죠, 뭐. 어때요? 그래도 꽤 시원하죠?"

"으응…… 그러네."

땀 흘려 일하고 나서 맥주 한 잔이라…….

그걸 마다할 사람이야 없겠지만, 두려운 것은 이런 음주가 버릇이 되지는 않을까 하는 점이었다. 하지만 애초에 짐을 쌀 때 술은 별로 담아 오지 않았으니까……. 잠시 망설이던 유빈은 맥주 한 모금을 쭉 들이켰다.

크으~. 갈증이 한결 가셨다. 얼음물처럼 차갑지는 않지만, 그래도 상온의 뜨뜻미지근한 음료수만 마셔 온 터라 꽤나 감동적이고 사치스러운 시원함이었다.

유빈의 시선은 자연스럽게 아직도 철책에 걸터앉아 망을 보고 있는 삼식이와, 오피러스 위에서 강 건너편을 살피는 신입에게로 향해졌다. 그것을 눈치챈 제니가 다 안다는 듯한 표정을 짓는다.

"삼식이 오빠 거랑 신입 오빠 것도 있으니까 다 마셔요. 아, 그리고요…… 오빠, 가스레인지 써도 돼요? 점심 준비하면서요."

제니가 유빈을 향해 고개를 돌리며 물었다. 데우지 않아 딱딱한 밥이랑 김만 먹기가 지겹기는 했지만, 유빈은 망설이지 않고 대답했다.

"에이, 안 돼. 담배랑 불이랑 어떤 게 좀비를 끌어들이는지 아직 확실하게 모르는데…… 그냥 대충 먹자."

"하지만요, 오빠. 저걸 좀 봐요. 엄청 뜨거워서 손도 못 댈 지경이에요. 이 정도면 근처에서 불 잠깐 피운다고 크게 온도 차이가 날 것 같지도 않은데…….."

제니가 가리킨 것은 동부 간선 도로를 막고 서 있는 자동차들이다. 몇 시간째 사납게 내리쬐는 햇볕에 달궈진 차체와 아스팔트에서는 아지랑이가 모락모락 피어올랐다.

확실히…… 엄청난 열기라는 걸 느낄 수 있다. 모르기는 해도 열화상 카메라로 비춰 본다면 아마 선명한 빨간색으로만 보일 것이고, 그 위에 달걀을 깨면 금방 프라이가 될 것이다. 물론 에어컨을 가동하기 위해 엔진을 켜 둔 두 대의 차는 더욱 뜨거울 테고.

그런 형편이니 이 근처에서 조그만 가스레인지 하나 더 켜거나 끈다고 해서 어떤 차이가 있을 것 같지 않았다.

"으음…… 열은 뭐 그렇다 치고…… 요리를 할 거야?"

잠시 망설이던 유빈이 묻자, 제니가 찡긋 윙크를 한다.

"넷! 우리 전부 잠도 설쳤고 기운도 없으니까 제가 오랜만에 솜씨 발휘 좀 하려고요. 스팸이랑 고추장이랑 넣고 찌개 만들어 줄게요. 우리 김치도 조금 가져오지 않았어요?"

제니가 요리를 하겠다는 말에 보안관과 유빈이 동시에 주춤한다. 얼큰한 국물은 간절히 먹고 싶다. 하지만 누가 만드는가가 메뉴 못지않게 중요하다.

그들의 뇌리에는 아직도 그녀가 만들었던, 아니, 더 정확히 말하자면, 아까운 재료를 다 망쳐 놓았던 김치찌개의 강렬한 기억이 고스란히 남아 있는 것이다. 유빈이 더듬거렸다.

"구, 굳이 그렇게…… 안 해도 되는데…… 그냥 물만 끓여서 즉석 국에 부어도…… 아니면 라면을 끓여도 되고 어…….."

"오호, 그게 무슨 의미일까? 설마 지금 내가 한 찌개보다 라면이 더 낫다는 이야기예요? 보안관 오빠, 그런 거예요? 오빠가 하지 말라고 하면 안 할 거예요."

눈을 가늘게 뜨고 유빈을 노려보던 제니는 바로 곁에 앉은 보안관 쪽으로 타깃을 옮겨 묻는다. 맥주를 음미하고 있던 보안관은 당황하며 말을 더듬었다.

"그럴 리가 있겠어? 그, 그냥 너 번거롭고 히, 힘들까 봐 하는 말이지."

"후훗, 그런 거죠? 에이, 걱정하지 마요. 나도 도와서 뭔가를 해야죠."

두 주먹을 불끈 쥐고 슈퍼맨 포즈를 취해 보인 제니는 두 남자의 이마에 물수건을 한 장씩 덮어 주고서 차에서 내렸다. 역시 에어컨 바람을 쐬었던 것이라 시원하다.

"좀 더 쉬다가 나와요. 다 되면 부를게요."

"복이라…….."

찡긋 윙크를 하고 문을 닫고 나간 제니의 뒷모습을 가만히 보면서 보안관이 중얼거린다.

"......아까 수문을 휘저으면서 우리한테 복이 있네, 없네 했지만, 그런 게 있었더라도 벌써 다 써 버린 걸지도 모르겠어."

유빈도 동의한다는 의미로 고개를 끄덕거렸다. 진심으로 깔깔대는 저 밝은 웃음소리가 주는 긍정적 에너지가 없었다면, 그리고 저 아름다운 미소가 곁에 없었다면, 지난 열흘은 훨씬 더 견디기 어려웠을 것이다. 아니, 사실 이제 그녀 없는 날들이 잘 상상이 가지 않을 만큼 익숙하고 절실하다.

그런 생각을 하며 느긋하게 한잔을 기울이고 있을 때, 5미터 정도 앞에 정차되어 있던 오피러스 위에서 신입이 방방 뛰었다.

"저, 저기! 저기!"

원숭이처럼 외마디 소리를 질러 대는 바람에 트렁크에서 취사도구를 꺼내던 제니도, 물수건을 이마에 얹고 있던 보안관과 유빈도 깜짝 놀랐다.

"뭐야? 왜 그래, 인마?"

급하게 문을 열고 뛰어나간 보안관이 물었다. 신입은 중랑천 건너편을 가리키며 다시 꽥! 소리를 질렀다.

"저거! 안 보여, 이 등신아? 저기 좀비잖아! 떼로 온다고!"

보안관은 신입의 손가락이 가리키는 방향으로 몸을 돌리고 발돋움을 했다. 그러자 쑥쑥 자라 있는 갈대밭 사이로 개천 건너편의 산책로가 눈에 들어왔다. 그리고 정말로 신입의 말처럼 거기엔 좀비가 있었다. 다만, 떼라는 건 심한 과장이었다. 좀비는 모두 세 마리뿐이었다.

"야! 빨리 차에 타! 뭐 해? 저 새끼들, 여기까지 금방이야!"

허겁지겁 뛰어내린 신입은 오피러스에 올라타며 목청을 더 높였다. 코롤라 지붕에 구부정하게 올라서 살펴보고 있던 유빈이 허리를 굽히며 조용히 하라는 신호를 보냈다.

"쉿! 목소리 좀 낮춰. 너 때문에 들키겠어. 쟤들은 아직 이쪽 쳐다보지도 않는다고. 갈대에 가려져서 우리가 안 보여."

"……모른다고? 정말?"

삼식이가 아직 돌아오지 않았는데 시동부터 걸고 있던 신입은 잠시 믿을 수 없다는 표정을 짓다가 주춤거리며 다시 자동차 지붕으로 올라갔다.

건너편의 좀비들은 특유의 휘청거리는 걸음으로 천천히 산책로를 걸어가는 중이었다. 특별히 걸음을 서두르는 기미도 없고, 이쪽으로 고개를 돌리지도 않는다. 그저 끄으으으~ 하는, 숨이 막혀 괴로워하는 듯한 소리를 간간이 내며 규칙적으로 발을 내디딜 뿐이다.

"뭐지? 저놈들은 어디에서 오는 거지?"

유빈의 옆에 선 보안관이 목소리를 낮춰 물었다. 피가 검게 말라붙어 있는 상태로 보아 좀비가 된 지는 꽤나 오랜 시간이 흐른 것처럼 보인다. 특별한 목적이 있는 놈들로는 보이지 않는다.

어쩌면 처음 좀비가 급격하게 확산되던 날 물려 감염이 된 이래 지금까지 계속 저런 꼴로 걸어 다니고 있는 건가 하는 생각이 들었다. 어쨌든 산책로라고 해서 안전하지 않다는 것 하나는 확실해졌다. 사람이 있던 곳이라면 어디든 좀비가 있다는 사실이다.

"근데 쟤들은 왜 다른 좀비들이랑 합류하지 않았을까요?"

어느새 곁으로 다가온 제니도 속삭인다. 그건 유빈에게도 궁금한 문제였다. 돌이켜 보면 몇몇 녀석들은 반드시라고 할 만큼 무리에서 따로 떨어져 있었다.

어제의 시장에서도 그랬고, 경전철역 건너 번화가에서도 그랬고, 나중에 불을 보고 찾아온 놈들 중에서조차 몇 놈이 따로 떨어져서 벌판을 배회했다.

그렇다고 해서 그런 놈들의 행동을 조종해 정찰이나 보초를 담당하라는 명령을 내리는 사령부 같은 게 존재할 성싶지도 않았다.

"안테나 같은 게 고장 난 걸까요? 쟤들은?"

"어쩌면……."

말없이 좀비들을 관찰하던 유빈이 입을 열었다.

"저것 때문인지도 몰라."

"뭐요? 다리?"

응, 유빈은 고개를 끄덕였다. 지금 개천 건너편을 걷고 있는 세 마리 좀비의 공통점을 고르라면, 놈들이 모두 종아리나 허벅지 근육이 뜯겨 나가거나, 뼈가 부러진 상태여서 좀처럼 속도를 내지 못한다는 것이다.

그중에는 내장이 드러날 만큼 복부에 커다란 구멍이 뚫려 있는 놈도 있었다. 한마디로 신체적 상황이 엉망이었다.

"살 좀 뜯겨 나가기는 했지만, 그게 뭐? 좀비 중에 멀쩡한 놈이 어디 있어? 어차피 한 번은 물려야 좀비가 되는 건데."

유빈의 말을 완전히 이해하지 못한 보안관이 고개를 갸웃거린다. 유빈은 자신의 어깨를 짚으며 말했다.

"이런 데나 목 같은 데를 물리는 거랑은 다르지. 다리라고. 다리가 망가져서 걷는 게 꽤 느리잖아. 물론 그래도 잘만 걸어 다니기는 하지만…… 어쨌든 저런 놈들이 무리에 합류해서 이동을 한다면, 무리 전체의 이동 속도도 확 줄어 버릴 거야. 차라리 떼어 놓고 다니는 게……."

"뭔 소리야? 부상당한 부위랑 정도를 파악해서 무리에 넣고 안 넣고를 정한다고? 저것들 대가리로 그런 게 가능할 리가 없잖아. 칼날에 목이 걸려도 똑바로 직진밖에 할 줄 모르는 놈들인데……."

"모르겠어. 그냥 그런 생각이 들었어. 논리적으로 말은 되잖아. 그건 그렇고……."

지붕에서 뛰어내린 유빈은 갈대숲을 헤치고 개천 쪽으로 다가갔다. 깜짝 놀란 보안관이 묻는다.

"야, 무슨 짓이야? 뭘 하려고?"

유빈은 갈대들을 양쪽으로 눕혀 그 사이로 좀비가 보이도록 했다. 놈들은 아직도 처음 눈에 띄었을 때와 같은 속도로 이동 중이다. 물이 불어난 개천의 폭은 15미터 남짓. 그 정도밖에 떨어져 있지 않은데도 이편에 사람이 있다는 걸 눈치채지 못했다는 게 이상할 지경이다. 게다가 조금 전 신입이 그렇게 큰 소리를 내며 난리를 쳤는데…….

바람은 좀비들로부터 유빈이 선 쪽을 향해 불어오고 있다. 예전에 번화가에서 그들을 발견하고 달려오던 놈들이 눈으로 보고 그렇게 한 게 아니었다는 게 느껴진다.

"들어 봐. 이건 아주 좋은 기회야. 저놈들이 어떻게 우리를 느끼고 찾아내는지 알 수 있는 기회라고. 일단 지금까지 저것들은 우리가 여기 있다는 걸 전혀 모르는 놈들처럼 굴어. 그렇지? 심지어 그렇게 큰 소리로 떠들어 댔는데도. 그러니까 바람의 방향만 잘 맞춘다면 이 정도 거리에서 이 정도 소리를 내는 건 아직 안전하단 뜻이야. 안 들킨다고."

이 정도면 몇 가지 실험을 해 볼 수도 있겠다 싶어서 들뜬 유빈은 뒷걸음질을 치다가 풀에 걸려 중심을 잃었다.

어엇, 하며 갈대라도 잡아 보려 했지만, 한 번 균형이 무너진 데다 바닥도 끈적이는 진창이어서 그대로 넘어가고 말았다.

풀썩.

갈대밭 위라서 소리는 별로 나지 않았다. 하지만 어쩐 일인지 건너편의 좀비들은 바로 그 순간, 몸을 돌렸다.

크륵— 그롸아아악—!

"안 들키는 것 같은 소리 하고 있네! 빨리 일어나!"

보안관이 얼른 팔을 뻗어 유빈을 잡아 일으켰다. 철책에서 내려와 뒤늦게 합류한 삼식이도 서둘러 흡연 차량 오피러스 안으로 뛰어 들어갔다. 이미 시동이 걸려 있던 두 자동차의 운전자들이 기어를 바꾸는 동안 좀비들은 물속으로 몸을 던졌다. 다이빙하는 좀비들의 모습이 조금 전, 유빈이 깔아뭉갠 갈대 틈 사이로 보인다.

"빨리! 빨리요!"

눈이 똥그래진 제니가 채근을 한다. 세 마리뿐이라고는 하지만, 이렇게 뒤가 막힌 곳에서 큰 소리를 내며 싸우고 싶진 않다. 혹시라도 놈들의 울부짖는 소리가 다른 동료들을 유인하기라도 할까 봐 두렵기 때문이다.

놈들이 물속에서 얼마나 빠르게 움직일 수 있는지 알지 못하는 터라 보안관의 마음도 급했다. P에 가 있던 기어를 D로 옮기고, 파킹 브레이크를 풀면서도 보안관과 유빈의 시선은 개천 쪽으로 향했다.

그런데…….

"저것 봐!"

유빈이 가리키지 않아도 이미 모두의 시선은 좀비들에게 집중되어 있었다.

기세 좋게 물속으로 몸을 날린 다음, 개헤엄을 치듯 두 팔과 두 다리를 휘저어 대던 좀비 세 마리는 그대로 물살에 휘말려 하류 쪽으로 떠내려가 버렸다. 그야말로 눈 깜짝할 사이에 일어나 버린 일이다.

"……뭐지, 저놈들?"

어이없다는 표정으로 차 문을 열고 나온 일행들은 산책로를 따라 걸어가며 좀비의 뒤를 쫓았다.

그르륵— 그르륵—.

놈들이 고함을 지르려 입을 벌릴 때마다 물이 빨려 들어가며 숨넘어가는 소리가 들린다. 속보 정도의 빠르기로 떠내려가던 좀비들은 저수지처럼 커진 물웅덩이로 빨려 들어가며 돌기둥에 호되게 부딪쳤다.

콰직—.

뼈가 부러지는 소리와 함께 물속에 잠긴 좀비의 몸뚱이가 다시 잠깐 떠오르는가 싶더니, 부서진 수문의 튀어나온 창살에 걸려 주욱 찢어진다. 그러고는 곧바로 콘크리트 구조물에 내동댕이쳐져 뼈가 꺾였다.

결국 세 마리의 좀비는 단 하나의 생존자도 남기지 못하며 처절하게 부러지고 터진 채 다른 쓰레기들과 함께 수문에 박히고서야 비로소 멈춰 섰다. 터져 버린 놈들의 뇌수가 흘러나와 둥둥 뜬다. 식사를 앞둔 시점에서 별로 보고 싶지 않은 광경이었다.

"······고무보트로 건너가는 작전은 포기. 그건 잊어버려."

숨도 제대로 쉬지 못한 채 좀비들이 물살에 휘둘려 박살 나는 광경을 지켜본 유빈이 수문 사이에 낀 좀비의 몸뚱이를 보면서 중얼거렸다.

보안관도 입을 다물지 못하고 고개만 끄덕인다. 수문 너머의 물살은 그들이 느끼는 것보다 훨씬 더 빠르고 강하게 흐르고 있었다.

"겉으로 보는 것하고는 또 다르구나······."

보안관이 땀을 닦으며 중얼거렸다. 조금 전까지 물가에 서서 아무렇지도 않게 파이프를 넣어 저으며 막힌 수문을 뚫어 대고 있던 걸 생각하니 새삼 오싹해진다. 혹시라도 저기에 말려들었다면······.

콰아아―.

온갖 것들이 낀 수문에 막힌 물살은 두어 번 더 소용돌이를 일으키며 돌다가 콘크리트 둑을 넘어 흘러가 버렸다. 뒷걸음질로 물러나며 유빈이 중얼거렸다.

"여기가 이 정도면 한강은 도대체 얼마나 빠르다는 거야? 젠장, 곤란하잖아."

"응? 물살이 빠르면 안 되는 거?"

삼식이가 머리를 갸웃거린다.

"뭐, 그야······ 잠실 수용소인지 하는 곳으로 가려면 한강에 도착하고 나서도 강을 건너야 하니까."

유빈의 절망적인 설명이 끝나자 일순 적막이 감돌았다. 침묵을 깬 것은 제니였다.

"자, 자, 그런 걱정은 좀 이따가 하고, 일단 밥부터 먹어요. 오빠들은 손도 좀 씻고 쉬고 계세요. 제가 맛있는 찌개 끓여 줄 테니까요."

그 말을 듣고 남자들은 순순히 시키는 대로 생수를 부어 손과 얼굴을 닦고 자동차 사이에 자리를 잡는다. 뭔가 시시한 농담을 하기도 한다.

"아야야, 따끔거린다."

보안관이 물집이 터진 손바닥을 주무르며 중얼거리고, 바지를 걷은 유빈의 무릎과 종아리 상처에는 아직도 붉은 새살이 돋아나는 중이다.

한마디로 다들 몸이 많이 망가진 상태였다. 그리고 희망은 옅어질 대로 옅어진 상황이다. 하지만 셋 중 누구도 한숨을 쉬지는 않았다.
 신입은 생각했다. 이것들은 도대체 뭘 믿고 이렇게 여유를 부리는 거지? 어제 아침만 해도 두어 시간만 걸리면 한강에 도착할 것처럼 신이 나 있더니, 실제로는 하루 종일 장비를 찾아 나무를 자르고 힘든 일만 하느라 수용소는 구경도 못 해 봤다. 나까지 그 고강도의 노동에 휩쓸려서 끝내 더위를 먹고 구역질을 꽥꽥하게 만들지 않았는가…….
 게다가 나무를 다 치우고 여기까지 와 보니 이제는 물에 막혀 꼼짝도 못 하게 되어 버렸다. 담배도 맘대로 피우지 못하고 잠도 순번을 지켜 가며 차에서 쪽잠을 자야 하는 신세. 당장 입에서 '나 죽겠네.' 하는 엄살과 서로를 원망하는 욕설이 쏟아져 나와도 이상할 게 없다.
 그런데도 뭐 한다고 이렇게 빙글거리면서 저 맛대가리 없어 보이는 찌개를 먹기 위해 웃으며 기다리고 있단 말인가. 나사가 빠진 게 분명하다. 제정신이 아니야. 안 되겠어. 보안관, 저 개새끼가 좀 무섭기는 하지만…… 씨발, 나라도 화를 한 번 버럭 내야지.
 너희 지금 장난쳐? 수용소 간다더니, 여기가 수용소야? 이 멍청한 새끼야, 사람을 이 고생을 시키려고 여기까지 끌고 왔어? 그리고 말이 나왔으니 말인데, 이게 음식이냐? 개도 이런 건 안 먹어!
 정말 그렇게 말해야겠다고 화낼 준비를 단단히 했다. 한데…….
 "오빠, 몸은 좀 괜찮아졌어요? 자, 따뜻한 걸 먹으면 기운이 좀 날 거예요."
 제니가 빙긋 웃으며 희고 가느다란 손으로 건네주는 찌개를 받아 드는 순간, 신입은 그만 해죽, 마주 웃고 말았다.
 제니가 직접 만든 찌개를 나한테!
 의식이 엉뚱한 데에 홀리자 화를 내야겠다는 생각조차 사라져 버렸다. 그리고 입에서는 멍청한 대답이 흘러나왔다.
 "으, 으응. 고마워."

"고맙긴요. 자……."

먹어 봐요, 하는 눈빛으로 제니가 지그시 바라본다. 신입은 한 숟갈을 떠서 입에 가져갔다.

맛은…… 예상했던 그대로다. 정말 맛이 없다. 아까 수저로 간도 보는 것 같더니만, 얘는 혀에 미뢰라는 게 없는 건가?

"어때요? 굿?"

모두가 한입을 떴을 때, 제니가 두근두근하는 표정으로 물었다.

어떠냐고? 아까운 김치랑 햄을 가지고 이게 무슨 짓이냐고, 버럭 소리를 지르며 국자로 머리를 때려도 이상하지 않을, 그런 맛이다.

하지만 이런 대스타가 정성껏 만들고 꽃처럼 웃는 얼굴을 보고 있자니 차마 화를 낼 수가 없다.

그래도 말이지…… 괜찮잖아? 생각해 봐, 대체 지금까지 몇 명이나 제니가 직접 만든 찌개를 대접받아 봤겠어. 옆의 놈들만 없으면 꼭 신혼 분위기 같잖아.

지금 여기서 말 한마디 잘못했다간 신혼부부 놀이는 그날로 쫑이 나고 앞으로는 산적 같은 남자 놈들이 만든 요리만 먹어야 한단 말이지. 그래, 좀비 세상에서 이런 낙이라도 있어야지…….

그런 생각을 하고 있을 때, 곁에 앉은 삼식이가 입을 열었다.

"난 솔직히 제니가 요리 안 했으…… 읍!"

신입과 보안관의 손이 동시에 삼식이의 입을 틀어막았다. 삼식이의 입술을 꽉 쥐며 보안관이 강압적으로 말했다.

"행복한 맛이야. 그렇지, 삼식아?"

"읍~! 읍~!"

"고개를 끄덕이면 되잖아. 그렇게 꼭 말로 의사를 표현하려고 할 필요 없어."

삼식이가 버티려 해 보지만, 보안관은 억지로 녀석의 주둥이를 꾹 누르고 얼굴을 위아래로 끄덕이게 만들었다. 그 장난기에 기분이 좋아진 제니가 까르르 웃는다.

훗, 후후~. 그녀의 웃음을 따라 신입도 덩달아 실실거리며 싱거우면서 매운, 그러면서도 시큼한, 이상한 김치찌개를 떠먹었다.

"하아~ 이놈들 엄청 여유만만이네. 객관적으로 꽤나 낙담할 만한 상황까지 몰린 것 같은데…… 걱정…… 안 돼?"

신입이 하려던 말을 입 밖으로 낸 건 유빈이었다. 찌개에 만 밥을 벌칙을 수행하는 사람처럼 후다닥 넘긴 유빈이 중얼거리자, 제니가 유빈의 어깨를 탁, 친다.

"에이~ 뭔 소리예요. 머리 쓰는 사람 여기 있으니까 우린 오빠만 믿고 있구만. 자, 맛있는 거 먹었으니까 이제 어떻게 할지 얘기해 봐요."

"맛있는 거? 하아……. 그래, 뭐, 그건 그렇고, 이후 계획에 대해서도 다들 비슷한 생각인가?"

모두의 눈이 일제히 유빈에게 향한다. 그리고 거의 동시에 고개를 주억거렸다. 유빈은 힘이 든다는 듯 한 번 고개를 갸웃하고서 이야기를 시작했다.

"글쎄…… 뭐, 벌써들 다 눈치채고는 있겠지만, 그래도 분명히 말을 하고 넘어가야겠지. 이제 수용소까지 단기간에 간다는 건 포기해야 할 것 같아. 장애물이 너무 많아. 저기 물이 고인 데를 육로로 우회해서 지나간 다음, 간선 도로에서 차를 끌어 내린다고 해도 또 얼마나 많은 저수지 같은 게 기다리고 있을지도 모르고……. 내 계획은 완전히 틀어."

거기까지 말하고 유빈은 잠시 사이를 두었다. 비난이든 욕설이든 뭐든, 하고 싶은 말이 있다면 하라고 기다리는 것 같다.

"그런 건 벌써 어젯밤에 다 알았잖아. 그거 말고 앞으로 어떻게 할지나 이야기해."

제니가 만든 요리를 버릴 수 없다며 남은 찌개를 바닥까지 긁어 먹고 있던 보안관이 입 안의 음식을 꿀꺽 삼키고 나서 말했다. 제니도 고개를 끄덕였다.

"그래요. 어차피 좀비들이 자꾸 몰려와서 거기엔 더 있을 수도 없었잖아요. 물론 앞뒤 재 보지 않고 무작정 출발한 건 무모했지만. 후훗!"

편을 들어 주는 척하던 제니가 말끝에 가시를 하나 붙여서 유빈을 놀리고 웃는다. 유빈은 힘없이 머리를 긁적이고서 말을 이었다.

"어쨌든 가져온 식량도 이제 절반은 먹었으니 더 이상 여기에서 마냥 시간만 보낼 수는 없고, 슬슬 플랜 B로 가야 돼. 물론 이건 처음 출발할 때부터 포함되어 있던 게 아니라 어젯밤부터 급조한 거라서 조금 엉성하기는 해. 뭐, 지금 우리 상황에서는 그게 최선이라고 생각하지만서도."

"그런 설명을 길게 할 필요는 없잖아. 그래서 우리가 어떻게 해야 하는 건데?"

"일단 저 위로 가는 거야."

채근을 받은 유빈은 그들의 머리 위를 지나는 고가 도로를 가리켰다. 모두의 고개가 우측 하늘을 향해 올라간다.

중랑천을 가로질러 뻗은 고가 도로.

기둥에는 교량의 바닥 높이가 4.5미터라고 표시되어 있다.

물론 그들이 서 있는 산책로가 아니라 비탈길 위의 동부 간선 도로에서 측정한 수치다. 그리고 거기에서 또 4.5미터 두께의 구조물을 더 올라가야 위에 닿을 수 있다. 그럼 실제 높이는 15미터 가까이나 된다.

"저길 어떻게 올라간다는 거야? 무슨 동남아 원주민도 아니고."

고가 도로를 올려다보던 신입이 어처구니없다는 표정을 지었다.

"올라갈 수는 있어. 너도 슬쩍 보기만 해도 알 수 있을 텐데. 저기 중간쯤에 정비하기 위해서 만들어 놓은 철제 구조물들 보이잖아. 애초에 저기다 사다리 대고 올라가라고 만들어 놓은 거야."

유빈이 말하는 것은 20여 미터 정도의 간격을 두고 기둥 중간 부분마다 설치된 철제 구조물이었다. 철망으로 된 발판과 난간이 지붕 없는 동물 우리처럼 기둥을 빙 둘러쳐져 있고, 역시 철제 구조물로 덮인 사다리가 고가 도로 위까지 연결된 형태였다. 하지만 거기까지의 높이도 꽤 되어 보인다.

"별걸 다 자세히도 봤네. 올라가는 문제는 둘째 치고, 저기가 어딘데? 하고 많은 고가 도로 중에 왜 하필 저걸 골랐어?"

이번엔 보안관이 끼어들어 물었다. 유빈은 고개를 갸웃거리며 대답했다.

"나도 정확한 건 몰라. 하지만 저 위에 고압전선이 쭈욱 이어져 있는 걸 보면 아마 전철이나 기차가 지나가는 길이었겠지. 그게 다른 고가 도로들이랑 달라. 저기는 사람 사는 동네랑 바로 이어진 도로가 아니니까 훨씬 안전할 거 같아서."

"씨발, 막연히 기찻길이었을 것 같은 데로 올라가자고? 그게 어제부터 기껏 생각해서 내놓은 결론이냐? 너 상황을 존나 우습게 안다?"

제니의 미소와 함께 먹은 점심 덕에 한껏 기분이 업된 신입이 유빈을 다그쳐 봤다. 하지만 그의 말에 신경 쓰는 사람은 아무도 없었다. 유빈은 무표정한 얼굴로 설명을 계속했다.

"저기로 올라가면 좋은 점이 몇 개 있어. 첫째, 저렇게 높이 쭈욱 뻗은 공간이잖아. 그러니까 앞뒤, 이 두 방향만 신경 쓰면 돼. 이런 평지에 있을 때처럼 사방 어느 쪽에서 좀비들이 갑자기 달려들지 몰라 늘 긴장하는 것보다 훨씬 낫지."

"오케이, 그건 납득이 갔어. 그럼 나중에 혹시 양방향에서 오는 놈들이 있으면 그건 어떻게 할 건데?"

보안관과 제니가 고개를 끄덕이며 물었다. 유빈은 고가 도로 측면의 난간을 가리켰다.

"저길 보면 저렇게 쇠로 된 난간이 쫙 이어져 있어. 저걸 뜯어서, 물론 시간은 좀 걸리겠지만 말이야……. 하여간 저걸 뜯어서 앞뒤 양쪽 땅에다 박아 고정시키면 꽤나 튼튼한 벽이 될 거야. 물론 그렇게 해도 놈들이 작정하고 달려들면 어디까지나 시간 벌이밖에는 안 되겠지만, 적어도 자다가 목을 물어뜯길 일은 없어지겠지. 대비가 된다는 거야."

"다른 철책들이랑 묶어서 고정시킬 수도 있겠네. 만약 그런 작업이 다 끝나기 전에 좀비들이 몰아닥치면?"

"그런 지적 좋아!"

삼식이가 턱의 수염을 긁적이며 묻자 유빈은 엄지손가락을 들어 보였다.

"그때는 다시 여기로 내려와서 이 차를 타는 수밖에 없겠지. 그래 봐야 원점이야. 그리고 또 하나 좋은 점은…… 저긴 선로잖아. 길이라고. 어딘가로 연결된 길. 그러니까 저 길 따라서 이동할 수도 있어. 좀비만 없다면 말이야. 만약에 저 게 지하철이 아니라서 계속 지상으로만 이어져 있다면…… 혹시 모르지, 잠실이나 더 먼 데까지도 갈 수 있을지도."

"너 지도 가지고 있었잖아. 거기에 안 나와 있어? 이 고가 도로가 뭔지?"

"이 부근까지는 부동산 지도에 포함이 안 되어 있어. A4 한 장짜리 서울시 지도는 잘 보이지도 않고."

으음, 유빈을 제외한 네 사람은 잠시 생각에 잠겼다. 고민에 빠져 이마를 찌푸린 채 삼식이가 물었다.

"저기를 올라가기 싫다면 다른 방법도 생각해 놓은 것 있어? 예를 들어 플랜 C라거나……."

"그야 뭐, 간단하지. 철책을 넘어서 아무 동네에라도 들어가야 돼. 그러고는 우리가 숨어 지낼 만할 안전한 집을 찾아야겠지."

"으아, 지금 갑자기 낯선 데로 가는 건 좀 무서운데…… 언제 얼마나 되는 좀 비들이랑 마주칠지도 모르는 거고. 그냥 여기에 있는 건 안 돼?"

"안 될 거야 없겠지만, 사실은 저놈의 호수 때문에 우린 막다른 길에 있는 거나 다르지 않아. 그러니까 혹시라도 저쪽에서……."

유빈은 자동차로 그들이 달려온 방향을 가리켰다.

"좀비들이 떼로 몰려오면 우린 갇히는 거야. 그때 허겁지겁 철책을 넘어서 동네로 들어가는 것보다야 여유가 있을 때 미리 찬찬히 하는 편이 낫다는 거지."

끄응~. 삼식이가 앓는 소리를 낸다. 조금 전, 하천 건너편에서 걸어온 좀비 놈들을 본 터라 여기는 안전하다는 말을 하기도 어렵다. 상대가 손에 꼽을 정도뿐이라면 차로 치고 도망갈 수도 있겠지만, 만약 수십 마리가 한꺼번에 달려온다면…….

그건 정말 생각하고 싶지도 않다. 사방으로 전망이 탁 트여서 잊고 있었지만, 사실 그들은 이 길의 끝에 갇힌 채 서 있는 꼴이니까.

"저 위에도 좀비가 있지는 않을까? 그러면 괜히 땀만 빼는 거잖아. 더 위험하고."

보안관이 고가 선로를 가리키며 물었다. 유빈은 고개를 저었다.

"눈에 보이는 구간에는 절대 없어. 만약 그랬다면 우리를 보고서 발광을 하다가 곧바로 뛰어내렸을 테니까. 아니면 적어도 죽어라 울어 대기라도 했을 테고. 지금까지 얌전히 기다리고 있었을 리가 없잖아."

하긴, 좀비들은 망설이지도, 웅크린 채 때를 기다리지도 않는다. 일단 살아 있는 사람을 발견하면 제 살이 찢어지든 뼈가 부러지든 개의치 않고 곧바로 몸을 날리고 보는 게 놈들의 특성 아닌가.

유빈의 설명을 다 들은 네 사람은 다시 팔짱을 끼고 잠시 더 고민하다가 결국 해 보자는 것으로 결론을 내렸다. 지금까지 들은 이야기들만으로 미뤄 볼 때, 별로 손해 볼 게 없는 시도처럼 들렸다.

"좋아, 그러면 올라가 보지, 뭐. 까짓거. 그런데 저기까지 어떻게 갈 거야? 사다리를 뭐로 만들어?"

삼식이가 교각에 붙은 철제 구조물을 가리키며 물었다. 높이는 5.5미터가량, 그보다 조금 더 높을지도 모른다.

간단하잖아, 유빈이 중얼거리면서 자동차와 보안관, 그리고 삼식이를 차례로 지목했다. 그러면 그들이 보유하고 있는 높은 것들은 전부 동원하는 셈이다.

04

"뒤로 조금만 더 빼. 조금만. 오케이!"

유빈이 트렁크를 탁탁, 두드리자 삼식이가 브레이크를 밟았다. 오피러스는 교각 구조물의 한쪽 끝자락에 맞춰 세워졌다. 그 위로 보안관이 올라갔다.

삐이익— 삐익—.

모래가 박힌 안전화가 밟고 지날 때마다 페인트가 벗겨지며 강판이 꿀렁거린다. 보다 더 많은 무게를 지탱할 수 있을 것 같다는 이유로 서는 위치는 C필러에 근접한 부분으로 정했다. 그래도 어지간한 무게의 보안관이 버티고 서자 지붕은 곧 내려앉을 것처럼 위태로워 보였다.

"자, 삼식이 이제 올라와!"

신발을 벗은 삼식이도 보안관의 말에 따라서 자동차 지붕으로 기어 올라갔다. 그러고는 유빈의 도움을 받아 보안관의 어깨 위에 올라섰다.

순식간에 남자 세 명의 몸무게를 지탱하게 된 자동차의 지붕에서 끼이잉— 하고 쇠가 뒤틀리는 소리가 울린다.

"아, 아야! 이 새끼야! 뼈 밟지 마! 윽! 근육을 밟으라고!"

어깨 위의 삼식이가 중심을 잡기 위해 발을 옮길 때마다 쇄골이 눌린 보안관이 인상을 찌푸렸다. 싱거운 삼식이가 웃음을 꾹 참으며 조심조심 발을 옮겼다. 보안관이 삼식이의 발목을 잡아 중심을 잡도록 도왔다.

그리고 마침내 삼식이는 보안관의 어깨 위에서 섰다. 후들거리며 겨우 중심을 잡아 구부정하게 서 있는 두 남자의 모습은 마치 거지들이 하는 삼류 서커스단을 보는 것 같다.

"……닿아? 닿았냐고?"

보안관이 용을 써 가며 물었다. 아무리 호리호리하다고 해도 키가 187인 녀석을 어깨로만 버티고 있자니, 저절로 인상이 써지는 모양이었다.

힘이 들기는 위에 있는 삼식이 역시 마찬가지였다. 두 팔을 하늘로 쭉 펴 올린 삼식이도 안타까운 목소리를 냈다.

"아니…… 허리를 좀 더 쭉 펴 봐. 아오, 이거…… 손끝에 닿을락 말락 하는데."

'야, 안 되겠어. 나 어깨 뽀개질 것 같아. 일단 내려와 봐. 뭔가 밟는 데가 잘못된 것 같아…….'라는 말이 보안관의 입에서 막 나오기 직전에 제니가 간절하게 외쳤다.

"보안관 오빠! 괜찮아요? 아프지 않아요?"

"당연하지! 이 정도야!"

버프를 받은 보안관은 이를 악물고 가슴을 쫙 폈다. 그 덕에 삼식이의 두 손끝이 쇠파이프로 된 구조물 바닥에 닿았다.

덥석!

삼식이는 때를 놓치지 않고 손가락을 꽉 오므려 쥐었다.

"잡았다!"

어깨에서 짐을 덜어 낸 보안관도 반색을 하며 팔을 들어 올려 삼식이의 발을 받쳤다.

"꽉 잡아! 민다!"

끄응, 보안관이 밀어주는 힘을 추진력 삼아 삼식이는 두 칸 위의 철창에까지 올라갔다. 그러고는 몸을 쭉 끌어 올려 구조물 위에 섰다.

챙―.

삼식이가 두 발을 내딛자 격자무늬의 쇠 그물 바닥이 흔들리며 울린다.

"좋았어! 이거 받아!"

아래에서 보고 있던 유빈이 삼식이를 향해 배낭을 던져 올렸다. 배낭 안에는 신발과 망치가 줄사다리처럼 엮어 놓은 여러 겹의 빨랫줄에 칭칭 싸매어져 있었다.

"일단 줄부터 묶어서 내려! 그래야 여차하면 우리도 올라갈 수 있으니까!"

"알았어. 근데 유빈아, 아까는 저 위로 올라가면 좋은 점만 잔뜩 이야기했는데, 생각해 보니까 이상하단 말이지? 그렇게 좋은 데라면 여태까지 망설이면서 계속 애꿎은 수문만 쑤셔 댈 리가 없었을 텐데. 저 위의 단점 같은 건 없어?"

줄사다리를 기둥에 묶으면서 삼식이가 물었다.

단점……. 유빈이 힘없이 웅얼거렸다.

"뭐라고? 안 들려?"

"단점도 있어! 그리고 그게 뭔지는 위에 올라가 보기만 하면 바로 알게 될 거야!"

그렇단 말이지?

빨랫줄을 세 군데에 단단히 고정해 묶은 삼식이는 안전화의 끈을 묶고 망치를 허리춤에 쑤셔 넣은 다음, 철제 구조물로 둘러쳐진 사다리를 잡았다.

그러고는 한 발, 한 발 빠르게 기어 올라갔다. 철책 문은 잠겨 있었지만, 굳이 망치로 때려 부수지 않아도 넘어갈 수 있을 높이였다. 삼식이는 조심스레 머리부터 선로 안으로 집어넣었다.

"괜찮아요, 삼식이 오빠?"

삼식이가 상반신만 사다리 안쪽에 걸치고 더 이상 움직이지 않자 지켜보고 있던 제니가 걱정스러운 목소리로 물었다.

"끄아아아악~ 으아아아악~!"

갑작스럽게 울리는 삼식이의 비명! 궁둥이를 씰룩대면서 그의 긴 다리가 허공에서 거칠게 발버둥을 친다.

"꺄아악!"

제니의 쇳소리.

이런 씨발! 넘어져서 뒤로 기는 신입.

삼식이의 다리는 경련하듯 떨리다가 마침내 철책 위로 축 늘어져 버렸다.

그러거나 말거나 유빈은 한번 힐끗 쳐다본 뒤, 차에서 짐을 꺼내는 데에만 집중했다.

하아암~.

덤덤한 표정으로 구경하고 있던 보안관이 하품을 하며 기지개를 켠다.

"어설퍼, 이 새끼야."

"하하하하!"

웃음소리와 함께 몸을 일으킨 삼식이는 좋아 죽겠다는 표정으로 웃어 댔다.

"어때? 내 덕에 좀 오싹해졌지?"

"진짜! 얼마나 놀랐는지 알아요? 오빠 올라가면 가만 안 둘 거예요! 정말 천벌

받을 거야! 이씨!"

무표정한 두 친구와 달리 제니는 얼굴이 빨갛게 상기돼서 씩씩거렸다. 신입도 쌍욕을 퍼붓는다. 둘의 목소리가 좀 잦아들기를 기다렸다가 유빈이 물었다.

"위험한 거 아무것도 없지?"

"응! 완전 뻥 뚫렸어. 근데…… 무지하게 더워! 정말 타 죽을 것 같아!"

삼식이가 목 주변을 잡아당겨 펄럭이며 하소연을 했다. 어느새 잔뜩 솟아난 땀이 턱 아래로 뚝뚝 떨어진다. 어디에도 열기를 피할 수 있는 곳 따위는 없고, 그저 자갈과 쇠뿐이다.

천장도, 이렇다 할 벽도 없어 직사광선을 고스란히 받은 선로에는 달궈진 자갈과 쇠가 이글이글 열기를 뿜어 내고 있다. 맥반석 위에 올려진 오징어가 되면 이런 느낌일까.

고가 도로 그늘 밑에서 햇살을 피할 수 있고, 그나마 간간이 강바람이 불어오던 산책로도 덥다고 불평을 했는데, 이곳에 비하면 리조트급으로 시원했던 것 같다.

"그게 단점이야. 이 여름에 사람이 살 만한 데가 아닐 거야. 애초에 사람이 살 목적으로 만들어 놓은 곳도 아니지만. 아마 사하라 사막에 있는 기분일걸?"

라면과 물을 배낭에 채워 넣던 유빈이 하늘 한가운데에 떠 있는 해를 힐끔 쳐다보며 중얼거렸다. 나머지 셋이 얼빠진 표정으로 유빈을 향해 물었다.

"저기로 올라가자면서? 그럼 어쩌자는 거야? 쪄 죽기는 싫어!"

"그래, 지금 당장은 좀 고생스러울 거야. 선로 위가 정 더우면 저 구조물로 내려와서 잠시 피해 있어도 돼. 거기는 고가 선로 때문에 그늘이 생기니까."

"근본적으로 문제 해결이 안 되잖아!"

신입이 목청을 돋웠다.

"그건 차차 해결할 수 있어. 그냥 시간이 좀 필요해. 진정해, 인마. 너 현대인이잖아. 도구를 쓰면 된다고. 그렇게 열 낼 힘이 있으면 이거나 지고 올라가."

유빈은 식량을 채운 배낭을 신입의 등에 지워 주며 귀찮다는 듯 어깨를 토닥였다. 모두는 떨떠름한 얼굴이 되어 삼식이가 매 놓은 줄사다리를 타고 구조물 위로 한 명씩 기어 올랐다.

"으아아~ 정말 장난 아닌데!"

선로에 발을 내딛자마자 보안관의 입에서는 앓는 소리가 저절로 터졌다. 후끈후끈, 그야말로 한증막에 들어선 것 같은 열기다. 선로 주변과 높이 솟은 전선탑에서는 아지랑이가 모락모락 피어오르고 있었다.

앗, 뜨거!

무심코 바닥에 털썩 주저앉았던 신입이 펄쩍 뛰며 소리를 질렀다. 새 거처는 꽤나 뜨겁고 열렬하게 그들을 맞아 주었다. 제니부터 시작해서 모두에게 머리를 감쌀 수건을 건네준 유빈이 손을 들어 햇살을 가리며 이야기한다.

"말했잖아, 존나게 더워. 여기는 구조상 그럴 수밖에 없어. 하지만 그래도 저 아래에 비하면 꽤 안전해. 그러니까 조금만 더 고생한다 생각하고 꾹 참아. 내일이면 여기도 그럭저럭 버틸 만큼은 만들 수 있을 거니까. 지금은 여기서 오래 있지 않아도 돼. 그냥 구조를 살필 겸 해서 올라온 거야. 자, 자, 물 마시고, 뻗기 전에. 각자 배낭 안에 물병 들어 있잖아. 보안관, 넌 저쪽으로 한 30미터 정도만 갔다가 와 봐 줘."

"나, 담배 피워도 되겠지?"

삼식이가 간절하게 묻는다.

여기라면 괜찮을 것이다, 아마도…….

유빈은 고개를 끄덕이고는 정찰을 위해 선로의 한쪽으로 걷기 시작했다. 그 반대쪽으로는 보안관이 걸어가고 있다.

생각했던 대로 기차선로라는 건 확실히 폐쇄적이고 독립적인 공간이었다. 철책이나 플라스틱 방음벽으로 격리된 데다가 지상으로부터 높이 솟아 있어서 일반 고가 도로와는 다르게 꽤나 안전한 느낌을 준다.

플랫폼 아래로 뛰어 내려와 여기까지 오는 좀비만 없다면…….

그런 생각을 하며 유빈은 짧은 정찰을 마치고 무리가 기다리는 곳으로 돌아왔다. 티셔츠는 벌써 땀으로 흠뻑 젖었다.

"잘 구경했어? 이제 여기에서 한동안 살지도 모르니까 익숙해져야 해. 일단은 너무 더우니까 내려가자."

산책로에 내려서고 나니 모두의 입에서 한숨이 절로 새 나왔다. 그건 이제야 좀 살 만하다는 의미의 한숨이었다. 누가 먼저랄 것 없이 자동차에 뛰어들어 에어컨을 켜 찬바람을 쐬며 옷자락을 펄럭였다. 음료수가 끝없이 들어간다.

"그런데요, 잠은 여기든 저 위든, 어찌어찌 잔다고 해도…… 밥이랑 물은……."

수건 양 끝을 양 머리처럼 돌돌 말아 쓰고 생수병을 반쯤 비우던 제니가 갑자기 생각이 났다는 듯 말끝을 흐렸다. 보안관과 삼식이도 비슷한 걱정을 했던 모양이다. 유빈이 대답했다.

"밥은…… 차차 동네로 나가서 구해야겠지만, 그렇게 멀리 나가지 않더라도 이 근처에서 며칠간 급한 불은 끌 수 있을 거라고 생각해."

"여기서? 음식을 구한다고? 어디서?"

신입이 이해할 수 없다는 듯 물었다. 유빈은 고개를 끄덕였다.

"응, 그렇게 돼야 해. 안 그러면 골 아파져. 너희들, 혹시 여기까지 오는 동안 트럭 본 기억 있어?"

"트럭?"

"그래. 동부 간선 도로에 버려진 차들 중에 트럭 본 기억이 있느냐고."

"글쎄? 그런 걸 누가 신경 써, 가뜩이나 걱정할 게 많은데."

"나도 비슷하기는 했는데…… 이제부터는 신경 써 가면서 찾아야 돼. 택배 트럭, 배달 트럭, 편의점 트럭, 아니면 잡화 트럭이라도. 뭐든지 좋아. 트럭이나 밴만 보면 무조건 뜯어 보는 거야. 그중에 우리에게 필요한 것들이 엄청 많을 거거든. 지금부터 해 지기 전까지 우리는 화물차를 찾아 털러 다녀야 돼."

"오호, 도둑질입니까요? 두근두근하는뎁쇼?"

제니가 두 손을 비비며 눈빛을 반짝였다. 예전에 유빈과 함께 남의 집 찬장을 뒤져 먹을 것을 찾던 재미가 새록새록 떠오르는 모양이다.

"좋아, 출발하자."

더위로 입은 대미지를 어느 정도 회복한 보안관이 다시 기세를 올리며 기어를 바꿨다. 다섯 명을 태운 오피러스와 코롤라는 왔던 길을 천천히 되짚어 올라가기 시작했다.

"저건 어때? 세워?"

첫 번째로 발견된 화물차는 봉고였다. 하지만 커다랗게 박혀 있는 복사 용지 회사의 로고 때문에 그냥 통과하기로 했다. 이런 상황에서 A4 용지가 무슨 소용이 있겠나 싶은 것이다.

의외로 화물차가 그리 흔하지 않아서 트럭다운 트럭을 발견한 건 거의 1킬로미터가량이나 되짚어 온 후였다. 보안관은 환호성을 지르며 브레이크를 밟았다. 트럭 짐칸에 그려진 GJ택배 로고가 그렇게 반가울 수가 없다.

"흐흐흐, 조금만 기다려. 엉아가 열어 줄게. 제발, 제발 꽉 차 있어라."

트렁크에서 해머를 꺼내 들며 보안관이 간절하게 빌었다. 유빈이 말했다.

"아마 그렇지 않을까? 그날 길이 막힌 게 낮 12시 이전이었으니까, 배달 나온 지 얼마 안 돼서 이렇게 버려졌을 거잖아."

"그렇단 말이지? 좋았어~!"

귀를 대고 짐칸 내부의 소리를 들어 본 유빈이 안전하다는 신호를 보내자, 보안관은 곧바로 해머를 내려쳐서 짐칸의 자물쇠를 부쉈다.

세 번, 네 번…… 엄청난 쇳소리가 울리고 자물쇠와 손잡이 일부를 박살 낸 다음에야 애초에 화물칸의 문이 잠겨 있지도 않았다는 걸 발견했다. 보안관은 머쓱한 표정으로 적재함의 문을 양쪽으로 활짝 당겨 열었다.

"윽! 냄새!"

플래시로 내부를 비추던 유빈이 팔을 들어 코를 막았다. 뭔지는 모르겠지만, 이 안에 들어 있던 신선 제품이 지난 12일 동안 아주 단단히 썩어 지독한 냄새를 풍겼다.

하지만 그 정도 악취로는 이 약탈자들의 의지를 꺾을 수 없었다. 머리에 쓰고 있던 수건을 끌어 내려 코와 입을 막은 보안관과 제니는 택배 화물이 3분의 2 이상 차 있는 트럭 안으로 냉큼 뛰어 들어갔다.

"뭐부터 찾아줄까요? 오빠, 뭐 필요해요?"

왠지 신이 난 제니가 화물 운반용 핸드 카트를 두드리며 목소리를 높여 물었다. 가볍게 헛웃음을 지은 유빈이 말했다.

"안 필요한 게 뭔지 물어보는 편이 더 빠를 것 같은데? 거의 모든 게 다 필요해. 그러니까 일단 이 안에 있는 건 웬만하면 다 끄집어내서 뜯어 보자. 딱 봐서 썩은 야채 같은 거 아니면 전부 밀어 줘."

"오케이! 받아!"

보안관이 기다렸다는 듯 가장 가까운 곳에 놓여 있던 커다란 박스를 밀어 보냈다. 분위기에 편승해서 트럭 안쪽을 기웃거리던 신입이 슬그머니 발을 빼려 들었다.

"망보는 사람도 있어야 하잖아. 내가 봐 줄게."

"아니, 아니, 어딜 가려고 그래? 넌 짐 좀 받아. 어제저녁에 반짝 일하고 내내 쉬어 놓고."

보안관이 재빨리 팔을 뻗쳐 신입의 옷 뒷덜미를 꽉 잡았다.

"하지만 망을 안 보면 위험한데……."

좀처럼 자신의 쉴 권리를 포기하지 않으려 드는 신입에게 제니가 결정타를 먹였다. 제니는 허리를 굽히고 신입의 머리를 엉클며 애교 섞인 목소리로 말했다.

"에이, 오빠가 도와줘야 나도 힘이 나잖아요오~."

눈앞에 펼쳐진 제니의 길고 곧은 다리와 귓가를 울리는 코맹맹이 소리.

신입은 콧김을 풍풍 내뿜으며 호기롭게 대답했다.

"알았어! 나만 믿어!"

신입이 씩씩하게 박스를 받아 내리는 동안, 보안관의 눈빛 신호를 받은 삼식이는 고개를 끄덕거리고 커다란 첫 번째 박스를 뜯었다.

내부에 이중으로 포장된 것은 믹서기 박스. 꽤 고가인 것으로 보이는 제품이지만, 지금으로서는 거의 쓸모가 없다. 삼식이는 물건을 내버려 두고 누런 종이 박스만 들고 자동차 위로 올라갔다. 그 위에 꼼짝 않고 서서 망을 보려면 양산 대용으로 햇빛을 막아 줄 물건이 아쉽던 참이었다.

각자 소리를 내 말을 하지는 않았지만, 세 사람의 마음속에는 공통적인 한 가지 생각이 있었다. 목숨이 달린 상황에서 신입에게 보초를 맡기는 게 너무 위험하게 느껴진다는 점이다.

"오! 있다! 있어! 생수다!"

먹을 것을 발견한 보안관의 목소리가 커졌다. 1.8리터 생수병 여섯 개들이 묶음이 세 개나 나왔다. 물이라는 건 절대적으로 필요하다.

아…… 감사합니다.

유빈은 아주 잠깐 눈을 감고 이제 적어도 이틀은 더 버텨 낼 수 있게 된 것에 대해 그가 아는 모든 신에게 고마움을 표했다.

Chapter 29
안전지대는 없다

01

진우는 교차로 앞에 잠시 멈춰 선 채 고민하고 있었다. 양쪽 모두 어느 쪽이 더 낫다 할 것 없는 후미진 2차선 도로였다. 물론 표지판 따위도 없다.

어지간히 깊은 산골짝이라 길거리에 멈춰 선 자동차들조차 보이지 않는다. 한마디로 사람의 왕래가 아주 드문 곳이다. 여름의 햇살을 담뿍 먹은 아스팔트 도로에서는 이글이글 아지랑이가 피어오른다.

"후우~."

저절로 한숨이 난다. 이름 모를 할머니의 집을 나서서 걷기를 몇 시간째. 여전히 살아 있는 사람 구경을 못 했다. 혼자 걷는 길은…… 그야말로 끔찍하다. 후회와 공포가 파도처럼 교차하며 머릿속을 엉클어 놓기 때문이다.

모든 전우가 전멸해 버린 그 밤의 시간이 섬광처럼 계속 떠오르면서 복기를 강요한다. 생각하지 않으려고 애를 써도 별 소용이 없다.

나는 정말 최선을 다한 걸까? 그때 다른 선택을 했더라면 좀 더 나은 결과가 있지 않았을까? 옥상으로 올라가서 문을 걸어 잠그고 농성을 했다면 어땠을까? 주차장 입구로 들어갈 때, 이 병장님과 김 상병님 대신 내가 앞장을 섰더라면…….

그렇게 되돌릴 수 없는 시간에 대한 상념에 빠져 멍하니 걷다가 문득 자신이 혼자라는 것을 깨닫고 식은땀을 흘렸다.

이제는 뒤를 살펴 줄 동료도, 측면의 사각을 엄호해 줄 고참도 없다. 그러니 더 정신을 바짝 차려야만 한다. 슬쩍 바람만 일어도 흠칫 놀라 등 뒤를 돌아보게 된다. 혹시나 좀비들이 다가오는 소리를 못 듣고 있는 것은 아닐까 하는 원초적 두려움이 자꾸만 발걸음을 붙들었다.

수분을 보충하며 잠시 주저하던 진우는 결국 왼쪽 길을 택해 걷기 시작했다. 길 양쪽으로는 짙은 녹색의 나무숲이, 그 너머로는 완만한 야산들이 겹치듯 이어져 있다. 반나절 동안 지겹도록 보아 온 경치다.

푸드득~.

수풀이 흔들리며 기분 나쁜 소리를 낼 때마다 움찔해서 멈춰 선다. ……바람인가? 새가 날아오른 소리인가? 그것도 아니면…….

진우는 소름이 돋은 채 총을 고쳐 잡았다.

저 무성하게 우거진 덤불 속, 아무 데서나 지금 당장 한 무더기의 좀비들이 튀어나온다고 해도 이상하지 않다.

종종종종종—.

이름 모를 산새들이 머리 위로 날아가며 요란하게 지저귀고 있다. 아침부터 지금까지 길 위에서 만나 죽인 좀비는 모두 여섯 마리. 그 울음소리를 듣고 끔찍한 몰골로 달려오는 놈들을 대면해야 하는 것도 섬뜩하지만, 그보다는 매번 총알을 써야 한다는 게 무섭다. 남은 실탄 한 발, 한 발이 말 그대로 피처럼 소중했다.

"……젠장, 큰길을 만날 수 있기는 한 거야?"

30분여를 더 걸어갔을 즈음, 진우는 불안한 표정으로 뒤를 돌아보며 중얼거렸다. 이대로 길을 잃고 산속에서 헤맨다는 것은 생각만 해도 끔찍하다.

진우는 이마의 땀을 닦았다. 그리고 그때, 앞쪽에서 작은 돌 부스러기들이 쏟아져 내렸다.

후드드드득—.

흙먼지와 함께 떨어진 돌 조각이 바닥을 때린다.

헉, 진우는 숨을 삼키며 급하게 개머리판을 어깨에 댔다. 시선은 자연스럽게 돌 조각이 떨어져 내린 방향으로 향한다.

나무 사이에서 모습을 드러낸 좀비 두 마리가 10여 미터의 낭떠러지 아래로 망설임 없이 몸을 날렸다. 아니, 좀 더 정확하게 말하자면 팔다리를 휘저으며 추락했다.

그롸아악—!

요란한 포효와 함께 땅바닥에 처박힌 좀비들의 뼈 부러지는 소리가 끔찍한 메아리를 만들어 냈다.

진우의 고개는 재빠르게 위아래를 번갈아 훑었다.

두 놈이 단가? 혹시 더 있나?

그런 생각을 하는 동안 좀비들은 꺾이고 부러진 팔다리로 꾸역꾸역 잘도 일어난다.

그러고는 택배 아저씨를 반기는 듯한 기세로 진우를 향해 달려들었다.

그롸아아—.

놈들의 아가리가 쫙 벌어지며 더러운 타액이 사방으로 튀었다.

탕— 탕—.

진우는 망설임 없이 방아쇠를 당겼다. 잇달아 발사된 두 발의 총알에 좀비들은 크롸악—! 하는 짧은 단말마와 함께 고개가 뒤로 꺾이며 나가떨어졌다.

타아아아아앙—.

총성의 메아리가 고요하던 산길 전체를 쩌렁쩌렁 울리며 길게 여운을 남긴다. 놀란 산새들이 여기저기서 푸드덕대며 날아오르자 숲 전체가 흔들리는 것 같다.

"하아~ 하아~."

그 엄청난 압박에 진우의 심장도 덩달아 뛰는 속도를 올린다. 숨이 차오른다. 중심을 뒤로 둔 채 사방을 훑던 진우는 한참이 지난 후에야 겨우 악물었던 어금니에서 힘을 뺄 수 있었다.

더 이상 뛰어내리는 좀비는 없다. 두 마리가 전부였나 보다.

푸우우~. 진우는 거친 숨을 몰아쉬고 고꾸라진 채 움직이지 않는 좀비들의 시체에 다가갔다.

세련된 정장에 스타킹. 하이힐은 어딘가에서 잃어버린 모양이다. 또 한 마리가 입고 있는 티셔츠 가슴팍에는 카지노 마크가 찍혀 있다. 복장으로 보자면 이 근처 주민이 변한 건 아니었다.

"다들 왜 이렇게 몰려오는 거야……. 여기 뭐 먹을 게 있다고…… 어, 이거 뭐지?"

흰 눈을 홉뜬 채 움직이지 않는 좀비들의 얼굴을 살피며 혼잣말을 하던 진우가 주춤한다. 구멍이 난 자리가 이상하다는 걸 깨달았기 때문이다. 분명 그는 눈과 눈 사이를 겨누고 쐈다. 그런데 정작 총알이 관통한 곳은 그보다 꽤 오른쪽으로 치우친 자리다.

이런 경험은 처음이었다. 목표했던 곳에 총알이 박히지 않았다. 그것도 멈춰 선 채 자세를 갖추고 쏘았는데……. 그건 여지간히 당황스러운 경험이었다. 진우는 솟아난 진땀을 닦고, 아직 화약 냄새가 가시지 않은 K-2의 총구를 걱정스럽게 내려다봤다.

"너, 왜 이래……."

―――※―――※―――※―――

같은 시각, 보안관 일행은 택배 트럭에서 가져온 물건들을 선로 위로 끌어 올리는 중이었다.

"으아! 곰팡이 냄새! 씨발, 이런 거는 잘 좀 털고 가지고 올 것이지! 콜록!"

박스를 옮기다가 파랗게 핀 곰팡이 가루를 들이마신 신입이 기겁을 하며 쿨럭댔다. 그의 말이 완전한 엄살이라고 할 수 없을 만큼, 택배 트럭 안에는 꽤 많은 것들이 썩어 있었다. 복숭아, 오렌지 같은 과일부터 인터넷으로 판매된 반찬과 고기, 소시지 따위까지.

아무리 냉장 팩을 넣고 튼튼히 포장을 했어도 이 더운 여름날에 12일이 넘도록 방치된 박스에서는 심한 악취가 스멀스멀 흘러나왔다. 스티로폼 밀봉 박스는 좀 나은데, 썩은 물이 뚝뚝 떨어지는 종이 박스를 치우는 일도 보통 고역이 아니다.

부패하다 못해 파랗게 곰팡이가 피어오른 박스를 트럭 밖으로 내던져 버리고 나면 몇 번씩이나 헛구역질과 기침을 한 이후에야 다시 숨을 쉴 수 있을 지경이니까.

하지만 그 정도의 사소한 훼방쯤은 전혀 신경이 쓰이지 않을 만큼 보물 탐험의 즐거움은 컸다. 문명의 시대에는 요긴했을 테지만 지금은 별로 쓸모없게 된 것들 사이에서 라면, 과자, 음료수 박스가 발견될 때마다 보안관과 제니는 환호성을 지르며 손바닥을 마주쳤다. 그리고 그것들을 자동차에 나눠 담아 이곳 선로에까지 끌어왔다.

"하아~ 이렇게 한참 일을 했는데도 멀었어? 조그만 트럭에 뭐가 그렇게 많아? 어지간히도 실었네, 젠장."

빨랫줄로 묶어 박스를 끌어 올리던 신입이 허리를 펴지도 못하며 투덜거렸다. 그의 티셔츠와 두 팔은 먼지와 땀으로 범벅이 된 채다.

선로 위의 지글거리는 더위도 그들을 지치게 하는 것에 크게 한몫을 했다. 곁에서 돕던 제니가 시커멓게 때 묻은 장갑으로 코끝에 떨어지는 땀을 훔치며 대답했다.

"다 끝나 가네요. 에이, 마지막에 엄살떨지 않았으면 더 멋있어 보였을 텐데."

멋있다는 말에 신입은 억지로라도 몸을 곧게 세워 보려 하지만, 반복되는 노동에 지친 몸은 여기저기가 쑤셔서 견딜 수가 없다.

아야야, 앓는 소리를 내뱉어 가며 그는 억울하다는 표정으로 하소연을 한다.

"어휴, 몇 번을 말해야 돼. 난 애들처럼 노가다 뛰던 사람이 아니라고. 난 공부만 하던 학생이었어."

"시끄러, 인마. 옛날에 뭐였든 간에 이제는 다 부지런히 몸을 움직여야 살아남는 꿈이라도 꿔 볼 수 있어. 그러니까 그런 핑계 대지 말고 이거나 받아."

마지막 박스 두 개를 건네며 보안관이 말했다. 신입은 한숨을 푹푹 내쉬며 박스를 옆으로 옮겼다.

젠장, 일을 시키려면 담배라도 좀 피우게 해 주든가.

"이불 나왔어?"

아래에서 막 기어 올라온 유빈이 물었다. 보안관은 길쭉한 박스를 가리켰다.

"이불은 없었고, 커튼은 봤어. 저거. 아, 그리고 모기장이 있더라."

"하나가 다야? 으, 더 있었으면 좋았을걸……."

유빈은 서둘러 박스를 뜯었다. 차곡차곡 접힌 얇은 홑겹 흰색 커튼이 세 개로 분리된 커튼 봉에 둘둘 말려 있었다. 커튼 봉의 길이로 미루어 볼 때, 중대형 이상급 아파트 거실용으로 만들어진, 꽤나 긴 모델이었다.

하지만 그래 봐야 하나 가지고는 여전히 턱없이 부족했다. 그리고 워낙에 얇아서 햇볕을 제대로 가려 줄 수 있는지도 의문이었다.

"그걸 뭘 주무르고 앉아 있냐? 이런 상황에서 커튼이 대체 다 무슨 소용이야?"

커튼을 만지고 있는 유빈에게 신입이 물었다.

"그거야 뭐, 당연히 햇볕을 가리려는 거지. 이렇게……."

유빈은 아직 펴지 않은 커튼을 들어 머리 위에 드리우는 시늉을 했다. 암만 안전이 제일 중요하다고는 하지만, 하루 종일 직사광선이 내리쬐는 선로에서는 도저히 버티지 못한다. 오늘 해가 지기 전에 적어도 몇 평 정도는 그늘을 만들어 둬야 내일 이른 시간부터 닥쳐올 더위를 그나마 물리칠 수 있을 것이다.

완전히 지쳐 버린 신입은 바닥에 주저앉아 물을 벌컥거리며 건성으로 투덜댔다.

"그게 고정이나 되겠냐? 바람 한 번만 세게 불면 다 날아가 버릴 텐데……."

"꿰매면 되지."

"꿰맨다고? 바늘이랑 실 같은 것도 없어."

"아, 표현은 그렇게 했지만, 사실은 철사 같은 걸로 대충 꿰서 연결만 하는 거야. 어차피 단단히 고정시키기만 하면 되니까, 차라리 그게 더 편해. 시간도 적게 걸릴 테고."

"철사는 또 어디서 나는데?"

"그거야 사방에 널렸지. 철책에서 뜯어내도 되잖아."

유빈은 보안관과 함께 차례차례 박스를 열며 대답했다. 성질 급한 보안관이 힘으로 박스를 아예 찢어발기려 들자 유빈이 다급하게 말린다.

"아니, 아니! 박스도 필요해! 그러니까 웬만하면 테이프만 뜯어 줘. 박스라도 겹쳐서 깔아야 잘 수 있어. 온통 자갈밭이라."

유빈은 한술 더 떠서 박스 안에서 나오는 뽁뽁이 비닐 같은 것도 모두 챙기려 들었다. 물을 마시고 있던 제니가 곁에 앉은 삼식이에게 귀엣말을 했다.

"하하, 완전히 잔소리꾼 시엄마가 따로 없네요, 저 오빠는."

삼식이도 히죽거리며 맞장구를 쳤다.

"그냥 시엄마가 아니고, 막장 드라마에나 나오는 악질 시엄마급이지. 그나저나 정말 택배라는 게 저렇게 많은 물건들을 실어 나르는 거였구나. 저러니까 동네 가게마다 전부 장사가 안 돼서 결국은 문을 닫는 거야."

"네?"

갑자기 정색을 하고 진지한 소리를 뱉어 내는 삼식이에게 제니가 고개를 돌렸다.

아니, 아니, 삼식이는 손사래를 치며 신경 쓰지 말라는 시늉을 했다. 장사가 되든 안 되든 이제는 다 지나간 이야기일 뿐, 지금 그들에게 중요한 건 앞으로 가능한 한 많은 택배 트럭을 이 길 위에서 만나 털어 오는 것이다.

"이것 봐! 이런 거면 충분히 깔고 잘 수 있다니까? 어때? 그렇지? 바닥에 튀어

나온 거 잘 못 느끼겠지? 이건 가벼워서 선로 위로 올릴 때 힘도 안 들어."

유빈은 종이 박스 사이에 뽁뽁이 채운 것을 보안관에게 깔고 앉아 보게 하면서 그 유용함을 열심히 역설하고 있었다.

그런가? 조금 불편한 것 같기도 한데…….

보안관은 자세를 바꿔 가며 고개를 갸웃거린다. 앞으로 몇 시간 내에 극적인 변화가 이루어지지 않는다면, 저것이 오늘 밤 그들의 공식 침대가 되어 줄 모양이다.

곁눈질로 유빈과 보안관이 하는 짓을 힐끔거리던 삼식이가 씁쓸하게 웃었다.

"복지 센터에서 스티로폼 깔고 자는 것도 구리다고 생각했는데, 이건 몇 단계 더 아래네……. 궁상이 줄줄 흐른다, 정말. 그나저나 커튼만 만들어 걸면 오늘 일은 끝이야?"

"대충 잠자리 만들었고 먹을 것 챙겼으니까, 이젠 더 멀리까지 나가 봐야지. 주변에 뭐가 있는지 대충은 알아 놓지 않으면 뒤통수가 서늘해서 영 잠도 안 올 것 같거든."

유빈의 말을 들은 신입이 억울하다는 듯 물었다.

"뭐? 왜 뒤통수가 서늘해? 여기는 안전하다며? 그래서 기를 쓰고 기어 올라온 거잖아?"

"그거야…… 비교적 안전하다는 거지. 지금 세상에 100퍼센트 안전한 곳이 어디 있겠어? 물 마시고 준비해."

유빈은 과자 한 봉지를 박스에서 꺼내 우물거리며 아무렇지도 않게 대꾸했다.

끄응차~.

보안관은 다시 해머를 잡았고, 삼식이는 머리에 쓰는 라이트부터 챙겼다. 제니도 기지개를 쭉 켜며 준비가 되었음을 알렸다.

어쩔까…….

신입은 빠르게 계산을 했다.

피곤하다. 귀찮다. 게다가 무섭기도 하다. 마음 같아서는 너희들끼리 다녀오라고 한 다음, 여기 이 박스 쪼가리 위에나마 누워서 과자를 우물거리고 음료수를 마시며 쉬고 싶다.

그러나 여기는 복지 센터가 아니다. 단단한 콘크리트 건물이 지켜 주는, 2층의 독립된 요새가 아니라는 의미다. 뻥 뚫린 길 양쪽 중 한 군데에서 언제 좀비가 쑥 모습을 드러낸다고 해도 하나도 이상할 게 없다.

"에이, 진짜!"

신입은 애꿎은 물병을 화풀이 삼아 멀리 집어 던지고는 배낭을 잡아 들었다.

"어느 쪽으로 먼저 갈 거야? 이쪽으로 가면 남서쪽, 이리로 가면 북동쪽이야. 으음, 바람은 편서풍인가?"

삼식이가 아웃도어 매장에서 챙겨 가지고 온 조그만 나침반을 힐끔거리며 전문가 흉내를 냈다.

"남쪽. 무조건 남쪽이지."

유빈이 대답했다. 그야 사실 물어볼 필요도 없는 일이었다. 이 선로가 어느 방향으로 뻗은 것인지는 모르지만, 그들이 가고 싶은 목표는 한강 너머 잠실이니까.

갈 수 있는 한 남쪽 방향으로 더 멀리 가야 한다. 다들 그런 걸 알고 있는 터라 별 이견 없이 남서쪽을 향해 걷기 시작했다.

혹시라도 이걸 따라 쭉 걸어서 강을 건널 수만 있다면 그런 행운이 없을 것이다. 물론 그렇게 일이 쉽게 풀리지는 않을 거라는 걸 유빈도, 친구들도 잘 알고 있었지만.

02

"오, 오 박사님! 여, 여긴 어쩐 일로!"

갑작스레 사무실로 찾아온 오 박사의 얼굴을 본 순간, 신 차장은 심장이 떨어지는 듯했다. 자기도 모르게 의자에서 벌떡 일어나 정자세를 취하고 선 신 차장은 식은땀을 쏟아 내며 동그래진 눈으로 오 박사의 얼굴을 살폈다.

어제 그가 책임자로 있던 시간에 작은 회장의 식사로 제공했다가 죽여 버린 A708756이 항체 보유 남성이었음을 뒤늦게 알게 된 후, 신 차장은 살아 있으면서도 산 것 같지가 않았다.

불안하다. 혹시 어제의 CCTV를 돌려 보다가 뭔가 꼬투리라도 찾아낸 것일까?

"뭐겠어? 응? 당신 엉덩이 만지러 왔겠나? 좀 어때? 항체가 생긴 놈들이 있었어?"

책상에 엉덩이를 걸치고 앉은 오 박사는 파일을 들고 뒤적였다.

휴우~ 사형선고를 내리러 온 것은 아닌 모양이군. 신 차장은 속으로 한숨을 쉬며 얼굴의 땀을 훔쳤다.

그 짧은 틈을 기다리지 못하고 오 박사는 짜증스러운 목소리로 다시 물었다.

"안 들려? 실험체들 어떻게 됐냐고?"

"처치를 한 지 이, 이제 겨우 하루입니다. 아직 여덟 시간도 지나지 않았습니다."

"흥, 존나게 여유 만만이구만. 그렇게 속 터지는 성격인데도 용케 대태양 그룹에서 차장까지 달았군그래. 매뉴얼대로 움직여서 그런가?"

오 박사는 비아냥거리면서도 파일들을 끝까지 모두 살펴봤다. 그가 지시했던 대로 열여섯 명의 실험체에게 A708756으로부터 추출한 체세포와 혈액, 골수, 심지어 신체의 일부를 이식하는 작업은 모두 마무리되어 있다.

한꺼번에 그만한 인원을 모두 처리했으려면 다들 아침부터 땀깨나 뺐을 성싶다. 이제 이식한 부위들이 안정화되는 대로 항체를 가졌는지 여부만 확인해 보면 되었다.

물론 확인해 보는 방법은 아주 간단하고 원시적이다. 놈들을 차례대로 좀비에게 물리도록 하고 다시 응급 처치를 한 뒤, 일정한 시간 동안 내버려 둔다. 그렇게 하고 나서도 변하지 않는 실험체가 나온다면, 그때 비로소 제대로 된 항체를 확보할 수 있게 되는 것이다.

이미 죽어서 빳빳하게 굳어 버린 A708756의 혈액 샘플과 타액 샘플은 아무리 살펴봐도 특별한 단서를 보여 주지 않았다.

좀비의 세균은 죽은 사람의 신체 내에서 전혀 활동하지 않으니, 다시 놈의 몸에 세균을 투여해 본다고 해도 어떤 작용을 거쳐 항체가 만들어지고, 왜 좀비로 변하지 않을 수 있었는지를 알아내는 건 이제 불가능했다.

"젠장!"

A708756이 죽어 버렸다는 것에 다시 생각이 미친 오 박사는 자신도 모르게 욕설을 내뱉으며 신 차장을 노려보았다.

이 멍청한 개새끼가 조금만 빨리 낌새를 알아채고 놈을 살려 놓았다면, 숨이 붙어 있기만 했다면, 그 미지의 영역에 단번에 닿을 수 있었는데……. 그랬다면 항체를 대량생산하는 것도 꿈이 아니었는데…….

오 박사는 이를 부득 갈며 콧김을 내뿜었다. 그의 표정이 일그러질 때마다 신 차장은 바짝 얼어붙어 미동조차 하지 못하고 그저 덜덜 떨기만 했다.

"이 중에 제일 가능성이 있는 건 누구라고 생각해?"

오 박사는 겨우 감정을 추스르고 신 차장을 향해 물었다. 신 차장은 더욱 움츠러들어 대답했다.

"그게…… 어떤 의견을 제시하기에는 주어진 데이터 값이 너무 적어서……."

"지랄하고 앉아 있네. 무슨 콘퍼런스에 발표하러 온 줄 아나. 최소한 이 방법은 효과가 있을 거라 기대하고 있는 놈이 하나 정도는 있을 거 아니야. 그런 것도 아니면서 아까운 항체 보유 샘플을 토막 냈어? A708756은 인류의 소중한 자산이나 다름없다고! 그걸 네가 낭비하는 거란 말이야!"

오 박사의 언성이 높아지자 신 차장은 울고 싶어졌다.

어쩌다가 이런 미치광이 밑에서 일을 하게 된 건지…….

애초에 A708756의 손가락이나 발가락을 잘라 하나씩 실험체에 이식해 보라는 아이디어는 너한테서 나온 거잖아!

덕분에 오늘 아침, 열 명의 실험체를 끌어내서 마취시킨 다음 멀쩡한 오른손 손가락과 왼발 발가락을 하나씩 잘라 내고 시체의 것을 붙여 주었다.

신 차장은 오 박사의 뻔뻔하면서도 냉혹한 얼굴을 향해 마음속으로 욕설과 저주를 퍼부었다. 그러는 동안에도 여전히 자신의 입가에서 비굴한 웃음을 거두어들이지 않은 채 혀는 아부의 언어를 만들어 냈다.

"아, 아무래도 역시 오 박사님 견해를 좇아 신체 이식을 한 쪽이 가장 가능성이 크지 않을까 싶습니다. 안정화가 되고 나면……."

"내일 아침부터 하나씩 투입해 봐."

"네, 넷!"

"건성으로 대답하지 말고 똑바로 하는 게 좋을 거야. 무슨 말인지 알아? 정신 바짝 차리라고! 이번 프로젝트에 투입된 실험체만 열여섯이야. 전부 다 아까운 작은 회장의 식삿감이자 실험 대상이었단 말이야. 거기에 A708756까지 계산에 넣으면 총 17개체가 소모된 거야. 그렇게 많은 자원을 쓰고서도 아무런 결과물을 산출해 내지 못하면……."

거기까지 말하고 오 박사는 파일 모서리로 신 차장의 배를 쿡, 쑤셨다.

"……그때는 더 이상 책임이 있네, 없네 하면서 발뺌을 하려고 해도 봐주지 않아. 프로토콜이 보호해 주지 않는다고! 그러니까 목숨이 걸린 일이라 생각하고 진행하라는 말이야!"

"컥, 그, 그렇지만……."

변명을 하는 것보다 빠르게 오 박사가 테이블에 놓여 있던 커피 잔을 집어 들었다가 탕! 소리가 나도록 내려놓는 바람에 신 차장은 입을 다물었다. 커피가 튀어 근처에 있던 샌드위치 조각을 적셨다.

"이 염천에 시원한 에어컨 바람 쐬면서 콜롬비아산 커피 뜨겁게 마시고, 말랑말랑한 호밀 빵에 햄 조각 끼워 처먹으면서도 못 느끼고 있었나 본데, 내가 직접 일러 주지. 요 며칠 태양 그룹이 얼마나 땡기고 있는 줄 알아? 싸구려 찐쌀이랑 허접한 반찬 몇 가지 집어넣고서 방수 포장만 한 음식을 소위 위기 대응 식량이라고 해서 한 끼분에 8천 원씩을 받고 국방부에 납품하고 있어. 폴리에스테르 싸구려 운동복은 한 벌에 10만 원씩을 받고 말이지. 우리 회사 발전기가 돌 때마다 평시의 세 배로 요금을 청구해. 남부 지방의 지사에서 지금 하루 삼교대로 일하는 사람들은 그러니까 살려 둘 가치가 있는 거라고. 그런데 신 차장, 당신은 대체 뭐야? 세상이 발칵 뒤집혔는데 뭣 때문에 당신은 이런 호사를 누리면서 계속 살아가고 있는 거냐고? 그 가치를 증명해야 할 것 아니야? 내 말이 틀려?"

소리를 지르지는 않았지만, 오 박사의 말 한마디, 한마디는 살갗을 뚫고 들어와 박히는 것같이 차갑고 날카로웠다. 신 차장은 굴욕감과 두려움이 뒤섞인, 복잡한 심경이 되어 고개를 들지 못했다.

그가 괴로워하는 모습을 찬찬히 훑어보던 오 박사는 사무실에서 나가기 전에 한마디를 더 내뱉었다.

"당신 목숨이라 생각하고 그 샘플들을 쓰란 말이야. 알겠어?"

탕!

문소리가 난 뒤에도 한동안 신 차장은 그 자리에 그대로 서 있었다. 등에서는 식은땀이 뚝뚝 떨어졌다.

"개새끼……."

텅 빈 공간을 향해 속삭이듯 욕설을 내뱉는 데에도 상당한 용기가 필요했다. 그래도 그 말이 소리가 되어 자신의 귀를 울리자 막혀 있던 숨이 트이는 기분이 든다. 후우, 한숨을 내쉬며 의자에 주저앉은 신 차장은 한참을 꼼짝도 하지 않고 멍하니 파일을 바라보았다.

열여섯 개의 실험체. 저 중에서 만약 항체가 발견되지 않는다면, 나는…….

오 박사의 악마 같은 얼굴이 떠오른 신 차장은 도리질을 해서 머릿속을 비웠다. 그리고 옷매무시를 바로 한 후, 작은 회장이 기다리고 있는 식사실로 향했다.

"준비 다 됐어?"

평상시와 다름없이 그 방에는 발가벗겨진 채 크레인에 매달린 사람 하나와 방균복으로 무장한 여섯 명의 직원이 대기하고 있었다. 이제 살아 있는 사람들보다 먼저 작은 회장이 저녁 식사를 할 시간이다.

신 차장은 크레인에 고정된 채 겁먹은 눈동자만 격렬하게 굴리고 있는 젊은 여자의 몸에 혹시 이물질은 붙어 있지 않은지 찬찬히 검사했다.

가뜩이나 눈엣가시처럼 여겨지고 있는 상황인데 작은 회장의 이빨이라도 나갔다가는 그 즉시 이 발판 아래로 밀려 떨어질지도 모른다.

"그렇게 쳐다보지 마."

오늘 저녁 식삿감과 눈이 마주친 신 차장이 목소리를 낮춰 중얼거렸다. 다들 자신의 할 일에 몰두해 있던 다른 직원들은 들을 수 없을 만큼 작은 목소리였다.

제발…… 제발…….

눈물이 가득 고인 여자의 눈동자가 애절하게 빈다. 그 시선을 차갑게 외면하며 신 차장은 크레인을 내리는 단추를 눌렀다.

지이잉―.

발판이 열리고 여자의 몸이 천천히 죽음을 향해 내려간다.

"너나 나나 똑같아. 별로 다를 게 없어."

여자의 뒤통수에 대고 신 차장은 또 나지막이 속삭였다.

"피차 죽을 날이 바로 코앞까지 와 있다고."

그롸아아아―.

사람의 기척을 느낀 작은 회장은 발광을 하며 울부짖어 댔다.

몇 초 뒤, 크레인이 멎고 격리용 투명 플라스틱 문이 열리자 이제는 사람이었던 흔적이 별로 남지 않은 작은 회장이 맹렬한 기세로 뛰어나와 여자의 몸을 물어뜯기 시작했다. 비릿한 냄새와 함께 피가 사방으로 치솟아 올랐다.

"너희 대장 어디 있어?"

복도에서 경비병을 만난 오 박사는 메이저의 행방을 물었다. 경비병은 손가락으로 위쪽을 가리켰다.

"15층 정원에 계십니다."

"아, 그랬지. 맞아."

오 박사는 경비병의 어깨를 두드려 용건이 끝났음을 알리고 엘리베이터에 올랐다.

이 건물의 중간 높이쯤 되는 15층에는 꽤나 넓은 야외 정원이 조성되어 있었다. 이런 때에 그나마 나무 그늘 아래에서 편히 한숨 돌리고 초록의 잔디밭을 구경할 수 있는, 정말 드문 장소이기도 했다.

"우왓, 더워! 후끈하구만."

정원으로 통하는 유리문을 열자 외부의 열기가 확 오 박사의 몸을 덮쳤다. 25도로 항상 유지되는 에어컨 덕에 계절을 잊고 있던 오 박사는 자기도 모르게 눈살을 찌푸렸다.

얼굴을 태울 듯이 맹렬하게 타오르는 햇살을 받으며 정원의 끝까지 걸어가자, 한때는 분수를 끼고 조성된 산책로였던 곳에 앉아 있는 메이저가 보였다.

"오오, 곽 소령! 덥지 않아? 이걸 꼭 여기서 해야 돼?"

메이저의 옆에 걸터앉으며 오 박사가 물었다. 메이저의 시선은 철망이 둘러진 잔디밭을 향해 고정되어 있었다.

"바, 바, 밖에서 해야 벼, 벼, 변수가 없어. 외부 화, 환경이랑 다르면 실험이 의, 의미가 없으니까."

딴에는 그의 말이 맞았다. 폐쇄된 실내에서 이뤄진 실험만 믿고 직접 필드에 투입했다가 만약 다른 결과가 벌어지면 곤란하다. 좀비들을 상대할 때는 특히 더 그렇다.

컹— 컹—.

열 평 남짓한 철망 안에서는 커다란 셰퍼드 다섯 마리가 조련사의 명령을 기다리는 중이었다. 개에 대해 전혀 모르는 문외한이라도 영리한 놈들이라는 걸 충분히 짐작할 수 있을 만큼 좋은 개들이다.

명령에 따라 언제라도 사람의 명줄을 끊을 수 있는 놈들인 동시에 아기를 보살필 수도 있는, 그런 놈들이었다.

한데…… 신기하게도 이 영리한 놈들조차 무슨 이유에선지 좀비를 전혀 알아채지 못한다. 그렇게 코가 떨어져 나갈 만큼 지독한, 썩은 냄새가 풀풀 풍겨 나오는 좀비가 바로 옆에 있어도 개들은 좀비를 향해 짖지도, 달려들지도 않는다. 마치 그 자리에 없다는 듯 구는 것이다. 잡종견이든 최우수 군견이든 모두 매한가지였다.

좀비들 역시 동물에게는 관심을 보이지 않기 때문에 만약 개에게 좀비를 공격하도록 훈련시킬 수만 있다면 정말로 요긴하게 써먹을 수가 있을 텐데, 그게 생각처럼 쉽지 않았다.

그래서 그들은 새로운 방법을 고안해 냈다. 특정한 냄새를 맡으면 공격하도록 개들을 훈련시키고, 그 냄새를 좀비들에게 덧입혀 보는 것이다.

이게 가능하기만 하다면 상공에서 냄새 스프레이를 폭파시켜 도포하고, 나중에 개들을 투입하기만 하면 된다. 그러면 굳이 사람들이 목숨을 걸고 움직일 이유도 없다.

하지만 이 역시 생각처럼 쉽지 않았다. 좀비라는 놈들은 아무리 지독한 냄새를 뿌려도 그걸 모두 흡수하기라도 하는 것처럼 몇 번의 실험 동안 개들은 좀비를 외면하는 중이다.

"오늘은 무슨 냄새야?"

오 박사가 물었다. 메이저는 오늘 좀비에게 뿌릴 스프레이를 들어 보였다.

치잇.

TVZ-06이라고 적혀 있는 캔을 하늘에 조금 살포하니 낯설면서도 강렬한 냄새가 퍼졌다.

일상의 생활에서 맡기 어려운 특이한 향기여야 하기 때문에 태양 그룹 조향실에서 특별히 배합한 것이다. 물론 앞서 있은 다섯 번의 시도는 모두 수포가 되었다.

"으…… 뭐지, 이 냄새? 그래, 효과는 좀 있고?"

오 박사의 질문이 끝나기도 전에 셰퍼드들이 미친 듯이 짖어 대며 이를 드러냈다.

흠, 오 박사는 고개를 끄덕였다.

좋아, 환장을 하는구만.

"이, 이거, 하, 한 방울만 묻어도 저놈들이 아주 무, 물어 주, 죽일 거야. 시, 시, 시범을 보여 주지."

메이저가 신호를 보내자 대기하고 있던 대원이 자신의 보호복 위로 스프레이를 뿌리고 철창을 열었다. 두툼한 보호복 여기저기에 냄새를 듬뿍 뒤집어쓴 대원이 문을 열고 들어가자마자 다섯 마리의 셰퍼드는 곧바로 달려들었다.

목과 겨드랑이, 발목처럼 치명적인 곳을 향해 개들의 날카로운 이빨이 박혔다. 그 흔들어 대는 힘을 이기지 못하고 대원은 이내 쓰러져 버렸다. 가죽으로 된 보호복의 표면이 걸레처럼 찢기고 패드가 터져 나오기 시작했을 때, 메이저는 목에 걸고 있던 호루라기를 불었다.

삐익— 하는 소리가 공기를 가르는 것과 동시에 개들은 공격을 멈추고 천천히 뒷걸음질을 쳤다.

"기가 막히는군."

겨우 몸을 추슬러 우리 밖으로 빠져나오는 대원을 보며 오 박사가 중얼거렸다.

그것을 칭찬으로 받아들인 메이저는 기분이 좋아져서 미소를 지었다. 각진 근육질의 검은 피부가 햇살을 받아 윤이 난다.

"하지만 우리가 사람 잡으려고 이 짓을 하는 건 아니니까……."

"그, 그, 그렇지. 조, 조, 조, 좀비 가지고 와."

메이저의 명령이 떨어지자 뒤쪽에서 대기하고 있던 대원들이 바퀴가 달린, 관처럼 생긴 철제 상자를 밀고 왔다. 들어 있는 것은 물론 좀비였다.

치이이이익—.

구멍을 통해 상자 내부에 스프레이를 듬뿍 뿌린 대원들은 좀비 투여용으로 설치해 둔 문에 상자를 대고 뚜껑을 들어 올렸다.

쿵—.

상자가 열리자마자 안에 있던 좀비가 바닥에 떨어지며 둔탁한 소리를 냈다. 만에 하나라도 있을지 모르는 불상사로부터 소중한 개들을 보호하기 위해 이 실험에 쓰는 좀비는 공격할 수 있는 수단을 제거해 두었다.

그래서 좀비는 팔도 다리도 모두 절단된 상태이고, 얼굴에는 위아래의 턱을 고정하는 단단한 쇠 자물쇠가 설치되어 있다. 몸뚱이와 머리만 남은 채 바닥에 쓰러진 좀비는 메이저와 오 박사를 보고 몸을 꿈틀대며 반응했다.

"엇, 저거?"

좀비의 정체를 알아채 버린 오 박사가 어처구니없다는 듯 웃음을 지었다.

"저거, 어제 그거야? 응? 크크크, 자네도 참 어지간히 악취미구만."

스프레이 세례를 받은 후 바닥에서 꿈틀대고 있는 실험용 좀비는 어제 점심 식사에서 A708756이 포크를 훔친 것을 제대로 감시하지 못했던 그 여직원이다.

물론 그녀를 작은 회장의 식사로 지목한 것은 오 박사 본인이었지만, 오늘 이 자리에서 저런 꼴로 재회하게 될 줄은 몰랐다.

오 박사를 따라 메이저도 킬킬대기 시작했다.

"쇼, 쇼는 사, 사연이 있어야 더 재미가 있는 벼, 법이잖아. 크크크."

컹— 컹—.

냄새를 맡은 개들이 흥분해서 짖어 댔다. 대원들이 개들과 좀비 사이를 가로막고 있던 철창을 치웠다. 그 짧은 순간 동안 오 박사와 메이저는 긴장과 기대 속에서 손에 땀을 쥐며 개들에게서 눈을 떼지 못했다.

하지만…….

개들은 맹렬히 짖어 대기만 할 뿐, 바로 코앞에 자빠져 있는 좀비를 찾아내지 못했다. 열심히 코를 킁킁거리며 냄새를 쫓는 놈도, 흥분해서 철창을 긁어 대며 짖는 놈들도 모두 좀비를 공격하지 않고 지나쳐 버렸다.

"젠장…….'

오 박사가 혀를 끌끌, 차고는 주머니에서 담배를 꺼내 물었다. 혹시나 실험에 방해가 될까 봐 두어 시간 동안 꾹꾹 참아 왔던 메이저도 담배에 불을 붙이고는 한숨과 연기를 동시에 뿜어냈다.

실험용 좀비의 몸부림이 더욱 격렬해진다. 하늘을 보며 담배를 뻑뻑 피우던 오 박사가 입을 열었다.

"뭐…… 자꾸 캐다 보면 언젠가 걸리겠지. 그런 것보다 말이야, 사람들을 좀 더 데려와야겠어."

"지, 지난주에도 서, 서, 서른 명이 넘게 구해 왔잖아. 버, 버, 벌써 그걸 다 썼어? 사, 사, 살아 있는 사람들 구, 구경하기가 점점 힘들다고."

"아, 나도 알지. 메이저, 자네가 애들이랑 고생하는 거. 근데 중요한 실험을 좀 해야 하는 상황이라 그래. 이게 어쩌면 아주 중요한 고비일지도 몰라. 그러니까 며칠 내로 바짝 한 오륙십 명만 더 땡겨다 줘. 그쯤만 있어도 훨씬 도움이 될 거야. 반포나 여의도 어때? 거기, 사람 많은 데잖아."

신 차장이 맡은 열여섯의 실험체는 아마 실패할 확률이 높으리라. 그러면 놈에게 책임을 물어서 좀비 밥으로 줘 버려야지.

그 멍청한 새끼…….

오 박사는 음흉하게 웃었다.

"그, 그쪽은 요즘 군인들이랑 자꾸 겨, 겹쳐서 다른 데를 뚜, 뚫어야 돼. 아, 아무리 우리가 고, 공식적인 구, 구조 협력 업체라고 해도 너무 눈에 자, 자주 띄는 건 좀 그렇거든."

생존자 찾기가 쉽지 않다고 엄살은 피웠지만, 말과는 달리 메이저는 이미 생각해 둔 곳이 있는 표정이었다. 연구실로 돌아가는 엘리베이터 안에서 오 박사가 물었다.

"내일 어디로 갈 건데?"

메이저가 대답했다.

"주, 주, 중랑구에 가 볼 거야. 상봉이랑 주, 중랑천 부근에 아파트도 많으니까. 거기서 겨, 경기도로 넘어가도 되고. 그, 그쪽에 바퀴벌레처럼 사, 살아 있는 놈들이 꽤 된다니까."

보안관 일행은 선로를 걷고 있었다. 중랑천을 넘어가고 나서는 쭉 아파트가 이어졌다. 걷다가 멈춰 서서 선로 아래의 풍경을 구경하기도 해 가며 가는 길이어서 속도는 그리 나지 않았다.

처음엔 기대와 불안의 심리를 감추기 위해 열심히 조잘대던 다섯 사람이지만, 이제는 자그락대며 자갈을 밟는 소리만이 규칙적으로 울렸다.

하늘이 주황색으로 물들어 가는 늦은 시간에도 여전히 공기는 뜨거웠고, 달궈진 선로는 그보다 더 강한 열기를 뿜어내며 가뜩이나 지친 그들을 괴롭혔다. 발갛게 익은 얼굴마다 굵은 땀방울이 뚝뚝 떨어졌다.

그래도 좋은 점을 꼽으라면, 선로라는 것이 가진 개방성이었다. 당연한 일이지만, 선로에는 장애물이 거의 없었다. 그리고 급격한 곡선 주로도 없다. 덕분에 언제나 전방은 시야가 확보되어 있어 갑작스레 튀어나올 좀비들 걱정은 하지 않아도 되었다.

선로의 양옆을 막아 놓은 투명한 강화 플라스틱을 통해 몇 미터 아래 거리의 풍경이 전달되지만, 새로운 것이나 희망을 주는 것은 아무것도 없다.

보이는 거라곤 그저 멈춰 선 자동차, 사람의 흔적이 느껴지지 않는 아파트, 그리고 이따금씩 지나가는 좀비 떼들의 행진뿐이다.

"더워……. 씨발, 존나게 걸었잖아. 얼마나 더 가야 되는 건데?"

신입이 가장 먼저 인내심의 한계를 느끼고 불만을 드러낸다.

글쎄, 어디까지 가려고 했던 것일까……. 그 말에 유빈도 문득 회의가 들었다.

걸어서 30분. 꽤나 긴 거리 같지만 좀비들이 달려온다고 생각해 보면 그땐 또 별게 아니다. 얼마나 더 가서 좀비가 없으면 안심하고 돌아갈 수 있는 걸까? 그리고 이렇게 별 대비 없이 무턱대고 계속 가는 게 잘하는 짓인지도 모르겠다.

"뻥 뚫렸네. 이리로 가다 보면 아예 강남까지 가나? 어? 저거."

섣부른 희망을 이야기하던 삼식이가 가장 먼저 이상한 점을 발견했다.

"뭔데? 왜 그래?"

보안관이 눈썹을 찡그려 가며 눈에 힘을 줘 봐도 별로 보이는 게 없다. 삼식이도 분명하지 않다는 듯 말끝을 흐렸다.

"……아니, 뭐가 움직이기는 하는데, 그게 뭔지를 잘……."

조금 더 다가가자 그 정체가 명확해졌다. 저 멀리 이글이글 아지랑이가 피어오르는 선로에 상반신만 남은 좀비가 있었다. 놈은 계속해서 차단벽을 기어오르려다가 아래로 미끄러져 내리기를 반복하는 중이었다.

일행은 천천히 걸으면서 녀석과의 거리를 좁혔다. 선로 위가 좀비 청정지역이었다면 더 좋았겠지만, 어차피 한 마리, 그것도 허리 아래가 잘린 놈이니 큰 위협이 되지는 않을 것이다.

좀비와의 거리가 20여 미터 정도로 좁혀졌을 때, 녀석도 이쪽의 존재를 눈치챘다.

그롸아아아!

차단벽을 긁어 대던 녀석이 갑자기 몸을 틀며 방향을 바꿔 기어오기 시작했다. 몸놀림은 맹렬했지만, 단단한 바닥이 아닌 자갈밭이어서 속도를 내지는 못한다.

차르륵, 차르륵, 차르륵…….

놈의 손과 팔이 자갈들을 긁을 때마다 기묘한 소리가 났다.

물론 그보다 더 신경이 쓰이는 것은 쌍동 잘린 채 시커멓게 굳은 피가 잔뜩 묻어 있는 허리였다. 좀비가 몸을 움직일 때마다 길게 늘어진 척추가 꼬리처럼 흔들렸다.

보는 것만으로도 온몸에 소름이 돋아 오른다. 놈이 더 거리를 줄이기 전에 보안관이 마중을 나가 해머를 힘껏 휘둘렀다.

콱! 콰작―!

두 번의 강한 충격을 받고 나자 좀비의 목은 자갈에 묻힌 것처럼 깊이 처박혔고, 터진 머리 주변은 흘러나온 녹색의 체액으로 엉망이 됐다.

특유의 악취가 놈에게서 피어올랐다. 보안관은 해머를 지렛대 삼아 놈의 몸뚱이를 굴려 한쪽 구석으로 밀어냈다.

"왜 이 꼴이 나서 여기에 있는 거지, 이놈은?"

척추가 삐져나온 단면을 노려보면서 보안관이 중얼거렸다. 사람의 몸을 이 지경으로 훼손하려면 그야말로 엄청난 힘이 필요하다. 대체 얼마나 오랫동안 차단벽을 긁어 대고 있었는지, 좀비의 손바닥과 팔꿈치는 흰 뼈가 드러나 있는 채였다.

하지만 그런 것보다도 더 중요한 문제가 있다. 하나가 눈에 띄었다는 건…… 두 마리도 있을 수 있다는 의미이기도 하다.

"아흐…… 이거, 내장 맞지? 아까 그 새끼한테서 흘러나온 건가?"

바닥에 말라붙은 살덩이들이 점점 떨어져 있다. 그리고 역 건물이 시야에 들어올 무렵, 그보다 훨씬 엄청난 것이 그들을 맞이했다. 탈선한 채 전복되어 있는 기차였다.

주변의 차단벽은 엉망으로 박살이 나 있고, 기차가 누워 있는 곳에서 수십여 미터 이전부터 눈을 뜨고 보기 어려울 만큼 참혹한 광경이 펼쳐졌다.

잘린 신체, 부패한 살과 뼛조각, 폭풍우가 미처 지워 내지 못한 핏자국들.

여기저기 어지럽게 흩뿌려져 있는 그 끔찍한 잔해들 사이로 걸으면서 보안관은 해머를 꽉 움켜쥐었다.

신입의 다리가 달달 떨린다.

"조심해, 보안관. 좀비들이 있을지도 모르니까……."

삼식이에게 제니를 돌보게 한 뒤, 유빈도 손도끼를 꺼내며 뒤를 따랐다. 보안관이 전복되어 있는 객차에 다가가 피로 얼룩진 유리창 안쪽을 살폈다.

객차 내부는 말 그대로 시체들로 가득했다. 그것도 엉망으로 꺾이고 부러진 형태의 시체들. 안전 벨트 따위가 없는 전철이라서 승객들은 열차의 흔들림에 따라 아무렇게나 날아가고 부딪쳤던 모양이다.
 "어으······."
 그간 어지간히 많은 시체들을 보아 왔건만, 이건 또 다른 형태의 참혹함이었기에 저절로 탄식이 흘러나온다. 그다음 객차들의 상황도 크게 다르지 않았다.
 "후드드득—."
 보안관과 유빈이 다가가자 주변을 가득 메우고 있던 새들이 하늘로 날아오른다.
 "숨을 못 쉬겠네······. 그나저나 산 사람은 하나도 없나?"
 보안관이 팔을 들어 코를 막으며 물었다. 깨진 객차 유리창 사이로 좀비의 악취와는 다른, 지독한 썩는 냄새가 뿜어져 나온다. 박살 난 문의 날카로운 단면에 걸린 살덩이들을 가리키며 유빈이 대답했다.
 "사고 때 즉사한 사람들만 여기에 남은 건가 봐. 숨이 붙어 있던 사람들은 다 좀비가 돼서 여기를 깨부수고 기어 나온 거고."
 "그런데 왜 이렇게 기차가 뒤집어져 버렸지? 전철 운전사가 좀비로 변한 건가?"
 "아니. 내 생각에는 좀비들이 저기 보이는 역에서부터 여기까지 왔던 것 같아. 난데없이 선로 위에 수십, 수백 명이 서 있으니까 운전사가 급브레이크를 밟았던 것 아닐까?"
 보안관은 뒤를 돌아보며 잠시 상상을 해 봤다. 좀비 떼를 발견한 운전사는 사람이라고 생각해서 깜짝 놀라 멈춰 서려 했을 것이다.
 그러나 속도를 이기지 못한 기차가 좀비들을 완전히 깔아뭉갠 다음 탈선한다. 영문을 모르고 있던 승객들은 쇠기둥에 머리를 박은 채 쓰러지고, 깨진 창문을 통해 좀비들이 꾸역꾸역 기어 들어와 아가리를 벌린다······.
 그렇게 생각해 보면 저 뒤쪽에 널려 있는 팔다리들이 설명이 되기는 한다. 조금 전, 자신이 대가리를 터뜨려 죽였던 그 좀비는 열차에 깔려 하체를 잃은 뒤, 그 느린 속도로 계속 기어온 건가 보다.
 고개를 저어 끔찍한 상상을 털어 내던 보안관의 뇌리에 더 중요한 문제가 떠올랐다.

"……그럼 그 좀비로 변한 놈들은 어디로 간 거야?"

"글쎄……."

보안관의 물음에 유빈의 눈동자도 흔들렸다. 분명 좀비로 변한 사람들이 꽤 많았을 게 빤한데……. 그리고 선로에 있던 놈들 중에도 운 좋게 열차 사고로 피해를 입지 않은 녀석이 있을 테고. 그렇다면 놈들은 모두 저기 멀리 보이는 역사 쪽으로 가 버린 걸까?

여기까지 오는 동안 좀비를 한 마리밖에 만나지 않았던 것은 단지 행운 때문이었을지도 모른다. 만약 부근에 놈들이 있을지 모른다면 지금이라도 빨리 여기에서 벗어나야 옳다.

그런 생각을 하며 겁먹은 눈동자로 주변을 두리번거리던 유빈의 시선에 파괴된 차단벽이 들어왔다.

"저 아래엔 뭐가 있지?"

뻥 뚫린 차단벽 구멍으로 가까이 다가가니 5~6미터 아래의 도로에 떨어진 또 다른 객차의 모습이 눈에 띈다.

날벼락처럼 떨어져 내린 객차에 깔려 뭉개진 자동차들로 도로는 어지럽다. 거기서 몇 미터 떨어지지 않은 곳에 바로 아파트 단지가 있다.

"좀비들이 이리로 뛰어내렸을까?"

옆에 와서 선 보안관이 묻는다. 그럴 법하다. 놈들은 먹이를 보면 물불을 가리지 않고 몸을 날린다. 당시만 해도 저 아래는 사람들이 바글바글한 곳이었을 테니까. 하지만 확실한 건 아니다. 유빈은 고개를 저었다.

"잘 모르겠어. 하여간 돌아가면 이쪽 방향으로는 벽을 좀 단단히 세워야겠네. 신경 쓰인다."

끔찍한 사고 현장과 시체들의 모습은 그들에게 이제 그만 돌아가라 권유하고 있었다. 이미 해는 기울었고, 더 가 봐야 어두컴컴한 역사를 헤매는 일은 위험성을 가중할 뿐이다.

애써 거길 한번 둘러본다고 해도 100퍼센트 안전하다는 보증서 따위는 못 받는다. 돌아가서 허술하나마 달아날 구멍이 구비된 요새를 만들고, 그걸 믿고 잠이 드는 수밖에 없다. 지난 2주 동안 늘 그랬던 것처럼.

03

늘 느끼던 것이지만, 강원도는 정말 일찍 어두워진다. 그리고 밤이 되면 뜨거웠던 대낮의 기억이 무색할 만큼 추위가 사무쳤다.
 흐으으~. 진우는 두 팔로 몸을 감싸며 가볍게 떨었다. 불을 지피기는 했는데, 바람이 불어 대니 그것도 별 효과가 없다.
 할머니 집에는 그가 입을 만한 크기의 옷이 없었다. 그렇다고 무겁게 이불을 지고 나올 수도 없는 형편이었다. 먹을 것들을 챙겨 들고 다니는 것만 해도 이미 힘들다.
 "차라리 안으로 들어갈까?"
 진우는 바로 곁의 컨테이너를 보면서 중얼거렸다. 그런데 저 안에서 불을 피우기에는 아무래도 연기가 부담스럽다.
 그가 위치해 있는 곳은 어느 채석장의 입구에 있는 현장 사무실 앞. 하루 종일 도로를 걷고 골짜기 하나를 넘은 뒤 또 걸어서 도착한 곳이 여기다.
 더 가 봐야 인가를 발견할 거라는 자신도 없고 해서 차라리 초저녁부터 이곳에서 밤을 지새울 준비를 하기로 했다. 컨테이너 안에 쌓여 있던 장부와 서류 뭉치들을 꺼내 책상 서랍에 올려놓고 불을 붙였다. 그러고는 그 위에 주변에서 긁어 온 잔가지들을 얹었다.
 "빨리 붓어라……."
 모닥불로 데운 물을 부어 놓은 뽀글이를 향해 진우는 혼잣말을 했다. 그렇게 맛있던 라면에서 이제 슬슬 역겨운 냄새가 나기 시작한다. 어제부터 계속 라면만, 그것도 주로 생라면만 먹어 댔으니 당연하다면 당연한 일이다.

계란 프라이에 따끈하게 김이 올라오는 갓 지은 밥, 그리고 적당하게 잘 익은 김치가 먹고 싶다. 그런 음식들하고는 거리가 먼 뽀글이를 숟가락으로 입에 퍼넣으며 진우는 오늘 하루를 돌이켜 봤다.

소모적인 하루였다. 그렇게 힘들게 걸었는데 별로 멀리 온 것 같지도 않다. 도중에 좀비 열 마리를 잡고, 총알 열세 발을 썼다.

사실 진우는 자신의 정확한 위치가 어디인지도 잘 모른다. 그가 아는 것이라고는 낮에 지난 어느 국도의 표지판이 삼척에서 28킬로미터, 동해에서 20킬로미터 떨어진 곳이라는 것, 그리고 옥계라는 지명이 자주 눈에 띈다는 것 정도다.

서울이 있는 북서쪽으로 움직인다고 하고는 있지만, 나침반이 없으니 그 방향조차 그저 막연한 추측일 뿐이다.

후웅후웅—.

산 안쪽에서 부엉이인지, 올빼미인지가 우는 소리가 들린다.

"음?"

뽀글이를 반쯤 먹었을 때, 진우는 벌떡 몸을 일으키며 총을 챙겨 들었다. 저 멀리에서 느껴지는 인기척, 아니, 솔직히 말해 이 느낌은 인기척이 아니다.

젠장…….

진우는 급히 컨테이너 위로 기어 올라갔다. 그리고는 엎드린 자세로 총을 겨누고 도로 위를 주시했다. 주야 조준경이 망가져서 밤이 되면 시야가 수십 분의 일로 줄어들어 버린다.

하아~ 하아~.

라면 냄새가 섞인 숨을 토해 내며 전방을 노려보고 있던 그의 눈에 검은 그림자 네 개가 들어왔다. 진우는 그 그림자가 모닥불이 밝히는 범위 안으로 들어올 때까지 가만히 기다렸다.

사방이 온통 칠흑같이 어두운 터라 조그만 모닥불에서 뿜어져 나오는 불빛은 꽤나 강력한 조명처럼 느껴진다. 네 개의 그림자는 거리가 줄어들수록 점점 더 빠르게 다가오는 중이다.

"거기 누구예요?"

의미 없는 짓이라는 걸 잘 알고 있으면서도 진우는 말을 걸었다. 대답은 돌아오지 않는다. 하지만 진우는 한 번 더 큰 소리로 물었다.

이 병장과 김 상병의 명령에 따라 총구를 돌리며 전투를 벌이던 동안에는 한 번도 느껴 보지 못한, 기묘한 감정이다. 이틀 전 밤까지만 해도 진우는 방아쇠를 당기는 데 일말의 망설임도, 주저함도 없었다.

하지만 혼자 남겨지자 모든 게 달라졌다. 혹시, 만에 하나라도 겁에 질려 멀쩡한 사람을 좀비로 착각하고 쏘는 것일까 봐 두려워진 것이다.

"더 오지 말고 대답해요! 쏩니다!"

진우가 또박또박 외쳤지만, 그림자들은 아무 대꾸 없이 부지런히 뛰어오기만 한다. 마침내 그들의 얼굴이 어렴풋하게나마 보일 만큼 거리가 가까워졌다.

썩어 버린 피부, 휑하니 뚫린 눈구멍, 작업복 밖으로 흘러내린 내장, 부러져 뒤틀린 팔다리…….

어떻게 봐도 살아 있는 사람이라고는 할 수 없다. 좀비라는 걸 확인한 진우는 방아쇠를 당겼다.

타앙—.

한밤의 강원도. 그 깊은 적막을 깨는 날카로운 총소리가 울리고, 가장 우측의 좀비가 픽, 쓰러진다.

채석장의 깎아 둔 바위들에 부딪혀 돌아온 메아리가 끝나기도 전에 진우는 두 번째 탄환을 발사했다.

타앙—.

부러진 다리를 질질 끌고 오던 놈의 이마에 커다란 구멍이 생겨난다. 그리고 다시 또 두 발이 발사되고, 나머지 두 마리의 좀비도 마저 쓰러졌다.

네 마리를 모두 고꾸라뜨린 후에도 진우는 한동안 컨테이너 위에 엎드린 채 놈들이 뛰어오던 길을 노려보았다. 혹시 있을지 모르는 두 번째 웨이브를 대비하는 것이다.

"정말…… 이제 작작 좀 와라."

10여 분을 더 대기한 뒤에야 컨테이너 아래로 내려온 진우는 한숨을 내쉬며 꺼져 가는 모닥불 위에 서류들을 던져 넣었다.

좀비의 등장과 함께 솟아났던 식은땀이 가라앉자 추위가 더 강하게 느껴진다. 뽀글이 봉지는 바닥에 엎질러져 있다. 어차피 더 먹고 싶은 생각도 없었으니 아까워하지 않기로 했다. 대신 사탕을 몇 알 까서 입 안에 던져 넣었다.

탈칵, 플래시를 켠 진우는 20여 미터 앞에 자빠진 좀비들의 시체를 비추며 가까이 다가갔다. 네 마리의 좀비 시체는 이미 그보다 더 앞서 진우를 덮치려 했다가 머리에 바람구멍이 난 채 죽어 버린 다른 세 마리 좀비의 시체 근처에 자빠져 있다.

그러니까 오늘 밤만 벌써 일곱 마리의 좀비가 이곳으로 온 거다.

"확실히……."

놈들의 시체를 찬찬히 살펴보던 진우는 입술을 잘근거리며 혼잣말을 했다.

"뭔가 비껴 맞는 것 같아. 총이 슬슬 가고 있는 건가?"

총알구멍이 난 자리가 대체적으로 이마의 중앙이 아니라 한쪽으로 쏠려 있다. 예전에는 없던 일인데, 오늘 아침부터 점점 그런 경향을 보인다.

오늘 낮에도 그래서 몇 놈의 대갈통이 아니라 귀만 날려 버리는 바람에 아까운 총알을 허비해야 했다. 지금은 그런 총의 특성을 감안해서 쏜다고 한 건데도 가운데를 명중시키지 못했다.

"야, 너 왜 그래? 좀 더 버텨 줘."

진우는 자신의 K-2를 쓰다듬으며 걱정스럽게 물었다. 애초에 그의 손에 들어올 때부터 새 총은 아니었지만 그래도 지금까지는 느낌이 가는 바로 그 지점에 총알을 박아 줬는데, 슬슬 내구성의 한계를 보이는 것 같다. 그제 그 비를 두드려 맞은 뒤에 제대로 손질을 못 한 탓일 수도 있다.

이래저래 지금의 진우로서는 어찌해 볼 방법이 없는 문제다. 실탄이 점점 줄어들고 있다는 것 역시 골치 아픈 일이다. 오늘 하루 동안 사용한 탄약만 스무 발. 이 추세대로라면 서울까지 가기는커녕, 일주일 내에 가진 총알이 전부 바닥나 버릴 터였다.

서울까지 운 좋게 도착한다고 해도 탄약이 없으면 계속 생존해 나가기가 힘들다.

"젠장! 발전소 때부터 시작해서 어젯밤도 그렇고, 오늘도 그렇고……. 대체 왜 이렇게 몰려오는 거냐고. 나한테서 무슨 좀비를 끌어들이는 페로몬이 나오나?"

플래시를 끈 진우는 다시 모닥불 앞으로 돌아와 불을 뒤적이며 투덜거렸다. 이상하게 자꾸 좀비들이 덤벼든다. 이렇게 인적도 드문 곳에서 하필이면 자신이 있는 곳을 정확히 알고 찾아온다니, 너무 수상하지 않은가. 그게 분하고 또 불편하다.

"엇, 어휴, 놀라."

눈앞에 갑자기 날아든 하얀 물체 때문에 진우는 기겁을 했다. 하이바 근처를 스치고 갔다가 다시 돌아온 것은 손바닥만 한 흰 나방이었다.

"팅커벨이 여기도 있네……."

화천의 내무반 시절에 자주 보던 이 커다란 나방을 고참들은 팅커벨이라고 불렀다. 사회에 있을 때는 한 번도 본 적이 없는 모양과 크기다.

어쨌거나 귀찮아서 진우는 손사래를 쳐 놈을 쫓았다. 하지만 팅커벨은 계속 불 주위를 맴돌며 날다가 결국 날개를 태우며 모닥불 안으로 떨어져 버렸다.

지지직—.

기분 나쁜 냄새와 타는 소리에 진우는 인상을 찌푸렸다. 잠시 후, 수십 마리의 날벌레들과 함께 두 번째 팅커벨이 날아와 그의 주위를 맴돌기 시작했다.

"불을 끄든가 해야지, 벌레가 너무 꼬이네."

그렇게 중얼거리던 진우는 어제부터 좀비들이 왜 그렇게 공교로울 만큼 용하게 그가 있는 곳을 찾아내서 오는지 조금 짐작이 됐다.

"……이거였나? 이것 때문에?"

진우는 자리에서 벌떡 일어나 모닥불 위로 오줌을 갈겼다. 만약 좀비들이 불에 이끌려 오는 거라면 조금 추위에 떠는 한이 있더라도 빨리 꺼 버리는 편이 낫다.

"치이익—."

연기가 피어오르고 불씨가 사그라지면서 사방은 급격하게 어두워졌다. 진우는 플래시 불빛에 의존해 컨테이너 위로 기어 올라갔다. 안에서 잠이 든다면 따뜻하기야 하겠지만, 아까 자물쇠를 부순 터라 안전하지가 않다.

"후우우~."

하이바를 벗어 옆에 두고 팔베개를 한 채 하늘을 보며 누운 진우는 가볍게 한숨을 내쉬었다. 쏟아질 듯 반짝이는 별들을 보고 있자니, 꼭 이 세상에 자신 혼자만 남겨진 것 같은 압도적인 고독감이 밀려온다.

외롭다. 너무 외로워서 울음이 터져 나올 것 같다. 숨이 가빠진다. 탈칵, 진우는 다시 플래시를 켜고 하이바를 집어 들었다. 하이바 안쪽에는 핑크 펀치 화보집에서 오려 낸 사진이 붙어 있다.

서로의 등에 기대앉아 환하게 웃고 있는 제니와 테라. 누가 더 낫다고 판정하기가 어려울 만큼 예쁘다.

하아~. 넋을 놓고 사진을 바라보고 있자니, 터질 만큼 답답하던 가슴이 조금은 편안해진다.

— 누구랑 할래? 빨리 말해 봐.

김 상병의 장난기 가득한 목소리가 들리는 것 같아서 갑자기 눈시울이 뜨거워진다. 진우는 마음속으로 누, 구, 랑, 할, 까, 요, 를 외며 제니와 테라에게 번갈아 눈길을 주다가 이내 피식 웃음을 터뜨렸다.

이 아름다운 아이들은 지금 어떻게 되었을까?

둘 다, 아니, 둘 중 하나라도 제발 살아 있으면 좋겠다는 생각이 들었다. 그래서 이 지긋지긋한 좀비 세상이 끝나고 나면 TV를 통해 그녀들의 노래가 다시 울려 퍼지는 걸 보고 싶다.

그렇게 되면 비로소 지옥 속에 있던 삶이 일상으로 돌아갔다는 느낌이 들 것 같아서.

"제니야……."

하이바를 가슴에 댔을 때, 진우의 입에서는 자기도 모르게 제니의 이름이 흘러나왔다. 아무래도 오늘 밤은 그녀가 더 보고 싶은 모양이다. 그녀의 꿈을 꾸길 기도하며 진우는 눈을 감았다.

"만 발!"

40여 분 정도 비몽사몽 식은땀을 흘리며 괴로워하던 진우는 갑자기 몸을 벌떡 일으키며 외쳤다. 김 상병이 해 주었던, 연병장 구령대 아래 만 발의 실탄 이야기가 꿈속에서 선명하게 기억난 까닭이다.

"허억~ 허억~ 만 발……. 그래, 만 발이나 있다고 했어."

진우는 얼굴의 땀을 씻어 내며 중얼거렸다. 문제는 그 이야기가 정말인지, 아니면 그저 어리벙벙한 신병을 놀리기 위한 장난이었는지 확신이 서지 않는다는 점에 있었다.

그제 밤 그 말을 했을 때, 이 병장도 그 싱거운 놈을 믿느냐면서 웃었었다. 하지만 직접 본인에게 확인해 볼 겨를이 없었다. 그럴 틈도 없이 휘몰아쳐 오는 좀비들을 쓰러트려야 했으니까.

만 발…… 진우는 그 숫자를 몇 번이고 곱씹었다. 비록 총이 슬슬 명중력을 잃어 가고 있다고는 해도 그만큼의 탄환이면 무적이 되는 거다.

아니, 그 10분의 1만 실재해 줘도 더 바랄 게 없을 것 같다. 하지만 화천…… 자신이 있는 곳에서 적어도 200킬로미터 이상 떨어진 곳.

만약 거기까지 갔다가 허탕이라도 치는 날에는 100킬로미터 이상의 거리를 빙 돌아가는 것에 지나지 않는다. 서울까지는 300킬로미터, 화천까지는 200킬로미터.

어느 길로 갈까…….

진우는 잠시 고민에 빠졌다. 하지만 사실 애초부터 답이 정해진 고민이었다.

화천. 내일부터는 북서쪽이 아니라 북쪽으로 가야 한다. 탄약을 확보하는 게 먼저다.

04

이런저런 물건들을 동원해 선로 양 끝에 방벽을 쌓은 후, 대충 끼니를 때우고 나니 밤이 되어 버렸다. 물론 좀비들이 마음먹고 달려들면 몇 분 만에 뚫릴, 허술하기 짝이 없는 수준의 방벽이다.

하지만 그 정도라도 보안관 일행에게는 절실했다. 여차했을 때 선로 아래 세워 둔 자동차까지 달아날 시간, 그게 필요하니까.

"보안관, 불 좀 켜 봐. 물병이 어디 있는지 안 보여."

핏―.

유빈의 말에 보안관이 랜턴의 스위치를 켜자 사방을 무겁게 짓누르고 있던 어둠이 아주 얇게 한 꺼풀 더 벗겨진다.

역시 밤이 깊어질수록 손전등의 좁은 광원만으로는 견디기 어렵다. 부피가 크다는 이유로 랜턴을 하나밖에 가져오지 않은 게 못내 아쉽다.

8시가 넘을 무렵부터 사방이 슬슬 회색빛으로 물들기 시작했고, 그로부터 한 시간 반이 더 지난 뒤에는 온통 캄캄해졌다. 전기가 사라진 도시의 밤, 그 완벽한 어둠은 낯설다. 그리고 정말로 코앞이 보이지 않을 만큼 빛이 없는 시간이다.

도시에서 태어나 평생을 도시에서 자란 보안관 일행에게 칠해 놓은 듯 까만 그 밤하늘은 막막함이자 두려운 경험이었다. 물론 이제는 이미 열흘이 넘도록 지켜봤으니 슬슬 익숙해질 때도 됐건만…….

밤이 되어 다행인 점이라고 하면, 지독하게 뜨거웠던 선로 위의 열기도 그나마 조금은 가라앉았다는 정도다. 그렇기 때문에 정작 불이 필요한 야간에는 모닥불을 피우지 않기로 했다.

그들이 누워 있는 자리에서 좌우로 100여 미터 떨어진 곳에는 자갈 사이로 박아 놓은 손전등이 희미한 빛을 뿜어내고 있다. 저 거리에 저 정도의 조명을 켜 두는 것이 실제로는 아무런 도움도 될 수 없다는 것을 알지만, 인간의 불안이라는 것은 그런 무의미한 시도와 희미한 빛만으로도 조금이나마 진정되는 법이다.

만약 어둠 속에서 좀비가 가까워져 온다면 그 징조는 저 빛이 아니라 훨씬 더 이전에 소리를 통해 알려질 것이다. 도저히 속일 수 없는, 자라락자라락 하는 자갈 밟는 소리가 그들에게 경보음이 되어 줄 터였다.

침목 사이사이마다 고루 뿌려진 자갈을 밟지 않고 여기까지 온다는 것은 불가능하다.

그와아아—.

먼 곳에서 좀비의 포효가 한 번씩 메아리쳐 들려올 때면, 가벼운 소름이 돋았다.

"끄응~!"

세 겹으로 겹친 박스에 누운 삼식이가 앓는 소리를 낸다. 암만 쪼그리고 자세를 바꿔 봐야 긴 다리의 일부는 박스 밖의 자갈밭으로 빠져나갈 수밖에 없다.

그 옆에서는 신입이 꾸벅꾸벅 존다. 택배 트럭에서 찾아낸 보물들을 밧줄에 묶어 이 높은 선로까지 끌어 올리고 이런저런 일들을 하느라 다들 녹초가 되어 버렸다.

머리 위에서는 누더기처럼 둘러쳐진 천막이 흔들리며 음산한 느낌의 그림자를 드리우고 있다. 양쪽에 우뚝 선 송전탑에 밧줄을 걸고, 모래 트럭에서 벗겨

온 장막을 주 베이스로 삼아 커튼과 이불보, 쓸모없는 옷들을 더해 얼기설기 엮어 놓은 것이라 보기에는 영락없이 거지꼴이지만, 그래도 내일 해가 떠오르면 이 넓지 않은 천막이 큰 역할을 해 줄 것이다.

"누가 먼저 보초 설래?"

보안관이 물었을 때, 유빈은 가볍게 손을 들었다.

"에, 하지만 오빠는 어제도 두 타임이나 보초를 서느라 제일 조금 잤잖아요. 괜찮아요?"

유빈 바로 옆자리의 제니가 몸을 발딱 일으키며 걱정스러운 표정을 지었다.

"아, 난 원래 잠이 별로 없어. 걱정 안 해도 돼."

그렇게 대답하는 유빈의 눈은 피로로 떼꾼하게 꺼졌다. 피곤하다. 그래도 어차피 나눠 서야 하는 보초이니만큼 보안관이 가장 덜 피로하도록 시간을 배치해야 한다. 보안관이 지치면 이 파티는 무너진다.

제니와 보안관은 잠시 얼굴을 마주 보다가 '에라, 모르겠다~.' 하는 표정으로 각각 공기방석과 거위 털 파카를 베고 자리에 누웠다. 둘 다 택배 트럭에서 가져온 물건들이다.

"정 못 버티겠으면 나한테 바꾸자고 해. 어차피 나도 금방 잠들 것 같지는 않으니까……."

보안관은 그 말을 하고 채 10초도 지나지 않아 코를 드르렁드르렁 골기 시작했다. 그 사이사이마다 삼식이가 푸우~ 푸우~ 하고 입김을 내뿜고, 신입은 빠득빠득, 이를 간다.

다들 각자의 방식으로 잠들어 있음을 알리고 있다. 오늘 하루도 이렇게 생존해서 휴식을 취한다.

양편의 어둠을 번갈아 가며 살피던 유빈은 잠시 시선을 중랑천 남쪽으로 돌렸다. 그들의 앞길을 가로막았던 호수는 여전히 그 넓이를 그대로 유지하면서 달빛을 담아 검게 반짝이고 있다. 그리고 그 너머…….

원래의 계획대로였다면 벌써 어제 오후쯤 저 길을 지나 한강까지 내달렸을 터인데…….

유빈은 가볍게 한숨을 쉬었다.

손에 넣었다고만 생각했던 안정이 못내 아쉽기는 하지만, 지나간 일은 지나간 일. 이제는 내일의 생존을 위해 고민하는 편이 더 중요하다.

내키지 않더라도 내일은 아침 일찍부터 이 선로 북쪽을 따라 계속 걸어가 봐야 할 것이다. 해가 떠오르기 시작하면 고온과 직사광선 때문에 고통스러운 탐사가 될 게 분명하다. 그런 귀찮은 것들을 모두 감수하더라도 알아야 한다.

유빈은 머리를 긁적이며 고민을 계속했다.

준비물은 어떻게 가져가야 할까…….

일단 햇살을 막아 줄 긴소매 옷과 모자가 필수적이다. 그리고 물.

한 번 출발해서 돌아올 때까지를 한나절로 잡고 두 시간 정도 걸어갔다가 되돌아오면 될 테지……. 아, 피곤하다. 자꾸 눈이 감기려고 하네…….

"오빠."

얼마나 시간이 흘렀을까. 유빈은 자신을 부르는 제니의 목소리에 깜짝 놀라 좌우로 고개를 돌렸다. 아무 일도 일어나지는 않았다. 앞뒤로 쭉 뻗은 선로는 여전히 어둠 속에 휩싸여 있고, 사방은 고요하다. 가장 큰 소음이라야 가끔 한 번씩 물 위로 튀어 오르는, 물고기들이 수면을 치는 소리 정도일 뿐.

하지만 그 잠깐의 단절감이 유빈의 심장을 두드려댔다.

내가 졸았었나? 아니, 깨어 있었나? 확실하지 않다는 것 때문에 소름이 끼칠 만큼 두렵다.

"지금 처음 부른 거야?"

바짝 마른 목소리로 유빈이 물었다.

"……네."

다행히 깊은 잠이 들지는 않았던 모양이다. 하지만 일어나지 않은 사건들이 머리를 스쳐 가면서 등 뒤로 식은땀이 흘렀다.

눈이 가물가물하고 온몸이 노곤하기는 했지만, 책임을 맡아 놓고 그걸 제대로 수행하지 못하고 있었다니……. 유빈은 황급히 자신의 두 뺨을 짝짝, 때렸다.
"……제니야, 왜?"
뺨을 두드려 아직 남겨진 졸음을 힘겹게 쫓아내며 유빈이 물었다.
에헤, 제니는 쑥스러운 표정으로 뒤쪽을 가리킨다. 저녁때, 그가 설치해 둔 화장실―그건 너무 거창한 표현이고, 고양이용 배설물 모래를 뿌린 뒤 대충 가려 둔 공간―이 있는 방향이다.
"아, 그래. 알겠어."
유빈은 선선히 랜턴을 들고 일어섰다. 사생활 보호를 위해 화장실을 천막에서 꽤나 멀찍한 곳에 지어 놨기 때문에 깜깜한 밤에 혼자 가기에는 조금 꺼림칙한 느낌이 있다. 하물며 여자인 제니는 두말할 필요도 없다.
"미안해요, 귀찮게 해서."
제니의 귓속말에 유빈은 고개를 저었다.
"아니야. 네 덕에 나도 깼어. 후우, 아마 깜빡 졸았나 봐."
저벅, 첫발을 떼자마자 자갈들이 미끄러지는 소리가 울린다. 제니와 유빈은 아차 싶어 어깨를 움츠리고 주변을 둘러봤다.
드르렁― 푸우~.
보안관은 여전히 코를 골고, 삼식이는 숨을 내쉰다. 다행히 다들 깨어날 만큼 시끄럽지는 않았던 모양이다.
"이 위로 걸어가요."
잠시 생각하던 제니가 가볍게 뛰어 좁은 선로에 올라서더니, 체조 선수처럼 두 팔을 벌려 균형을 잡는다.
"나는 자신 없는데…… 넘어질 것 같아. 그냥 신발을 벗고 살살 갔다가 오자."
선로에 올라서 본 유빈은 곧바로 고개를 저었다. 그러자 제니는 풀쩍 바로 옆의 선로로 건너갔다.
"자요, 제 손 잡아요. 이렇게 나란히 걸어가면 괜찮을 거예요."
"아, 아니, 그건 좀……."

"에이, 빨리요."

제니의 채근에 못 이겨 유빈은 그녀의 손을 맞잡았다. 그렇게 해서 둘은 마치 아주 옛날 청춘 영화의 주인공들처럼 선로 하나씩을 차지하고 서로 팔을 뻗어 손을 잡는 것으로 균형을 잡은 채 외줄 걷기를 했다.

"후훗, 이거 꽤 재미있다. 그쵸?"

"아니, 좀 너무 쑥스럽달까…… 남사스러운데. 불안하기도 하고."

"하여간! 좀 더 즐겨요. 지금 오빠가 잡은 이거, 제니 손이라고요."

그렇게 한바탕 서커스를 하고 화장실에 도착했다. 제니는 유빈을 1미터 정도 떨어진 곳에 화장실과 직각이 되도록 세운 뒤, 허술하기 짝이 없는 칸막이 안으로 들어갔다.

바스락, 그녀가 허리를 굽히고 바지를 내리는 아주 작은 소리가 적막 속에서는 똑똑하게 전달된다. 예전 3층 집에서 둘만 있었을 때의 기억이 되살아난 유빈은 긴장하며 말을 더듬었다.

"저, 저기, 지금 너무 가까운 기분인데……."

"어, 그 각도에서 안 보이잖아요?"

"그래, 보이지는 않지. 근데…… 그, 소리가……."

"하하, 음탕한 오빠일세. 대체 무슨 상상을 하고 있는 거예요?"

"야, 상상을 안 하기 위해서 안 듣겠다는 거잖아……."

"계속 말을 해요. 그러면 그 소리에 묻혀 안 들릴 테니까."

"뜬금없이 무슨 말을……."

한숨을 내쉬며 말을 끊으려는데, 얼핏 무슨 소리인가가 귓가에 들어오는 것 같다. 유빈은 다급하게 계속 아무 말이나 지껄였다.

"내, 내일은 아침부터 계속 걸어 다녀야 할 거야. 출발하기 전에 긴바지로 꼭 갈아입어. 그 반바지 입고서 다니면 화상 입게 될지도 모르니까. 바지 가져 왔지?"

"쉿, 쉿, 목소리 낮춰요. 다 깨우고 싶어서 그러는 게 아니면요."

어느새 볼일을 마친 제니가 칸막이 위로 머리를 내밀며 속삭인다.

이 시험은 이제 끝난 건가……. 유빈은 안도하며 고개를 끄덕였다.

땀과 먼지로 찐득해진 유빈의 머리카락을 장난스럽게 흩트리면서 제니가 묻는다.

"야한 상상 많이 했어요? 이 좋은 머리로?"

"상상 안 했어. 안 하려고 열심히 지껄였잖아."

솔직히 그건 거짓말이었다. 피로와 위기감에 찌들어 유전자를 남기고 싶은 욕망이 평소보다 몇 배나 더 강력해진 20대 초반의 남자가 그 상황에서 아무 생각이 없었다면, 그건 이미 도인이거나 초인의 경지일 것이다.

그리고 유빈은 초인도, 도인도 아니다. 짧은 찰나지만 유빈의 머릿속에는 온갖 에로틱한 이미지들이 불꽃처럼 일어났다가 사그라졌었다. 그중 일부는 아직도 화끈화끈 열을 내고 있기도 하다. 마음을 들키기 싫은 유빈은 얼른 화제를 다른 곳으로 돌렸다.

"그리고 나 머리 안 좋아. 내 성적표를 보면 절대로 그런 말 못 할걸? 머리가 좋았다면 이런 데 갇혀 있을 이유가 없지."

"아뇨, 좋아요. 그래서 지금 여기서 우리가 이렇게 이야기할 수 있는 거잖아요. 안전한 요새에서."

고개를 들어 하늘에 반짝이는 별들을 보면서 제니가 속삭였다. 슬프게도 그건 사실이 아니다. 이건 어디까지나 임기응변일 뿐이다.

"위험을 느끼면 무작정 높은 곳으로 도망치는 건 말이지……."

다시 천막 아래로 돌아왔을 때, 유빈이 중얼거렸다.

"겁에 질린 새끼 곰들도 하는 일이야. 그냥 본능이라고."

"야한 상상을 하는 것처럼 말이죠."

제니가 덧붙였다.

다음 날, 아침 일찍부터 다섯 명은 어제의 반대 방향으로 탐사를 떠날 준비를 마쳤다. 식사는 걸어가는 동안 초콜릿 바를 씹으며 때우기로 했다. 공기에 아직 서늘한 기운이 남아 있을 때 가능한 한 멀리까지 살펴보고 오는 게 낫다. 한낮의 태양과 싸워 가며 돌아다니는 건 체력을 더욱 소진하는 일이다.

"아, 코 막혀. 새벽엔 좀 추웠어."

삼식이가 코를 훌쩍이며 팔을 비빈다. 긴바지와 후드 티로 갈아입고 온 제니도 동의한다는 표정이었다. 잠자리는 지독하게 불편했다. 등이 배기고 목은 뻣뻣하다.

와사삭, 와사삭, 발밑의 자갈이 밟히며 파도 소리와 비슷한 음색을 만들어 낸다. 20여 분을 걸어갔을 때쯤, 그들은 나란히 달리다가 갈라지도록 Y자로 설치된 또 다른 선로를 만났다. 가깝기는 하지만, 두 선로 사이에는 높은 철책이 가로막혀 있다.

그리고 5분 정도를 더 걸어가자 널찍한 왕복 7차선 도로가 나타났다. 거기까지 이르자 도로와 선로의 높이가 크게 차이를 보이지 않게 되었다.

상봉역이 가까워졌을 때, 일행은 걸음을 멈추고 외부로 시선을 돌렸다. 컴컴한 역 안으로 들어가고 싶지는 않다. 이제 여기까지 왔으니 다시 되짚어 돌아가든가, 아니면 거리로 나가 보는 것 중에서 하나를 택해야 한다.

"조용하네."

차단벽에 매달려 선로 바깥을 살피던 삼식이가 말했다. 그의 말처럼 거리는 아주 고요했다. 10여 분이 넘도록 가만히 지켜보았지만, 여기저기 얽힌 채 버려진 차량들 사이로 들개 떼 한 무리가 지나간 것 말고는 아무 움직임도 보이지 않는다.

삭막한 죽음의 도시. 하지만 동시에 자원의 보고이기도 한 공간. 깨진 유리와 간판에 적힌 여러 가지 상호들이 그들을 유혹한다.

"어떻게 할래? 내려가 볼까?"

도로 건너편의 편의점에서 시선을 떼지 못하며 보안관이 물었다.

먹을 것, 배터리, 그리고 온갖 요긴한 물건들…….

저 가게 안에는 분명 그런 것들이 가득할 것이다.

그 바로 옆의 옷가게는 또 어떤가. 당장이라도 땀과 먼지, 톱밥과 흙으로 범벅이 되어 버린 이 옷을 벗고 보송보송하고 접혔던 자국이 선명히 남아 있는 새 옷으로 갈아입고 싶다.

그리고 물. 물은 아무리 많이 가지고 있어도 지나치다고 생각되지 않을 물품이다. 다른 넷 역시 물욕이 가득한 눈으로 거리를 훑고 있었다. 택배 트럭을 털어온 지 채 하루도 되지 않았지만, 이곳에서 얼마나 더 견뎌야 할지를 알 수 없기에 이것저것 필요한 것들을 그러모으고 챙겨 두어야 한다는 강박이 그들을 짓눌렀다.

유빈도 끊임없이 갈등하며 손톱을 자근자근 씹었다. 비교적 뻥 뚫린 7차선. 눈에 좀비는 보이지 않는다. 예전 초를 세어 가며 지하 통로를 달려 번화가 안으로 뛰어 들어갔던 때에 비한다면, 이건 꽤 안전하다. 혹시 좀비가 나타나더라도 얼마든지 달아날 수 있을 것처럼 보인다.

하지만…… 아차 하는 순간에 목숨이 날아갈지도 모르기 때문에 신중해야 했다. 저놈들은 그렇게 많은 힘을 들이지 않아도 우리를 죽일 수 있다. 아주 살짝, 단 한 번만 좀비의 이빨이 살갗을 뚫으면, 그것으로 끝이니까.

"살짝 엿보기만 하고 올까?"

한참을 더 고민하다가 유빈이 내린 결론은 상륙이었다. 호기심은 치명적이고도 강력한 유혹이다. 이곳의 사정이 어떤지 가까이 다가가서 눈으로 확인하고 싶었다.

"좋아!"

보안관은 손도끼를 휘둘러 단단한 플라스틱으로 된 차단벽에 몇 개의 구멍을 뚫었다. 돌아올 때 빠르게 짚고 올라올 수 있는 발판을 만들기 위해서다. 그리고 준비가 다 끝나자 유빈은 모두를 돌아보며 다시 한번 주의 사항을 말했다.

"혼자 튀어나가거나 너무 빨리 걸으면 안 돼. 그리고 건물에 바짝 붙지 마. 만약에 위험하다 싶으면 곧바로 돌아오는 거야. 아무것에도 미련을 가지면 안 돼.

알지?"

"씨발, 아무것에도 미련을 가지지 않을 건데 뭐 하러 모르는 데를 꾸역꾸역 제 발로 기어 들어가냐? 아~나, 이 새끼들. 왜 이렇게 자꾸 위험한 짓을 하려고 그러지?"

신입이 언제나처럼 엉덩이를 뒤로 빼며 짜증을 낸다. 하지만 그러는 동안 벌써 보안관은 훌쩍 몸을 날려 거리 아래로 뛰어내렸다.

"너도 빨리 와, 이 새끼야!"

보안관이 신입을 딱 찍어 손짓을 했다. 게다가 제니도 아주 순진한 척하며 '빨리 뛰어요, 오빠.'라고 채찍질을 해 댔다.

젠장!

신입은 머리를 벅벅 긁어 대다가 결국 거리로 내려갔다.

그 뒤를 이어 제니가, 삼식이가, 유빈이가 점프를 했다. 재빨리 인도를 벗어나 차도에 올라서자 선로에서는 건물에 가려 보이지 않던 풍경들이 눈에 들어온다.

그리고 가장 강렬하게 그들 모두의 시선을 잡아끈 것은 20여 미터 전방, 도로 표지판에 거꾸로 매달려 있는 한 남자의 시체였다. 마치 교수형을 당한 것 같은 모습으로 발목이 긴 밧줄에 묶인 채 대롱거리는, 벌거벗은 남자의 부패한 몸뚱이.

어제만 해도 수없이 많은 죽은 사람들을 보았던 보안관 일행에게조차 충분히 기괴하게 느껴질 만한 풍경이었다.

"크, 이 동네 인심 봐라. 저게 마스코트냐, 뭐냐?"

가장 먼저 침묵을 깨고 보안관이 입을 열었다. 말로는 여유를 보이지만, 그 역시 도끼를 쥔 손에 자신도 모르게 힘이 들어갔다.

"왜 좀비를 저렇게……."

제니가 겁먹은 목소리로 묻자 유빈이 좌우의 건물들을 살피며 대답했다.

"좀비가 아니야, 저거. 사람을 죽인 거야."

"지랄, 뻥치고 앉아 있네. 그걸 어떻게 알아?"

신입이 신경질적인 반응을 보였다.

"저걸 보면 알잖아. 좀비 시체에 저런 게 달라붙는 거 본 적 있어?"

유빈이 가리킨 것은 시체의 가슴팍에 달라붙어 살점을 파먹고 있는 까치들이었다.

픽, 픽, 조그만 대가리로 살을 쪼아 댈 때마다 까맣게 썩은 시체는 허공에서 미세하게 흔들거렸다.

"어? 좀비는 새들도 안 먹나?"

신입이 고개를 갸우뚱한다.

"그래, 안 먹어. 개들도 안 건드리고, 새들도 안 건드려. 그러니까 저건 멀쩡했던 사람의 시체야."

말을 하는 동안에도 유빈의 시선은 주변 건물들의 위쪽을 훑고 있었다. 지역과 시대, 문화를 막론하고 저런 짓을 해 놓는 이유는 대개 한 가지다. 다른 사람들에게 본을 보여 두렵게 만들려는 경고. 그러니까 그 범인은 아마도 이 근처에 있을 것이다.

"오지 말라는 건가? 이거야 무슨 식인종도 아니고. 왜 이런 짓까지 하는 거야? 글씨로 써 놓으면 될걸."

삼식이가 고개를 저으며 투덜대는 동안에도 보안관은 한 발짝씩 천천히 신중하게 시체의 곁으로 다가갔다. 이런 식으로 대놓고 겁을 먹으라고 엄포를 놓으면, 더 기죽고 싶지 않다. 흉측하기는 해도 시체를 보는 일은 이제 꽤나 덤덤해졌다.

푸드드득—.

보안관이 가까이 걸어가자 시체 위에서 아침 만찬을 벌이던 까치들은 서둘러 날갯짓을 하고 도망쳐 버린다. 좀비의 것과는 또 다른 지독한 악취가 코를 찔렀다.

"정말이야. 머리는 말짱해. 가죽이 좀 벗겨지기는 했어도 뼈가 깨지거나 한 흔적이 없어. 좀비였으면 이렇게 해서는 안 죽지."

숨을 참아 가며 시체를 살피던 보안관이 시선을 떼지 않은 채 일러 주었다. 이토록 무덤덤하게 이런 이야기를 할 수 있을지 그 자신도 몰랐다. 심하게 부패하기는 했어도 죽은 지 며칠 지나지 않은 시체였다.

사망 원인은…… 아마도 복부와 옆구리에 나 있는, 수없이 찔린 상처들 때문인 것처럼 보였다. 적어도 스무 군데 이상의 깊숙한 자상이 아주 골고루 펼쳐져 있다.

그리고…… 사타구니를 뻥 뚫고 나 있는 커다란 구멍.

"이건 또 뭐야? 뭘 어떻게 하면 이렇게 돼? 자지가……."

매우 검게 변색된 채 탄화된 구멍의 주변을 보며 중얼거리던 보안관은 단어를 잘못 선택했다는 걸 알고 목소리를 낮췄다.

"……거시기가 완전히 날아갔어."

"총인가? 총에 맞으면 이렇게 될 것 같기는 한데……."

곁으로 다가온 유빈이 눈살을 찌푸리며 말했다. 총으로, 또 칼로 아주 거하게 죽였다고밖에는 할 수 없다. 안색이 창백해진 제니는 삼식이의 손을 꽉 쥐었다.

"총? 총? 총이 있다고? 씨발, 그런데 이렇게 태평하게 뒈진 새끼 자지나 들여다보고 있어? 어디서 총알이 날아올지도 모르는 판국에?"

좀비가 아니라 사람 시체였다는 걸 알고 난 후부터 줄곧 쫄아 있던 신입이 패닉 직전의 목소리를 내질렀지만, 유빈과 보안관은 여기에서 마음속에 공포만을 담고 물러날 마음이 별로 없었다.

살인자라고 하면 무자비하고 끔찍하게 들린다. 하지만 유빈도 얼마 전 사람을 죽였다. 그것도 둘이나. 그 사실을 유빈과 친구들은 잘 기억하고 있었다.

광기와 공포가 극에 달한 상황에서 스포츠머리와 장발처럼 달려드는 놈이 있다면, 극단적인 선택을 피할 수 있는 시대가 아닌 것이다.

문제는 이 중년 사내를 죽인 살인자가, 혹은 살인자들이 어느 쪽인가 하는 점이었다. 스스로를 지키기 위해 어쩔 수 없이 벌인 일일까, 아니면 그저 자신의 힘을 드러내기 위한 유희였을까?

"아무래도 난 이 새끼들, 얼굴 좀 봐야겠어."

잠시 더 고민하던 보안관이 입을 열었다.

"뭐? 왜에 또?"

신입이 미치겠다는 듯 울먹였다.

"뭐, 간단해. 이 죽은 사람이 나쁜 놈이었다면, 그래서 자기가 살기 위해 이 사람을 죽인 거라면 우리가 겁을 낼 필요가 별로 없어. 대체 얼마 만에 보는 살아 있는 사람이야?"

보안관은 매달린 사내의 시체를 도낏자루로 가리키며 말했다. 끔찍한 비주얼에 어지간히 둔감해진 모습이었다.

"이 미친 새끼야, 저 뒈진 새끼 몸뚱이 꼬라지를 보고도 그딴 소리가 나오냐? 응? 존나 잔인한 살인마 새끼라고!"

"시끄러, 인마. 우리가 대가리를 뽀갠 좀비들도 이것보다 그렇게 상태가 좋지는 않아. 그런 점에서는 다 비슷한 처지라고!"

"그건 이야기가 다르지! 만약에 정말로 피에 환장한, 미친 새끼면 어쩔래? 재미로 사람을 존나 죽이는 새끼면 어쩌려고 그래?"

"아, 내가 보려고 하는 이유도 혹시 그럴까 봐서 하는 쪽이 더 크긴 한데 말이야."

보안관은 목에서 뚜둑, 소리를 내며 낮은 목소리로 대답했다. 만약 그런 놈이라면 더 이상 접근해 오기 전에 미리 위험 요소를 없애는 편이 더 낫다는 생각이었다.

좀비들과 달리 살아 있는 인간은 훨씬 더 얕은 꾀를 부릴 수 있고, 그래서 더 위험하기도 하다. 이왕 이쪽의 모습을 드러냈으니, 이대로 물러선다면 뒤를 밟게 해 주는 것과 다르지 않았다.

"음……."

유빈은 얼굴의 땀을 훑어 내렸다. 채 빠지지 못하고 길가에 고였던 물들이 아침부터 올라간 기온 덕에 증발하면서 대기가 끈적끈적 달아올라 불쾌하게 온몸을 감싼다. 유빈의 두 눈은 뻥 뚫려 버린 사내의 사타구니에 고정되어 있었다.

05

총…… 역시 가장 신경 쓰이는 것은 총이다. 어떤 종류의 총인지는 몰라도 위협적이라는 것만은 분명하다. 보안관이 아무리 날고 긴다 해도 총알을 피할 수는 없다.

하지만 다행히도 그들이 서 있는 도로에는 버려진 자동차들이 든든한 장애물 역할을 해 주었다. 어지간한 명사수가 아니라면 이 차량 사이를 뚫고 그들을 맞히기 어려울 것이다.

군인이라면 모를까, 일반인 중에 명사수가 있을 성싶지는 않다. 그리고 왠지 군인들은 저렇게까지 사람을 죽이지는 않을 것 같다는 막연한 추측도 있었다.

쓸모없는 충돌을 피해 가고 싶은 마음과 새로운 사람들의 얼굴을 보고 싶은 마음이 팽팽하게 대립한다. 이러니저러니 해도 근 열흘 만에 만나는 다른 사람들이고, 그래서 마음 한구석에 설레는 감정이 앞서는 것은 사실이다.

대롱거리며 매달려 있는, 이 끔찍한 죽은 사내의 시체에서도 몇 가지 긍정적인 단서가 잡힌다. 물론 딱 보자마자 떠오른 것이어서 비논리적인 판단이기는 하지만…….

"야! 너 뭘 그렇게 멍하니 서 있어! 그러지만 말고 보안관, 저 새끼 좀 말려 봐!"

신입이 유빈을 흔들며 목소리를 높였다. 유빈은 양쪽 관자놀이를 꾹 눌러 지끈거리는 머리를 진정시키며 입을 열었다. 생각이 너무 많아서 가벼운 두통이 인다.

"아니, 나도 기본적으로 이 짓을 한 사람을 만나 보고 싶어. 보안관이랑 생각이 좀 다르기는 한데…….."

"뭐? 이 새끼까지 왜 이래? 야! 너 그런 새끼 아니잖아! 존나 침착한 새끼였잖아! 이유가 뭐야, 대체!"

"이유는 간단한 거지. 우리 꼴을 좀 봐."

유빈의 말에 모두 자신을 한 번 아래로 훑어보고, 주변으로 시선을 돌렸다. 다들 몰골이 말이 아니다. 흙과 먼지, 땀으로 범벅이 된 외양은 둘째 치더라도, 피로가 오라처럼 온몸을 감싸고 뚝뚝 떨어진다.

다크 서클이 짙게 드리운 눈에 핼쑥해진 볼, 몸 여기저기에 나 있는 흉터들과 피딱지.

며칠간의 노숙과 번화가 탈출이 만들어 낸 변화들이었다. 그제도, 어제도 하루 종일 노동을 하고 나서 번갈아 가며 보초를 서느라 몇 시간 자지도 못했다. 그것도 자갈밭에 박스를 깔아 만든, 불편하기 짝이 없는 잠자리에서.

"보안관 장갑 벗었을 때 손바닥 봤어? 물집이랑 상처투성이야. 두 사람, 세 사람 몫을 혼자서 하려다 보니까 그런 거라고. 그러니까 노동력이 더 있어야 돼. 만약 그럴 수 있으면 우리끼리 도저히 못 했던 일들도 할 수 있어."

그렇게 말하면서도 유빈은 경계심 가득한 시선으로 사방을 훑었다. 불안하기는 그 역시 마찬가지다. 하지만 이게 생존에 중요한 기회라는 생각에는 변함이 없다. 끊임없이 정찰하고, 고민해서 판단하고, 부지런히 방어하는 것만으로는 이길 수 없다.

전략 게임에서 장기전으로 흘러갈수록 승리를 보장해 주던 것은 역시 멀티였다. 멀티에서 뿜어져 나오는 자원의 뒷받침이 필요했다.

"이 씨발! 생전 알지도 못하는 새끼들이랑 합치자고? 자다가 모가지를 따여 봐야 속이 시원하겠냐? 응?"

"아니, 처음부터 합류할 생각 같은 건 없어. 같이 생활하지 않아도 된다고. 아마 저쪽 사람들도 그런 건 원하지 않을걸? 상대가 어떤 인간들인지 안심할 수 없는 건 서로 마찬가지일 테니까. 일단 한동안은 서로 시간대를 정해서 겹치지 않게 공동 작업이나 그런 걸 하면서 조금씩 알아 가면 돼. 그리고…… 궁금하지 않아? 이 사람들은 어디서 어떤 방법으로 살아남았는지. 우리가 모르는 중요한 정보를 알고 있을 수도 있잖아."

철망 펜스와 시멘트를 가지고 좀비를 차단하는 성벽을 쌓을 수 있을지도 몰라. 예전에 술 취한 제니에게 말해 줬던, 그 꿈같은 이야기처럼 말이야…….

유빈은 자기가 멋대로 떠올린 망상에 조금 도취됐다.

"공동 작업 같은 소리! 잘도 그런 걸 가르쳐 주고 일을 도와주고 하겠다! 슬슬 캐묻다가 등 뒤에서 뒤통수를 후려갈기지나 않으면 다행이지!"

"그러니까 그런 일 당하지 않게 눈치껏 판단해야지."

"눈치 까기 전에 총 맞는다고! 총! 너, 대가리가 어떻게 된 거 아니야?"

"위험하다고 느끼지 않으면 다짜고짜 쏘지는 않을 거야. 총알이 무한대로 있는 것도 아닐 테니까 아까워서라도 그렇게는……."

"그건 네 생각이지! 저 새끼들은 그런 거 계산 안 하고 그냥 죽이는 게 존나 좋은 거라고! 이 뒈진 놈 꼴을 보면 모르겠어?"

"목소리 좀 낮춰. 내 생각엔 말이야, 정말 사람 죽이는 것에 맛이 들린 놈이라면 자기가 죽인 걸 길바닥에 전시해 놓고 경고 같은 건 안 해. 오히려 눈에 안 띄는 곳에 치워 놓을 테지. 그래야 아무 생각 없이 가까이 오는 상대를 몰래 해치울 수 있으니까. 저쪽도 이래저래 겁이 많은 거야."

잠시 멈칫했던 신입은 그래도 싫다는 듯 세차게 도리질을 했다.

"난 반대야! 목숨이 걸린 건데 혼자 멋대로 정하지 마, 개새끼야!"

신입은 말라서 끈적거리는 침을 튕겨 가며 열변을 토했다. 두려움 때문인지 신입의 얄팍한 가슴은 벌렁벌렁 들썩였다. 딴에는 맞는 이야기라서 유빈은 제니와 삼식이 쪽으로 고개를 돌렸다.

"너희들 생각은 어때?"

"아…… 나는 솔직히 이런 애들 좀 싫기는 해. 아무래도 찜찜하고……."

삼식이가 부정적인 이야기를 꺼내자 흙빛이었던 신입이 화색을 띠며 좋아했다.

"그렇지? 미친 새끼들이란 말이야. 이런 놈들 상대하지 말고 돌아가자. 똥이 무서워서 피하냐, 더러워서 피하지. 그래, 삼식아. 너 생각 잘했다!"

"아, 근데 저기 보이는 저 코스트코랑 홈플러스까지는 가고 싶은데……. 저 둘 중 하나에만 들어가면 웬만한 필요한 건 다 있을 테니까."

"뭐어?"

의외의 답이었는지 오만상을 찌푸리면서도 신입은 삼식이가 가리킨 방향으로 고개를 돌렸다. 60여 미터 전방, 넓은 도로를 좌우에 끼고 두 개의 대형 마트가 아주 요염하고 당당한 자태를 뽐내고 있었다.

워낙 큰 건물들이라서 당연히 처음부터 알아볼 수 있었어야 하지만, 시체에만 정신이 팔려 전혀 눈치채지 못하고 있었다. 삼식이는 아쉬움이 가득한 목소리로 갖고 싶은 것들을 주워섬겼다.

"저기에는 초대형 커튼에, 텐트에, 에어 매트랑 담요, 해변용 접는 의자, 뭐, 그런 것들도 팔단 말이야. 우와, 그 정도만 있으면 선로 위에 누워 있어도 대궐 부럽지 않겠다. 물론 먹을 거랑 물도 넘치도록 있겠지."

손가락까지 꼽아 가며 열심히 늘어놓는 삼식이의 표정은 진지했다. 자동차 의자에 몸을 구겨 넣은 채 하룻밤, 그리고 돌바닥에서 하룻밤……. 비록 찬 바람을 맞는다 해도 이제는 좀 제대로 된 곳에다 몸을 뉘고 싶었다.

"물을 실컷 쓸 수 있으면 샤워하고 싶어요……. 장미 냄새 나는 바디 샴푸를 거품 수건에 듬뿍 짜서……."

물이 잔뜩 있을 거라는 말에 제니도 가슴에 손을 모으며 홀린 것 같은 표정을 지었다. 길로 나온 이래 제대로 씻지 못한 덕분에 끈적거려 견딜 수가 없었다. 1 대 4로 몰린 신입은 낙담한 표정으로 한숨을 내쉬고 발을 쿵쿵, 굴렀다.

"이 또라이들아! 생각 좀 해! 뒈지고 나서 후회하지 말고!"

"목소리 좀 낮추라니까. 소리 듣고 찾아와 주길 바라는 거냐? 저기, 그리고 너희들……."
 신입의 입을 틀어막은 유빈이 삼식이와 제니에게 말했다.
 "코스트코든 홈플러스든 오늘은 못 가. 저 안에까지 들어가서 돌아다닐 만큼 이 동네를 잘 아는 게 아니잖아. 그걸 감안하고 다시 생각해 봐."
 "으음…… 그래도 어차피 그런 물건들을 가져가려면 적어도 한 번은 와야 하는 거잖아. 내키지는 않지만 가까이 가 봐야지, 뭐."
 삼식이의 반응에 제니도 찬성한다는 표정으로 고개를 끄덕였다. 유빈은 제니에게 후드 티 모자를 쓰라는 시늉을 했다. 그녀의 얼굴을 알아본다면 멀쩡하던 놈들이라도 눈이 회까닥 돌아서 미친 짓을 할지 모르니까 미리미리 대비를 하고 싶었다.
 제니도 유빈이 하고 싶은 말을 이해하고 모자를 푹 눌러쓴 뒤, 입 주변을 수건으로 두른다. 제니에게 자기 곁에서 떨어지지 말라고 당부한 보안관이 모두에게 물었다.
 "자, 이제 다 된 거지? 시간 그만 끌고 빨리빨리 움직이자."
 "잠깐만!"
 삼식이가 주변을 두리번거리다가 자동차 문을 열고 뭔가를 꺼냈다. 긴 우산이었다. 삼식이는 두 손으로 그걸 잡고 자세를 낮춘다.
 "너 뭐 하냐?"
 신입이 짜증스럽게 묻자 삼식이는 당당하게 대답했다.
 "이거, 총! 이렇게 하면 멀리서 봤을 때 총 든 것처럼 보일 것 같아서. 봐 봐, 그럴듯하지? 그러면 저 사람들도 함부로 못 덤비겠지."
 "오우, 씨발! 이 새끼, 대가리 잘 쓰는데? 야, 우산 하나 더 없어? 응? 응?"
 그렇게 생바보짓을 하는 둘을 향해 유빈이 말했다.
 "내가 만약 저쪽 사람들이라면 총 든 상대부터 노릴 거야."
 삼식이는 깜짝 놀라 우산을 바닥에 내려놓았다. 신입도 더 이상 우산 타령을 하지 않았다. 일행은 가능한 한 고개를 숙이고 무릎을 굽혀 자세를 낮춘 채 자동차 사이로 몸을 숨기며 천천히 전진했다.

저 사내를 난도질하고 거꾸로 매단 사람들이 컴컴한 유리창 안쪽 어딘가에 숨어서 지켜보고 있을 거라는 걸 염두에 두고 나니, 건물 하나하나가 예사롭게 보이지 않았다.

유빈은 배낭에서 라이터 기름을 꺼내 자동차 다섯 대를 지날 때마다 한 번씩 차량 내부의 시트에 뿌리고 문을 열어 두었다. 혹시라도 좀비들과 마주치게 됐을 경우, 여기에다 불을 질러 놈들의 주의를 흩뜨리고 그 틈을 타서 달아나기 위해서다.

사내의 시체와 홈플러스의 중간 정도 지점까지 이르렀을 때, 뭔가가 바람을 가르고 날아오는 소리가 들렸다.

파창!

커다란 맥주병은 근처 바닥을 치며 박살이 났다. 다섯 사람은 얼른 자동차 사이로 몸을 숨겼다.

휘익—.

또다시 날아오는 맥주병.

아까와는 방향이 좀 다르다. 날아온 곳을 눈으로 찾기 위해 보안관이 고개만 살짝 내밀자 좌우에서 킬킬대는 소리가 울려왔다.

"크크크, 야! 다 보여, 이 새끼들아! 거북이처럼 대가리만 내밀면 우리가 모를 것 같아?"

"킥킥, 장님 새끼들인가? 우리가 친절하게 경고를 해 놨는데도 굳이 여기까지 꾸역꾸역 기어 들어오네? 그건 죽여 달라는 의미냐?"

그렇게 조롱하는 말들 사이에 섞여 다른 목소리들이 위악적으로 웃어 댄다. 고요한 거리 위로 메아리가 치는 바람에 정확한 수를 가늠할 순 없었지만, 적어도 예닐곱, 어쩌면 열 명 이상일 가능성도 있다.

"야! 대가리만 내밀지 말고 당당하게 나와! 크크, 이 찌질한 새끼들아! 똑바로 서라고! 기분 나빠지면 콱 쏴 죽여 버리는 수가 있다! 크크크."

예상했던 대로 총알에 여유는 없는 모양이다. 만약 넉넉했다면 맥주병을 던지지 않고 경고사격부터 했을 테니까.

유빈은 안도의 한숨을 내쉬었다. 저렇게 모습을 드러내니 실체를 몰랐을 때보다 훨씬 두려움이 줄어든다. 세상 풍파 다 겪은 걸걸한 아저씨들 특유의 목소리가 아니라는 점도 마음에 들었다. 우리 또래다. 이야기해 볼 여지가 충분하다. 하지만 보안관은 조금 생각이 달랐던 것 같다.

"까불지 마, 이 개새끼들아!"

바닥에서 깨진 보도블록 조각을 집어 든 보안관은 가장 심하게 비아냥대는 놈이 있는 방향으로 힘껏 집어 던졌다. 미용 제품 가게가 있는 2층 건물의 옥상 쪽이다. 별것도 아닌 놈들이 허세 부리는 꼴은 더 봐 주기가 어렵다.

꽈장창!

블록 조각은 애꿎은 대형 유리창을 박살 냈지만, 놈들에게 물리적 피해는 주지 못했다. 놈들은 보안관의 말투를 흉내 내며 계속 놀려 댔다.

"까불지 마, 이 궤쉐뀌두라아~! 하하하, 등신. 옛다, 이거나 받아라!"

날아와 구른 것은 마네킹의 목. 흔히 보던 물건이지만 상황이 상황인지라 기분이 나쁘다. 그게 무슨 수류탄이라도 되는 것처럼 보안관은 잽싸게 다시 집어 날아온 방향으로 되던져 버렸다.

신입은 두 팔로 머리를 감싸 안은 채 내가 '이럴 줄 알았어.'라는 말만 계속 되풀이했다.

"너 이 새끼들! 거기서 기다려!"

배낭을 내팽개친 보안관이 도끼를 꽉 쥔 채 놈들이 숨은 건물로 뛰어들려 했다.

"그러지 마! 앉아!"

유빈이 그의 팔목을 잡아 자동차 뒤로 끌어당겼다. 무턱대고 컴컴한 계단을 뛰어 올라가게 할 수는 없다. 저쪽에서는 나름 철저하게 준비를 하고 기다리는 중일 테니까.

"아쭈! 까분다! 야! 나와 봐! 나와 보라고! 기다리라며? 야, 도끼 든 새끼! 덤비라고!"

서너 군데에 분산해서 숨어 있던 놈들로부터 계속 물건들이 날아온다. 어차피 대충 던지는 것이니까 크게 위협이 되지는 않지만, 그래도 굳이 모습을 드러내서 타깃이 되어 줄 필요는 없다.

핑—!

꽤나 빠른 소리.

커다란 너트가 자동차 유리에 박혔다. 아마 새총이나 뭐 그런 걸로 쏜 모양이다. 이건 좀 신경이 쓰였다. 놈들이 실컷 집어 던지고 떠들 때까지 잠자코 기다리던 유빈은 잠시 고요해진 틈을 타서 큰 소리로 외쳤다.

"이럴 필요 없잖아! 살아남은 사람들끼리 서로 돕자! 나이도 비슷한 또래인 것 같은데!"

물론 그렇게 말을 하면서도 그런 제안이 단번에 먹혀들 거라고 기대하지는 않았다. 하지만 적어도 기본적인 인사는 되어 줄 것이라 생각했다. 그런데 정작 돌아온 대답은 유빈의 예상을 한참 벗어난 것이었다.

"장난하나. 이 새끼가 누구를 빠가로 보고! 인철이가 그렇게 말하면서 접근하라고 하디? 뭐가 어째? 살아남은 사람들끼리 서로 도와? 지랄하지 말라고 하고 싶다, 이 개새끼야! 두 번은 안 속아!"

인철이? 진철이?

뭐라고 부른 건지 정확하지는 않지만, 뭔가 사연이 있다는 것만은 확실하게 알겠다. 유빈은 가능한 정직하고 선량한 목소리를 내서 다시 말했다.

"무슨 소리인지 하나도 모르겠어! 우린 누가 시켜서 온 게 아니고, 그냥 지나가던 길이야! 인철인지 뭔지 하고 전혀 관계없다고!"

말을 하면서 유빈은 보안관에게 제니를 잘 감싸라는 신호를 보냈다. 지금이야 만류가 통하지만, 혹시라도 날아온 물건에 제니가 다치거나 하면 그땐 보안관이 너무 흥분할까 두려워서다.

상대의 규모와 위치를 파악하고 있던 보안관은 고개를 끄덕이며 등 뒤의 제니를 더 바짝 달라붙게 했다.

유빈과 자동차 하나를 사이에 두고 몸을 숨긴 삼식이도 걱정되는 표정으로 담뱃갑만 만지작거렸다.

"지나가던 길은 무슨. 씨발, 마실 나왔냐? 지금이 어떤 때인데 모르는 동네를 마음대로 돌아다녀! 개소리 집어치워, 이 개새끼야! 좀비들이 참 잘도 그렇게 내버려 두겠다. 한 시간이나 버티면 다행이지! 가서 인철이한테 전해! 씨알도 안 먹히니까 그냥 너희들끼리 살고, 이쪽에 집적댈 생각은 일찌감치 접으라고!"

건물 속의 놈들은 전혀 믿으려 들지 않았다. 유빈은 답답하면서도 놀라웠다.

뭐야, 살아남은 사람들이 이렇게 많았나? 이쪽 파에, 저쪽 편에…… 불과 10분 전만 해도 이 근방에 살아남은 사람들은 우리들뿐이라고 생각했는데…….

생존자라는 건 그저 밤에 멀리 드문드문 보이는 희미한 불빛으로 어렴풋이 짐작만 할 정도였다. 어쨌든 이렇게 서로 앙숙이 질 사이라면 양쪽 전부와 손을 잡고 일을 한다는 건 어려워 보였다.

"젠장, 그 사람이 어디 있는지 알아야 말을 전하든 뭐든 할 거 아니야! 너희만 아는 이야기 그만 좀 하고, 우리 이야기도 좀 들어 줘!"

몸을 일으킨 유빈은 두 주먹으로 자동차 지붕을 내려쳤다.

닥쳐—!

야유와 함께 어디선가 날아온 맥주병이 박살 나며 안에 들었던 맥주와 유리조각이 사방으로 튄다.

유빈은 팔을 들어 얼굴을 가리면서도 놈들의 모습을 훔쳐보는 데 성공했다. 계속 떠들어 대던 놈은 호리호리한 안경잡이. 제 딴에는 최대한 불량스럽게 말을 하고 있지만, 아무리 봐도 싸움꾼은 아닌 인상이다. 그리고 그 주변에 남자 둘과 여자 둘이 서 있다. 모두 평범했다.

"정말 인철이가 보낸 게 아니라도 상관없어! 이쪽 정찰은 여기까지니까 이제 너희 패거리한테 돌아가! 다음에라도 저 새끼 매달아 둔 선은 넘어오지 말란 말이야! 그땐 곱게 안 보내 줄 테니까!"

이번엔 대각선 뒤쪽에서 여자 목소리가 들려왔다. 고개를 돌려 보니 어느새 세 명이 건물 밖으로 나와 있었다.

새총을 잡아당기고 있는 녀석과 총을 든 녀석…… 그리고 예쁘장한 여자 하나. 여자는 타이트한 트레이닝복 차림으로, 몸매가 꽤나 단단해 보였다. 너희 패거리에게 전하라고 하는 걸 보면 이쪽이 전부 다섯 명뿐이라고는 생각하지 않는 게 분명했다. 유빈과 눈이 마주친 트레이닝복의 여자가 다시 입을 열었다.

"아, 혹시라도 덤벼들어 볼까 하는 생각이면 관둬. 총도 있고, 이래 봬도 15년 동안 이것만 했으니까."

그렇게 말하며 옆차기를 높이 차올리는데, 제법 빠르고 그럴듯했다.

태권 소녀인가…….

좌우의 원거리 무기를 든 남자들을 한 수 아래로 깔고 있는 듯한 저 여유로 보아 저 여자가 저쪽의 에이스인 모양이다. 적어도 사악해 보이지는 않았다.

그러면 보안관이랑 일대일을 하자고 해 볼까? 보안관이 가볍게 제압하고 신사적으로 굴면 그때는 우리 말을 좀 귀담아들어 줄까? 아니, 그런데 저 표정이랑 말투가 아주 자존심으로 똘똘 뭉쳐 있는 것 같은데, 그게 오히려 더 악수가 되면 어쩌지?

유빈이 뭔가 머릿속으로 꾸미고 있다는 걸 눈치챘는지 태권 소녀는 거만한 손짓으로 10여 미터 앞의 편의점을 가리켰다.

"딴맘 먹지 말라니까…… 정말 꼭 어디 한 군데가 부러져 봐야 정신 차릴래?"

그녀의 손가락이 향한 곳, 코너의 편의점에서 커다란 덩치가 스윽 모습을 드러냈다.

보스는 너였구나!

보안관과 유빈이 동시에 마음속으로 외쳤다.

커다란 키, 100킬로그램은 우습게 넘을 것 같은 몸집, 못을 잔뜩 박은 야구 배트를 쥔 손은 솥뚜껑만 하고, 붉게 염색된 머리카락은 넓적하고 험상궂은 얼굴과 시너지를 이뤄서 웬만한 놈들이라면 보는 것만으로도 오금이 저리게 만들어 줄 수 있을 것 같다.

게다가…… 제일 무서운 건 이 커다란 야수가 여자라는 점이었다.

"하하하! 이 새끼들, 쫄았냐? 경순이 누나, 그만 가까이 가요. 저 새끼들, 무서워서 밤에 오줌 싸겠어. 킥킥킥!"

2층의 안경잡이가 야유를 퍼부었다. 비주얼 때문에 쇼크를 받은 보안관과 유빈의 표정을 보고 겁을 먹은 것이라고 오해한 모양이다.

경순이라 불린 여자는 배트에 박힌 쇠못으로 바닥을 두드리며 이쪽을 위압적으로 쓰윽 훑겨본 뒤, 다시 컴컴한 편의점 그늘 속으로 몸을 숨겼다.

무슨 생각으로 골랐는지 모르겠지만, 두툼한 그녀의 입술에는 전혀 어울리지 않는 연분홍색 립스틱이 번들거릴 만큼 진하게 발라져 있었다. 그리고 쪽 째진 눈에는 하늘색 아이섀도가.

그렇게 하고 어둠 속에서 노려보는 모습이란…… 이건 뭐, 삼식이 애인도 아니고…… 응? 삼식이?

유빈이 돌아보니…… 아니나 다를까, 삼식이는 근래 보기 드물 만큼 흥분해서 어떻게든 그녀의 주의를 끌어 보려고 애를 쓰고 있었다. 먼지로 떡 진 머리카락을 쓸어 넘기고, 쉴 새 없이 윙크를 보내며 혀를 날름거려 자기 입술 끝을 핥았다. 손가락으로 사랑의 쌍권총도 사정없이 쏘아 대는 중이다.

어휴~. 유빈은 한숨을 삼켰다. 역겨운 짓 좀 당장 그만두라고 하고 싶지만, 그런 것에까지 신경 쓸 여유는 없다. 그런 것보다 지금은 세 방향을 감싸고 있는 놈들과 싸우지 않고 대화를 풀어내는 게 더 시급한 문제다. 신입은 아예 자동차 아래로 기어 들어가서 포복으로 달아날 준비를 하고 있다.

"여자들만 잔뜩 나와서 겁을 주면 어떻게 하라는 거야? 여자랑 싸우라고? 관둬, 그런 짓은 안 하니까. 정 싸움을 하고 싶으면 남자들 오라고 해."

보안관이 한심하다는 듯 물었고, 그게 태권 소녀를 자극했다.

"풋, 덩치는 산만 한 게 도끼나 들고 설치는 주제에 사내인 척하기는……. 참

꼴 같지 않다. 야, 보내 준다고 할 때 얼른 꺼져."

 태권 소녀는 예쁘장한 얼굴로 따 놓은 포인트를 다 까먹을 만큼 거친 말투로 거슬리는 이야기를 하면서 벌레를 쫓듯 휘휘 손을 내젓는다. 일단 잔혹한 사이코패스 살인마는 아닌 것 같지만, 꽤나 밉살스럽게 군다.

 "뭐? 먼저 병을 던진 게 누군데? 아우, 진짜 넌 여자만 아니었으면 아주 그냥!"

 보안관이 흥분해서 펄펄 뛰는 동안에도 새총과 진짜 총은 천천히 한 걸음씩 각도를 바꿔 뒤로 돌아오고 있었다. 사실 정공법이 아니면 택하지 않을 게 확실해 보이는 눈앞의 태권 소녀보다 저 무기를 든 두 놈이 훨씬 더 신경 쓰였다.

 은근슬쩍 눈치를 보던 놈들이 또 한 걸음 옮겨 디딘다. 이러다가는 바리케이드 없이 저놈들과 마주하게 될 판이다. 유빈은 보안관과 제니를 감싸 함께 옆 차 쪽으로 옮겨 가면서 경고했다.

 "목숨 걸 생각 없으면 그만 다가와! 더 오면 나도 가만 안 있어! 너희만 무기가 있는 게 아니란 걸 잘 알지?"

 "그럼 그렇지. 슬슬 본색을 드러내네. 아까는 서로 돕자더니, 이제는 무기가 있네 어쩌네 하고 위협하는 꼴 좀 봐."

 일관되게 밉살맞은 태권 소녀의 말을 유빈조차 더 참아 주기 어려워졌을 때, 이제껏 잠자코 있던 제니가 끼어들어 목소리를 높였다.

 "후후후, 그래. 잘난 사람들 만나면 다 쫓아내야지. 그래야 너 따위도 대장, 공주 노릇 다 할 수 있지. 하긴 네까짓 게 그렇게 어정쩡하게 생긴 얼굴로 평생 어디서 그런 대접 받아 봤겠어? 지금 실컷 즐겨라. 난쟁이들 사이에서 공주 대접 받으면서 예쁜 척하니까 좋지? 오빠, 우리 그냥 가요. 이런 애들 도와줄 필요 없어요."

 "말조심해! 이 돼지 같은 년아!"

 태권 소녀가 모독을 당했다고 생각한 2층의 안경잡이가 욕설을 퍼부었다. 물론 후드와 수건을 벗고 제니가 얼굴을 드러낸다면 절대 할 수 없는 말이겠지만.

 "뭐, 이런 개새끼가…… 읍!"

발끈한 보안관이 반사작용처럼 쌍욕을 내뱉을 때, 유빈이 재빨리 입을 틀어막았다. 제니의 도발이 뭔가 다른 방향에서 태권 소녀를 자극했다는 게 느껴졌기 때문이다.

아니나 다를까, 얼굴이 빨갛게 달아오른 태권 소녀가 제니에게 성난 목소리로 물었다.

"내가 언제 예쁜 척을 했다는 거야, 이 계집애야! 내가 언제 공주인 척했어!"

"됐어. 너 같은 애들은 말해 줘도 어차피 사실을 인정 안 해. 겉으로 내색은 안 해도 속으로는 비리비리한 남자애들 사이에서 여왕처럼 대접받는 걸 즐겼잖아. 큭, 호박 여왕. 자꾸 생각날 것 같네."

"호박은 너다! 존나 추해서 얼굴도 가리고 다니는 년이!"

"용진아!"

새총 든 놈이 발끈해서 너트를 날리려 하자 태권 소녀가 손을 들어 만류하며 그의 이름을 불렀다. 새총은 마지못해 다시 뒤로 물러났다.

10여 미터의 거리를 둔 채 두 여자의 팽팽하고도 유치한 신경전이 펼쳐지고, 태권 소녀의 눈썹이 바르르 떨렸다.

정의의 사도처럼 굴며 비아냥거리고 잘난 척하던 그 거만한 태도는 간데없었다. 그녀의 약점을 제니가 제대로 찔렀나 보다. 서로 얽혀 교차하던 모든 사람들의 시선은 자연스레 제니와 태권 소녀를 향해 집중되었다.

"세상 여자들이 다 너처럼 남자한테 미쳐 있는 게 아니야. 되도 않는 소리 그만 늘어놓고 꺼져. 그리고 앞으로라도 정신 똑바로 차리고 살아. 인생이 불쌍해서 해 주는 충고니까 새겨듣고."

몇 번이나 숨을 몰아쉬고 나서야 겨우 조금 진정한 태권 소녀가 제니에게 독설을 날렸다. 하지만 제니는 무심히 배낭을 고쳐 메며 곧바로 받아쳤다.

"아, 그래? 근데 왜 나한테는 그 충고가 질투처럼 들릴까? 하긴 이렇게 멋지고 잘생긴 남자들을 실제로 본 건 처음일 테니까 질투도 나겠지. 이해해. 네 쫄자들이랑은 너무 비교가 되니까. 어떡하니, 우리 가고 나면 너 한동안 상사병 좀 앓을 것 같은데? 볼 수 있을 때 얼굴이라도 실컷 봐 둬라."

"미친, 누가 잘생겼다는 거야? 저 근육 쫄탱이? 저 조그만 쭉정이 같은 놈? 그것도 아니면 저기 바닥에 기어 다니는 구더기? 내 눈에는 왜 그런 사람이 안 보이지?"

"너 벌써 사랑에 눈이 멀었구나? 왜, 저 오빠도 안 보인다고 해 보시지? 지금 세수를 안 해서 그렇지, 세수만 하면 너 같은 건 단박에……."

잘난 척하며 삼식이가 몸을 숨긴 방향을 가리키던 제니와 그녀의 손짓을 따라 고개를 돌리던 유빈과 보안관이 모두 일시에 얼어붙었다.

삼식이가…… 사라졌다.

06

유빈은 아까 경숙이라는 이름의 덩치가 몸을 숨기고 있던 편의점 쪽을 곁눈으로 재빨리 훑었다. 그녀 역시 눈에 띄지 않는다. 이러면 이야기는 빤해진다.

아아, 삼식아…….

유빈의 머릿속이 복잡해졌다.

이 태권 소녀…… 어지간히 바른 척, 잘난 척하던데, 삼식이가 자기 팀의 사람과 만나자마자 환락의 시간을 보냈다는 걸 알게 된다면 어떤 반응을 보일까?

그때, 아주 나지막한, 그러나 분명한 여자의 신음 소리가 들렸다.

이런 개새끼, 빠르기도 하다.

큼, 큼, 유빈은 어떻게든 그 소리를 덮고 싶어서 필사적으로 말을 하기 시작했다.

"가, 가기 전에 우리가 알고 있는 걸 몇 개 이야기해 줄게. 불을 함부로 피우지 마. 아마 불이 좀비를 끌어들이는 것 같았어. 아, 그리고 담배도."

아— 아— 아—.

신음 소리가 조금 전보다 더 커졌다. 유빈의 목소리 톤도 덩달아 올라갔다.

"불이랑 담배, 둘 중 어떤 것 때문에 좀비들이 끌려오는지는 확실히 모르겠어! 확실한 건 두 개가 겹쳐지면 좀비들이 그쪽에 잠시 발이 묶이는 모양이더라고! 홀린 것처럼 멍하니······."

"아, 잠깐만! 조용히 좀 해 봐. 이거, 무슨 소리야? 경숙이 언니 목소리 아니야?"

아— 아—.

더 커진 신음. 덩치만큼이나 화끈하고 큰 소리였다. 삼식이가 어지간히 기운을 쓰는 모양이었다. 태권 소녀의 얼굴이 아까 제니에게 정곡을 찔렸을 때보다 더 빨개졌다.

"너, 이 새끼들! 대체 무슨 수를 쓴 거야? 어떻게 경순이 언니를 억지로 끌고 가서······."

태권 소녀의 말에 유빈이 재빨리 손사래를 쳤다.

"어, 억지로 그게 되냐! 저 덩치를 힘으로 어떻게 할 수 있을 리가 없잖아! 저게 당하고 있는 걸로 들리냐? 자기가 좋아서 내는 소리······지. 아, 씨발. 삼식이 새끼, 뭐 하고 있는 거야!"

그 단단한 논리에는 태권 소녀도 차마 부정을 하지 못했다. 새총과 총을 든 놈들 역시 멈춰 서서 당혹스러워하면서도 호기심이 가득한 표정을 지었다.

어후, 쪽팔려. 빨리 좀 끝내고 나와라······.

당장 여기에서 벗어나고 싶어진다. 유빈은 손톱을 물어뜯으며 주변의 눈치를 살폈다. 지금 둘이 숨어서 그 짓을 하고 있는 게 편의점 근처 어딘가라는 것은 알지만, 태권 소녀 팀도, 유빈 일행도 쉽게 다가가지 못하고 눈치만 보며 머뭇거렸다.

유빈이 그쪽으로 가기 위해선 자동차 장애물 밖으로 나가야 하고, 새총들이 그쪽으로 가려면 유빈을 겨누는 것을 포기해야 한다. 하지만 사실 그런 것보다 더 큰 이유는 기괴한 정사의 현장을 덮쳐서 그 충격적인 실상을 직접 눈으로 볼 자신이 없다는 점이다.

태권 소녀는 입을 꾹 다문 채 분하다는 듯 유빈 일행을 노려보고, 유빈과 보안관은 그 민망하면서도 멋쩍은 시간을 보내기 위해 식은땀을 쫙쫙 흘려야 했다.

정작 그 짓을 하는 건 삼식이인데, 왠지 발가벗겨져서 망신을 당하는 건 자신들인 것 같은 기분이 들었다. 이유는 모르겠지만, 제니도 적잖이 충격을 받은 얼굴이었다.

"삼식이 오빠, 게이…… 아니었어요?"

제니가 속삭였다.

응? 그 천하에 여자 밝히는 놈이 게이라니, 이게 무슨 소리야?

어처구니없는 질문에 보안관과 유빈은 눈을 똥그랗게 떴다. 보안관이 작게 물었다.

"아니야. 왜 그런 생각을 했어?"

"하긴…… 그냥 아무 근거도 없이 제멋대로 결론 내린 거였네요……. 남자들이 저를 볼 때, 이따금씩 그…… 욕망이라고 해야 하나, 그런 게 눈에 어른어른하거든요. 근데 삼식이 오빠는 그런 게 전혀 보이질 않아서 '아하, 이 오빠는 게이구나.' 하고 생각했었어요. 그럼 이제 더 이해가 안 가네요. 왜 그렇게 저한테 관심이 없던 걸까요?"

제니는 멋쩍다는 얼굴로 슬쩍 웃었다.

그건 걔가 볼 때, 네가 어지간히 못생겨서 그래.

제니의 의문에 대한 답은 가지고 있지만, 보안관과 유빈은 차마 그걸 입 밖으로 꺼내지 못했다.

그걸 말하고 나면 삼식이의 기이한 여자 보는 눈도 다 설명해야 되고, 그놈이 얼마나 멍청이인지까지 일일이 납득시켜 줘야 할 테니까. 두 남자는 그냥 마지막 질문을 못 들은 척 넘어가기로 했다.

"에헷!"

이른 아침의 정사를 한참이나 더 요란스럽게 즐기고 슬금슬금 건물 밖으로 나온 삼식이는 사람들의 시선이 자기에게 집중되자 어색한, 그러면서도 쏟아부을 것을 바닥까지 다 쏟아부은 남자 특유의 개운한 표정으로 씨익 웃었다.

그의 뒤 서너 발짝 뒤에는 경순이 덩치에 어울리지 않게 부끄러워하며 새색시처럼 따라온다.

"야이 개새끼야!"

유빈과 보안관이 동시에 쌍욕을 날렸다.

"경순이 언니! 괜찮아?"

삼식이를 밀어젖히고 뛰어간 태권 소녀는 누가 봐도 멀쩡한 경순을 호들갑을 떨며 부축하려 들었다. 그 덕에 경순을 향한 시선은 더 집중되었다.

경순은 목덜미까지 새빨개져서 고개를 끄덕였다.

바보 같은 계집애. 차라리 '이 언니가 지금 막 섹스했어요!'라고 광고를 하지 그래.

유빈은 태권 소녀가 발차기는 할 줄 아는지 모르겠지만, 미움받기 딱 좋은 캐릭터라고 생각했다.

"야이 멍청아! 너 때문에 우리가 얼마나 애를 먹었는지 알아? 하마터면 너 때문에 큰 싸움 날 뻔했잖아!"

보안관이 삼식이의 등짝을 후려쳤다. 하지만 삼식이는 조금도 기죽지 않고 하하, 웃었다.

"아니, 왜 나 때문에 싸움이 나? 정작 나는 러브 앤 피스를 하고 있었는데. 하하하, 그런 것보다 나랑 쟤는 이제 사이좋게 지내기로 했단 말이야. 이야기해 보니까 나쁜 애들 아니더라고. 너희들도 싸우지 마."

이야기? 너는 이야기를 거시기로 하냐, 이 개새끼야!

보안관은 속에서 천불이 나는 것 같았지만, 상대 여자가 바로 근처에 있어서 차마 입 밖에 내지는 못했다. 보안관을 대신해 삼식이에게 욕을 해 준 것은 태권 소녀였다.

"웃기지 마! 너, 이 새끼! 용서 못 해! 순진한 경순이 언니를 속여서 무슨 짓을 하려고!"

눈에서 불이 나올 만큼 강하게 노려보는 꼴이 정말로 그렇게 믿고 있는 듯하다.

아니, 내가 뭘 속여?

삼식이가 변명을 하려 하는데, 삐이익— 멀리서 날카로운 호루라기 소리가 들렸다.

"돌아가자! 누나, 돌아가요!"

2층 건물의 안경잡이가 다급하게 외치고, 무기를 든 두 놈도 건물들 사이로 뛰어가 버린다.

삭— 삭—.

건물들 여기저기에 서 있던 놈들이 모두 재빨리 모습을 감췄다.

삐이이이익—.

그러는 동안에 또 한 번 호루라기 소리가 아주 길게 울렸다. 경순과 함께 뛰어가기 전에 태권 소녀는 마지막으로 또 한 번 보안관과 삼식이를 흘겨보았다.

"우리도 도망가야 돼! 빨리 뛰자!"

삼식이가 채근했다. 아마 경순에게서 무슨 이야기인가를 들은 모양새다.

아…….

여기에서 이렇게 이야기를 끝내기는 아쉬운 유빈이 태권 소녀의 등을 향해 외쳤다.

"내일 다시 올게! 그때 다시 이야기하자!"

"오지 마! 또 보면 죽일 거야!"

태권 소녀가 빽! 소리를 지르며 골목 안으로 사라지고, 어딘가에 숨은 보초는 세 번째로 호루라기를 불었다. 그녀가 사라진 방향을 눈으로 좇는 유빈을 삼식이가 보챘다. 말은 저렇게 해도 삼식이와 경순의 정사 이후 경계하는 기색은 확연히 줄어들었다.

"유빈아, 뭐 해! 좀비 온다니까!"

"네가 언제 그런 말 했어, 이 새끼야! 좀비 이야기는 꺼내지도 않아 놓고서!"
"하하하! 그랬나? 하여튼 빨리 와!"
유빈과 어깨를 나란히 하고 달리면서 삼식이는 밝게 웃었다. 오랜만에 몸을 푼 게 어지간히 기쁜 것 같다. 제니와 보안관, 그리고 신입은 벌써 저 앞에서 선로로 이어진 철책을 기어오르고 있었다.
"근데 그럼 뭐지, 이 시체는?"
교통 표지판에 대롱거리며 매달린 문제의 시체를 지나치면서 유빈이 중얼거렸다. 오늘 만났던 놈들이 저만큼 잔인한 일을 저지를 것 같아 보이지는 않았기 때문이다.
그롸아아아ㅡ.
멀리서 좀비들의 포효가 들려온다. 전속으로 도로를 내달렸다. 그리고 높다란 플라스틱 경계 벽을 기어올라 다시 선로로 넘어갔다. 아직은 한참 뒤에서 울리기는 하지만, 저 소름 끼치는 울음소리가 가까워지기 전에, 좀비들의 모습이 눈에 띄기 전에 모습을 숨기는 게 급선무다.
선로의 자갈을 밟자마자 모두의 입에서 한숨이 새어 나왔다. 다리에 힘이 풀린 다섯 명은 일단 제자리에 주저앉아 한숨을 돌렸다. 정말 모처럼 새로운 사람들의 얼굴을 보았고, 그럼에도 반가움보다 경계하는 마음이 더 컸으며, 그런 불신 때문에 한때 충돌 직전까지 갔던 일들이 뜻밖의 방법에 의해 나름 잘 마무리되어서 안도가 되었다.
"하아, 하아~ 그렇게 나쁜 애들 같지 않았어. 완전 양아치 같은 놈도 없었고. 그렇지?"
배낭에서 꺼낸 물로 입술을 적시며 유빈이 말했을 때, 다들 고개를 끄덕였다. 모르는 얼굴이 총을 들고 슬금슬금 다가왔을 때는 심장이 빠르게 쿵쾅거렸지만, 사실 저쪽에서 진심으로 죽이려 들었다면 벌써 죽이고도 남았을 것이다.
위쪽에서 배낭에 불을 붙여 던지기만 했어도 자동차 뒤에 숨을 수 없었을 테니까. 후드를 벗은 제니도 땀이 송송 솟아 발그레한 얼굴로 동의를 해 줬다.

"응. 그 트레이닝복 입은 언니도 순진한 사람이더라고요."

태권 소녀에 대한 제니의 평가에 보안관이 정색을 했다.

"순진하다고? 그 싸가지 없는 계집애가?"

"네. 엄청 순진해 보였어요. 꽤나 양심적이랄까, 도덕적이랄까. 뭐, 하여튼 그런 반듯한 타입이에요. 그러니까 제가 여왕 노릇 잘하라고 도발을 했을 때 그렇게 필요 이상으로 발끈했겠죠."

"그럼 안 순진한 사람은 어떻게 나오는데?"

"당연히 무시하고 대꾸도 안 하죠. 자기를 대화의 소재로 삼아서 이득 되는 게 하나도 없으니까. 그리고 이쪽 정보를 캐려는 시도가 하나도 없었잖아요. 그냥 막연히 계속 가까이 오지 말고 돌아가라는 말만 했었죠. 무서웠던 거예요."

"응, 맞아. 걔 그런 성격이래. 고지식하고 좀 고집이 있나 봐. 내가 우리 이야기 좀 잘해 달라고 했을 때 경순이도 걱정하더라."

삼식이가 끼어들어 고개를 끄덕였다. 그의 입술에는 경순이의 것이었을 게 분명한, 번들거리는 분홍색 립스틱이 아직도 이리저리 문대져 있다.

"경순이 같은 소리 하네. 누가 들으면 한 10년 사귄 줄 알겠다. 이 새끼, 넌 진짜······."

조금 전의 그 황당함이 되살아난 보안관은 삼식이를 흘겨보며 중얼거렸다. 그러거나 말거나 삼식이의 얼굴에서는 미소가 가시지 않았다. 어지간히 만족스러운 표정이다.

"뭐가 그렇게 좋아, 인마? 고개 딱 돌렸는데 네가 없었을 때 우리가 얼마나 놀랐는지 알아? 네가 남아 있으니까 도망도 못 치고."

유빈이 입술을 닦으라는 시늉을 하며 삼식이를 나무랐다. 삼식이는 팔뚝으로 슥슥 훑어 대충 립스틱을 지웠다.

"예전 같으면 나도 그렇게까지야 안 했지. 하지만 지금은 상황이 좀 다르잖아. 언제 또 만날 수 있는 건지도 모르고. 게다가 워낙에 오래 참았으니까······. 지금 벌써 며칠째야? 열흘, 11일, 12일, 13······."

삼식이가 손가락을 꼽아 가며 섹스를 하지 않고 지낸 날들을 헤아린다.

"그래 봐야 보름이야. 그게 뭐가 길어, 미친놈아! 나는 벌써 한 대여섯 달 은……."

발끈해서 손가락질을 하던 보안관은 자신이 무슨 말을 하는지 뒤늦게 깨닫고 갑자기 목소리를 줄였다. 자랑은 아닌 것이다.

"근데 씨발, 뭐라고 했기에 그렇게 금방 대 주디? 응? 뭐라고 하면서 작업을 걸었어?"

신입이 호기심 가득한 눈을 빛내며 물었다. 대 준다는 어휘를 사용할 때, 제니는 어후~ 하는 소리를 내며 싫다는 표시를 했다.

"쉿—!"

모두의 시선이 삼식이에게 집중되어 있을 때, 유빈이 조용히 하라는 신호를 보냈다. 그러고는 아까 보안관이 찍어 만든 벽의 구멍 가까이 눈을 가져갔다.

"뭔데?"

유빈을 따라 틈에 얼굴을 바짝 댄 보안관의 시야에도 좀비들의 가장 앞줄이 들어오기 시작했다. 선로와 평행을 이룬 채 넓고 길게 뻗은 도로를 꽉 채우고 걷는 좀비들의 모습은 복지 센터의 악몽을 떠오르게 했다.

불을 질러 없애고, 또 따돌려서 도망을 나왔다고 생각했는데, 이곳에도 역시 좀비들이 있었다.

젠장, 보안관은 혀를 차며 일행들을 둘러봤다. 그들이 몸을 숨긴 곳부터 도로까지는 대략 25에서 30미터 정도. 멀다면 멀고, 가깝다면 가까운 거리다.

다행히 선로 쪽으로 고개를 돌리는 놈은 없기에 그들은 조용히 숨을 죽이고 좀비들의 행렬이 지나가기를 기다리기로 했다. 와스락거리며 자갈을 밟고 달아나는 것보다 그 편이 더 안전할 것이라 판단한 것이다.

"여기도 만만치 않게 많은데?"

몇 분 동안 끊이지 않고 계속 이어지는 좀비들의 행렬을 보며 보안관이 낮게 중얼거렸다. 제니도 고개를 끄덕였다.

"우리 있던 데보다 더 많은 것도 같아요."
"그럴지도 몰라. 아무래도 그 동네보단 여기에 사람이 훨씬 더 많이 살았을 테니까. 문제는 이런 행진이 얼마나 자주 있는가 하는 건데……."
좀비들이 도로를 차지하고 있는 시간이 길어지면서 공기를 타고 불쾌한 냄새가 가득 실려 오기 시작했다. 놈들 특유의 그 구역질 나는 악취 때문에 모두는 코를 막았다.
행진이 끝난 것은 거의 20분가량의 시간이 지난 다음이었다. 꼬리 부분의 몇 놈이 늑장을 부렸다고는 해도 저 넓은 도로를 가득 메운 채 20분이라면 엄청난 수다.
"다 간 거야?"
신입이 묻자 '아마도 그런 것 같은데.' 하고 유빈이 대답했다. 하지만 그들 중 아무도 저 도로로 다시 나갈 만큼 무모한 사람은 없었다. 그런 짓을 하기엔 아침부터 너무 많은 좀비를 봤다.
휴우, 보안관이 한숨을 내쉬며 얼굴의 땀을 닦아 냈다.
"이 동네, 정 떨어지려고 한다, 야. 그 싸가지 없는 계집애하며, 좀비들 우글거리는 꼴하며, 여러 가지로……."
"그래도 말이지, 반대로 생각해 보면 이런 동네지만 걔들은 멀쩡하게 살아남았잖아. 그것도 꽤 많이. 그러니까 그런 점은 인정을 해 줘야 할 것 같아."
유빈의 말에 삼식이가 끼어들어 조잘거렸다.
"아, 그런데 걔들 원래 처음엔 수가 훨씬 더 많았대. 근데 자리 잡는 동안 그야말로 팍팍 줄어들었다는데? 그러니까 우리처럼 적은 수로 시작해서 그 멤버가 그대로 쭈욱 온 게 아니야."
경순에게서 정보를 얻어들은 건가 싶어진 유빈과 보안관은 정색을 하며 묻기 시작했다.
"또 무슨 이야기 들었어? 걔들, 지금 어디에서 산대?"
"응? 전부 몇 명이래? 인철인가 진철인가 하는 그놈은 또 뭐야?"

"그 거시기 날아간 아저씨는 왜 그렇게 죽였대? 칼질 열나게 한 건 누구고, 거꾸로 걸어 놓은 건 또 누구 아이디어야?"

순식간에 질문들이 너무 정신없이 날아들자 삼식이는 인상을 찌푸렸다. 가뜩이나 부족한 뇌 용량이 터지기 직전까지 몰리는 모양이다.

"야, 그만, 그만! 그런 거 다 물어볼 시간이 있었겠어? 생각해 봐. 기껏해야 10분도 안 되게 같이 있은 건데? 그냥 가까이 가서 예쁘다고 인사하고, 그냥 보내면 너무 아쉬울 거라고 했어. 헤어질 때 또 만나고 싶으니까 우리 이야기 좀 잘해 달라고 했고! 그게 다야!"

손사래를 치며 대답하는 삼식이를, 보안관이 어처구니없다는 표정으로 노려봤다. '그 몇 분 동안 넌 첨 보는 여자랑 잤잖아?'라고 말하는 눈빛이다.

"그럼 네가 들은 것만이라도 이야기해 봐."

유빈의 말에 삼식이는 음, 하고 짧게 앓는 소리를 낸 뒤, 입을 열었다.

"인철이라는 애도 그렇고, 근처 마트에서 일하던 사람들이 꽤 많았나 봐, 그 죽은 아저씨를 본사 직원이라고 부르는 거 보면. 거기에 이런저런 사람들이 합류하면서 무리가 커졌겠지 뭐. 어디에 숨어 지내는지 그런 건 못 물어봤어. 암만 생각해 봐도 너무 수상한 질문이잖아. 나라도 선뜻 대답해 줄 것 같지 않은데? 아, 맞다. 호루라기 소리 들으면 도로에서 피하래. 그건 좀비 온다는 신호라고."

"우리에 대해서는 어디까지 알려 줬어?"

"뭐, 그냥…… 여섯 명이서 지금까지 살아남았다, 이 정도? 근데 잘 안 믿겨지는 눈치더라."

하긴 보안관의 탁월한 신체 능력이 없었다면 애초에 불가능한 일이었을 테니까. 유빈도 납득할 수 있는 부분이다.

이런 상황 속에서 여섯이라는 건 벌써 예전에 전멸을 했어야 할 소수다.

여섯? 유빈이 멈칫했다.

하나, 둘, 셋…… 일일이 수를 세어 보던 신입이 꽥! 소리를 질렀다.

"다섯이잖아! 이 등신아!"

"하하하, 다섯이구나, 참. 비슷하니까 됐잖아. 넘어가, 그냥."
"우리가 선로에서 지낸다는 것도 말했어?"
"아니, 대체 몇 번을 이야기해야 돼? 워낙 급해서 이런저런 소리를 할 여유가 없었다니까. 앞의 이야기들도 내가 시체에 대해서 너같이 예쁜 애가 왜 저렇게 잔인한 짓을 해야 하는지 모르겠다고 하니까 걔가 대답한 거야."
"말이 나왔으니까 하는 말이지만, 너 진짜 대단하긴 하다. 암만 궁해도 그렇지, 예쁘다는 말이 그렇게 쉽게 나오디? 그 뻔뻔함은 좀 부럽다."
신입은 상상하기도 싫다는 듯 몸서리를 쳤다. 삼식이는 피식 웃으면서 신입의 머리를 헝클었다.
"뭘 그렇게 부러워하고 그래. 전에 핸드폰 보니까 너도 끝내주는 여자 사진 있더구만. 여자 친구랬지?"
삼식이의 말을 들으니까 유빈도 신입과 처음 만났을 때가 생각났다.
맞아, 어지간히 못난 여자애들 사진을 보여 주면서 잔뜩 거들먹거렸었지…….
삼식이만의 미적 기준을 알 리 없는 제니는 아직도 왜 하필 그 여자를 골랐는지 조금 얼떨떨한 눈치였다. 이야기가 너무 섹스 라이프에만 집중되는 것 같아지자 보안관이 모두의 입을 막고 질문을 던졌다.
"쓸데없는 소리는 그쯤하고! 이제 어쩔 건지나 결정해 봐. 가던 방향으로 계속 더 갈 거야?"
보안관이 가리킨 선로의 앞쪽 주변에는 상봉역이 있고, 그 너머에는 높은 주상 복합 건물들이 몇 채나 들어서 있다.
어지간히 다급하지 않은 다음에야 저런 높은 건물 바로 아래를 지나가고 싶지는 않다. 혹시라도 좀비들이 건물 안에서 뛰어내린다면 피하기가 어려워지기 때문이다.
게다가 오늘 만난 태권 소녀 일행들이 근처에 숨어 있을지도 모르는데, 그들을 공연히 자극하고 싶지도 않았다. 동료가 필요한 것은 맞지만, 어디까지나 시간을 두고 천천히 가까워져야 한다. 그게 서로에게 안심이 되는 방법일 것이다.

그런 의미에서 지금 다시 얼굴을 들이밀고 지분대는 것보다는 아까 언질을 주었던 것처럼 내일 비슷한 시간에 다시 방문하는 편이 낫다.

짧은 회의를 거친 다섯 사람은 일단 천막 아래로 되돌아가 정오의 뙤약볕을 잠시 피할 겸 배부터 채우기로 했다. 선로 위는 벌써 아지랑이가 피어오를 만큼 뜨거워져 있었다.

"오늘 본 애들 말고도 근처에 살아남은 사람들이 더 있을까?"

선로를 걷던 삼식이가 물었다.

"뭐, 어디든 사람 살지 말라는 법은 없으니까."

유빈이 별생각 없이 대답했다. 한번 새로운 사람들을 만나고 나니 근래 없던 희망의 두근거림이 느껴졌다. 물론 더 조심해야 하는 것도 사실이다. 그러자 삼식이가 입맛을 다시며 말했다.

"이왕이면 또 예쁜 여자애들이면 좋겠는데."

넌 조금 전에 했잖아, 이 개새끼야. 그것도 우리가 죽느냐 사느냐 긴장해서 말싸움을 하는 동안…….

남자들의 분노한 시선이 일제히 삼식이에게로 쏠렸다. 그런 분위기를 전혀 모르는 삼식이는 천진한 얼굴로 한마디를 더 보탰다.

"경순이처럼 다리통도 굵직하고 살집도 좋은 글래머…… 억!"

더 참고 봐 주기 어려웠는지 보안관은 삼식이의 얄팍하고 날씬한 엉덩이를 냅다 걷어찼다. 유빈의 속까지 시원해질 만큼 호쾌한 킥이었다.

Chapter 30
인간 사냥꾼

01

신 차장이 모니터실에 들어왔을 때, 여덟 명의 연구원은 얼굴을 CCTV 화면에 처박고 있었다. 오셨습니까, 하고 인사를 하는 목소리에도 힘이 없다. 좋지 않은 징조다.

신 차장은 샘플들을 비추는 네 개의 화면부터 살폈다. 원래 개나 돼지 따위의 큰 생체 실험용 동물들을 해부할 때 사용하던 철제 침대에는 발가벗겨진 사람 넷이 팔다리가 묶인 채 고정된 채였다.

A708756의 신체 부위를 이식해 두었던 샘플들 중 제일 경과가 좋고 별다른 거부반응이 없던 넷을 골라 강제로 좀비에게 물리도록 만들고 침대에 묶어 뒀다.

만약 신체 이식을 통해 항체도 전이되었다면, 좀비로 변하지 않고 살아남을 수 있을 것이다. 나체인 샘플들이 유일하게 착용하고 있는 것은 손목에 고정된 생체 정보 장치뿐이다.

저 조그만 장치가 샘플의 체온과 심박 수, 혈압 등을 체크해 이쪽으로 송신한다. 나머지 복잡한 측정 기구들은 샘플들이 하도 몸부림을 치는 바람에 제대로 붙어 있지를 않았다.

'으아아아— 살려 줘!'

목소리가 들리지는 않지만, 침대에 묶인 채 울부짖는 사람들의 입은 그렇게 애원하고 있었다. 네 사람 모두 예외 없이 좀비에게 물어뜯긴 상처에서 피를 뚝뚝 떨어뜨리며 고통에 몸부림치다가 철제 침대에 뒤통수를 찧어 댔다.

저러다가 대가리가 깨져서 뒈져 버리면 어쩌지? 안전모라도 씌워 둘 걸 그랬나?

신 차장은 초조해하며 말라서 부서질 것 같은 자신의 입술을 손톱으로 자꾸만 뜯었다.

"어때?"

신 차장의 질문에 흰 가운을 입은 연구원은 무겁게 고개를 저었다.

"눈여겨볼 결과가 하나도 없어?"

신 차장의 목소리가 다급해졌다. 열여섯 개의 1차 샘플 중 4분의 1을 투입한 실험이다. 그것도 가장 상태가 좋은 실험 대상들이었다. 연구원이 차마 입이 떨어지지 않는다는 듯 쭈뼛거리며 대답했다.

"특별한 예외적 징후가 없습니다. 이 열화상 카메라 쪽을 보시면 아시겠지만, 다들 엄청난 고열에 구토에…… 좀비로 변이할 때와 정확하게 같은 증상입니다."

연구원이 가리킨 화면에서 네 샘플의 몸은 불이 붙은 것처럼 붉게 표시됐다. 신 차장은 두 주먹에 힘을 꽉 주며 나지막하게 중얼거렸다.

"그 고비를 넘기고 항체가 활성화될 수도 있어. 뭐, 아직 한 번도 항체를 가진 인간이 어떻게 감염을 이겨 내는지 그 과정을 본 사람은 없으니까. 안 그래?"

"그, 그렇습니다."

연구원은 신 차장의 눈치를 보며 맞장구를 쳤다. 하지만 그런 기대는 몇 분 만에 무너졌다.

"3번 샘플, 심장 이상! 심박 급감합니다."

환자 감시 장치를 주시하고 있던 직원이 다급한 목소리로 보고했다. 신 차장의 맥박은 정반대로 미친 듯이 빨라졌다.

"강심제 투여해! 심폐소생술, 제세동기도 동원하고! 뭐라도 해!"

신 차장은 마른침을 사방에 튕겨 가며 미친 듯 떠들어 댔다. 흥분 때문에 그의 목소리는 이전까지 한 번도 경험해 보지 못했을 만큼 하이 톤으로 변해 버렸다.

3번 샘플의 침대 주변에 의료팀이 달려들어 각종 약물을 주사하고, 한편에서는 두 손으로 빠르게 흉부를 압박하기 시작했다. 그러나 아무 소용이 없었다.

"3번 샘플, 심장 정지! 체온 하락 중!"

"제세동기 써! 쓰라고, 이 등신 새끼들아!"

신 차장이 갈라지고 쉰 목소리로 악을 썼다. 심전도 그래프가 일직선을 그리고 난 이후에 아무리 전기로 지져 봐야 되살아날 확률은 거의 없다는 걸 신 차장 역시 잘 안다.

하지만 지금 그는 아주 실낱같은 희망에라도 전력으로 매달려 봐야 할 만큼 필사적인 상황이다. 화면 너머에서는 의료팀이 나름 애를 써 가며 이미 시체가 된 3번 샘플의 몸에 달라붙어 비지땀을 흘리는 중이었다.

그리고 3번 샘플을 기점으로 해서 나머지 셋도 큰 차이를 두지 않은 채 순차적으로 사망해 버렸다.

"2번 샘플, 심장 정지……."

네 번째이자 마지막 샘플의 사망을 알리는 직원의 목소리는 대역죄라도 지은 것처럼 기가 죽었다. 다량의 페나세틴과 디곡신을 쑤셔 넣고 산소마스크까지 동원해 봤지만, 놈의 심장은 그런 노력을 비웃기라도 하듯 아주 순식간에 멈춰서 버렸다.

"제세동기 사용할까요?"

직원이 눈치를 보며 묻자 신 차장은 영혼이 빠져나간 것 같은 얼굴로 고개만 주억거렸다. 의료팀이 2번 샘플로 다가가는 도중, 좀비화가 끝난 3번 샘플은 흰 막이 덮인 눈을 희번덕거리며 발버둥을 치기 시작한다.

비명을 지르며 넘어지고 구석으로 달아나는 의료진. 이제 실험실은 혼란과 공포가 가득한 곳으로 변해 버렸다.

"클리어! 클리어! 전부 거기서 나와!"

2차 피해를 방지하기 위해 소거 명령이 내려지고, 의료진들은 황급히 실험실 밖으로 달아났다. 그런 과정이 벌어지는 동안 신 차장은 초점이 풀린 눈으로 멍하니 모니터실 벽의 한쪽을 응시하고 있었다.

틀렸어, 이건…….

신 차장 내부에서 포기하라는 목소리가 들려온다. 애초에 고작 열여섯 개의 샘플만으로 어떤 결과를 도출해 낼 수 있는 수준의 문제가 아니었다.

하지만…… 오 박사, 그 잔인한 인간이 그런 변명을 받아들여 줄까?

훗, 어림 반 푼어치도 없는 소리.

신 차장은 신경질적으로 헛웃음을 터뜨리며 한 발짝 뒤로 물러섰다. 그의 움직임을 느낀 연구원들이 일제히 고개를 돌려 그를 주목했다.

모두의 시선을 받는 그 순간, 신 차장은 갑자기 냉혹한 현실과 그보다 몇 배나 더 차갑고 두려운 미래를 절감했다. 사방의 공간이 모두 사라지고, 이 세상에 그 혼자만 남은 것 같은 절대적인 고독감이 온몸을 휘감았다.

이 연구의 책임자로 지정된 순간부터 그의 생명은 시한부로 지정된 것이나 다를 바 없었다.

이제 어떻게 될 것인가…….

결국 항체를 얻어 내지는 못하겠지. 그렇게 되면…….

오 박사의 뱀처럼 얇은 입술이 씨익 올라가는 환상이 그려졌다.

예고도 없이 목덜미에 따끔하게 X-1이 주사되고, 그 자신이 수없이 다뤘던 식샀감들처럼 발가벗겨진 채 크레인에 묶여 작은 회장, 그 망할 자식이 기다리는 방으로 내려질 것이다.

그리고 온몸에 극렬한 고통이 몰아치는 내내 비명 한번 지르지 못하고 있다가 아주 천천히 숨을 거두게 될 것이다. 아니…… 그건 오히려 너무 희망적인 미래일지도 모른다.

 오 박사, 그놈이라면 훨씬 더 잔인한 방법으로 아주 오래 고통을 주면서 나를 죽일 수도 있어. 내가 상상할 수도 없는, 그런 식으로 말이지…….

 순간, 온몸의 피가 다 빠져나가는 것처럼 정신이 아득해졌다.

 신 차장의 몸이 부르르 떨렸다. 이대로 죽음이 다가오기만을 기다리고 싶지는 않았기에 그는 좀처럼 움직이지 않는 안면근육을 억지로 끌어 올리며 거짓 웃음을 지어 보였다.

 "괜찮아, 수고들 했어! 이제 겨우 첫 번째 실험인데, 이 정도의 진전을 거두고 데이터를 수집했으면 된 거야. 만족스러워!"

 조금 전과 비교해 너무 급작스러운 태도의 변화를 보며 연구원들은 어떤 반응을 보여야 할지 잠시 망설였지만, 이내 자신들의 상사와 같은 표정을 꾸며냈다.

 "기죽지 말고 2차 실험은 18시에 진행할 수 있도록 준비해. 샘플 수는 셋으로 하고. 이런 식으로만 가면 3차에서 항체를 찾을 수 있다는 희망이 보인다."

 신 차장은 나오는 대로 아무렇게나 지껄이면서 연구원들의 눈치를 살폈다. 다들 뭐가 좋았다는 건지 모르는 눈치지만, 그렇다고 해서 그의 말을 의심하는 것 같지도 않다.

 좋아, 이쯤 해 뒀으면 당장 내가 궁지에 몰렸다는 인상은 주지 않았겠지…….

 신 차장은 표정 관리를 하면서 서둘러 모니터실을 빠져나왔다.

 "후우우~ 씨발. 정신 바짝 차려, 정신!"

 자신의 사무실로 돌아온 신 차장은 세면대에서 얼굴에 물을 끼얹은 뒤, 자기 뺨을 호되게 후려쳤다. 가벼운 통증이 공포를 몰아내고 머리 회전을 도와줄 것이라 기대했던 것이다.

 초점을 잃고 퀭해져 있던 거울 속의 두 눈은 두어 차례 더 뺨을 두들긴 다음에야 정상으로 돌아왔다.

 "이대로 순순히 죽여 줍쇼, 할 수는 없지. 암, 그럴 수 없어. 내가 어떻게 지금까지 버렸는데."

신 차장은 혼잣말을 중얼거리며 빠르게 머리를 굴렸다. 대충 눙치고 나오기는 했지만, 1차 실험이 실패하고 실은 아무것도 건진 게 없다는 소문은 머지않아 이 건물 전체로 퍼지게 될 것이다.

오 박사의 귀에 그 소식이 들어가기 전에 뭔가 행동을 해야 했다. 목숨을 건질 수 있을 만한 행동을.

"나가야 돼…… 나가야……."

문제는 좀비 세상이 닥친 이후, 그가 단 한 번도 바깥 구경을 해 본 적이 없다는 데 있었다. 그가 보았던 외부의 마지막 모습은 TV 속보를 통한 피와 좀비, 시체가 가득한 강남대로의 모습이었다.

그건 지옥보다 더 무서운 광경이었고, 그래서 그는 조금의 망설임도 없이 가족과 친구도 모두 잊고 여기 틀어박혀 저 지긋지긋한 좀비에게 끼니때마다 산 사람을 바치는 임무를 수행해 왔다.

그때보다 조금은 나아졌을까?

사설 경비 업체 직원이었던 놈들이 이렇게 멋대로 군인인 체하며 헬기를 타고 돌아다니고, 사람들을 잡아다 실험체로 쓰는 걸 보면 여전히 무법천지인 것만은 확실하다.

그래도 만약 조금이라도 수복되는 기미가 있다면…… 태양 그룹의 경쟁사나 언론, 하다못해 군인이나 권력자들이라도 만날 수 있다면…….

책상 서랍을 뒤져 핸드폰을 꺼낸 신 차장은 그것을 양복 안주머니에 넣고 단추를 단단히 여몄다. 여기에 들어 있는 영상, 그가 식사실에서 몰래 찍은 이 영상은 생명줄이나 다름없었다.

외부에 나가 힘이 있는 누군가를 만날 수만 있다면, 이 영상이 그의 목숨을 부지해 주리라…….

"좋아."

커터의 날을 확인해 보고 바지 주머니에 넣은 뒤, 신 차장은 크게 한숨을 내쉬었다. 이제 스스로 목숨을 도모해야 할 때가 된 것이다.

긴장 때문에 온몸에서 악취가 밴 식은땀이 줄줄 흘러내리고 입은 바짝바짝 말라 온다. 신 차장은 수건으로 얼굴을 훔친 뒤, 메이저가 사용하는 숙소를 향해 이동했다.

"계십니까?"

엘리베이터에서 내려 메이저의 방문을 노크하는 신 차장의 가슴은 흥분 때문에 터질 것 같았다.

과연 놈이 내 말에 속아 넘어가 줄까? 오 박사에게 나를 주시하라는 어떤 언질을 들은 건 아닐까? 그렇다면 그때는 어떻게 하지? 협박이라도 해 봐야 하나?

안에서 문을 여는 그 짧은 시간 동안 긴장감이 목덜미를 싸늘하게 만들었다.

"뭐, 뭐, 뭐야?"

문을 연 메이저는 근엄한 표정에 어울리지 않는 어눌한 말투로 더듬댔다. 웃통을 벗은 그의 단단하고 검은 근육질 상체가 눈에 들어온 순간, 신 차장은 협박이라는 선택지를 깨끗이 포기했다.

애초에 육체적으로는 자신이 제압할 수 있는 상대가 아니었다. 커터 같은 허접한 무기와 기습이라는 수단을 동원해도 달라지는 건 거의 없다.

"안녕하십니까, 메이저. 저기……."

"너, 누, 누구야?"

나를 모른다!

신 차장은 그 한마디에서 무한한 희망을 얻었다. 그 말인즉슨, 오 박사가 특별 관리 대상이라는 언질을 아직 메이저에게 주지 않았다는 의미이고, 그만큼 달아날 수 있는 확률도 높아진다는 뜻이었다.

"우우욱— 으아아아—."

방 안에서 울부짖는 소리가 들리자 메이저가 힐끔 뒤를 돌아보았다.

"저는 식사실 책임자인 신 차장이라고 합니다."

"시, 시, 식사실?"

"그 왜, 있지 않습니까? 작은 회장님 식사하시는……."

메이저가 아, 하며 알아들었다는 시늉을 했다. 그러자 그의 눈빛에서 경계의 기색도 사라졌다. 신 차장은 얼른 말을 이었다.

"부탁드릴 게 좀 있어서요."

"이, 이야기가 기, 길어?"

"네, 그게 좀……."

"그, 그럼 드, 드, 들어와. 나, 나, 나 뭐 좀 하, 하던 중이라서."

메이저가 열어 준 문틈으로 발을 들이자 방 안의 풍경이 눈에 들어왔다. 옷을 거의 입지 않은 여자가 셋이나 있었다. 속옷 차림의 여자 둘이 2층 침대 기둥에 수갑으로 묶여 있고, 나머지 하나는 기절한 것처럼 바닥에 널브러져 있었다.

얼굴과 갈비뼈, 허벅지에 보랏빛 멍이 커다랗게 든 여자들의 입술 주변은 터져서 피딱지가 앉았다. 사생활 영역을 엿보지 않겠다는 의지의 표현으로 신 차장은 얼른 눈을 바닥으로 깔았다. 하지만 정작 메이저는 전혀 신경 쓰지 않는 눈치였다.

"그, 그, 그래, 무슨 이야긴데?"

"아, 그게 말입니다, 제가 그…… 작은 회장님 보필을 하면서 그 뭐랄까, 스트레스가 좀 어지간히 쌓인 것 같아서 크게 폐가 되지 않는다면……."

거기까지 말했을 때, 핑크색 속옷을 입은 여자가 갑자기 울부짖었다.

"으아아…… 아저씨! 제발 저 이 방에서 좀 빼 주세요! 살려 주세요!"

"아! 씨발 년이! 좀! 마, 마, 말하는데!"

신기하게도 욕설만은 더듬지 않는다. 메이저는 핑크색 속옷에게 성큼성큼 걸어가 머리채를 잡고 흔들다가 다짜고짜 풀스윙으로 따귀를 후려갈겼다. 구경하는 신 차장이 움찔할 만큼 강력한 한 방이었다.

여자는 비명을 지르며 고개를 숙였고, 이내 그녀의 입술에서는 피가 뚝뚝 떨어져 이미 여기저기 얼룩져 있는 카펫을 적셨다.

"기, 길을 들이는 중인데 마, 말을 드, 들어 처먹지를 않아, 저년들이. 두, 두 년이 똑같아."

 메이저는 재미있는 걸 보여 줬다는 표정으로 빙글거렸다. 내뱉는 숨결에서 술 냄새는 나지 않는다. 맨정신으로 이런 짓거리를 하는 거냐…… 라고 생각하면서도 신 차장은 비굴하게 마주 웃었다.

 단순히 여자를 밝히기만 하는 게 아니라 그렇게 개 잡듯이 후려갈긴다고 하더니, 그 소문이 사실이었던 모양이다.

 잡아 온 사람들 중 맘에 드는 여자들만 골라 방에 가두고 온갖 짓을 다 한 뒤, 송장이 된 다음에야 직원들을 시켜 끌어낸다는 것이었다. 애초에 군복을 벗은 것도 성폭행 사건 때문이었다던데, 놈으로서는 요즘 아주 물을 만난 셈일 터다.

 흰색 속옷의 여자가 자꾸 도와달라는 눈빛을 보낸다. 예전 같으면 벌레 쳐다보듯 무시해 버렸겠지만, 오 박사에게 찍혀 죽음의 공포를 느낀 순간부터 자꾸 마음이 약해진다.

 하지만 신 차장은 그녀의 시선을 외면했다. 지금은 남의 일에 신경을 쓸 여유가 없다. 쓰고 싶지도 않았다.

 "무, 무슨 말을 했었지?"

 "그, 하도 바람이 쐬고 싶어서 외부에 헬리콥터 타고 출동하실 때, 저도 한 번만 태워 주십사 부탁드렸습니다. 헤헤헤."

 "그, 그건 규정 위반인데. 우리 헤, 헬기에는 우, 우리 섀도 실드 애들밖에 탈 수 없어."

 메이저는 의자에 걸터앉으며 담배에 불을 붙였다.

 섀도 실드 좋아하네. 좀비로 세상이 뒤집히기 전까지는 그저 태양 그룹에서 운영하는 사설 경비 업체 직원이었던 것들이…….

 신 차장은 아니꼬운 속내를 비굴한 눈웃음으로 감추었다. 이 악마 같은 놈에게 약속을 받아 내지 못하면 자신은 죽는다.

 "예, 그건 압니다. 그래서 이렇게 실례를 무릅쓰고 직접 부탁드리는 거죠. 메이저께서 곧 법이니까 규정 같은 것보다 훨씬 위 아니겠습니까."

"큭, 새끼, 아, 아, 아부하기는."

"아닙니다. 아부는요, 사실이 그렇죠."

암만 봐도 족히 열 살은 어린 것 같은 상대지만, 신 차장은 더욱 깊게 허리를 굽혔다. 그의 언변이나 태도가 마음에 들었는지 메이저는 자비로운 표정으로 신 차장을 바라보며 연기를 내뿜었다.

"뭐, 좋아. 노, 노, 높아서 무섭다고 울지만 말라고. 마, 마침 30분 뒤에 한 번 뜰 거니까. 그때 헤, 헬리포트로 와."

잠시 고민하던 메이저는 시계를 들여다보며 말했다.

아이구, 감사합니다.

신 차장은 비굴한 얼굴로 연신 고개를 숙였다. 이것으로 죽음이 다가오는 걸 반쯤은 피한 셈이다. 이제 하나만 더 확보하면 되는데……. 신 차장은 마음속으로 체크리스트를 하나씩 지웠다.

"그, 그만 가 봐. 느, 느, 늦지 말고."

신 차장이 방을 나서며 문을 닫는 동안 내부에서는 또 철썩거리며 두들겨 패는 소리와 기진맥진한 여자들의 비명이 울리기 시작했다.

잘못했어요, 잘못했어요!

잘못이라고는 미친놈의 손아귀에 들어간 것밖에 없는 여자들의 애원 소리가 커질수록 메이저의 매질은 더 신바람을 냈다.

나는…… 몰라. 내가 어찌해 볼 수 있는 일이 아니라고…….

흰 속옷 입은 여자의 애절한 눈빛이 떠오른 신 차장은 진저리를 치며 이마에 흐르는 식은땀을 닦아 냈다.

30분. 30분만 잘 버티면 나는 이 미친 세상과 아무 상관이 없는 사람이 된다. 신 차장은 그렇게 생각했다.

02

 신 차장은 쥐새끼처럼, 정말 말 그대로 쥐새끼처럼 숨을 죽인 채 헬리포트가 있는 옥상층 주변에서 시간을 보냈다. 혹시라도 오 박사가 이 자리에 나타나는, 재수 없는 일을 방지하기 위해서 일부러 이 시간에 맞춰 오전 실험의 보고서를 그에게 제출하라고 연구원들에게 명령까지 해 두었다.
 웅— 웅— 후우웅—.
 약속 시간이 다가오자 널찍한 옥상의 중앙에서는 이미 두 대의 중형 헬기가 막 로터를 돌리기 시작했다.
 "뭡니까? 지금 옥상 사용할 수 없습니다."
 검은 옷에 개인 화기로 무장을 한 섀도 실드 대원들이 손을 들어 제지했다. 프로펠러가 바람을 가르는 소리 때문에 악을 써야 겨우 의사가 전달되는데, 경비병의 무전기에서 나는 잡음이 신경을 거슬렀다.
 아…… 저, 난…… 그…… 메이저께서…….
 당황한 신 차장이 말을 더듬을 때, 마침 그쪽으로 시선을 돌린 메이저가 그를 알아보고 손짓을 했다.
 "이, 이, 일로 와! 너, 너, 넌 나랑 같이 타!"
 "네, 넷!"
 신 차장은 허리를 굽히고 종종걸음으로 메이저의 곁에 가 섰다. 헬기 우측에는 와이어로 고정하는 작업이 끝난 구조용 베슬이 널려 있었다. 탄탄한 밧줄로 촘촘히 짜인 사방 15미터, 높이 2.5미터의 양파 망처럼 생긴 베슬.
 일단 저 안에 들어가 헬기 아래에 대롱대롱 매달린 채 여기로 실려 오면 예외 없이 모두 죽는다. 좀비 밥이 되거나, 실험용 샘플이 되거나, 혹은 메이저나 다른 망나니들의 성노리개로 죽을 때까지 고통을 받다가…….
 수많은 목숨을 죽음의 건물로 끌고 들어온 그 베슬의 모습을 실제로 본 것은 처음이라서 신 차장은 문득 소름이 돋았다.

"며, 명심해! 저, 저, 절대로 헬기 밖으로 나가면 안 돼! 지금 세상이 예전 같지 않아! 사, 사방에 미친놈들이랑 조, 조, 좀비가 깔렸어!"

헤드셋을 씌워 주며 메이저가 당부를 했다. 신 차장은 알겠다는 표시로 힘차게 머리를 끄덕였다.

"예비 탄창이랑 DEM 확인해!"

누군가의 명령이 떨어지고, 헬기에 오른 섀도 실드 대원들은 검은색 전투 조끼를 점검하기 시작했다. 대원들은 저마다 왼쪽 가슴에 꽂힌 두 개의 예비 탄창을 두드리고, 오른쪽 가슴에 달린 주머니 뚜껑을 열어 타원형의 빨간색 캡슐들이 든 플라스틱 케이스를 꺼냈다가 다시 집어넣었다.

저거다!

DEM을 본 신 차장의 눈이 빛났다. 일시적으로 심장을 멈춰 주는 저 약만 탈취할 수 있다면, 외부에서 홀로 좀비들과 맞닥뜨렸을 경우에라도 살아남을 수 있다. 제대로 쏠 줄도 모르는 총보다 훨씬 요긴하고 편리하다.

문제는 이 우락부락하고 사나운 놈들의 오른쪽 주머니에서 저걸 어떻게 빼낼 것인가 하는 거였다.

기다리다 보면 기회가 있겠지.

신 차장은 자신의 시선을 들키지 않기 위해 고개를 창밖으로 돌렸다.

"고, 고, 고소공포증 같은 건 어, 없지? 하하하!"

헬기가 둥실 떠오르는 것이 느껴지자 메이저가 신 차장을 돌아보며 히죽거렸다. 신 차장은 무조건 그렇다고 맞장구를 쳤다.

설사 고소공포증이 있다 해도 어쩔 것인가. 여기 더 있다가는 99퍼센트 이상의 확률로 죽게 될 형국인데.

용산역 주변으로 크게 원을 그린 헬기는 기수를 북동쪽으로 바꿔 날아갔다. 신 차장의 눈은 자연스럽게 창밖의 경치를 훑었다.

유리창이 박살 난 채 방치되어 있는 고층 아파트들, 도로를 꽉 막고 멈춰 서 버린 자동차들의 길고 긴 행렬, 불타 버린 변압기와 소형 건물들.

그가 알던 세상이 아니었다. 거리에 사람이 없는 도시는 죽음, 그 자체처럼 우울해 보였다.

"서울 전체가 전부 다 이런 식입니까? 이렇게 사람이 없는데 그동안 어떻게 그 많은 인원을 데려오셨습니까?"

"저, 저, 저래 보여도 마, 막상 착륙해 보면 숨어 있던 놈들이 무더기로 뛰어나와서 사, 사, 사, 살려 달라고 난리를 쳐! 무서워서 짱 박혀 있는 거야!"

메이저의 말을 듣고 다시 살펴봐도 시내에서 사람의 냄새는 나지 않았다. 가까이 다가가서 보지 않으면 발견할 수 없는 모양이다.

괜찮을까? 이런 데에서 내가 누굴 만나 목숨을 부지할 수 있지?

고민에 빠진 신 차장의 어깨를 두드리며 메이저가 반대편 창을 가리켰다.

"이, 이거 봐! 이건 꽤 보, 볼만해! 장관이지!"

몸을 기울여 바라보니 6차선 도로 전체를 빼곡하게 메운 행렬이 보였다. 살아 있는 사람이 아니라는 것만은 확실히 느껴졌다.

"좀비입니까? 저게 다?"

"그래! 저, 저, 저 정도가 중간 사이즈라면 미, 믿겠어? 밖에 나와 날다 보면 하, 하루에도 저런 걸 여, 열댓 번씩 구경해. 좀비 밭이야!"

"그런데 왜 우리 사옥 근처에서는 저런 게 안 보였을까요?"

"그, 그야! 커, 컨테이너로 도로를 막았고, 또 저 새끼들이 호, 혹할 만한 미끼를 주변에 깔아 놨으니 우리 쪽으로 오지를 않아서 그렇지!"

"미끼요? 그게 뭡니까?"

"저, 저, 저런 거야! 저기에 사람들을 잔뜩 모아 놔서 그, 그리로 먼저 간다고! 사, 사람 기척을 느끼는 건지······."

메이저가 가리킨 것은 철책과 군인들로 둘러쳐진 건물이었다. 철책 내부에는 진짜 사람들이 옹기종기 서 있었다. 살아 숨 쉬는 진짜 사람들! 그가 오늘 헬기에 올라탄 이래 처음으로 발견한 생존자들이었다.

Chapter 30 인간 사냥꾼

"군인들인데, 이렇게 비행하는 거 들켜도 됩니까?"

"크크크, 쟤들은 오, 오, 오히려 우리가 구조 활동을 돕는다고 알고 있어. 대기업이잖아. 사, 사람들을 어디로 데려가는지, 몇 명이나 데려가는지 신경도 안 써. 어련히 알아서 하겠지 하나 봐. 무, 무, 물론 가끔 또라이 같은 놈들은 꼬치꼬치 캐물어 귀찮게 하지만, 우, 우리 회사 겨, 겨, 경남 지사에 연락하면 그쪽에서 알아서 해결하니까. 경남 지사가 시, 시, 실탄 제작하는 곳이라 별들이랑 잘 알거든. 저 쉐, 쉘터라는 것도 정부가 운영하는 시설이지만, 부지 선정하고 제공하는 건 우, 우리 회사가 하고 무, 물품 공급도 협조하고 있지. 이, 이런 게 본사 건물을 빙 둘러서 몇 개나 있는 거야. 마, 말하자면 좀비더러 그리로 가라고 길을 터놓는 거라 해야 하나. 하여튼 약은 놈들이야. 안 그래? 하하하!"

"여기가 대체……."

"건대잖아. 저기 호, 호, 호수 보면 모르겠나?"

신 차장은 고개를 끄덕였다.

좋아, 저기까지만 어찌어찌 가면…….

지금 당장은 태양 그룹에서 어떤 만행이 저질러지는지 까맣게 모르고 있을 테니까 방관하지만, 시민들을 잡아다 좀비 밥으로 주고 있다는 게 밝혀지면 이야기는 완전히 달라질 것이다.

그리고 자신은 목숨을 걸고 그 사실을 알린 영웅이 될 수 있다. 희망을 본 것 같아 가슴이 콩닥거렸다. 헬기가 면목까지 이르렀을 때, 메이저가 파일럿에게 명령했다.

"도, 도, 도, 동부 간선 도로 따라서 아파트 밀집 지역으로 가 봐! 그쪽부터 훑기 시작하자!"

그의 말에 따라 두 대의 헬리콥터는 좌현으로 기수를 틀고 중랑천을 따라 올라가며 고도를 낮췄다. 얼마 지나지 않아 기묘한 게 시선을 붙잡았다.

"저, 저거! 사람 아닙니까? 천막인데요?"

신 차장이 가리킨 것은 길게 뻗은 선로 한가운데에 송전탑을 기둥 삼아 얼기

설기 묶여 있는, 다양한 색깔의 누더기 천막이었다.

헬기가 다가가자 천막 아래에서 호리호리한 사내놈 하나가 뛰어나와 웃옷을 벗어 휘저으며 펄쩍펄쩍 뛰었다. 그 바로 옆에서도 또 몇 놈이 열렬히 손을 흔들어 댔다.

"후후후, 거, 거지새끼들. 이런 데다 자리를 자, 자, 잡았네. 살아 보겠다고 누더기로 지, 지, 집 지은 꼴 좀 봐라. 하여간에······."

콧방귀를 뀐 메이저는 멈추지 말고 계속 가라는 신호를 보냈다.

"쟤들은 왜 안 태우십니까?"

신 차장이 묻자 메이저가 고개를 저었다.

"저, 저, 저거 안 보여? 송전탑이랑 전선이 저렇게 보, 복잡하고, 주변에 처, 철책도 있잖아. 몇 새끼 잡아 보려고 저런 데 접근했다가 바, 바, 밧줄이라도 얽히면 고, 골치 아파져. 위, 위험해."

흠, 명이 질긴 새끼들이군. 오늘 뒈질 팔자가 아니었나 보다.

신 차장은 아직도 열심히 팔을 흔들어 대는 댓 놈을 보면서 생각했다. 너희들 중에 여자가 몇이라도 끼어 있었다면 이 메이저라는 양아치가 장소 따위 개의치 않고 어떻게든 기를 써서 태웠을 텐데······.

"방송 켜!"

건물 밀집 지역으로 들어서서 두어 무리의 좀비 행렬을 지나친 다음, 헬기 외부에 장착된 스피커에서는 예의 그 구조 안내 방송이 커다랗게 울려 퍼지기 시작했다.

― 저희는 긴급 구조대입니다! 생존자 여러분께서는 지금 빨리 본인의 위치를 알려 주십시오! 오늘 이후 현 작전 지역에서 철수할 계획입니다! 서둘러 주십시오! 창밖으로 옷가지나 천을 내밀어 흔들어 주시거나 건물 옥상 등의 장소로 이동해 주십시오! 다시 한번 말씀드립니다! 저희는 긴급 구조대입니다!

"나, 나, 나온다! 나와! 하하하!"

크게 원을 그리며 천천히 두어 바퀴를 돌자 정말 반응이 있었다. 건물 창밖으로 하나둘씩 뻗어 나오는 가녀린 팔들을 보면서 메이저가 악마처럼 낄낄댔다.

새로운 장난감을 얻을지도 모른다는 기대 때문에 적잖이 흥분한 것 같다. 가장 먼저 타깃이 된 것은 대로를 끼고 선 5층짜리 건물이었다. 옥상에 열 명 정도가 모여 서 있고, 그중 여자가 반이다.

"사다리 내려!"

생존자들을 한쪽 구석으로 몰아세우고 메이저의 명령에 따라 줄사다리가 내려졌다. 신 차장은 당황스러웠다.

"차, 착륙하는 게 아닙니까?"

"흥, 저, 저런 허접한 건물엔 헬기 차, 차, 착륙 못 해. 애초에 서, 설계가 그렇게 돼 있지 않아."

이건 계획과 다르다. 그가 머릿속으로 그렸던 탈출은 옥상에 멈춰 서 있는 헬리콥터에서 눈치를 보다가 달아나는 것이었다. 이렇게 높은 곳에서 뛰어내리는 게 아니었다.

어쩌지? 신 차장의 마음이 복잡해졌다. 그러는 동안 메이저는 가장 먼저 사다리를 타고 내려가 건물 옥상 위로 점프를 했다. 대원 둘이 곧바로 그 뒤를 따랐다.

이제 조종사를 제외하면 헬기 안에는 신 차장과 마지막 대원 하나, 단둘만이 남았다. 게다가 놈은 옥상으로 내려간 대원들을 엄호하기 위해 아래쪽에 집중하고 있었다.

일전에 세 명이나 목숨을 잃은 적이 있어서 아무래도 더 신경이 쓰이는 모양이다. DEM을 강탈해 달아나려면 지금이 기회였다.

하지만 여기서 어떻게…….

신 차장은 열린 문틈으로 고개를 내밀어 자신이 탄 헬기와 옥상의 거리를 재보았다.

10여 미터. 까마득하다. 스무 살 때의 그였다면 어찌어찌 도전해 봄 직도 하지만, 지금은 어림도 없는 얘기다. 이러면 무리라고밖에는 할 수 없다.

두 번째 헬기는 고공을 선회 중이고, 운 좋게 DEM을 빼앗는 데 성공한다고 해도 줄사다리를 타고 기어 내려가는 동안 아래에서 베슬을 끌어당기고 있는 메이저가 그를 내버려 둘 리 없다.

이러다가 정말로 그냥 서울 구경만 하고 돌아가게 되면 안 되는데…….

신 차장은 땀을 줄줄 흘리며 사방으로 눈동자를 돌렸다. 그런데 그때, 정말로 예상치 못한 기회가 그에게 찾아왔다.

"소령님! 뒤!"

헬기 안에서 경계를 하던 대원이 화들짝 놀라 외치며 기관단총을 고쳐 쥐었다. 신 차장도 깜짝 놀라 아래로 시선을 돌렸다.

아래층과 이어진 계단 건물에서 한 무더기의 남자들이 한꺼번에 쏟아져 나왔다. 그리고 긴 둔기와 흉기를 휘두르며 메이저 일행의 뒤를 덮쳤다.

순식간에 일어난 일이고, 프로펠러 소리 때문에 경고도 묻혀서 베슬의 로프를 당기고 있던 대원들은 총을 잡을 틈조차 없었다.

등에 몽둥이찜질을 당한 대원 하나가 맥없이 쓰러지는 광경까지 보았을 때, 헬기가 약간 흔들리며 시야가 가려졌다.

"다시 돌려요! 아래 지원해야 돼!"

헬기에 탄 대원이 목이 찢어져라 외쳤다. 신 차장의 심장 박동도 빨라졌다. 다시 옥상의 광경이 눈에 들어왔을 때, 이미 기관총 지원사격은 어려운 지경이었다. 세 명의 대원을 포함해 열 명 이상의 남자들이 한데 뒤엉켜 육탄전을 벌이고 있었다.

"이, 이런 미친! 헌터 2! 헌터 2! 비상 상황! 지원 바란다!"

두 번째 헬기에 바쁘게 지원을 요청한 마지막 대원은 곧바로 사다리에 몸을 실었다. 한 명이라도 더 힘을 보태려는 것이다. 그리고 그 순간이 신 차장에게는 둘도 없는 찬스였다.

"이야앗!"

신 차장은 아래로 손을 뻗어 사다리에 몸을 걸친 대원의 멱살을 움켜잡고 흔들었다. 난데없이 위에서 공격을 받은 대원의 눈이 커졌다.

"뭐, 뭐야? 이 미친 새끼! 왜 갑자기!"

 신 차장의 손길을 뿌리치려고 대원이 주먹을 휘저을 때, 신 차장은 오른손으로 놈의 주머니에서 DEM 케이스를 잡아 보려 했다. 놈이 반사적으로 총 멜빵을 보호하려 했기 때문에 경계가 허술한 편이었다. 위치도 워낙 유리하다.

 하지만 신 차장은 어디까지나 머리를 써서 평생을 먹고살아 온 중년이고, 상대는 각종 무술 유단자 자격으로 이 직업을 얻은 청년이다.

 신 차장의 필사적인 시도는 대원의 완강한 저항 앞에 무력화되었고, 신 차장은 곧 중심을 잃었다.

 "으아아!"

 아래로 고꾸라지는 바로 그 순간에 신 차장은 대원의 방탄모 끈을 움켜잡을 수 있었고, 목이 뒤로 꺾인 대원은 비명을 내질렀다.

 뭐, 뭐야? 왜 이래, 대체!

 헬기 조종사는 갑작스럽게 몰아치는 여러 개의 돌발 상황에 도무지 정신을 차리지 못했다.

 "끄아아악, 끄으으~."

 그렇게 줄사다리에 매달린 채 꼭 달라붙어 발버둥을 치던 두 사람은 거의 동시에 아래로 떨어져 버렸다.

 콰직!

 두 발이 땅에 닿는 순간, 의식적으로 몸을 굴려 보기는 했지만, 이미 발목에서 소름이 끼치는 소리가 들렸다.

 "끄으으윽―!"

 신 차장은 비명을 지르며 겨우 일어섰다. 바깥으로 돌아간 발목뼈가 땅에 닿을 때마다 척추 끝까지 쩌릿쩌릿한 통증이 전해졌다.

 "하아아~ 하아아~."

 좌우를 돌아볼 여유도, 다시 대원에게 달려들어 DEM을 강탈할 만한 기운도 남아 있지 않았다.

제기랄, 신 차장은 이를 바득 갈며 절뚝대는 다리를 서둘러 움직였다.

목표로 삼은 것은 조금 전 사내들이 뛰어나왔던 옥상 문. 총알 세례가 날아오기 전에 저기로 달아나야 했다.

"이, 이, 이 정도면서 그, 그렇게 까분 거냐? 대, 대, 대체 왜 구조대를 고, 공격해?"

정신없이 치고받으며 어느새 습격자들을 거의 다 정리한 메이저가 쓰러진 부하들을 가리고 서며 남아 있는 네 놈을 향해 물었다.

앞쪽에서 계집애들이 정신을 홀리고, 그사이 뒤통수를 후리는 수법이었지만, 애초에 신체 능력의 격이 달랐다.

겨우 버티고 서 있는 네 놈의 눈동자에는 공포가 가득했다. 그렇게 여럿이 기습적인 다구리를 쳤는데 저놈 하나를 이기지 못하고 전력의 반 이상이 떨어져 나갔다. 총을 뽑은 것도 아니고, 오로지 육탄전이었는데도…….

"소령님! 소령님! 저, 저 새끼를! 끄으윽!"

뒤쪽에서 부르는 다급한 목소리에 메이저는 고개를 돌렸다. 헬기에 남아 있던 자신의 부하가 바닥을 뒹굴면서 고통을 호소하고, 신 차장이라는 놈은 절뚝거리며 문 쪽으로 달아나고 있었다. 뭔가 단단히 사달이 났다.

"뭐, 뭐야, 인마! 저, 정신 못 차리고!"

분노한 메이저가 부하에게 자초지종을 물으려는 그 몇 초가 옥상의 습격자들에게는 대단한 기회처럼 느껴졌다.

습격자들 중 리더 격인 청년이 기합 소리와 함께 긴 회칼을 내질렀다. 나머지 세 명도 곧바로 뒤이어 달려들었다. 그들의 시선은 이 검은 군복이 든 기관단총에 사로잡혀 있었다.

저 총들만 빼앗으면 왕이 부럽지 않아진다! 세상이 다 내 것이 된다!

"이 새끼들!"

공격의 낌새를 느낀 메이저는 몸을 틀어 칼날을 피하고, 맨 앞 회칼 든 놈의 옆구리를 걷어찼다. 그러고는 곧바로 옆구리에 차고 있던 MP5를 들어 올려 사정없이 총알을 갈겨 버렸다.

투투두두두둑—.

총알이 발사되는 소리와 거의 동시에 네 습격자의 몸통에서 피가 분수처럼 뿜어져 나왔다.

"인철아! 안 돼~! 인철아!"

뒤쪽에 물러나 있던 계집애 하나가 미친 듯이 울부짖으며 뛰어왔다. 계집애는 회칼의 시체에 얼굴을 묻고 통곡을 해 댔다.

메이저는 몸을 돌렸다. 이제 저 신 차장이라는 놈을 처리할 때다.

"소령님! 저, 저놈이 갑자기…… 으으으……."

척추가 나갔는지 아직도 몸을 일으키지 못한 대원이 고통스러운 표정으로 목소리를 쥐어짜 낸다. 신 차장은 이미 문 안으로 뛰어드는 중이었다.

이쯤 되면 이유고 뭐고 중요하지 않다.

감히 우리 애들을 건드려? 나를 바보 취급 했어?

메이저의 눈이 불타올랐다.

"야! 이 새끼야!"

MP5를 들고 쫓아간 메이저가 옥상 문을 확 열어젖혔을 때, 신 차장은 쿠당탕거리며 구르다시피 계단을 반쯤 내려가고 있었다.

"거, 거, 거기 서!"

메이저가 외쳤다. 쉽게 죽이고 싶은 마음은 없었다.

오늘 밤에는 계집애들 대신에 두들겨 줄 놈이 생겼군, 아주 천천히 비명을 즐겨 주마…….

메이저가 계단에 발을 내디디려는데, 날카로운 총성과 함께 철제문에서 불꽃이 튀었다.

이건 또 뭐야?

돌아보니 아까의 그 미친놈들 일행이 이쪽을 향해 기관단총을 난사하고 있었다. 쓰러진 대원에게서 빼앗은 것이다.

'바보 같은 놈들…… 총 한 자루를 못 지켜…….'
메이저는 끓어오르는 분을 삼키며 문 안에 몸을 숨겼다. 그러고는 순서대로 일을 처리했다.
투투투두둑—.
계단 아래를 향해 갈긴 총알이 돌을 부수는 소리를 내기도 전에 신 차장의 비명이 들려왔다.
"으아아아악! 으윽!"
그리고 쿠당탕, 하며 자빠지는 소리.
맞았군.
이걸로 저 쥐새끼 같은 배신자의 발은 묶어 두었다.
다음은……. 메이저는 문밖으로 고개를 살짝 내밀었다.
투투투툭— 투투투투두둑—.
상대는 난사를 하고 있지만, 정확도는 확연히 떨어졌다. 애초부터 훈련된 놈들이 아니니 당연했다. 그리고 마침내 놈이 가진 30발이 모두 떨어졌다. 메이저는 틈을 주지 않고 바로 뛰어나가서 어리바리한 얼굴로 빈총을 들고 있는 애송이의 머리통을 날려 버렸다.
뭐지, 이 미친놈들은?
메이저는 고개를 저었다. 오늘은 참 이해가 가지 않는 일들이 연속적으로 일어났다. 어쨌든 이유야 천천히 물어보면 되고, 저 미친, 회칼 든 놈의 여자로 보이는 년과 신 차장이라는 또라이를 모두 괴롭혀 주려면 저녁을 일찍 먹고 일을 시작해야겠다고 생각했다.
몽둥이찜질을 받고 쓰러졌던 대원들이 겨우 몸을 추슬러 척추를 다친 대원을 돌보고, 다시 총을 회수해서 억지력을 갖게 된 다음, 메이저는 계단 안으로 다시 들어섰다.
"야, 이, 이, 이 새끼야! 너 무지하게 우, 웃기는 놈이다?"
메아리쳐 돌아오는 목소리. 하지만 대답이 없다.

설마…….

당황한 메이저가 뛰어 내려가 봤을 때에는 이미 신 차장의 모습은 사라지고 없었다.

부러진 다리에 총알 세례까지 받고도 기어이 이 긴 계단을 굴러 달아난 것이다. 메이저는 복도에 난 창문을 통해 바깥을 내다봤다. 미로처럼 복잡한 뒷골목 사이로 핏자국이 길게 나 있었다.

무리해서 잡으려면 얼마든지 따라잡을 수 있겠지만, 저 정도 출혈이면 하루를 넘기기 어려울 것이다. 물론 그 살아 있는 동안 느낄 고통이란 것도 이루 말할 수 없이 지독할 터였다.

그러니 굳이 좀비들이 우글거리는 뒷골목으로 엄호 병력도 갖추지 않은 채 뛰어들 필요는 없다. 그게 논리적이다.

"후우~!"

옥상으로 돌아온 메이저는 한숨을 내쉬면서 분노를 삼켜 보려 했다. 그런데 잘 안 된다. 도무지 화가 가라앉지를 않는다.

에이, 씨발~.

성큼성큼 걸어간 메이저는 마스카라가 줄줄 흘러내릴 때까지 울고 있던 계집애의 머리통을 있는 힘껏 걷어찼다.

퍼억— 퍽! 퍽!

세 번 차고 나자 계집애는 더 이상 반응을 보이지 않았지만, 메이저의 발길질은 이후에도 열댓 번을 쉬지 않고 계속됐다.

03

검은 헬리콥터의 훙— 훙— 하는 프로펠러 소리를 듣자마자 제일 먼저 천막

밖으로 뛰어나가 웃통을 벗어 휘두르며 선로를 내달렸던 것은 삼식이였다.

"여기요! 여기요!"

삼식이가 고함을 지르는 동안 나머지 네 명도 그 뒤를 따랐다. 하지만 두 대의 헬기는 바람처럼, 정말 몇 초 만에 휙 하고 사라졌다. 크게 원을 그리며 선회하는 일도, 제자리에서 기다려 주는 일도 없었다.

바람을 가르는 소리만 남긴 채 그냥 높은 건물 숲 사이로 날아가 버린 것이다. 그러고는 다시 돌아오지 않았다.

삼식이는 헬기가 사라져 버린 서쪽 하늘을 향해 멍하니 서서 움직일 줄을 몰랐다. 허탈하기는 나머지 네 명도 마찬가지였다. 어찌나 악을 써 가며 여기라고 외쳤는지 머리는 어찔어찔하고 목에선 피가 나올 것같이 따끔거렸다.

가쁜 숨을 몰아쉬던 삼식이는 더 버티지 못하고 제자리에 벌렁 누워 버렸다.

"……가까웠어. 여기…… 바로 머리 위로 지나갔는데……."

유빈이 억울하다는 듯 중얼거렸다. 보안관도 퀭해진 얼굴로 고개를 끄덕였다. 살면서 그렇게 낮은 높이로 가까이 스쳐 날아가는 헬리콥터를 본 건 처음이었다. 그것도 두 대씩이나…….

그런데도 구조를 받지 못했다. 예전에 벌판에서 먼 하늘을 지나가는 헬기를 놓쳤을 때와는 사뭇 다른 기분이었다.

"하아…… 하아…… 저거, 저거에 타기만 했으면 바로 잠실행이었겠지?"

큰대자로 뻗은 삼식이가 믿을 수 없다는 표정으로 물었다. 웃옷을 벗은 그의 몸 이곳저곳에는 경순이가 만들었을 키스 마크가 립스틱 자국과 함께 붉게 번져 있었다.

화를 삭이지 못해서 씩씩거리던 신입이 욕설을 내뱉었다.

"뭐야, 저 개새끼들? 다 눈깔이 삔 거야? 응? 씨발, 그렇게 난리를 쳤는데 못 본 체 지나간다는 게 말이 돼? 씨발, 사람으로서 양심이라는 게 있어야지! 왜 구조를 안 해 주는 거냐고? 이 좆같은 군인 새끼들아!"

악을 빽빽 쓰는 신입의 눈에는 눈물까지 맺혔다.

"……그러게."

보안관이 고개를 끄덕였다. 어지간해서는 신입에게 동조해 주는 법이 없는 그였지만, 이번에는 한마음이 되었다. 이런 행운을 놓치다니…… 도무지 믿기지가 않았다.

저 헬리콥터가 잠시만 멈춰 서서 기다려 줬다면 안전한 쉘터로 갈 수 있었을 테고, 그러면 이렇게 매 순간을 마음 졸이며 살아가지 않아도 되는 건데…….

"우리가…… 하아…… 안 보였을까요?"

숨을 몰아쉬며 제니가 묻자 유빈은 손사래를 쳤다.

"그렇지는 않은 것 같아. 사람 구경하기가 얼마나 힘든 세상인데. 삼식이가 웃통을 벗고 뛰어가자마자 확 눈에 띄었을걸? 천막 쳐 놓은 것도 허름해서 더 특이해 보일 거고."

그렇게 말하면서 뒤를 돌아보니 천막은 까마득히 먼 곳에 있었다. 헬기만 쫓아 뛰다 보니 순식간에 꽤 멀리 온 것이다.

"그럼 대체 뭐죠? 왜?"

"구조 헬기가 아니었나 봐. 뭐, 다른 임무가 있어서 이동하는 중이었을지도 모르지."

"그럼 이따 돌아가는 길에라도 다시 들러 줄까요? 우리가 어디 있는지는 알잖아요."

"그러면 좋겠는데…… 근데……."

근데 확실히 이쪽을 통해 돌아가기는 하는 걸까? 우리 몇 사람 따위, 신경을 쓰기는 하는 걸까? 모르겠다…….

유빈은 반쯤 포기하고 자갈 위에 주저앉았다.

아쉬움을 버리지 못한 제니는 선로 주변을 맴맴 돌며 혹시 나타날지 모를 헬기를 찾아 넓고 푸른 하늘을 눈으로 좇았다.

개새끼들! 좆같은 새끼들!

신입은 아직도 계속해서 욕을 주워섬기는 중이었다. 몇 번씩 중복되는 것들도 있지만, 그래도 꽤나 풍부한 욕설 어휘를 자랑하고 있는 동안 아무도 그만 좀 하라는 말을 하지 않았다. 그들의 마음속에도 역시 적지 않은 분노와 좌절감이 타오르고 있었기 때문이다.

"이제 알았어, 뭐가 문제였는지."

한동안 멍하니 누워 있던 삼식이가 일어나 앉으며 중얼거렸다.

정말?

갑작스러운 삼식이의 말에 모두가 관심을 기울였다. 신입조차도 욕하던 것을 멈추고 귀를 쫑긋 세웠다.

"뭔데?"

"내가 웃통을 까면 안 되는 거였어. 아, 젠장. 그걸 왜 생각 못 했지? 간단한 거였는데."

"얘 뭐라는 거냐?"

보안관이 이마를 찡그리며 유빈에게 물었다. 그러자 삼식이가 답답하다는 듯 한숨을 쉬더니, 두 손으로 자신의 젖꼭지를 짚었다.

"모르겠어? 넌 이걸 보면 기분이 좋아?"

당연히 안 좋다. 게다가 경순이가 참 어지간히도 여기저기에 분홍색 립스틱을 묻혀 놓은 상태라서 더 그랬다. 하지만 그게 이것과 무슨 상관이란 말인가.

"아~ 차암! 아직도 못 알아들은 거야? 헬리콥터에 탄 군인 애들도 우리 또래 남자일 거잖아. 내가 웃통을 깔 게 아니라 제니가……."

"미친놈아!"

보안관이 등짝을 후려치는 바람에 삼식이는 말을 다 맺지 못했다. 하지만 삼식이는 자신의 가설이 어지간히 중요하다고 느낀 모양이었다.

"아니, 그렇게 화만 낼 게 아니고, 생각 좀 해 봐! 제니가 여기 있는 줄 알았으면 군인들이 그냥 지나갔겠냐. 아마 무슨 장애물이 있더라도 기를 쓰고 구조하러 왔을걸?"

"어떻게 알아보는데? 응? 저 멀리서 내려다보면 다 손가락만 하게 보일 텐데,

그 빠르게 스쳐 가는 동안에 '어! 저거 제니잖아!' 하고 알아본다고?"

"그러니까 일단 주목하게 하자는 거 아니야. 저렇게 꽁꽁 싸매고 있는 것보다는 속옷이라도 좀 보여 주······."

"그렇게 보여 주고 싶으면 경순인지 뭔지 하는 네 여자 친구 거나 실컷 보여 줘, 이 정신 나간 새끼야! 애먼 제니한테 이상한 소리 하지 말고!"

흥분한 탓인지 보안관과 삼식이는 서로의 얼굴에 침을 튕겨 가며 열변을 토했다. 그 유치한 말싸움을 진정시킨 건 제니였다.

"그만해요! 그만! 그까짓 게 뭐라고! 헬리콥터만 세워 준다면 까짓 속옷쯤 열 번이라도 보여 줄 수 있어요. 안 그래도 다음엔 그래 볼까 하고 생각도 하고 있었어요. 그러니까 애들처럼 싸우지 좀 마요."

"하지만······ 난 네가 그렇게까지 하는 게 싫단 말이야! 같이 있는 남자들 전부 한심해지는 일이라고."

보안관은 정말 그런 일이 일어나기라도 한 것처럼 슬픈 표정을 지어 보였다. 제니는 도리질을 하며 보안관의 손을 잡았다.

"저도 별로예요. 그런데 그게 오빠 손이 이렇게 되는 동안 아무것도 도와줄 수 없는 것보단 훨씬 나으니까요. 그리고 반대로 생각해 봐요. 오빠들은 제가 그렇게 하면서까지 돕고 싶을 만한 사람들이라고요. 절대로 망신이 아니에요. 오히려 자랑할 만한 일일걸요?"

제니가 차분한 목소리로 달래 주자 감동한 보안관의 눈동자가 흔들렸다.

지랄, 영화를 찍고 앉아 있네, 등신들.

신입은 모깃소리보다도 작은 목소리로 투덜거렸다.

유빈의 귀에는 들렸지만, 굳이 지적을 해서 또 다른 시비를 만들지는 않았다. 그런 걸로 허비하지 않아도 될 만큼 이미 충분히 많은 에너지를 소비했고, 진땀을 흘린 반나절이었다.

"다들 돌아가자. 일단 천막 쳐 놓은 데로 돌아가서 뭘 준비해도 해야 돼. 삼식이, 너도 그만 일어나서 옷 입어."

유빈은 삼식이의 팔을 잡아당겼다. 준비를 하고 기다려 봐야 한다. 혹시라도 돌아가는 헬기를 만나면 소리도 내고, 연기도 내고, 할 수 있는 건 다 해 봐야 한다고 생각했다.

차에서 기다리다가 클랙슨도 울리고, 깜빡이 켠 채로 달려 보고, 타이어에다가 불이라도 붙여 끌든가…… 뭐, 그런 것들.

그런 것들을 생각하고 있을 때, 흔들리는 바람 사이로 인위적인 확성기 소리가 희미하게 실려 왔다.

"들었어?"

유빈이 의심스러운 눈초리로 물었다. 삼식이와 보안관도 고개를 끄덕였다.

"이거, 확성기지? 그치?"

신입마저 욕설을 그치고 귀를 기울였다. 저음이 웅웅거리긴 하는데, 워낙 먼 거리에서 울리는 소리였기 때문에 정확한 내용은 들리지 않았다. 하지만 조금 전 지나쳐 날아갔던 헬기를 감안하고 생각해 보면 확성기를 통해 떠들어 댈 주체가 누구인지도 확실하고, 그 내용이라고는 하나밖에 없었다.

구조해 주겠다는 방송! 헬기는 아직 근처에 있다!

일행들의 얼굴에 다시 화색이 돌았다.

어디지? 어느 쪽이지?

온몸의 감각을 총동원해 보지만, 건물들에 가려진 채 메아리쳐 울려오는 소리의 방향을 찾아내기란 쉽지 않았다.

모두 자기도 모르게 두 눈을 꼭 감은 채 고개를 좌우로 틀어 댔다.

"이쪽이에요!"

제니가 천막과 반대편을 가리켰다.

"확실해?"

유빈이 물었다. 고개를 끄덕이는 제니의 조그만 얼굴은 확신으로 가득 차 있었다. 그 날씬한 턱이 두 번 위아래로 움직이는 것과 동시에 다섯 명은 일제히 제니가 가리킨 방향을 향해 달리기 시작했다.

04

유빈은 열심히 뛰어가면서도 아무것도 들고 있지 않은 두 손이 신경 쓰였다. 천막으로 돌아가 뭔가 무기를 챙겨 오고 싶었지만, 그렇게 허비할 시간이 없었다.

헬기의 방송이 끝나고 구조 작업이 마무리되기 전에 저곳까지 도착해 있어야 한다는 생각뿐이었다. 순식간에 방벽을 넘었고, 그 뒤에도 계속 뛰고 또 뛰었다.

다가닥다가닥, 열 개의 발이 자갈밭을 내달리는 소리가 시끄럽게 울렸다. 그러다가 가장 체력이 약한 녀석이 다리가 풀려 고꾸라졌다.

"캑! 커억……."

바닥에 나뒹굴며 얼굴이 쓸린 신입이 거친 숨을 토해 냈다. 나머지 넷은 힐끔 돌아보기만 하고 곧바로 다시 속도를 높여 뛰었다.

"기, 기다려! 나도 가, 같이……."

자기를 버리고 갈까 봐 두려워진 신입이 손을 들어 올리며 애원을 했다. 가장 앞서 달리던 삼식이가 큰 소리로 외쳐 주었다.

"걱정 마! 걱정 말고 따라오기나 해! 내가 먼저 가서 잡아 놓을 테니까!"

달리면서 간격을 줄일수록 확성기가 내는 소리의 방향도, 내용도 조금씩 더 분명해졌다. 이 지역에서 이뤄지는 마지막 구조라는 말이 들려왔다.

마지막!

그 말에 삼식이는 더 크고 넓게 보폭을 떼면서 전속력으로 달렸다. 그러고는 얼마 지나지 않아 선로에서 벗어나 방향을 바꿔 뛰어가야 할 상황에 부딪쳤다. 삼식이는 조금의 망설임도 없이 선로 난간을 기어 올라가 도로 쪽으로 몸을 넘겼다.

"야! 조심해! 밑에 잘 보고!"

뒤쫓아 달리던 유빈이 깜짝 놀라 외쳤다. 언제 좀비와 맞닥뜨릴지 모르는 선로 아래로 아무런 무기도 없이 뛰어내린다는 건 위험했다.

하지만 만류하지는 않았다. 아니, 만류할 수 없었다. 마지막 구조라는 저 방송을 들은 순간, 그들은 모두 목숨을 걸고서라도 달려가야 한다는 걸 공감했다. 이게 마지막 찬스다.

"조심해! 꽤 높아!"

제니가 난간을 기어오르자 먼저 선로 아래로 뛰어내린 삼식이가 일러 주었다. 뒤따라온 보안관이 제니의 다리를 잡아 올려 주었다. 난간 너머에서 지상까지는 3.5미터 정도. 제니는 주차되어 있는 자동차 지붕 위로 가볍게 뛰어내렸다.

이제 프로펠러 소리까지 들릴 만큼 가까워졌지만, 아직 헬기는 보이지 않는다. 전방의 시야를 가로막고 높이 솟아 있는 아파트 단지 때문이다.

"앞서가지 마! 나 기다려!"

보안관이 세 번째로 뛰어내리면서 급하게 외쳤다. 아파트는 무섭다. 일전에 산에 올랐을 때 본 다른 아파트의 모습이 기억에 생생했기 때문이다.

아파트를 둘러싸고 있던 수많은 좀비들, 그 안에 갇힌 사람들.

죽음이 마치 함정처럼 언제 어디서 튀어나올지 모른다. 게다가 여기는 처음 와 보는 동네. 하지만 확성기의 소리가 마음을 급하게 만들고 조심성을 사라지게 했다.

보안관이 자동차 지붕을 찌그러뜨리며 땅에 내려서기도 전에 삼식이와 제니는 아파트 단지 안으로 뛰어 들어갔다.

"아! 저놈들, 진짜!"

유빈과 보안관이 그 뒤를 따르며 혀를 찼다. 신입은 아직도 낑낑거리며 난간에 매달려 있다. 아파트 단지 내로 뛰어들자 검게 썩은 채 땅에 방치되어 있는 시체 토막들이 시야에 들어왔다.

잘린 팔다리와 몸뚱이, 머리가 으깨지거나 목 없이 쓰러진 시체들. 그 주변에는 식칼이나 망치, 찌그러진 알루미늄 배트 따위의 여러 가지 원시적인 무기들이 떨어져 있다.

단체로 탈출을 위한 전투라도 벌였던 것일까?

어쨌든 다들 어떻게든 살아 보려고 발버둥을 치다가 저렇게 되어 버린 것만은 확실하다. 불길한 기운이 아파트 단지 전체를 가득 채우고 있었다.

"으아!"

예기치 않던 장소에서 끔찍한 모습을 발견한 삼식이가 속도를 줄였다. 훼손된 시체들보다 더 소름 끼치는 것은 깨진 유리창 사이로 보이는 상가 안쪽의 풍경이었다.

벽 전체에 걸쳐 말라붙은 피가 가득한 상가 내부는 근 2주 전 일어났던 살육의 기록을 고스란히 전해 주었다. 제니 역시 입을 막고 충격을 가라앉히기 위해 숨을 골랐다.

"멈춰 서지 마! 여기가 제일 위험해 보여! 그리고 아무거라도 하나씩 무기가 될 만한 걸 집어!"

뒤따라온 보안관이 머리 없는 시체의 손에서 빠루를 빼앗아 집어 들며 삼식이의 등을 밀었다. 그들이 서 있는 곳은 여러 동의 아파트가 둘러싸고 있는 마당이다.

유빈도 알루미늄 배트를 잡기 위해 고개를 숙였다. 박혀 버리면 빼기가 힘든 날붙이보다 이런 둔기가 훨씬 쓸모가 있다.

"집기는 하는데, 웬만하면 이걸 쓰는 일은……"

'이걸 쓰는 일은 없었으면 좋겠다.'라는 말을 다 끝맺기도 전에 와장창! 하는 소리와 함께 숙인 머리 위로 그늘이 드리워지는 게 느껴졌다.

깜짝 놀란 유빈이 고개를 드는 것과 거의 동시에 제니의 비명이 터져 나오고, 쏟아져 내린 유리 조각이 콘크리트 바닥을 때렸다.

그리고 그보다 훨씬 더 둔중한 충돌음.

튕겨 오른 유리 조각이 유빈의 볼과 눈꺼풀을 스치면서 가는 핏줄기를 만들어 냈다.

익! 유빈은 이마를 찌푸리며 본능적으로 뒤로 물러났다.

"오빠!"

제니의 째지는 목소리!

유빈은 뒤쪽으로 고개를 돌렸다. 시야가 가려졌다는 현실이 안겨 주는 공포. 소름이 온몸에 돈다.

겨우 실눈을 뜨고 돌아보니 하반신이 작살난 좀비가 비틀거리며 일어나는 모습이 비친다. 살아 있는 사람을 보고 흥분한 좀비가 아파트 창문을 깨고 몸을 던진 것이다.

부러진 종아리뼈가 허벅지를 뚫고 튀어나와 있지만, 놈은 여전히 빠르게 움직인다. 그리고…… 가깝다. 틈을 주지 않고 이어지는, 쨍강! 쨍강! 유리가 깨지는 소리. 제2, 제3의 좀비가 베란다 유리창을 향해 돌진하면서 아래로 뛰어내린다.

"비켜!"

얼어붙어 있는 제니와 유빈을 밀치고 보안관이 빠루를 휘둘렀다.

빠각ㅡ.

네발로 기어오던 좀비의 턱뼈가 돌아가며 녹색 체액과 누런 이빨이 사방으로 튄다.

좀비의 팔꿈치가 무너진다. 보안관은 틈을 주지 않고 다시 한번 세차게 내려쳤다.

우둑!

좀비의 목뼈가 꺾이는 소리가 확성기 소리에 섞여 아파트 마당을 울렸다.

그롸아아아~!

또 다른 좀비의 울음소리!

위험하다!

하지만 유빈은 아직 한쪽 눈을 뜰 수가 없었다. 피가 들어간 눈은 따끔거리기만 하고 제대로 보이지 않는다. 미칠 노릇이다.

"이익!"

유빈은 알루미늄 배트를 힘껏 휘둘렀다. 거리 조절이 제대로 되지 않은 탓에 배트는 허공을 갈랐고, 덕분에 더 위험해지기만 했다.

그와아아—.

좀비가 포효하며 달려든다. 그 벌려진 아가리를 향해 유빈은 창으로 공격하듯 정면으로 배트를 찔러 넣었다. 그게 휘두르는 것보다는 나을 것이라고 생각했다.

빠악—.

배트 끝에 찔린 좀비의 고개가 뒤로 젖혀진다. 하지만 치명타는 아니었다.

씨발, 유빈은 욕설을 내뱉으며 다시 한번 배트를 휘둘렀다.

부웅—.

이번에도 짧았다.

"정신 차려! 왜 이래!"

벌써 두 마리를 해치운 보안관이 유빈을 대신해서 세 번째 좀비의 머리통을 박살 내 주며 빽! 소리를 친다.

하아~. 유빈은 계속 찢어진 눈두덩을 문지르며 어떻게든 눈을 떠 보려고 애를 썼다. 딱딱, 부딪치는 이의 떨림이 멈추지 않는다.

만약 이 좀비들이 위층에서 뛰어내린 게 아니었다면, 그래서 두 다리가 멀쩡한 채였다면 자신은 아마 살아남기 어려웠을 것이다.

그나마 뒤뚱거리는 녀석들이었기에 한쪽 눈이 감긴 채였어도 보안관의 도움이 올 때까지 어찌어찌 버틸 수 있었다.

"너! 눈이!"

그제야 유빈의 눈 주변이 피투성이인 걸 본 보안관이 놀랐다. 유빈은 손사래를 쳤다.

"아냐, 별거 아냐! 그냥 찢어진 거야! 피가 들어가서 그래."

호들갑을 떨 시간은 없다. 잠시 머뭇거리는 동안에도 아파트 고층에서는 좀비들이 그르렁대며 아래로 뛰어내리기 위해 유리창을 들이받고 있었다. 아무리 두 다리가 작살난 놈들이라고 해도 수가 쌓이면 답이 없어진다.

"어느 쪽이야? 어디로 가야 돼?"

기어오는 좀비의 대가리를 후려치며 삼식이가 묻는다. 아파트 벽에 튕겨 나오는 메아리 속에서 다들 방향감각을 잃었다. 당장 눈앞의 좀비들을 처리하는 것만으로도 뇌의 연산 능력은 한계에 도달해 있었다.

"저기! 저기, 헬리콥터다! 저기야!"

커다랗게 외친 신입이 아파트의 게이트를 통과해서 도로로 뛰어나갔다. 어느새 저기까지 도망가 있었는지 싶을 만큼 이럴 때는 재빠르기도 하다.

일행은 신입의 뒤를 따라 뛰었다.

와장창! 퍼억—.

등 뒤에서는 여전히 유리창을 깨고 뛰어내리는 좀비들의 소리가 시끄럽게 울린다.

고층에서 떨어진 놈들은 지면에 부딪쳐 대가리를 박살 내며 스스로 죽어 주기도 하지만, 그런 행운보다는 살아남아 네다리로 기어오는 놈들이 더 많았다.

피해야 한다. 부러진 팔다리로 기어서 따라오는 좀비들보다는 뛰는 게 빠르다.

"으아! 보인다! 여기요! 여기요!"

아파트의 그늘을 벗어나자 정말로 헬리콥터가 모습을 드러냈다. 저편 멀리, 그리 높지 않은 건물 위에 밧줄을 드리운 채 떠 있는 헬리콥터. 그리고 그 주변에 두 번째 헬리콥터가 날고 있다.

터질 것처럼 벅찬 심장에 다시 새로운 에너지가 주입되는 기분이다. 아드레날린이 솟는다. 도로를 건너다가 좀비의 대군을 만나면 어쩌지 하는 걱정 따위도 구조될 것이라는 희망 앞에서는 무의미해졌다.

보안관 일행은 아무것도 생각하지 않고 그저 일직선으로 헬기를 향해 죽어라 달렸다.

"씨발! 왜 이렇게 멀어!"

신입이 오만상을 찡그리며 욕을 한다. 괴롭기는 모두 마찬가지였다. 보이기에는 바로 코앞 같은데, 아무리 달려도 그 거리가 좀처럼 줄어들지를 않는 것 같다. 몇 개의 건물을 휙휙 지나쳤는지 모른다.

선로 위에서부터 시작해 여기까지 도대체 얼마를 뛰어온 걸까. 게다가 방금 전에는 목숨을 걸고 쇳덩이를 휘둘러서 좀비들의 대가리를 깨부숴 가면서. 그러는 동안 물 한 모금 마시지 못한 입술은 바짝 마르고, 폐는 타오르는 것처럼 뜨겁다.

그래도 다들 이를 악물고 열심히 한 발짝씩을 내달렸다. 포기하기에는 너무 아까운 기회니까……. 헬기의 프로펠러 소리가 응원가처럼 울린다.

"다 왔어!"

그 멀고 지루했던 여정이 끝났다. 헬기가 떠 있는 건물이 바로 두 블록 너머라는 걸 눈으로 확인했을 때에는 모두의 입에서 환호성이 터져 나왔다.

삼식이가 제니를 돌아봤다. 고개를 끄덕인 제니는 달리는 속도를 유지하면서 자신의 후드 티를 등 뒤에서부터 잡아당겨 벗었다. 눈부시게 하얀 그녀의 등과 브래지어가 드러났다.

보안관이 만류할 틈도 없었다. 건물 그늘을 벗어난 제니는 도로에 멈춰 서 있는 자동차를 향해 뛰어올랐다. 그러고는 그 위에서 카우보이처럼 멋지게 웃옷을 휭휭 돌릴 참이었다.

언제 다시 휘잉— 하고 사라져 버릴지 모르는 헬리콥터를 잡아 놓기 위해 이 정도는 정말 아무것도 아니다.

구조하는 사람에게도, 구조되는 사람에게도 최고인 하루를 만들어 주겠어!

제니의 얼굴에 승리했다는 기쁨이 가득 번진다. 원치 않던 일이지만, 보안관이 보기에도 그럴듯한 장면이었다. 아름다웠다.

그 순간!

타앙— 투투투둑— 투둑—! 투투투!

날카로운 총소리!

그 총소리는 주변의 모든 소음을 순식간에 갈라 놓을 만큼 크고 선명하게 울렸다. 제니는 자기도 모르게 허리를 숙이고 머리를 두 팔로 감쌌다.

그리고 뒤이어 사람들의 비명 소리가 헬기가 떠 있는 건물로부터 들려왔다.

째지는 여자의 울음소리!

뭔가 잘못됐다. 제니의 눈에 공포가 번진다.

티잉! 팅!

어딘가의 쇠에 유탄이 맞으며 고막을 날카롭게 자극한다.

퍼엉—.

또 다른 유탄이 10여 미터 떨어진 SUV의 타이어를 터뜨려 버렸다.

"내려와!"

제니를 덥석 안아 자동차 아래로 끌어 내린 보안관이 그녀를 몸으로 감쌌다.

투투투투둑— 투투투두—.

또다시 이어진 총소리.

다섯 명은 건물 벽에 몸을 바짝 붙이고 자세를 낮췄다.

"괜찮아? 다치지 않았지?"

보안관이 제니의 머리와 어깨, 그리고 온몸을 빠르게 훑으며 물었다. 제니는 입술을 파르르 떨면서 고개를 끄덕였다. 피가 묻어 나오지 않는 걸 확인한 보안관은 제니의 후드 티를 다시 푹 덮어씌워 주었다.

"……뭐예요, 이거? 왜 총을?"

핏기가 가신 얼굴로 소매에 팔을 끼워 넣던 제니가 물었다. 보안관이라고 알 수 있는 일이 아니었다. 유빈도, 삼식이도 마찬가지다. 그저 부족한 정보를 가지고 추리를 할 뿐이다.

"좀빈가? 사람들 구조하려는데 좀비가 쫓아 올라온 건가?"

"몰라. 하지만 그거 꽤 그럴듯한 이야기네."

빌딩 벽에 등을 바짝 붙인 채 고개만 살짝 내밀어 건너편 건물 옥상과 헬리콥터를 살피던 보안관이 동의했다.

"하아— 하아— 이런 데 숨어 있을 게 아니라 우리도 빨리 저 건물 안으로 들어가자. 그래야 구조를 받지. 저러다가 그냥 가 버린다고, 이 새끼들아."

신입이 안타까운 표정으로 중얼거렸지만, 총알이 쏟아지는 거리로 선뜻 발을 내딛지는 못했다. 틈을 얻은 유빈은 목덜미에 흐르는 땀으로 눈 주변의 피를 씻어 내 보려 애를 썼다.

투투투— 투투투—.

끊어질 만하면 한 번씩 총성은 계속 이어지고, 총알이 뭔가를 때리는 소리도 함께 들려왔다. 만약 저들이 쏴 대고 있는 게 좀비라면 한두 마리가 아니라는 의미였다.

쨍강!

또다시 유탄이 날아와 건너편 건물 2층의 유리창을 박살 냈다. 이제야 겨우 두 눈을 뜬 유빈이 보안관을 잡아당겼다.

"만약 그런 거면 여기 있으면 안 돼. 언제 좀비들이 저 건물에서 튀어나올지 모른다는 이야기니까. 좀 더 안전한 곳을 찾자. 총알도 무섭고."

처음 와 보는 동네에서 안전한 곳이 어딘지 알 수 있을 턱이 없지만, 아무 데라도 몸을 숨기는 것이 멍하니 서 있다가 눈먼 총알에 배가 뚫리거나 좀비들을 맞닥뜨리는 것보다는 낫다.

좀비 소굴로 뛰어드는 것만 아니면 된다. 게다가 아까 아파트에서 뛰어내렸던, 팔다리 부러진 좀비들도 여전히 신경이 쓰였다. 만약 놈들이 계속 뒤를 쫓고 있다면 슬슬 도착할 때가 되어 간다.

"저기로 가자!"

옆 건물 2층 유리 전체에 걸쳐 임대 문의 플래카드가 걸려 있는 걸 발견한 유빈이 일행들에게 외쳤다. 별다른 이유는 없었다. 비어 있었을 건물이니까 그만큼 내부에 좀비가 숨어 있을 가능성도 적어 보였을 뿐이다.

헬기가 떠 있는 건물과도 가까워서 총소리가 그치자마자 옥상으로 올라가 구조 요청을 한다면 쉽게 눈에 띌 이점도 있다.

"따라와!"

빠루를 든 보안관이 앞장서서 달렸고, 네 명이 그 뒤를 따랐다. 2층으로 통하는 계단 문에는 바깥에서 자물쇠가 채워진 상태였다.

좋은 소식이다. 최소한 좀비들이 마음껏 들락거리지는 않았다는 의미였으므로. 보안관은 빠루를 휘둘러 자물쇠를 박살 내고 문을 당겼다. 그러고는 쿵쾅거리며 계단을 뛰어올랐다.

환한 대낮인데도 빛이 들지 않아 실내는 어둑어둑했다. 보안관이 무기를 높이 들고 대기하는 동안, 유빈이 2층 출입문을 확 잡아당겼다. 부유하는 먼지가 빛과 함께 복도로 쏟아진다.

"정말 텅텅 비었네."

쓰레기봉투와 종잇조각 몇 개가 전부인 건물 내부를 보면서 삼식이가 가볍게 탄식했다. 화려한 인테리어를 기대한 건 아니지만, 적어도 공사하는 사람들이 마시다 남긴 생수병 정도는 있을지 모른다는 생각은 조금 했었다.

"그 건물이 어느 쪽이지?"

유빈이 창가로 다가가 창문 틈으로 얼굴을 댔다.

투투툭— 투둑—.

또다시 들려오는 총소리, 그리고 비명.

뭔가 이상했다. 비명이 먼저 울리고 총소리가 난다면 그건 말이 된다. 좀비가 가까이 오자 그걸 보고 놀란 사람들이 비명을 지르고, 군인들이 그 좀비에게 총격을 가한 거니까. 하지만 지금은 그와 반대로 총성이 울린 다음 비명을 지르고 있었다. 일관되게…….

이래서야 꼭 사람들을 학살하는 것처럼 들리지 않는가. 유빈은 자신이 느낀 이 위화감을 납득하기 위해 계속 머리를 굴렸다.

"여기 있지 말고 옥상으로 올라가야 하는 거 아니야? 우리가 있다는 걸 알려야지! 이러다가 좀비 다 죽이고 그냥 휭 날아가면 안 되잖아? 그냥 괜히 개고생만 한 거라고!"

방방 뛰는 신입을 유빈이 진정시켰다.
"가만히 있어. 그리고 좀 조용히 해!"
신입이 굳이 목소리를 더해 주지 않아도 이미 주변은 소음으로 가득했다. 지난 며칠 동안 자신들이 내는 소리 외에는 거의 듣지 못했던 그들로서는 정신이 아득할 정도의 프로펠러 소리, 총소리, 그리고 비명 소리……. 혼이 빠져나가는 것만 같다.
뚝. 그러다 갑자기 총소리가 사라졌다. 건물 벽에 메아리쳐서 울리던 소리까지도. 좀비든, 군인이든 적어도 둘 중 하나는 모두 사라졌다는 의미였다.
유빈은 창문에 눈을 바짝 붙인 채 귀를 쫑긋 세웠다. 이제부터가 중요하다. 뭔가 이상하지 않아야 한다. 논리적으로 납득할 수 있어야 한다.
"끄아아—!"
옥상에서 또다시 끔찍한 비명이 들려왔다. 하지만 헬기는 여전히 유유히 떠 있다.
이게 대체 무슨…….
유빈이 고민하고 있을 때, 삼식이가 그의 팔을 당겼다.

05

"유빈아, 저기 저거! 저 사람!"
삼식이가 가리킨 곳은 헬기가 떠 있는 건물의 1층 비상구였다. 그걸 열고 기어 나온 사람은 피투성이 중년 사내였다. 옆구리와 다리가 검붉은 피로 완전히 흠뻑 젖었다. 울컥울컥, 중년 사내가 발을 뗄 때마다 상처에서는 피가 솟아 나왔다.
"으으윽~ 크윽~!"
중년 사내는 피로 발자국을 만들면서 필사적으로 기었다. 그러나 힘이 부쳐서인지 그리 멀리 가지는 못했다. 코너를 돈 사내는 크게 한숨을 몰아쉬더니, 정차되어 있는 중형차 바닥 아래로 굴러 몸을 숨겼다.

"어머! 저 사람, 어떡해요? 어우, 저 피."

제니가 어깨를 떨며 물었다. 유빈은 입을 꾹 다물었다. 솔직히 말해서 도와줘야겠다는 생각 따위는 들지 않았다. 저 남자는 지금 쫓기는 중이고, 그를 쫓는 게 좀비인지, 사람인지조차도 아직 파악되지 않는다.

생판 처음 보는 사람을 돕겠다고 위험을 감수할 수는 없다. 그리고 저만한 부상을 치료해 줄 기술도, 장비도 없다.

그런 것들보다는 혼란스러움과 두려움이 더 컸다.

도대체 왜 저 남자는 저렇게 큰 상처를 입은 채 군인들이 구조를 진행하고 있는 건물로부터 달아나는 것일까? 도대체 저 건물에서 무슨 일이 벌어지고 있는 것일까? 군인들이 결국엔 좀비들에게 패배했단 말인가?

하지만 그렇다고 하기에는 두 대의 헬기가 너무 여유롭게 위치를 고수하고 있었다. 아무래도 납득이 되지 않는 것투성이다.

"ㅎㅇㅇㅇ~ ㄲㅇㅇㅇ~."

차 밑으로 기어 들어간 사내의 숨넘어가는 소리는 신기하게도 헬기 프로펠러가 내는 커다란 소음을 뚫고 보안관 일행의 귀에까지 닿았다.

유리를 긁는 것 같은 사내의 신음이 들어 주기 괴로웠다. 어쩌면 고막이 아니라 양심을 울리는 소리인지도 모르겠다. 이러지도 저러지도 못하는 사이에 시간이 흘렀다.

"아악! 아아악!"

자동차 아래의 사내가 조용해지는가 싶더니, 옥상에서는 또 다른 비명이 들렸다. 대체 몇 명이 소리를 지르는 건지, 이제 다 헤아리기도 어려울 지경이다.

그리고 얼마의 시간이 흘러 더 이상 비명이 들려오지 않는구나 하는 생각이 들 무렵, 건물 옥상의 헬기는 고도를 높이면서 떠나 버렸다. 헬기 아래에 매달린 구조용 그물은 거의 텅텅 비어 있었다. 두 대가 전부.

그 광경을 지켜보고 있노라니 머릿속이 하얗게 지워지는 느낌이었다.

쟤들은 왜 또 그냥 가 버리는 거지? 마지막 구조라면서? 아무도 구하지 않았잖아? 그저 총질만 계속했잖아?

유빈은 자신이 보고 있는 걸 믿을 수가 없었다. 도대체 여기까지 목숨을 걸고 달려왔던 이유가 다 뭐란 말인가.

"젠장, 또 가 버렸어. 미치겠다."

삼식이도 한숨을 쉬었다. 제니는 멍해진 표정으로 물었다.

"또 뒤를 따라가요?"

아니. 유빈은 고개를 저었다. 이만큼이나 멀리 오는 것만 해도 이미 충분히 위험을 감수했다. 더 이상 무모하게 헬기만 쫓아 달리다간 결국 좀비 떼와 만나게 될 것이다. 게다가 헬기가 또 멈춰 서 준다는 보장도 없었다.

"씨발, 공연히 힘만 뺐네. 개새끼들, 존나 야속하게…… 좀 도와주지. 씨발."

분한 마음을 삭이기 위해 머리카락을 쥐어뜯던 신입이 헬기가 사라져 간 하늘을 흘겨보았다. 희망찬 달리기는 이제 끝났다. 허술한 천막이 기다리는 선로로 돌아갈 시간이었다.

"저 아저씨는 죽은 것 같지?"

자동차 아래의 사내를 가리키며 보안관이 물었다. 삼식이는 풀죽은 얼굴로 고개를 끄덕였다. 아까부터 그는 더 이상 신음 소리를 내지 않았다.

"돌아가자. 기회가 또 있을 거야. 그러니까 그렇게 축 처져 있을 필요 없어."

얼굴의 땀과 먼지를 훔어 낸 후, 보안관은 제니를 잡아 일으켰다. 다들 천 근처럼 무거워진 다리를 끌고 터벅터벅 계단을 내려왔다.

"끄으으~ 끄으으~."

바로 그때, 죽었다고만 생각했던 사내가 앓는 소리를 내는 바람에 모두 깜짝 놀랐다. 서로 눈빛을 마주친 유빈과 보안관은 천천히 사내가 몸을 숨긴 자동차를 향해 다가갔다.

"끄으으~ 물, 물 좀…… 제발."

유빈의 발소리를 들은 사내는 밖으로 손을 뻗어 물을 청했다. 덜덜 떨리는 손에도 피가 잔뜩 묻어 있다. 물린 건지, 아닌지는 모르겠지만, 출혈량 하나만 봐도 회생하기는 이미 글렀다. 유빈은 자세를 낮춰 자동차 아래 사내의 안색을 살폈다.

푸르다 못해 회색에 가까운 납빛이었다. 아직도 숨이 붙어 말을 한다는 게 용할 지경이다. 자동차 아래의 바닥에는 피가 흥건하게 고여 있었다.

그걸 보면서도 그리 두렵지 않다는 걸 깨달은 유빈은 한숨을 쉬었다. 다른 이의 죽음을 보는 일이 점점 무덤덤해지는 것 같아 그게 더 무서웠다.

"아저씨, 왜 그렇게 다쳤어요? 대체 무슨 일이 있던 거예요? 군인들은 또 왜 그냥 가 버린 거고요?"

"구, 군인 같은 소리 하네. 으으~ 물…… 물…… 물 좀. 그리고 후우…… 담배도…… 제발…… 으으윽……."

사내는 다시 한번 애걸했다. 질문에 답해 줄 마음 같은 건 없어 보였다. 유빈은 주변을 돌아봤다. 하필이면 편의점도, 가게도 눈에 띄지 않는다. 죽기 직전인 사내의 마지막 소원을 들어주려면 위험을 무릅쓰고 인근을 돌며 물을 찾아야 할 판이었다.

"물은 우리도 없어요. 미안해요."

그렇게 말한 유빈은 사내의 눈빛을 애써 외면하며 몸을 일으켰다. 이런 상황에서 생판 모르는 사람이 좀 더 편하게 죽게 해 주려고 목숨을 걸기는 싫다.

그런데 갑자기 그런 생각이 들었다, 여기서 그냥 가 버린다면 조금 전 자신들과 이 사내를 버려 두고 날아가 버린 군인들과 하나도 다를 바 없는 인간이 된다는 생각이.

"후우~."

유빈은 한숨을 쉬었다.

후우~. 보안관도 한숨을 쉬었다. 죽마고우는 아마 비슷한 고민을 하고 있는 모양이었다.

"알았어요, 물 구해 올게요. 죽지 말고 기다리고 있어야 돼요."

보안관은 허리를 숙여 자동차 아래의 사내에게 약속을 하고 돌아섰다.

"계속 물을 달래. 구해다 주기로 했거든. 돌아올 때까지 계속 보고 있어. 한눈팔지 말고, 너무 가까이 가지도 말고."

일행에게 돌아간 보안관은 삼식이와 제니에게 신신당부를 했다. 삼식이가 왜 감시까지 해야 하는지 이해할 수 없다는 표정을 짓자 보안관이 한마디를 덧붙였다.

"물렸는지 안 물렸는지 모르니까 그렇지, 인마."

주변의 가게들은 정말 깨끗하게 털린 상태였다. 먹을 것이라고는 눈을 씻고 찾아보려 해도 남아 있지 않았다. 정수기에 걸려 있어야 할 생수통은 모두 자취를 감췄고, 음료수 빈 병들만 굴러다녔다.

구멍가게에조차 마실 것이 남아 있지 않은 걸 보면 이 부근에 살던, 꽤 큰 규모의 사람들이 알뜰하게도 탈탈 털어먹은 것 같다.

"젠장, 차라리 선로로 돌아가서 물을 가져오는 게 더 빠르겠다. 이러는 동안 그 아저씨 죽으면 우리가 거짓말했다고 생각할 것 아냐."

미용실 내부를 뒤지다가 텅 빈 냉장고 안을 확인한 보안관이 혀를 찼다. 유빈도 인상을 찌푸리며 다음 가게로 이동하려 했다. 그러다가 거울을 통해 비친 분무기를 발견했다. 물이 차 있었다.

콩, 콩, 유빈은 분무기 뚜껑을 돌려 냄새를 맡아 봤다. 무취. 이번엔 살짝 입술에 대 봤다. 얼마나 오래되었는지는 몰라도 일단은 아무것도 섞지 않은 물이다. 그들 역시 목이 바짝바짝 말랐지만, 유빈은 분무기 뚜껑을 다시 돌려 닫고 죽어가는 사내를 위해 그것을 온전히 주기로 했다.

다시 돌아왔을 때, 삼식이와 제니는 사내가 숨은 자동차 가까이 다가가 있었다.

"너희들, 진짜! 너무 가까이 다가가지 말라니까!"

보안관이 둘을 잡아당겼다. 제니는 진정하라는 손짓을 하며 상황을 설명한다.

"삼식이 오빠한테 답답하다고, 자꾸 밖으로 좀 꺼내 달라고 해서 그랬어요. 불쌍하잖아요. 이렇게 피를 흘리는데 혼자 있으면 무서울 거니까."

유빈은 안색을 살펴 사내가 아직 사람인 걸 확인하고는 그의 손을 잡아 상체를 차 밖으로 끄집어냈다.

으으윽~!

상처가 당겨졌는지 비명을 지르면서도 사내는 햇살 아래 얼굴을 내놓기를 원했다. 유빈은 분무기 뚜껑을 열어 사내의 손에 쥐여 주었다.

"물! 으! 흐으~."

분무기를 건네받은 사내는 쩍쩍 갈라진 입술을 대고 미친 듯이 들이켠다. 그러다가 기침을 하고 캑캑대느라 절반가량은 흘렸지만, 그래도 소원하던 물을 마시고 나니 사내의 숨소리는 한결 안정적으로 바뀌었다.

끄으으~ 길게 신음을 토해 낸 사내는 몸을 뒤척이며 중얼거리기 시작했다.

"그…… 내, 내가 이걸 주지. 흐으~ 큭큭, 우습구만. 젠장, 이게 내 말년 보험이었는데 이걸 물 한 잔에 팔다니……. 너희들, 나한테 100억짜리 물 준 거야. 끄으으~ 그러니까 담배도 한 대 좀 줘. 큭큭큭, 신기하네. 그 난리를 쳤는데도 이건 멀쩡하다니."

거창한 소리와 함께 사내가 주머니에서 꺼내 내민 것은 스마트폰이었다. 어처구니가 없지만 죽어 가는 사람이라 정신이 오락가락하는 거라고 생각했다.

유빈이 선뜻 손을 내밀지 않자 사내는 다시 한번 스마트폰을 흔들며 힘들게 말했다.

"흐흐흐~ 돼지 목에 진주라더니, 고마운 것도 모르는군. 하아~ 하아~ 그래도 뒈져 가는 나한테보다야 쓸모가 있을 테지. 받아 둬. 그리고 똑똑히 봐라. 대태양 그룹에서 무슨 일이 벌어지고 있는지. 큭큭큭, 그래도 내가 작은 회장, 그 악마 같은 새끼보다는 오래 살았군그래. 끄으으~."

"작은 회장이요? 태양 그룹? 그 사람 죽었어요?"

제니가 갑자기 끼어들어 물었다.

끄윽~ 사내는 신음을 하는 건지, 웃는 건지 모를 이상한 소리를 내며 놀란다.
"크, 크크, 놀랐구만. 이런 미인이 이런 데 있었나? 죽기 전에 그래도 좋은 걸 보고 눈을 감는 건가. 후우~ 메이저, 개새끼. 이걸 알았으면 무슨 수를 써서라도 너희들을 헬기에 태웠을 텐데. 그래서 제 방에 가둬 놓고······."
"아저씨, 대답해 주세요! 작은 회장 죽었어요? 확실해요?"
제니는 사내의 말을 끊고 다그쳤다. 사내는 힘겹게 고개를 끄덕였다.
"죽은 것보다 더 좆같은 꼴이지. 아가씨, 작은 회장에 관심이 많구만? 잘됐어. 이 핸드폰, 거기에 들어 있는 영상을 봐. 그럼 그 악마 새끼가 어떻게 됐는지 알게 될 테니까······ 끄으으, 그러니까 담배 좀 줘. 거기 너! 담배 있다면서? 제발!"
"담배 피우면 안 돼요, 아저씨. 우리까지 위험해져."
"크크크, 위험? 끄으으~ 진짜 위험한 걸······ 알려 줄까? 후우~ 후우~ 조금 전에 떠난 까만 헬기 봤지? 그게······ 제일 위험해. 그러니까 혹시라도 멀리서 그게 날아오는 걸 보면······ 끄으~ 무조건 피해. 후우, 후우, 그거에 타는 순간, 뒈지는 거니까. 그것도 정말 괴롭고 더럽게······."
"뭔 소리야, 아저씨? 그 사람들 군인이잖아. 군인들이 구조한다는 방송을 우리도 듣고 왔어. 총알이 날아다니는 바람에 피해 있느라 구조받지는 못했지만."
보안관은 말 같지 않다는 표정으로 대꾸를 했다. 소원하던 물 한 잔을 줬으니 이제 슬슬 떠나야겠다 싶어진다. 광인의 임종을 지키기 위해 여기 서 있는 건 너무 많은 위험부담을 떠안는 일이다. 하지만 발이 떨어지지 않았다.
"걔들, 군인이 아니야. 후우~ 후우~ 태양 그룹의 개들이지. 그러니까 끌려가면 너희는 백신 만드는 실험에 산 채로 쓰인다고······. 야, 그런 것보다 담배 좀 줘, 응? 이렇게 빈다. 죽기 전에 한 대 피우자. 오래 살아 보겠다고 몇 년 동안 참았었는데, 후우우~."
"아저씨, 이거 락이 걸려 있어요."
핸드폰을 받아 부팅되기를 기다리던 제니가 다시 사내에게 다가와 물었다.
"제니야! 너 왜 그래? 위험하다니까!"

보안관이 만류했지만, 제니는 그걸 뿌리치고 다시 사내에게 다가가 잠금 해제 패턴을 물었다. 지금까지 그녀와 함께 지내면서 한 번도 보지 못한 고집스러운 모습이었다. 사내는 무표정하게 중얼거렸다.

"……담배."

"네, 네! 여기 있어요. 그러니까 락 풀어 주세요. 패턴이 뭐예요?"

제니는 삼식이의 손에서 담배를 빼앗아 사내에게 쥐어 줬다. 담배를 물고 만족한 웃음을 지은 사내는 허공에 패턴을 그려 보여 줬다.

핸드폰이 잠금 해제되는 걸 확인한 제니는 부들거리기만 하고 좀처럼 라이터를 켜지 못하는 사내를 도와 불을 붙여 주었다.

후우우~ 캑! 캑!

기분 좋게 연기를 빨아들이는가 싶던 사내는 곧바로 기침을 하며 몸서리를 쳤다.

"크크크, 이것도 끄으~ 내 뜻대로…… 안 되는군. 하아아~ 쿨럭! 쿨럭! 너무 오랜만에 피워서 그런……가. 큭큭큭."

그렇게 말하면서도 사내는 부지런히 담배를 빨아들이고, 또 기침을 했다. 보안관은 가볍게 고개를 저으며 한숨을 쉬었다.

"아저씨, 담배 연기가 나면 좀비들이 오니까 우린 여기 더 못 있어요. 그러니까 야속하게 생각하지 마요."

"담배가 좀비를 부른다고? 처음 들어 보는구만. 큭큭큭, 그게 사실이면…… 씨발, 우리는 대체 뭘 연구했던 거야? 쿨럭! 쿨럭! 야속? 아니야, 고마워. 끄으으~ 정말이야. 이 태양 그룹 신 차장이 그동안 한 짓을…… 끄으~ 만약 너희가 안 다면 아마 침이나 뱉고 가 버렸겠지. 법을 무시하고 그 위에서 산다는 거…… 좋더구만. 근데, 후우~ 나도…… 후우~ 어느 순간부터는…… 정말 무서웠어. 끄으으~ 그리고 뭐가 뭔지 모를 지경이 돼 버려서……."

보도에 비스듬히 누운 사내는 눈을 가늘게 뜨고 해를 올려다보았다. 뭐라고 몇 마디 더 중얼거렸지만, 이미 알아들을 수 없을 만큼 목소리는 작아졌고, 물고 있던 담배도 바닥에 떨어뜨릴 만큼 기력이 다했다. 담배를 주워 다시 물려 주려던 삼식이가 말했다.

"……죽었어. 이대로 두고 가?"

유빈은 고개를 끄덕였다. 죽은 사람 챙겨 주기 위해 더 시간을 보내며 위험을 감수할 이유는 없었다. 모르는 사람이고, 조금 전 아파트 마당에서 보았던 수많은 시체들보다 더 각별하지도 않다.

"서두르자. 젠장, 이게 무슨 꼴이야?"

보안관은 진절머리 난다는 표정으로 한숨을 내쉬었다. 그럴 때까지도 제니는 사내가 전해 준 핸드폰에 꽂혀 정신없이 동영상을 보고 있었다. 워낙 많은 동영상들이 내장되어 있어서 사내가 말했던 문제의 동영상을 찾기가 어려웠다.

"제니야!"

보안관이 언성을 높이며 제니의 팔을 낚아챘다. 제니는 깜짝 놀라 보안관을 올려다봤다.

"너 왜 이래? 가자고 했잖아? 그까짓 새끼가 뭐라고 이러는데?"

보안관은 제니의 손에서 핸드폰을 빼앗아 위로 치켜들었다. 태양 그룹 작은 회장이라는 이름이 나온 이후 제니의 행동이 이상했다. 다정하고 상냥하던 평소의 그녀가 아니었다. 너무 흥분해 있다.

'그 사람 죽었어요?'라고 제니가 다급하게 묻던 것이 떠오른 보안관은 핸드폰을 집어 던지고 싶어졌다.

그래, 상류층이라 이거지? 너도 톱! 그 새끼도 톱! 톱끼리 애인이었냐? 아무리 그래도 그렇지, 그 새끼 이야기를 듣자마자 내 말을 콧등으로도 안 들어?

질투가 불처럼 일어났다.

"이까짓 거!"

보안관이 핸드폰을 던질 기미를 눈치챈 제니는 필사적으로 매달렸다.

"줘요, 오빠! 제발! 저 그거 봐야 돼요! 제발!"

"왜! 왜 봐야 돼? 응? 너랑 무슨 사이인데? 사랑하던 사이? 그런 거야?"

제니는 입을 굳게 다물었다. 분한지 그녀의 눈에는 눈물까지 맺혔다. 그녀를 울게 만들었다는 것 때문에 보안관은 더 화가 났다. 피가 거꾸로 솟구치는 것 같다.

뭐 이렇게 재수 없는 날이 다 있단 말인가. 태권 소녀, 그 꼴 보기 싫은 년에게서 놀림이나 당하고, 구조 헬기는 바로 머리 위에서 그냥 지나쳐 가 버리고, 죽어 가는 낯선 사람 뒤치다꺼리도 모자라 제니의 눈에서 눈물까지 뽑았다.

"집에 가서 싸워! 좀비 온다고!"

유빈이 둘 사이에 끼어들며 중재를 했다. 그리고 허튼소리도 아니다.

끄롸아아아~.

멀리에서 악취와 함께 좀비들의 포효가 몰려오고 있었다.

아직도 감정을 추스르지 못해 콧김을 내뿜는 보안관과 제니조차 제정신으로 돌아오게 만들 수 있을 만큼 끔찍한 울음소리였다.

06

"자, 여기."

선로로 돌아와 갈증을 달래기도 전에 보안관은 주머니에서 핸드폰을 꺼내 제니에게 건넸다. 말없이 걷는 동안 화도 가라앉고 질투도 식었다.

사실 좀비 세상이 오지 않았더라면 이렇게 가까이에서 말을 걸고 같이 밥을 먹을 수 있는 사이가 아니었다는 것도 다시 한번 깨달았다.

그러니까 그녀가 예전에 누구와 무슨 관계였다 해도 질투하거나 화를 내면 안 되는 거였다. 그렇게 간단한 거였는데, 요 며칠 자신에게 전적으로 의지하는 그녀를 보면서 착각 속에 빠져 살았던 것뿐이다. 제니의 얼굴을 보면서 보안관은 힘들게 사과를 했다.

"미안해, 화내서."

제니는 시선을 아래로 깐 채 고개를 저었다. 그러고는 핸드폰을 두 손으로 꼭 쥔 채 물었다.

"봐도 돼요?"

하아~. 보안관은 억장이 무너지는 기분이었다. 이제껏 쌓아 왔던 신뢰라든가 좋은 감정이 다 사라져 버리는 것 같아 속이 상한다. 하지만 어쩌겠는가. 과민반응으로 소리를 버럭버럭 질렀던 건 그 자신이고, 여자가 눈물을 흘렸으니, 이미 이 싸움은 그가 졌다.

"……그래."

보안관은 힘없이 대답하고 구석으로 걸어가서 종이 박스 위에 몸을 뉘었다.

자, 고생 많았어.

유빈이 뜨뜻한 생수병을 건네주며 어깨를 두드렸다.

곁눈질을 해 보니 제니는 주섬주섬 다시 핸드폰을 조작하고 있다.

저러다가 정말 작은 회장 뒈진 걸 보면서 울음이라도 터뜨리면 그 질투의 감정을 억누를 수 있을까?

보안관은 입술을 꽉 깨물었다. 그런 꼴은 정말 보고 싶지 않다.

"삼식아, 담배 맛있냐?"

선로 교각 아래에서 신입과 함께 담배를 피우는 삼식이에게 공연히 말을 걸었다. 담배를 피워서 속이 좀 풀린다면 한 갑 다 피워 버리고 싶었다. 신입이 고소하다는 듯 비웃었다.

"킥킥킥, 그으럼! 여자한테 차였을 때는 담배가 제일이지! 킬킬킬."

"까불지? 너 거기서 영영 안 올라오고 살래?"

그런 실없는 소리를 주고받으며 애써 외면하고 있는데, 갑자기 제니가 끅끅, 하는 소리를 냈다. 보안관은 자기도 모르게 그녀 쪽으로 고개를 돌렸다.

"아하하하! 하하하하! 아하하하! 아~ 아하하하!"

제니는 미친 듯 웃어 댔다. 너무 히스테릭한 웃음이어서 저러다가 실성하는 게 아닐까 싶을 정도였다.

"……제니야."

유빈도 걱정스러운 표정을 지었다. 보안관은 망설였다. 아무래도 그만 보는 게 좋을 것 같은데 그렇다고 핸드폰을 뺏을 배짱은 없었다. 그렇게 우물주물하고 있을 때, 제니가 핸드폰을 들고 뛰어왔다. 봄날의 나비처럼 경쾌한 발걸음이다.

"이거 봐요, 오빠!"

제니가 내민 화면에서는 좀비 한 마리가 울어 대고 있었다. 하도 많이 봐서 지겹기까지 한, 다른 좀비들과 하나도 다를 바 없는, 그런 썩은 시체였다. 다만, 꽤나 고급 양복을 입고 있다는 게 눈에 띄기는 했다.

이놈이 그 작은 회장이라는 녀석인가?

비스듬히 위에서 찍은 동영상.

아무 사건도 벌어지지 않는다. 그저 좀비가 아가리를 벌리고 포효하는 걸 보여 주기만 한다. 재미있는 부분이라곤 없다.

"이게 왜?"

그러는 동안에도 여전히 배를 잡고 웃어 대는 제니를 보며 보안관이 겁먹은 표정으로 물었다. 제니는 얼마나 열심히 웃었는지 눈물까지 맺혔다.

여자란 대체…… 조금만 섭섭해도 울고, 조금만 재미가 있어도 웃는 건가? 씨발, 너무 어려워.

핸드폰을 끄고 잠시 하늘을 보며 감정을 추스르던 제니는 갑자기 보안관의 목을 와락 껴안고 볼에 입을 맞췄다. 도깨비에 홀린 것보다도 더 정신이 없다.

으흠, 흠!

예고 없이 찾아온 애정 행각에 당황한 것은 유빈도 마찬가지였다. 헛기침을 하며 자리를 피하려 일어나는 유빈의 뒷덜미를 제니가 낚아챘다.

그러고는 먼지투성이의 떡 진 그의 머리를 꼭 끌어안았다. 유빈은 너무 당황스러워 폭신한 감촉도 제대로 느끼지 못했다.

"고마워요."

어리벙벙한 두 남자에게 제니가 말했다. 여전히 무슨 소리인지 알아들을 수 없기에 두 남자는 멍한 표정을 짓는 것밖에는 할 수 있는 게 없었다.

"고마워요, 제가 살아 있게 해 줘서. 정말 고마워요."

"제니야, 너…… 괜찮아?"

보안관이 두려운 얼굴로 물었다.

"그럼요! 기분 최고예요! 아마 최근 몇 년 중에서 최고로 좋은 기분일걸요! 내가 이겼어요! 내가 이놈보다 더 오래 살았다고요. 그래서 이놈이 죽은 꼴을 보고 웃고 있잖아요! 하하하!"

제니는 또 미친 듯이 웃기 시작했다. 그러더니 금방 눈물을 뚝뚝 떨어뜨리면서 중얼거렸다.

"흐윽~ 테라도 이걸 봤으면 좋았을 텐데……."

테라는 쫓기고 있었다. 꿈속에서 그녀를 쫓는 건 오렌지색 트레이닝복을 입은 사내들. 하나같이 더러운 악취를 풍기며 엄청난 크기의 성기를 꺼내 놓고 달려오고 있다.

잡히면 죽을 거야. 달아나야 해…….

테라는 안간힘을 쓰며 뛰었다. 하지만 두 다리는 천 근처럼 무겁고, 아무리 애를 써 봐도 제자리걸음만 하게 된다.

벽을 밀치면서라도 달아나 보려는 테라의 등 뒤에서는 오렌지색 트레이닝복을 입은 사내들이 점점 거리를 좁히며 다가오고 있다. 달아날 곳은 없다.

제발…… 제발…….

마침내 놈들의 손아귀에 잡힌 테라는 눈물을 흘리면서 빌었다. 놈들은 들은 척도 하지 않는다.

어딜 달아나려고? 응? 이 걸레 같은 년!
사내들은 그녀를 화장실 안으로 집어 던진다.
내가 먼저 한다!
덩치 큰 놈이 외친다.
씨발, 나도 할 거야!
쥐 같은 놈이 머리채를 휘어잡는다.
놔! 놔!
테라는 발버둥을 친다.
하지만 이내 거친 손에 의해 속옷이 벗겨지고, 두 다리는 활짝 벌려진다.
죽을 거야! 차라리! 죽을 거야!
테라는 악을 쓰며 고개를 저어 댄다.
테라야…… 괜찮아, 괜찮아.
그곳에 있지 않은 이의 목소리, 제니다. 제니가 손을 꽉 잡고 그녀를 달래 준다. 꿈의 무대는 어느새 바뀌어서 이제 그녀는 제니와 함께 침대에 앉아 있다.
기억이 난다. 이 침대, 이 방, 제니가 입고 있는 이 얇은 옷. 이건 열일곱 살 때, 그날이다. 그 더러운 날이다.
괜찮아, 울지 마. 참을 수 있어…….
제니가 또 달래 준다. 하지만 그러는 제니의 눈에도 눈물이 가득하다. 두렵다.
끼이이, 문이 열리는 소리. 고개를 돌려서 누가 오는지 보고 싶지만, 몸이 말을 듣지 않는다. 제니는 굳은 표정으로 문 쪽을 노려보고 있다. 아파질 것이다. 이제 곧 엄청나게 아파지고, 수치스러워지고, 죽고 싶어질 것이다.
아직 일어나지 않은 일인데도 신기하게 생생히 느껴진다. 마치 한 번 겪었던 일처럼…….
하아~ 고년들 참~.
세상에서 가장 싫은 목소리가 저벅저벅 다가온다. 테라는 귀를 막고 싶어진다. 달아나고 싶다.

별것도 아닌 년들이 그렇게 애를 먹이냐, 그래. 응? 태양 그룹 작은 회장님 명을 어기고도 이 나라에서 버틸 수 있을 줄 알았어?

피, 피가 흘렀었다. 2년 전 그날, 태어나서 처음으로 엄마에게 말할 수 없던 비밀. 너무 아파서 죽을까 봐 무서웠었다. 제니와 테라는 똑같이 아팠다.

내 소문은 다들 들어서 알고 있지? 그 소문 다 개소리야. 믿지 마. 크크크, 사실 난 그것보다 훨씬 더 하드코어 하거든! 큭큭큭!

작은 회장의 입이 턱 끝까지 찢어진다.

빨간 혀, 악마!

그리고 그가 허리띠를 풀어 머리 위로 들어 올렸다.

"헉!"

테라는 소리를 지르며 꿈에서 깨어났다. 온몸은 식은땀으로 흥건히 젖어 있고, 견딜 수 없을 만큼 심한 통증이 느껴졌다.

"괜찮아? 아유, 얘 많이 아프네. 너 잠꼬대 엄청나게 했어."

곁을 지켜 주던 아주머니가 수건으로 땀을 닦아 주었다.

그래, 난 안전해. 이제 그런 일은 안 겪어도 돼. 그 흉터 아저씨가 지켜 줬어…….

테라는 방망이질치는 가슴을 달래며 스스로를 진정시켰다.

"고맙습니다. 저 세수 좀 하고 올게요."

"내가 부축 좀 해 줄까?"

"아니에요. 그냥 몸살인데요, 뭐. 혼자 갈 수 있어요. 훗."

테라는 눈물과 땀을 훔치면서 자리에서 일어났다. 아직 대낮인데 어느새 이렇게 앓아누웠는지 기억이 가물가물했다.

화장실에서 그 일을 겪은 후, 꼬박 하루 동안 일어나지를 못했다. 놈들이 꽉 움켜쥐었던 팔다리에는 퍼런 멍이 들었고, 그걸 감추기 위해 여기 와서 처음으로 보급 트레이닝복을 입었다. 검은색 미니드레스로 시선을 집중시키는 편이 군인들의 주의를 끌 수 있어 더 안전하다고만 믿었는데…….

"후우우~."

거울을 보며 테라는 한숨을 내쉬었다. 입술과 눈은 퉁퉁 부었고, 팔을 걷어 보니 아직도 멍 자국이 파랗다. 누가 볼까 두려워서 테라는 얼른 소매를 내렸다.

'어지간히 무서웠구나. 그날 꿈을 다 꾸고…….'

세수를 끝낸 테라는 거울 속의 자신을 달래 주고는 화장실을 나섰다. 쉘터는 언제 그렇게 무질서했냐 싶을 만큼 평온을 되찾았다. 문제의 오렌지색 트레이닝복들도 오늘 아침 한강을 통해 배로 징집됐다고 하니, 이제 또 같은 일을 당하지는 않을 것이다.

걸음을 떼는 동안 잘린 발가락이 예리한 통증을 안겨 주었다. 아물었던 상처가 다시 벌어졌다.

왜 이 상처는 자꾸만 도지는 걸까?

피가 배어 나오는 반창고를 보면서 테라는 생각했다. 특별히 염증이 생기거나 부어오르지도 않으면서 아물지는 않고 왜…….

그렇게 고통을 참아 가며 테라가 향한 곳은 외야 흡연 구역이었다. 그날 화장실에서 완전히 얼이 빠져 있었지만, 자신을 구해 준 이가 누구인지는 똑똑히 기억하고 있다.

그리고 그가 어디에서 가장 많은 시간을 보내는지도 안다. 그동안은 너무 아파서 인사를 할 엄두조차 내지 못한 것뿐.

"아……."

민구를 발견한 테라는 반가운 미소를 지으며 그에게 다가갔다. 언제나처럼 민구는 담배 연기를 뿜어 대는 중이었고, 그 곁에는 초희가 있었다.

"저…… 안녕하세요."

테라가 공손히 고개를 숙였지만, 민구는 떨떠름한 표정을 지으며 아무 대꾸도 하지 않았다. 이상했다. 그날 화장실에서 달래 주던 친절함과 너무 다르다. 하지만 테라는 해야 할 말을 계속 이어 갔다.

"구해 주셔서 정말 감사합니다. 그날 제가 너무 정신이 없어서 인사도 제대로 못 드렸죠."

"됐어. 그렇게 고마워하지 않아도 되니까."

"하지만……."

민구는 차갑게 테라를 노려보았다. 테라의 순진해 보이는 얼굴이 금방 또 움찔하고 얼어붙었다. 뭔가 이 계집애랑 얽히면 좋지 않을 것 같다는 예감이 든다.

어차피 자신은 곧 건대 쉘터로 가야 하고, 그곳에서 육 회장을 만나야 한다. 이쯤에서 인연의 싹을 자를 필요가 있다. 그래서 필요 이상으로 냉정하게 말했다.

"네가 나 한 번 살려 줬고, 내가 너 한 번 살려 줬으니 이제 빚 없잖아. 그러니까 제발 엉겨 붙을 생각 하지 마. 귀찮아!"

예상치 못했던 반응에 당황한 테라의 눈이 흔들렸다.

젠장, 이 계집애…… 이 표정으로 얼마나 많은 사내놈들의 혼을 빼 놨을까? 간이라도 제 손으로 빼줬겠군그래.

민구가 속으로 혀를 차며 다시 한번 마음에 없는 말을 했다.

"꺼지라고! 귀가 먹었냐?"

"……네."

테라는 힘없이 고개를 끄덕이고 뒤돌아서 걸었다.

왜, 왜 저렇게 말하는지 모르겠다. 곁에 있는 애인이 오해라도 할까 봐 과민반응하는 걸까? 하지만…… 하지만…… 그저 고맙다는 말을 하려 했던 것뿐인데, 친구가 된 것 같아 기뻤던 것뿐인데…….

테라는 계단 중간에 멈춰 서서 입술을 꽉 깨물었다. 우는 걸 들키고 싶지 않았지만, 흐느낄 때마다 자꾸 어깨가 들썩거렸다. 저 흉터 아저씨에게 너무 진심으로 다가갔던 모양이다.

"오빠…… 완전 짱이다."

테라가 훌쩍거리는 걸 황홀한 표정으로 바라보고 있던 초희가 민구의 팔짱을 끼며 콧소리를 냈다.

"아후~ 속이 완전 다 시원해. 저 꼴 보기 싫은 년! 울 오빠는 또 어떻게 알아보고 살살 꼬리를 치려고. 아우~ 씨발. 얼마나 멋있었는지 알아, 오빠? 나 지금 완전 젖었어. 정말로! 한번 만져 볼래?"

아양을 떨던 초희는 문득 서늘함을 느끼고서 슬그머니 팔짱을 풀었다. 1초라도 더 붙어 있었다간 목이 잘려 나갈 것 같았기 때문이다. 민구의 눈이 그렇게 말하고 있었다.

Chapter 31
산다는 것

01

"하아아~ 젠장, 왜 이런 데까지 군인들이 있는 거지? 젠장, 그냥 좀 내버려 둬도 좋잖아."

울퉁불퉁한 산길 덕에 한층 더 심해진 발의 통증을 느끼면서 진우는 인상을 찌푸렸다.

홀로 남겨진 지 나흘째. 아무도 듣지 않는 걸 알면서도 자꾸 자기도 모르게 혼잣말을 하게 된다. 군 차량이 다니는 넓은 도로를 피해 샛길을 찾고 야산을 타느라 체력의 소모는 몇 배나 심했다. 방향에도 혼동이 왔다.

하지만 낮 동안 해를 오른쪽에 끼고 걷기만 하면 북쪽으로 갈 수 있다. 남은 실탄은 겨우 70발. 혹시나 해서 아무리 세고 또 세어 봐도 도무지 늘어나지는 않는다.

"차라리 그냥 군인들을 피하지 말 걸 그랬나? 군대에 끌려가 있으면 총알이 모자라지는 않을 거잖아."

약한 마음이 들다가도 그 불합리했던 폭풍우의 밤이, 그리고 그 밤 너무도 덧없이 스러져 갔던 고참들이 떠오르면 진우는 진저리를 쳤다.

다시는 군대에 묶이지 않겠다고 스스로에게, 또 이 병장과 김 상병에게 약속했다. 자신이 죽을 자리조차 마음대로 정하지 못하는 조직에서 그렇게 소모되어 버리고 싶지는 않았다.

"후우우~!"

진우는 잠시 멈춰 서서 두유를 꺼내 수분을 보충했다. 나무 그늘 아래라고 해도 찌는 듯한 더위, 어젯밤 제대로 숙면을 취하지 못해서 어질어질한 머리, 거의 나흘째 쉼 없이 걸은 두 다리……. 그러는 동안 먹은 것이라곤 라면과 물, 박하사탕과 두유뿐이다.

이쯤 되면 언제 의식을 잃고 쓰러진대도 이상할 게 없었다. 그래도 이 오솔길을 발견한 건 다행스러운 일이었다. 발목까지 우거진 잡초를 헤치며 걷지 않아도 되고, 나뭇가지를 꺾는 수고를 하지 않아도 되었다.

"근데 누가 닦은 길이지? 여기 뭐가 있다고?"

약초꾼들이 다니는 길이라고 하기에는 꽤나 넓었다. 적어도 열 사람이 한 번에 지날 수 있을 만큼 훤히 뚫린 산길. 보이는 한도 내에는 별다른 시설도 없으니, 이만큼의 인원이 이동할 이유를 찾기가 쉽지 않았다.

예전에 여기가 유명한 등산로였나?

진우는 고개를 갸웃거렸다. 별로 경치가 그럴듯하지는 않은데 말이야.

어쨌든 더 앞으로 나아가야만 하는 건 분명한 사실이기에 두유 한 팩을 다 비운 진우는 다시 기운차게 걷기 시작했다. 음식이 든 가방이 가벼워질수록 마음은 무거워져 갔다. 제일 시급한 건 깨끗한 물을 찾는 일이다.

마시고, 발을 씻고 싶다.

봉와직염!

그 네 글자가 자꾸 두려움을 키웠다. 제대로 씻지 못한 발이 언제 감염될지 모른다는 공포가 시간이 지날수록 자꾸 커져만 갔다.

발이 고장 나면 모든 게 끝이다. 의무대에서 지급해 주던, 그 만병통치 알약조차 없는 지금의 그에겐 더욱 그랬다.

"이건?"

산의 정상에 가까워졌을 즈음, 부러진 나뭇가지에 걸린 손바닥 크기의 천 조각이 진우의 시선을 붙들었다. 가지의 단면이 아직 생생한 것으로 보아 부러진 지 얼마 되지 않은 게 분명하다.

그런데 이 천 조각에 붙은…… 이게 대체 뭐지? 고기인가?

진우는 나뭇가지에서 천 조각을 떼어 냈다. 그러고는 손가락으로 거기 붙은 고깃덩이를 살살 집었다. 발바닥의 굳은살을 만졌을 때와 비슷한 느낌. 몇 초가 지나는 동안 진우는 천 조각이 폴리에스테르이고, 셔츠의 소매 부분이라는 걸 깨달았다.

이건…….

"윽!"

진우의 입에서 신음이 새어 나왔다. 백번을 양보해도 이건 살아 있는 사람에게서 떨어져 나온 살덩이가 아니다. 만약 그랬다면 나뭇가지에 혈흔 정도는 남아 있었을 테니까.

갑자기 온몸에 소름이 돋았다. 진우는 두려움을 몰아내기 위해 K-2의 손잡이를 꽉 쥐었다. 당연히…… 당연히 이 오솔길을 보자마자 깨달았어야 하는 거였다. 이만큼 넓은 오솔길의 존재가 이상하다는 걸.

예전에 만들어진 길이었다면 며칠 만에 몰라보게 자라는 여름풀들이 아직까지도 이렇게 깨끗이 밟혀 있을 리가 없다는 걸…….

이 길은 최근까지도 이용되던 루트였던 것이다.

좀비들이 떼를 지어 이동하는 루트.

진우는 다급하게 사방을 둘러보았다. 높은 나무와 빽빽하게 얽힌 수풀들 사이, 오직 이 길만이 다른 차원인 양 뻥 뚫려 있다.

사아아앗—.

얼음처럼 차가운 바람이 등골을 얼리고 지나간다.

"젠장, 망했어…… 망했어……."

진우는 다급한 얼굴로 좌우를 훑었다. 여기에 가만히 서서 좀비들이 몰려들어 와 주기를 기다릴 수는 없다. 사정을 알고 나서 보자니, 이제껏 편안하고 고마웠던 모든 것이 두려움으로 바뀐다.

예외 없이 납작하게 밟혀 있는 풀들, 유난히 넓게 나 있는 길들, 뚝뚝 부러져 있는 가지들.

대체 얼마나 많은 놈들이 다녔던 걸까?

짐작도 잘 되지 않는다. 아니, 소름이 끼쳐서 상상하고 싶지 않다.

문제는 자신이 서 있는 이곳이 인간의 자유로운 이동을 위해 설계된 공간이 아니라, 거친 자연의 한가운데라는 점이었다.

오솔길을 벗어나 빽빽한 나무와 무성한 잡초 사이의 흙 비탈길 속으로 뛰어드는 것이 과연 현명한 결정일까?

저 경사가 연이어 있는 숲속에서는 한 시간에 1킬로미터도 주파하기 어려워 보인다.

저런 곳에서 만약 좀비를 만난다면 나는 그 포위망을 뚫고 달아날 수 있을까? 괜히 체력만 다 소진해 버리는 건 아닐까?

진우는 입술을 꾹 깨물면서 빠르게 고민했다. 심장 소리가 점점 더 크게 울리고, 하이바를 걸쳐 둔 목 뒤로 굵은 땀이 주르륵 흐른다. 그러는 사이, 아주 작은 소리가 귓가를 울렸다.

와삭와삭.

짙고 푸른 나뭇잎들에 메아리치며 묻혀 뭉개진 소리지만, 분명히 들었다.

어느 쪽이지?

진우의 고개가 바쁘게 돌아갔다.

와삭, 다시 들려오는 가느다란 소리.

방향을 쫓으려는데 눈치 없는 산새들이 요란하게 지저귀며 방해를 한다.

뒤쪽인가?

어렴풋이 짐작이 가는 순간, 역겨운 특유의 악취가 등 뒤에서 바람을 타고 전해진다.

"……읍!"

진우는 코를 막으며 고개를 돌렸다. 아직 시야 내에 단 한 놈도 들어오지 않았다는 것은 적어도 수십 미터의 간격은 있다는 의미. 하지만 뒤쪽, 저 울창한 나무들 사이 어딘가에는 분명히 놈들이 존재한다. 진우의 걸음이 빨라졌다.

"일단 이 고개라도 넘으면……."

서둘러 발을 교차시켜 내디디며 울퉁불퉁한 산길 속을 달렸다. 고개 위에 올라섰을 때쯤엔 냄새도 점점 더 심해져서 바로 등 뒤에 놈들이 있는 게 아닐까 싶은 의심마저 들 지경이었다.

가깝다! 아직 시야에 들어오진 않았지만 멀지 않다! 나보다 훨씬 더 빠르게 걷는구나, 이 개자식들!

진우는 이마를 찌푸렸다. 완만한 경사를 이루며 크게 호를 그리고 있는 오솔길로 더는 갈 수 없다. 그랬다가는 얼마 못 가 따라잡히고 말 테니까.

왼쪽은 내리막길, 오른쪽은 오르막길.

진우는 오르막길 쪽을 택했다. 올라가기는 더 힘이 들겠지만, 좀비들의 행렬을 위쪽에서 감시하며 움직이기 위해서였다.

"끄응차!"

진우는 대각선으로 비껴 멘 가방끈을 다시 한번 단단히 조여 붙이고, 어른 허리만큼이나 굵은 나무들이 빽빽하게 늘어선 숲속으로 뛰어들었다.

그리 빠르게 달리는 것도 아닌데 걸리는 게 많다. 튀어나온 돌부리, 나무뿌리, 그리고 발목까지 자라난 잡초들이 전투화에 턱턱, 부딪친다. 그리고 눈앞에는 제멋대로 뻗은 나뭇가지들이 휙— 휙— 지나친다.

"후우! 후우!"

진우는 입으로 날숨을 내쉬며 전력을 향해 달렸다. 경사로는 눈으로 보던 것보다 더 가팔라서 이내 허벅지와 무릎에 묵직한 압박을 가해 왔다.

미로처럼 어지러운 나무 사이를 누비며 지그재그로 뛰어 올라가던 진우는 낮은 활엽수 아래로 넘어지며 숨을 헐떡였다.

지친다. 몸이 무겁다. 게다가 며칠 전에 쏟아졌던 폭풍우의 여파로 젖어 있던 바닥이 아직 채 마르지 않았기 때문에 미끄럽고, 쩍쩍 들러붙는다.

"젠장, 이놈의 진흙!"

진우는 나뭇가지를 꺾어 전투화 바닥의 홈에 낀 흙을 긁어 냈다. 모기와 날파리는 간만에 찾아온 손님을 격하게 반기며 계속 얼굴 주변을 날아다닌다. 손으로 놈들을 쫓고 돌아보니, 그렇게 힘들었던 것에 비해 실제로 올라온 거리는 얼마 되지도 않는다.

그래도 이 정도면…… 이 정도면 좀비들이 그의 낌새를 알아채고 쫓아올 만한 거리는 아니지 싶다. 진우는 굵직한 나무 뒤에 몸을 숨기고 오솔길 쪽을 살피기 위해 살짝 고개를 내밀었다.

격하게 뛰는 가슴이 조금 진정됐을 무렵, 경사진 저 먼 아래로 썩은 대갈통과 몸뚱이들이 무리를 이루고 나타났다. 산길이라고 특별히 지치는 법이 없는지 놈들은 정말 빠른 걸음으로 획획 사라져 지난다.

하나, 둘…….

반사적으로 놈들의 수효를 헤아리던 진우는 30이 넘어간 다음부터 세는 것을 관두었다. 자신이 가진 화력으로는 저놈들을 처리할 수 없다는 게 확실해졌기 때문이다. 그리고 이런 곳에서 허비하기에는 탄알이 너무 소중했다.

정면으로 놈들을 제압할 수 없으니 남겨진 선택지는 피하는 것뿐이었다. 진우는 소리를 내지 않기 위해 조심하면서 좀비들의 행진이 끝나기를 기다렸다.

가만히 앉아 기다린다는 것도 쉽지만은 않았다. 비탈 위에서 내려다보고 있지만, 혹시나 하는 두려움 때문에 목덜미에서는 식은땀이 줄줄 흐르고, 그 땀 냄새를 맡은 모기들은 계속 달려들었다.

그놈들을 조용히 쫓는 것도 꽤나 신경이 쓰였다. 지루하고 답답한 시간이 계속 흐르는 동안 진우는 조바심과 싸우면서 얌전히 제자리를 지켰다.

"다 간 건가……."

좀비 행렬의 꼬리가 시야 밖으로 사라진 뒤에도 입 속으로 600을 더 셀 동안 침묵을 지키고 있던 진우가 어깨를 벅벅 긁으며 일어났다.

지랄 맞은 모기 새끼들 덕에 온몸이 간지러워졌다. 몇 걸음을 옮기던 진우는 새삼 주변을 살폈다. 어느 쪽으로 가야 북쪽인 건지 방향을 잃어버렸다.

해는 하늘 정 가운데에 높이 떠 있으니 한동안은 방향을 잡는 데 도움을 주지 못할 것이다. 그렇다고 이 산속에서 그림자가 길어질 때까지 기다리는 건 현명하지 못하다. 어둠이 내리기 전에는 평지로, 적어도 몸을 숨길 만한 장소까지는 가야 한다.

"남쪽으로 난 가지가 더 굵다고 했던가? 뭐, 그런 말을 들었던 것 같은데······."

눈대중으로 가지들을 살피고 오솔길의 방향과 대충 끼워 맞춰 걸어가면서도 마음속 한구석이 불안한 것은 어쩔 수가 없다. 만약 방향을 잘못 잡고 있는 것이라면 소중한 하루 치 식량을 제자리걸음을 하면서 낭비한 셈이니까.

"제발 맞아라. 이쪽이 북쪽이어야 한다."

혼잣말을 중얼거리며 울퉁불퉁하고 미끄러운 산길을 걸었다. 완만한 비탈이 연속으로 이어져 있고, 빽빽하게 늘어선 나무들을 피해 다니다 보니 똑바로 걸어간다는 것이 꽤나 힘들었다. 마치 산에 홀리는 것 같다.

이래서 사람들이 산속에서 미아가 되는 걸까?

진우는 계속 뒤를 돌아보면서 방향을 수정하고, 움푹 팬 곳을 밟아 휘청거리면서도 또 부지런히 전방을 경계했다.

100미터를 전진하는 게 평지에서 1킬로를 걷는 것보다 더 어렵고 힘들다. 세 시간도 채 자지 못한 사람이 삼복더위 한낮에 할 만한 일이 아니었다.

"아, 어지러워. 이게 무슨······."

땀을 얼마나 흘렸는지 벌써 몇 시간째 볼일을 보지 않았는데도 오줌이 마렵지 않았다. 당연히 그만큼 입 안은 바짝바짝 말라서 격하게 수분을 원한다.

하지만······ 실컷 뭘 마실 수도 없는 입장이다. 할머니네 집에서 가져온 두유가 이제 두 팩밖에 남지 않았다.

하나만 뜯을까? 그래도 하나는 남는 거니까…….

가방을 열어 애절한 눈으로 두유 갑을 보던 진우는 고개를 흔들면서 다시 지퍼를 잠갔다. 아직 버틸 만하다. 대신 그는 솔잎을 한 줌 뜯어내 입 안에 넣고 씹었다.

쓰고 떫다. 그래도 그 덕에 침이 나오고 솔잎 고유의 향기를 맡고 나니 어지럼증도 조금은 나아지는 것 같은 기분이 든다.

"이런 데 송이버섯도 있을 법한데, 내 눈엔 왜 안 보이냐……. 아, 그보다 물을 찾아야 하는데. 샘물이나 약수터라도……."

물은 참 곤란한 놈이다. 그 무게 때문에 한꺼번에 많이 짊어지고 다닐 수가 없는데, 워낙 소비가 빠르고 정작 필요할 때마다 다시 보충하기가 어렵다.

정수기에서 콸콸 쏟아져 나오던, 얼음처럼 차가운 물이 그립다. 다시 그런 물을 마실 날이 오기나 할지……. 솔잎을 우물거리며 갈증을 진정시킨 진우는 다시 기운을 내서 비탈을 오르기 시작했다.

숲속이라고 믿기지 않을 만큼 푹푹 찌는 날씨 때문에 끈적거리는 온몸에서는 쉰내가 풍긴다. 하긴 거지도 이런 상거지가 없을 정도의 몰골이니 자연스러운 일이기는 하다.

"아카시아!"

아찔할 만큼 달콤한 향기. 부러진 나무에서 무성하게 피어오른 녹색과 흰색을 본 진우의 입에서는 반가운 탄성이 터져 나왔다.

새로 올라온 가지에서 고맙게도 피어오른 꽃이 탐스럽다. 먹을 수 있을 것 같다. 바짝 마른 라면 따위보다 몇 배나 좋은 음식처럼 느껴진다.

손에 닿는 대로 꽃을 훑어 입 속에 욱여넣던 진우는 따끔한 감촉 때문에 손을 움츠렸다. 잊고 있었다. 이 나무에 장미와는 비교도 안 될 만큼 날카롭고 단단한 가시가 있다는 사실을…….

피가 맺힌 손바닥을 쪽쪽 빨고 나서 곧바로 또 꽃잎을 뜯어 입으로 가져갔다.

연한 꽃잎을 씹으면 달콤한 꿀과 수분이 터져 나와 혀를 행복하게 해 준다.

그렇게 옆으로 누운 나무의 아카시아 꽃들을 거의 다 뜯어 먹고 나니 한결 살 것 같다.

"고마워, 정말 고마워."

꽃잎 부스러기와 꽃가루가 잔뜩 묻어 있는 입가를 닦으며 진우는 대견하다는 듯 아카시아 나무를 칭찬해 주었다. 그 지독했던 태풍을 이겨 내고 남아 있는 건 아닐 테니, 아마 이 꽃들은 어제나 오늘 막 피어올랐을 것이다.

아직 지지 말고 힘내라는 의미를 담아 강원도의 자연이 작은 선물을 준 것 같아서 진우는 한층 용기를 얻었다. 덕분에 두유 하나를 절약할 수 있었고, 우울했던 마음의 그늘도 어느 정도 걷힌 기분이다.

"홋~ 크큭!"

양쪽으로 나란히 잎이 붙은 아카시아 나뭇가지를 보던 진우는 가벼운 웃음을 터뜨렸다. 어린 시절, 저 잎을 하나씩 뜯으며 친구들과 했던 온갖 시답지 않은 내기들이 떠오른다.

나중에 누가 더 예쁜 마누라를 얻을 건지, 누가 더 돈을 많이 벌게 될 건지, 그 딴 것들을 참 진지하게도 아카시아 가지에 대고 물었었다.

가끔은 너무 진지해져서 티격태격하며 쌈박질까지 했다. 물론 늘 보안관의 승리로 끝나는, 싱거운 싸움이었지만.

"젠장······."

웃음이 사라지고 곧바로 눈가가 뜨거워진다.

어쩌다 이런 세상이 되어 버려 가지고······.

진우는 후우, 깊이 한숨을 내쉬었다. 가족들, 친구들······ 생각을 하지 않으려 해도 이렇게 불쑥불쑥 떠오르면 뜨거운 것이 이렇게 목구멍을 치받고 올라온다.

다들 살아 있을까? 어렵겠지, 아마도······.

여기까지 오는 나흘 동안 도로를 이동하는 군인들 말고는 살아 있는 사람 구경을 못 했다.

강원도처럼 인구가 적은 지역도 이럴진대 서울, 경기는 더 엄청난 수의 좀비들이 떼를 이뤄서 휩쓸고 다녔을 게 분명하다. 특히 삼식이처럼 멍청한 놈은 어~ 어~ 하다가 아마 벌써 저승으로 가 버렸겠지.

"아냐! 아냐!"

진우는 자신의 뺨을 톡톡 두드리며 약해지려는 마음을 다잡았다. 그렇게 아무도 남지 않았다고, 이런 길고 괴로운 여정이 전혀 의미 없는 헛걸음이 될 거라고 자꾸 마음에 핑계를 만드는 건 슬슬 포기하고 싶다는 방증이기도 했다.

자신의 눈으로 보게 될 때까지는 절대 포기하면 안 된다고 진우는 스스로에게 다짐을 했다.

……살아 있을 거야. 살아 있어! 전부는 아니라도 분명히 누군가 하나 정도는 살아남아서 네 걱정을 하고 있을 거야. 그러니까 약해지려고 핑계 대지 마. 넌 어떻게든 자대 구령대 아래서 만 발을 캐내고, 살아남아서 서울로 가야 돼. 거기에 가면 분명 반가운 얼굴이 두 팔을 활짝 벌리고 너를 맞을 거야…….

하지만 아무리 상상을 해 봐도 그 반가운 얼굴이 도무지 그려지지가 않는다. 마치 모자이크를 해 놓기라도 한 것처럼 목 위가 뿌옇게 흐리기만 하고, 누구인지 알아볼 수가 없다.

후우우~. 진우는 크게 숨을 쉬면서 지친 두 다리에게 걸으라고 명령했다. 보급품을 공수해 주던 헬기 조종사가 언젠가 지나가는 말로 해 주었던 이야기. 도시에는 쉘터라는 이름의 긴급 대피처가 운용되고 있다는 그 이야기만이 그가 붙잡고 있는 유일한 희망의 끈이다.

하지만 그게 그렇게 유지가 될까? 장갑차가 지키고 있던 원전도 무너졌는데?

대화를 할 사람이 없으니 망상은 점점 더 깊어지고, 그렇게 되면 집중력은 흐트러진다.

"윽!"

진우가 현실에 온전히 집중하지 못할 때, 자연은 예외 없이 채찍질을 가했다.

튀어나온 나뭇가지가 종아리를 찌르고, 단단하지 않은 지면을 밟으면 발이 미끄러진다.

진우는 머릿속에서 암울한 생각들을 떨쳐 버리고 지금 당장 그를 둘러싸고 있는 산에서 어떻게 빠져나갈 것인지만 생각하려고 애를 써야 했다.

다행이라면 그렇게 산을 헤매는 사이, 그림자의 길이가 미세하게나마 길어졌다는 사실이었다. 자기 그림자를 오른쪽에 두고 걷기만 하면 북쪽을 향해 똑바로 나아가는 게 가능하다.

02

시계가 없어서 정확한 시간 경과는 알 수 없지만, 두어 시간은 족히 울퉁불퉁한 산길을 누빈 뒤에야 진우는 능선 위로 올라설 수 있었다.

"……더럽게 됐네."

정상에서 바라보자 산의 북쪽은 그가 지나온 남쪽보다 훨씬 더 가파르고 바위도 많았다. 나무들에 가려 정확히 보이지는 않지만, 중간중간에는 등반을 전문으로 하는 사람들이나 좋아할 것 같은 난코스도 끼어 있었다.

찍— 진우는 자신의 전투화를 바위에 대고 문질러 봤다. 슥, 하고 미끄러지는 것이, 안정적인 접지와는 거리가 있다. 진짜 싫다.

진우는 조용히 투덜거리며 다시 나뭇가지를 꺾어 전투화 바닥의 홈을 최대한 깨끗하게 청소했다. 내키지는 않지만, 여길 지나지 않으면 앞으로 전진할 수가 없다.

나무들을 붙잡고 거기에 체중을 실으며 조심조심 걸음을 옮겼다. 그러고는 다시 앞으로 팔을 뻗어 다음 나무를 잡고, 발아래를 잘 살피면서 한 발, 한 발…… 경사로를 내려갔다.

태풍의 여파는 이쪽이 더 크게 남아서, 흙이 파이고 나무가 부러진 흔적이 훨씬 자주 눈에 띈다. 그만큼 지반이 약해졌다는 의미고, 그래서 더 조심해야 한다.

X자로 교차해 멘 K-2와 장바구니가 꽤나 거추장스럽게 느껴져서 진우는 도중에 몇 번이나 끈을 다시 메고 총구 방향을 돌렸다.

"자, 이제 여기만 내려가면 되는 건데······."

둥글게 튀어나온 바위 덕에 아래쪽이 제대로 보이지 않는 지점까지 도달했을 때, 진우는 바닥에 엎드려 고개를 내밀고 밑을 살폈다.

바위와 바위, 그리고 그 틈을 비집고 나와 자란 나무들. 그 외에 더 편한 루트는 없다. 등산 같은 건 해 보지도 않았기에 어디를 어떻게 잡고 이동해야 할지 계산이 잘 서지 않는다.

까딱하면 10여 미터 아래로 구르게 생긴 상황이어서 팔에 돋아난 소름이 가시질 않는다. 차라리 돌아가야 하나 싶어진 진우는 조금 전 자신이 내려온 길을 돌아보았다.

하지만 그것도 쉽지 않다는 걸 깨달았다. 가파른 경사를 어찌어찌 나무들에 의지해 내려오기는 했지만, 저길 기어오르는 건 이 암벽을 타고 내려가는 것보다 훨씬 더 힘들어 보인다.

"하는 수밖에 없네."

허벅지를 가볍게 팡팡, 두드린 진우는 튀어나온 부분을 두 손으로 잡고 한 발짝을 바위 위로 내려 디뎠다. 그러고는 몸을 바짝 붙인 채 다리를 아래로 뻗어 미리 보아 두었던 지점을 찾았다.

3미터도 가지 않아 절실하게 느낀 것은, 이건 아마추어가 할 짓이 못 된다는 깨달음이었다. 나름 체력에 자신이 있던 그지만, 금세 손끝과 종아리가 달달 떨리고, 전완근이 뻐근해진다.

머릿속으로 그렸던 경로로의 이동이 현실에서는 불가능했기 때문에 믿을 것이라고는 새까맣게 때가 낀 손톱과 국방부에서 지급해 준 전투화의 밑창뿐이다.

"……제발 좀, 닿아라."

허공에 대롱거리며 디딜 곳을 찾던 진우의 입에서 애원이 터져 나왔다. 이제 딱 한고비만 넘기면 무사히 내려갈 수 있을 것 같은데, 도무지 발 댈 곳이 나타나지 않는다.

더 허우적거려 봐야 근력만 소진될 것 같다고 판단한 진우는 한 팔을 나무에 둘러 버티면서 대검을 빼 들었다. 그러고는 오른쪽 아래에 있는 바위틈을 향해 팔을 휘둘렀다.

획—.

거리가 조금 모자라서 대검은 허공을 갈랐고, 진우의 몸은 크게 휘청거렸다. 크윽~. 나무에 걸친 왼팔에 무게가 실리자 저절로 신음이 새어 나왔다.

진우는 이를 악물고 그 고통을 참으면서 몸을 흔들다가 다시 한번 목표를 향해 대검을 찔러 넣었다.

칵—!

대검의 날이 바위틈을 가르는 반가운 소리가 울린다. 진우는 손에 힘을 주어 대검을 더 깊숙이 박았다. 칼이 박혀 들어갈수록 진우의 두 팔은 더 넓게 벌려졌다.

이게 내 체중을 버텨 줄 수 있을까?

자신이 없다. 하지만 언제까지 이 상태로 멈춰 있을 수는 없는 일. 나무에 두르고 있는 왼팔이 더 버틸 수 없을 것 같다고 느낀 순간, 진우는 기합과 함께 팔을 풀고 대검을 잡고 있는 오른손 위로 왼손을 겹쳐 쥐었다.

카가각—!

날카로운 소리와 함께 돌 부스러기가 얼굴 위로 쏟아진다. 하지만 대검은 용케 바위틈 깊숙이 박힌 채 버텨 주었다. 대롱대며 매달린 진우의 입에서 한숨이 터져 나왔다.

이제 발 댈 만한 곳만 찾으면 된다. 허우적대며 사방으로 발을 젓다 보니 어딘가 닿는 부분이 있었다. 푹신하다. 나무라는 의미다.

아아~. 진우는 발에 체중을 싣고 조심조심 아래로 몸의 중심을 옮겼다. 그때, 대검이 쑥— 하고 빠지며 진우와 함께 떨어졌다. 딛고 있던 나뭇가지는 매정하게 휘면서 아무런 저항도 되어 주지 않았다.

어어어~! 아래로 떨어지는 동안 진우는 아무것이라도 잡아 보기 위해 두 팔을 미친 듯이 휘저었다.

후드득, 나뭇가지가 부러지고 주먹은 애먼 이파리만 잔뜩 움켜쥐는 꼴이 되었다.

눈앞으로 튀어나온 바위가 스쳐 지난다. 진우는 팔을 뻗었다.

꽈득!

손끝에 전해지는 통증!

잡았다!

하지만 그렇게 붙잡는 것이 몸무게를 지탱할 수 있을 리가 없다. 진우는 손가락으로 암벽을 훑으면서 아래로 굴러떨어졌다.

중심을 잡아야 돼! 낙법이라도!

생각이 끝나기도 전에 그의 몸은 바닥에 내동댕이쳐졌고, 옆구리에 둔중한 통증이 전해졌다.

빠악—!

진우는 입을 크게 벌리고 옆구리를 감싸 쥐었다. 숨이 꺼지는 것 같은 끓는 소리가 벌어진 입을 통해 새어 나왔다.

어찌나 아픈지 한동안은 호흡하기도 힘이 들었다. 그래도 얼마간의 시간이 흐르자 캄캄하던 눈앞이 훤해지고 의식도 제대로 돌아왔다.

"끄으으~ 끄으~ 후우~."

진우는 일단 손으로 몸 이곳저곳을 더듬고, 두 다리를 움직여 봤다. 머리통, 목, 허리와 두 다리……. 모두 움직인다. 감각이 있다.

손바닥의 살갗이 벗겨지고, 그 덕에 몸 이곳저곳에 피가 묻었지만, 다행히 그 외에 찢어지거나 부러진 곳은 없는 모양이다. 그러다 자신의 왼손 끝이 조금 이상해 보인다는 걸 깨달았다.

손톱이었다. 왼손 검지의 손톱이 들려 거의 직각으로 일어나 있었다.

"후우우~ 후우우~."

진우는 부들거리는 오른손으로 들려진 손톱을 지그시 눌러 봤다. 살짝 닿은 것뿐인데도 목덜미까지 찌릿해질 만큼 엄청난 통증이 느껴진다.

하지만 이대로 두었다가는 통증만 더 커질 것이기에 진우는 입술을 꽉 깨물면서 억지로 그 손톱을 눌러 다시 원래의 모양처럼 되돌렸다. 손톱이 움직일 때마다 울컥울컥 피가 솟는다.

씨발!

저절로 욕이 튀어나왔다. 끝부분만 살과 붙어 있어서 고정을 해 줘야 할 것 같다고 느낀 진우는 오른손으로 가방을 더듬거렸다. 뭔가 묶을 만한 걸 찾기 위해서였다.

"어?"

가방이 축축하다.

설마? 피?

돌아보니 물기가 겉까지 다 적셔 놓았다. 빨간색은 아니다. 젠장, 지퍼를 열어 보니 탐스러운 베이지색 액체를 사방에 뿌려 놓은 건 두유 팩이었다.

두 개가 전부 납작하게 터져 있다. 아마 땅에 떨어질 때 그의 몸에 깔리면서 이 사달이 난 모양이다.

진우는 넋이 나간 얼굴로 흥건하게 젖은 장바구니를 바라보았다. 방수 원단이었다면 가방 안에 고인 두유라도 좀 떠먹었을 텐데, 싸구려 폴리에스테르 천은 흡수한 대로 고스란히 투과시켜 진우의 목구멍이 아닌 흙바닥을 적셔 놓고 있었다.

"아까 마실걸, 아끼지 말고."

영혼 없는 말투로 중얼거린 진우는 비척거리며 일어나 근처에 떨어진 대검을 주웠다. 대검은 날이 빠지기는 했지만 부러지지는 않았다. 국방부 지급품인 주제에 이렇게 튼튼해도 되는 건가 싶은 내구성이었다.

진우는 고개를 들어 자신이 떨어져 내린 곳을 보았다.

저만한 데서 떨어져 굴렀는데 이만하면 다행인 건가…….

진우는 긍정적으로 생각하려고 애를 썼다.

깔아뭉갠 것이 두유가 든 가방이 아니라 K-2였다면 갈비뼈가 부러졌을 것이고, 그랬다면 이렇게 서서 숨을 쉬지도 못했을 터다.

손목이나 무릎이 좀 뻐근하기는 하지만, 이 정도는 버틸 만하다. 손톱이 덜렁거린다는 건 이미 잊어버렸다.

"그런데 왜 이렇게 불안하지?"

K-2의 먼지를 털어 내며 진우는 주변을 둘러봤다. 아까 솟았던 소름이 아직도 가시지 않은 게 이상했다.

이만하면 위험한 코스는 다 벗어난 게 아닌 건가?

이상하다, 이상해. 뭐지?

그렇게 자문하던 중 자신의 신경을 긁는 불안이 어디에서 온 건지 깨달은 진우는 고개를 저었다.

"거짓말이지? 응? 씨발, 이러면 안 되는 거잖아?"

밟혀 부러진 잡초들, 다져진 흙. 기시감이 드는 풍경.

그가 한나절을 허비하고, 그렇게 아끼던 두유를 두 팩이나 터트려 가며 한 일은 산의 험로를 가로질러 좀비들의 오솔길 끝자락으로 다시 내려온 것뿐이었다.

이럴 거면 뭣 때문에 그 난리를 쳤던 것일까 싶어진 진우는 이마를 찡그리며 걸음을 서둘렀다. 가방에서는 아직도 두유가 뚝뚝 떨어진다.

끄롸아악!

좆같은 일은 늘 겹친다. 몇 걸음 달아나지도 못했을 때, 코너를 돌아 나온 좀비가 큰 소리로 포효하며 등장을 알렸다.

진우는 망설이지 않고 수풀 너머 언뜻거리는 목표를 향해 K-2의 방아쇠를 당겼다.

탕— 탕— 투둑—.

앞줄에 선 세 놈의 머리통이 터지면서 뇌수와 찐득한 검은 피가 솟는다. 산 전체를 울리며 메아리치는 총성과 좀비들의 울음이 기괴한 하모니를 만들어 낸다.

그롸아아아—.

간만에 손님을 맞이한 놈들은 미친 듯한 속도로 달려오기 시작했다.

"으아아아!"

진우는 뒷걸음질을 치면서 가까운 순서대로 총알을 박아 넣었다. 하지만 이대로 가다가는 금방 탄알이 다 떨어지고 말 것이다.

퍼펑— 퍼버벅—.

맛이 갈 때까지 간 데다 관리라고는 받지 못한 K-2의 명중률은 급격하게 저하되어 버려서 한 놈을 쓰러뜨리는 데 두세 발이 필요한 지경이었다.

그리고 놈들은 언제나 그렇듯이 조금의 두려움도 없이 동료의 시체를 밀어치고 총구 앞으로 돌진해 왔다.

투두둑— 투툭—.

탄창 하나가 금방 동이 났다.

"아윽! 씨발, 진짜!"

탄창을 갈아 끼울 때, 아슬아슬하게 붙어 있던 검지의 손톱이 뜯겨 나갔다. 정말 말 그대로 손톱만 한 차이인데도 그게 없으니 탄창을 빼고 끼우는 게 훨씬 더디다. 그러는 동안 거리를 좁힌 좀비들의 아가리는 닿을 듯 가까워졌다.

더 이상의 교전이 무의미하다고 느낀 진우는 앞뒤 재지 않고 곧바로 비탈길 아래를 향해 뛰어내렸다. 사방의 풍경이 획획 스쳐 지나간다.

쫘아악— 쫘악—.

나뭇가지들이 회초리처럼 얼굴을 후려치고, 발끝은 하늘을 나는 건지, 경사로 위를 내달리는 건지 모를 지경이었다.

끄롸아아―!

진우를 따라 뛰어내린 좀비들이 중심을 잃고 굴러떨어진다. 발목이 꺾이는 놈, 목이 부러지는 놈, 속도를 줄이지 못하고 바위에 얼굴을 짓찧는 놈들까지…….

적지 않은 수가 뒈져 버렸지만, 아직 그의 뒤를 따라 뛰어오는 놈들이 있었다.

"크윽!"

진우는 있는 힘을 다해 달렸다. 사실 이제는 자기 의지로 뛰는 게 아니라 가속도가 붙어 빠르게 떨어지는 몸을 그의 발이 필사적으로 따라붙는 형국이 되어 버렸다.

나무를 피해 조금 방향을 바꾸는 것조차 엄청나게 어렵다. 이러다 넘어지면 아마 어딘가를 들이받고 죽게 될 것이다.

그런데 이 긴 내리막의 끝에는 대체 뭐가 있지?

끄롸아아아―!

속도를 늦추고 싶다가도 등 뒤에서 들려오는, 저 소름 끼치는 소리만 들으면 몸이 더욱 앞으로 기운다. 저 미친놈들은 포기라는 걸 모른다.

콰작!

또 한 놈이 뭔가에 받쳐 뼈가 부러지는 모양이다.

되돌아볼 여유 같은 건 없다. 그런 짓을 했다가는 곧바로 저승으로 간다. 몇 번이나 아슬아슬하게 장애물을 피해 뛰어 내려가던 진우의 앞에 캄캄한 골짜기가 나타났다.

시커먼 골짜기의 아가리. 깊이도, 폭도 전혀 모른다. 확실한 사실은 만약 여기서 멈추려 했다가는 100퍼센트 죽는다는 것뿐.

"윽!"

피한다고 생각했는데 방향을 온전히 틀지 못해 나무 밑동에 허벅지를 찧었다. 중심을 잃고 비틀거리며 내달리던 진우는 낭떠러지 직전에서야 겨우겨우 몸을 바로 세울 수 있었다.

그리고 곧장 '이얏!' 하며 있는 힘껏 하늘을 향해 뛰어올랐다. 골짜기 저편의 우거진 풀숲이 눈에 들어온다. 저기까지 닿아야 한다. 그러지 못하면…….

근데 아무래도…… 점프가 짧다.

으아아아아~.

"이익!"

마지막 순간, 진우는 두 팔을 뻗어 건너편 절벽의 흙 바깥으로 뻗어 나와 있는 나무뿌리를 움켜쥐었다. 속절없이 아래로 미끄러지기만 하던 손가락에 휘어 있는 뿌리가 걸렸다. 진우는 온 힘을 다해 그걸 붙잡았다.

끄와아아—.

그를 뒤따라 뛰던 좀비들이 골짜기 아래로 떨어져 내리며 쏟아 내는 소리가 멀어져 간다.

그런 후, 쿵— 하는 울림.

진우의 시선은 저절로 그쪽으로 향했다.

골짜기 아래의 단단한 바위로 된 바닥에 온몸이 터진 좀비들의 시체가 쌓여 간다. 까마득한 높이. 이렇게 깊은 낭떠러지라는 걸 미리 알고 있었다면 도저히 뛸 엄두를 내지 못했을 것이다.

뒤를 쫓던 추격자들이 하나하나 돌바닥 아래로 떨어져 박살 나는 소리를 들으며 진우는 뿌리를 꽉 잡고 천천히 절벽을 기어 올라갔다.

"하아~ 하아~! 쿨럭! 쿨럭!"

안전한 곳까지 도달한 진우는 완전히 탈진해서 큰대자로 뻗어 버렸다. 아까부터 물을 찾던 입술은 바짝 마르다 못해 쩍쩍 갈라졌고, 입 속은 침 대신 흙으로 잔뜩 채워졌다.

마른기침이 터져 멈추지 않는다. 팔다리에 감각이 없다. 그래도…… 살았다. 이번에도 이기고 살아남았다. 진우는 엉금엉금 기다시피 하며 겨우 몸을 일으켰다.

돌아보니 골짜기 건너편에서는 아직도 속도를 줄이지 못한 좀비들이 뚝뚝 떨어져 내리는 중이다.

비틀대며 걷던 진우는 나무 사이로 흐르는, 아주 가느다란 실개천을 발견하고 그 자리에 멈춰 섰다.

물, 물! 물이다! 물!

입을 대고 마실 수 있을 만한 깊이는 아니지만, 어쨌든 물이다. 진우는 신을 목격한 광신도처럼 납작 엎드려서 일단 두 손에 물을 묻혀 입술부터 적셨다. 손끝이 수면에 닿는 감촉부터가 너무나 황홀했다.

어떻게 하면 이 물을 마실 수 있을지 고민하던 진우는 손톱이 벗겨진 것도 잊은 채 정신없이 흙을 팠다. 그러고는 가방을 벗어 지퍼를 열고 구덩이 모양에 맞도록 잘 폈다.

이내 아까보다 훨씬 맑고 부유물이 없는 작은 웅덩이가 만들어졌다. 두유가 섞여 희뿌연 물이 다 흘러 내려가기도 전에 진우는 거기에 얼굴을 박고 정신없이 마셨다.

오늘 흘린 땀과 뒤집어썼던 먼지가 섞인 물이, 너무도 달콤하고 시원한 그 물이, 입술을 거쳐 혀를 지나 목구멍으로 흘러든다.

두유 두 팩과 손톱 한 개, 그리고 탄알 30발을 써서 살아남은 자만이 느낄 수 있는, 벅찬 만족감이 온몸을 휘감았다.

03

건대 쉘터의 피난민들 사이에서는 시간이 아주 느리게 갔다. 아무런 일도 하지 않고 그저 하루하루를 보내는 일이 실은 꽤나 고통스럽다는 걸 그들은 절실하게 느끼는 중이었다.

고맙기도 하고 잠실보다 나은 점에서는 확실하지만 여전히 맛이 있다고는 할 수 없는 세끼의 밥. 정해진 시간에 맞춰 그걸 꾸역꾸역 먹고 나면 중요한 일과는 모두 사라진다. 그 뒤에 남은 것은 자유라는 이름의 괴롭고 더딘 일상뿐.

체육관 벽의 무늬를 보며 멍하니 시간을 보내다가 얼마나 지난 걸까 하고 시계를 돌아보면 이제 겨우 20여 분이 지나 있기가 일쑤였다.

후텁지근하고 끈적끈적한 공기를 참아 내며 간신히 버틴 그 20분이 끔찍하게 느껴질수록 사람들은 자연스레 체육관 뒤편의 주차장으로 몰렸다. 거기에선 최소한 바깥이라도 볼 수 있기 때문이다.

임수정도 마찬가지였다. 뜨겁게 달아오른 아스팔트의 열기를 참아 가며 철책에 매달려 바깥의 풍경을, 아무것도 움직이지 않는 죽어 버린 도시의 오후 풍경을 해가 질 때까지 멍하게 바라보기만 했다.

한심하지만 그것밖에 달리 할 수 있는 일이 없었다. 잠실 쉘터의 푸른색 잔디와 넓은 건물 내부가 새삼 그리워졌다.

"탱크다."

임수정의 곁에 서 있던 중년 여자가 먼 도로 쪽을 가리켰다. 임수정도 자연스럽게 그쪽으로 고개를 돌렸다.

크르르르르릉— 크르르릉—.

육중한 소리를 내며 탱크와 중장비가 움직인다. 탱크는 그들에게 주어진 거의 유일한 볼거리이자 오락물이었다.

우드드득, 콰지직—.

도로를 막고 있는 자동차들을 탱크가 밟아 찌그러뜨리고, 중장비들은 그걸 길 한쪽으로 몰아 길을 튼다.

철책을 넓혀 활동할 수 있는 공간을 확보하기 위해서 벌이는 그 작업은 며칠 동안 보고 있어도 별로 질리는 법이 없을 만큼 박력이 넘쳤다.

그리고 다른 쪽에서는 태풍으로 인해 날아간 외부 철책들을 재건하기 위해 안간힘을 쓰고 있었다.

타아앙—.

근처의 건물에서 총성이 울린다. 이따금씩 들리는 총소리는 익숙해서 이제는 그다지 신경이 쓰이지도 않는다.

"쟤들 봐요. 쟤들 뭔지 알아요?"

중년 여자가 지목한 것은 위아래를 모두 파란색으로 맞춰 입은 한 무리의 노동자들이다. 며칠 전부터 눈에 띄기 시작한 그들은 군인들의 지휘를 받으며 외부에서 철책 보수 작업을 진행하고 있었다. 임수정은 고개를 저었다.

"모르겠네요. 공무원들인가요?"

"하하, 아니에요. 쟤들…… 죄수들이래요, 죄수들."

대단한 이야기라도 하는 것처럼 중년 여자는 목소리를 낮춰 가며 은밀하게 속삭였다.

"죄수들…… 수감자라고요?"

"응. 그러니까 저렇게 외부 작업에 투입되잖아요. 여차하면 죽어도 아쉬울 게 없으니까."

중년 여자가 태연한 표정으로 지껄이는 말에 소름이 끼쳐서 임수정은 입을 딱 다물어 버렸다.

죽어도 아쉬울 게 없다니…… 무슨 죄를 지었는지도 모르면서 저 사람들을 동물 이하로 취급하자는 건가.

그랬구나, 그래서 저 푸른 옷을 입은 사람들은 야간에도 따로 별도의 건물에 몰아넣고 재웠던 거구나…….

이 지경이 되고도 제정신을 차리지 못하고 있는 사람들이 새삼 징그럽다. 그런 임수정의 감정을 눈치채지 못한 중년 여자는 계속 떠들어 댔다.

"지금 군인들이 교도소를 요새처럼 쓴대요. 거기가 워낙에 벽이 단단하고 높잖아. 그러니까 좀비들이 암만 몰려들어 봐야 안전하지. 그래서 원래 거기 갇혀 있던 죄수들은 다 밖으로 내보내서 저렇게 위험한 작업 하는 데 써먹는다는 거야. 우리한테는 잘된 일이지. 저런 죄수들도 죽기 전에 한 번쯤은 남한테 좋은 일도 좀 해야지 않겠어?"

여자의 말을 듣고 있자니 어쩐지 속이 메슥거리는 것 같아 임수정은 자리를 피했다. 가끔 저렇게 미친 사람처럼 구는 인간들을 만난다.

자기 목숨만 중요하게 여기는 사람들. 좀비에게 세상이 다 갈기갈기 찢겨 버리는 아수라장을 직접 목격하고 겪었으면서도 천년만년 살 것처럼 구는 사람들.

걸으면서도 자연스레 임수정의 시선은 푸른 옷의 수인들 쪽을 돌아보게 되었다. 힘없이 해머를 휘두르고 시멘트를 나르는 그들의 모습에서 강한 연민이 느껴졌다. 저들 모두가 흉악한 살인마나 강간범들은 아닐 테니까.

"어? 언니, 어디 가세요?"

임수정과 교차하며 알은체를 하는 여자는 가희였다. 잠실에 있을 때에는 잘 몰랐는데, 이 아가씨 꽤나 싹싹하고 친절하다. 군인이나 피난민을 가리지 않고 누구에게나 먼저 인사를 하며 친화력을 발휘한 덕에 가희는 며칠 만에 이곳의 인기인이 되었다.

테라도 그렇더니, 연예인이라는 사람들은 다들 이렇게 사근사근한 걸까? 그렇다면 내가 가지고 있던 선입견이 틀린 거였나 봐…….

임수정은 멋쩍게 웃으며 그녀에게 마주 고개를 숙였다. 가희는 예쁘장한 얼굴에 친절한 미소를 지으며 수통과 컵을 들어 보였다.

"혹시 커피 드시겠어요?"

"아, 아니요. 괜찮습니다."

임수정은 가볍게 손사래를 쳤다. 오후의 커피 한 잔. 예전 정수장에서 근무할 때에는 꼭 필요한 것이지만, 요새 같아서는 사양하고 싶다.

가뜩이나 하루가 길기만 한데 저걸 먹고 혹시 밤에 잠을 제대로 이루지 못하게 된다면 너무 고통스러울 것이다. 그래도 마음이 내키기만 하면 아무 때고 커피를 마실 수 있다는 건 분명 좋은 일이긴 하다. 잠실에서는 저런 기호품이 지급되지 않았으니까.

커피는 이 건대 쉘터의 삶이 가진 물질적 풍요를 단적으로 보여 주는 증거였다. 이유는 모르겠지만, 이곳 건대 쉘터에서는 꽤나 다양한 먹을거리들이 피난민들에게 보급되었고, 잠실에 비해서는 양도 풍부했다.

아이들이 초콜릿 묻은 입을 오물거리며 웃는 모습도 꽤나 오랜만에 보는 흐뭇한 풍경이었다. 덕분에 좁은 체육관에 몰려 열대야의 더위를 견디면서도 멱살잡이를 하는 일은 잠실에서보다 적다.

"어디 가시는 길이세요?"

임수정의 물음에 가희는 고개를 끄덕이며 머리카락을 귀 뒤로 쓸어 넘겼다.

"네, 저 건물이요. 저기 근무하는 오빠들도 피곤해하실 시간인 것 같아서 가희가 커피라도 좀 드릴까 하고요."

가희가 도로 건너편의 건물을 가리켰다. 7층 높이의 은행 건물 2층과 그 맞은편의 5층짜리 식당 건물은 체육관 담장 위에서 뻗어 나간 철책을 통해 허공에서 연결되어 있고, 그 Y자 모양의 구름다리를 타고 저격수들의 이동 경로로 사용되었다.

체육관보다 더 높고 시야 확보가 쉽기 때문에 두 건물의 옥상에 배치된 저격수들은 24시간 잠시도 틈을 비우지 않고 교대해 가며 그 자리를 지켰다.

가끔씩 무리에서 떨어져 나온 좀비들 서너 마리를 처치하기도 하지만, 주된 임무는 어디까지나 감시였다. 대형 좀비 무리가 행진해서 다가오거나 할 때면 신호를 주어 도로에서 작업하던 병력과 푸른 옷의 수감자들을 대피시키도록 했다.

탱크가 있어도 여전히 좀비들은 신경 쓰이는 존재였다. 그 가장 큰 이유는 도로가 종종 꺼져 버리는 통에 탱크의 운용에 지장을 초래하는 일이 많은 까닭이다.

"어머!"

굉음과 함께 도로 아래로 한쪽 차체가 빨려 들어간 탱크를 보며 가희가 입을 막았다.

위이이잉— 위이잉—.

탱크는 무한궤도를 돌리며 안간힘을 쓰지만, 그럴수록 아스팔트 도로에 난 구멍은 더 크고 넓어지기만 할 따름이었다. 중장비를 동원해야 할 상황이 온 것이다.

"또 빠졌네요. 벌써 몇 번째야……."

가희가 불안해하며 중얼거렸다. 그녀뿐 아니라 공사를 구경하고 있던 사람들 모두 한마디씩 거들며 웅성댔다. 태풍 때문에 푹 젖어 있다가 물기와 내부 토사가 빠져나간 도로는 탱크의 무게를 버텨 내기가 버거운지 아무런 예고도 없이 푹푹 꺼져 나갔다.

작업 속도가 느리고 좀처럼 진전을 보이지 못하는 건 바로 그 때문인가 보다. 와이어를 연결하고 발판을 설치해서 탱크를 겨우 끄집어내고 나면 서너 시간은 후딱 지나가 버렸다.

"왜 저럴까요? 암만 망조가 들었다고 해도 길까지 저렇게 안 도와줄 수가 있나요? 평소에는 멀쩡하던 도로였는데, 왜 하필 이런 때에 저렇게 뻥뻥 구멍이 뚫리죠? 재수가 없어서 그런가?"

가희가 이해할 수 없다는 표정을 지었다. 임수정은 무덤덤하게 대꾸했다.

"아마 도로 아래에 깔린 파이프들이 비어서 그럴 거예요."

"파이프요?"

"네. 왜, 있잖아요. 수도관이니, 가스관이니, 하수도관이니, 그런 것들. 우리 눈에는 안 보이지만, 도로 아래 어딘가 그런 게 잔뜩 깔려 있거든요. 예전에는 그 관들마다 내용물이 들어차 있으니까 그게 힘을 같이 받아 줬는데, 이제는 텅 비었잖아요. 아주 약해졌을 거예요. 그만큼 버티는 힘이 약해진 거죠. 게다가 이미 균열도 많이 생겼을 텐데, 보수도 되지 않고……."

"헤~ 설명을 들었어도 무슨 말인지 가희는 다 알아듣지를 못하겠네. 어쨌든 언니는 무진장 똑똑하시네요."

"아뇨, 똑똑하기는요. 그냥 하던 일과 조금 관련이 있어서 그래요."

잠시 입을 벌린 채 부럽다는 듯 임수정을 바라보고 있던 가희는 깜빡했다는 듯 자기 이마를 두드렸다.

"아차, 아차, 이럴 때가 아니지. 오빠들 커피 가져다 드려야 하는데."

"근데, 우리가 저 건물로 가도 되는 거예요? 군인들이 지키고 있던데."

"후훗, 그러니까 비밀이에요, 언니. 그래도 저 오빠들, 가희가 주는 커피 마시면서 엄~청 행복해하거든요. 그 정도는 해야죠."

혀를 날름하고 담장으로 뛰어간 가희는 사람들의 시선이 자신을 향하지 않는다는 걸 확인하고 나서 그곳을 지키고 있는 경비병들에게 눈짓으로 인사를 했다.

이미 여러 번 가희의 커피 배달을 경험해 본 경비병들은 고마워하며 그녀를 통과시켜 주었다. 가희는 사다리를 기어올라 파이프로 만들어진 구름다리를 밟고 건너편 은행 건물 쪽으로 서둘러 걸어갔다.

철컹철컹.

파이프 사이로 아래 도로가 내려다보인다. 불타 버리고 찌그러진 자동차들, 이중으로 단단하게 쌓아 둔 높은 철책, 그리고 군데군데 여러 유형의 얼룩이 눈에 띈다.

사람들의 핏자국, 좀비들의 체액과 뇌수.

청소를 했어도 죽고 죽이던 현장의 기록은 여전히 남아, 떼어지지 않는 껌딱지처럼 잊히지 않으려 발버둥 친다.

"어, 가희 씨?"

옥상을 지키고 있던 분대 병력은 가희를 보자마자 일제히 만면에 웃음을 띠며 반갑게 맞이했다. 생각해 보면 당연하기도 한 일이다.

톱스타는 아니었다고 해도 어디까지나 TV에 나오던 미녀가 이렇게 손수 커피를 가져다주고 곱고 흰 손으로 한 잔, 한 잔 따라 준다는 게 어지간히 기쁜 것이다.

가뜩이나 이성에 대한 호기심으로 피가 끓는, 20대 남자들로만 이루어진 군인 집단에게 있어 연예인을 직접 보고 이야기를 나눈다는 건 단순한 흥분 이상의 의미였다.

 게다가 좀비 세상이 도래하면서 휴가도 외박도 불가능해진 지금은 여자에 대한 열망이 커질 대로 커져 있는 상태. 그래서 오후 교대조에 속한 병사들은 경비를 서는 시간 내내 구원처럼 그녀의 방문을 기다렸다.

 "오빠들, 피곤하시죠? 가희가 커피 가져왔어요!"

 가희는 살살 눈웃음을 치며 수통을 들어 올렸다.

 이예—. 병사들은 체육관에 닿지 않을 만큼 소리를 죽여 환호했다. 그러고는 병장부터 순서대로 가희가 종이컵에 따라 주는 커피를 받았다.

 다들 컵을 받는 척하며 은근히 손가락을 스쳤다. 그리고 가희가 허리를 숙일 때 트레이닝 지퍼 사이로 보이는 가슴 골짜기를 곁눈질했다.

 "맛있어요?"

 "네, 네. 물론입니다. 최곱니다."

 가희는 어깨를 으쓱해 보인 뒤, 느릿한 걸음으로 옥상 주변을 천천히 서성였다. 이병 둘을 제외하고는 모두 그녀에게서 눈을 떼지 않았다. 억눌러진 욕망의 뜨거운 기운이 옥상 위를 채운다.

 하아~. 난간에 두 팔을 기댄 가희는 입술을 쫑긋거렸다.

 "다들 정말 대단하세요. 가희는 좀비들 생각만 해도 벌벌 떨리는데, 오빠들은 안 무서워하고 이렇게 우리를 지켜 주시니까."

 "하하하, 무서워하지 마십쇼. 저희들이 확실하게 지켜 드립니다. 특히 가희 씨라면 더 걱정하지 않으셔도 돼요. 저희들이 목숨을 걸고라도 지켜 드립니다."

 호언장담을 하는 군인들을 향해 몸을 돌리며 가희가 혀 짧은 소리로 물었다.

 "정말이요? 하지만 좀비들이 저렇게 많은데?"

 "좋습니다. 그럼 가희 씨가 안심하실 만한 걸 하나 보여 드릴까요? 야, 비켜 봐."

 병장 하나가 호기롭게 이병을 옆으로 밀치며 난간 위에 팔꿈치를 걸쳤다. 그러고는 조준경에 눈을 가져다 댔다. 예전에 아마도 이 남자가 뭔가 호언장담을 했던 기억이 가희의 머릿속에 얼핏 떠올랐다.

"저기 보이십니까? 저기 저 러닝셔츠만 입은 배불뚝이 놈. 야, 누가 가희 씨한테 망원경 좀 보여 드려. 두 시 방향이다."

"네. 아, 이제 보여요."

"저놈 머리를 날려 드리죠. 자아~ 잘 보십쇼."

병장이 겨눈 것은 150여 미터 떨어진 도로에서 배회하고 있던 두 마리 좀비 중 더 큰 쪽이었다. 밖으로 흘러나온 내장이 러닝셔츠 아래에서 덜렁거렸다.

우리 남 병장님 사격 솜씨는 중대 내에서도 최곱니다! 귀신같습니다!

다른 병사들이 곁에 서서 바람을 잡는 동안 조준을 마친 병장이 방아쇠를 당겼다.

"타앙—.

날카로운 소리를 내며 날아간 탄환은 좀비 등 뒤의 상가 유리창을 박살 냈다.

"죽은 거예요?"

가희가 천진하게 물었다. 병장은 얼굴이 빨갛게 돼서 다급하게 다음 발을 조준했다.

"바, 바람이 불어서 그렇습니다! 바람 때문에······."

또다시 한 발을 당겼지만, 이번에도 탄착점은 좀비의 머리와 상당한 거리가 있었다.

또 한 발. 그리고 또 한 발······.

공연히 시작한 자랑 때문에 병장은 물론, 전 분대원들의 등에서 땀이 솟았다. 그리고 여섯 발째에야 비로소 좀비의 머리통이 터졌다.

"퍽—.

관자놀이에 커다란 구멍이 뚫린 채 벽에 처박힌 좀비는 더 이상 움직이지 못했다. 분대원들은 안도의 한숨을 내쉬었다.

"캬아~ 보, 보셨습니까, 제 솜씨!"

병장은 상기된 얼굴로 가희를 돌아보았다. 가희는 눈을 가리고 중얼거렸다.

"네에~ 정말 대단하세요. 근데 너무 무서워요, 가희는 저런 거."

"걱정 마십쇼, 가희 씨. 저희들이 이렇게 매일 좀비 수를 줄여 나가고 있습니다. 반드시 안전하게 지켜 드립니다."

병장은 가희를 달래 주는 척하며 슬쩍 그녀의 어깨에 손을 얹었다. 가냘픈 쇄골이 만져지는 순간, 전기가 통하는 것처럼 찌릿했다. 가희는 눈을 다소곳이 뜨며 가볍게 미소를 지었다.

"네, 믿을게요. 오빠들 믿을 거예요."

그리고 그녀는 모두를 향해 윙크를 찡긋하며 돌아서서 옥상을 빠져나왔다. 바래다주는 병장의 얼굴에는 아쉬움이 절절하게 묻어났다.

04

"양쪽 건물에 다 커피 가져다주고 오는 길인가?"

체육관으로 돌아온 가희가 담배를 챙기고 있을 때, 육만배가 그녀의 곁으로 다가와 물었다.

"아뇨, 은행 쪽만 다녀왔어요. 담배 한 대 피우고 식당 건물도 마저 돌게요."

"잘 녹여들 놨나? 명심하고 있지? 테라처럼 굴라고 한 말."

가희는 고개를 끄덕였다.

"네, 네. 아주 미친년처럼 사방에 보는 사람마다 웃고 다니고 있어요. 말도 다소곳하게 하고요. 근데 이거, 엄청 피곤하네요."

"그리고 일단 녹여 놓기만 해야지, 아직 아무하고도 떡치고 다니면 안 돼."

"회장님…… 저도 보는 눈이 있지……. 아이구, 하고 싶은 마음도 없네요, 저런 땀내 나는 애들이랑은……."

그렇게 말한 가희는 담배를 숨어 피우기 위해 화장실로 떠났고, 육만배는 자신의 가방 안쪽에서 두툼한 성경과 건빵 봉지를 꺼냈다.

성경 바로 아래에 있던 염주가 따라 올라왔지만, 육만배는 누가 볼세라 얼른 그걸 가방에 도로 넣었다. 그러고는 주머니에서 배지를 꺼내 양복 깃에 달았다.

국내 최대 교회의 장로들만 달 수 있는 배지. 물론 진짜다. 수백억이 걸린 교회 내 세력 다툼을 제압하는 과정에서 필요에 의해 목사가 직접 임명하고 달아 준 장로 배지였다.

손거울로 자신의 모습을 비춰 본 육만배는 만족한 듯 고개를 끄덕인 후, 한 무리의 사람들이 둘러앉은 곳으로 걸음을 옮겼다.

"어머, 육 사장님! 사장님도 믿는 분이셨어요? 세상에! 이거, 큰 희망 교회 배지 아니에요?"

중년 여자가 육만배를 반기다가 그의 옷깃에서 배지를 발견하고 호들갑을 떨었다. 조용히 찬송가를 읊조리던 주변 사람들도 큰 희망 교회라는 말에 눈빛이 달라졌다.

이제 완장 하나가 더해졌으니 그는 단순한 사장이 아니게 되고, 자연스럽게 그에 대한 존경심도 더 커질 것이다.

"아이구, 부끄럽습니다. 장로나 일반 신도나 전능하신 하나님 앞에선 다 같은 어린 종들 아니겠습니까?"

육만배는 너스레를 떨며 일일이 고개를 숙여 사람들과 인사를 나눴다. 그가 염주가 아닌 성경을 골라 쥔 이유는 단 하나뿐이다. 이곳 건대 쉘터의 종교 분포는 기독교 쪽이 압도적으로 많았다.

당연한 일이지만, 좀비들에게서 살아남은 이후 사람들은 좀 이상해졌다. 섹스에 지독하게 탐닉하거나, 종교에 더 깊이 몰입하거나, 계속 울어 대거나……. 하여간 어딘가 극단적으로 변해 갔다. 죽음에 한 발을 담갔다가 빠져나온 사람들의 심리란 논리로 설명하기 어려운 법이다.

어쨌든 누군가에게 약점이 있다는 건 육만배로서는 좋은 일이었다. 빈틈이 있는 자들은 쉽게 허물어뜨릴 수 있다.

"그런데 왜 잠실에서는 한 번도 신도들 모임에 참석을 안 하셨어요?"

중년 사내가 의심스럽다는 말투로 물었다. 주변의 눈치를 보아하니, 이 고지식하게 생긴 녀석이 그동안 이 모임의 중심적인 역할을 맡았던 모양이다.

그야 간단하지, 이 멍청한 새끼야. 거기엔 목사들이 있었으니까 내가 끼어 봤자 내 마음대로 좌지우지할 수가 없잖아.

육만배는 사내를 빤히 쳐다보며 웃었다.

"하하, 그런 자리가 있다는 것도 몰랐습니다. 그러게요, 제 불찰이지요. 하지만 늘 마음속으로 감사 기도를 올렸습니다, 형제님."

"장로님이 계시니까 훨씬 마음이 놓여요. 육 사장님, 아니, 육 장로님. 이제부터 우리 모임을 좀 집전해 주세요."

여자들은 홍조를 띠고 기뻐했다.

허허, 제가 무슨 목사님도 아니고…….

육만배는 쑥스럽다는 듯 웃었지만, 이미 그럴 요량이었다. 아니었다면 이런 자리에 낄 이유가 없다.

"그럼 다 같이 기도부터 할까요? 형제자매님들……."

육만배는 좌우의 수십 명을 둘러보며 낮은 목소리로 입을 열었다.

"무서우십니까? 먼저 보낸 가족 때문에 눈물이 나십니까? 왜 착하게 살던 우리에게 이런 일이 생기는지 모르시겠습니까? 저도 그렇습니다. 하지만 이것도 다 하나님의 섭리이겠지요. 주님께서 준비해 두신 고난이겠지요. 우리는 끝까지 믿음을 잃지 않고 주님의 뜻을 이루기 위해 쓰여야 합니다. 그러면 눈을 감는 날, 천국에서 먼저 간 가족들과 재회를 하겠지요. 성경 말씀에도 있습니다. 한 번 죽는 것은 사람에게 정해진 것이요, 그 후에는 심판이 있으리니……. 그렇습니다. 지금 우리에게 필요한 건 원망이나 탄식이 아니라 더 큰 믿음과 기도입니다. 찬양입니다."

"아멘! 아멘!"

수년간 초대형 교회의 장로였기는 해도 암송하고 있는 성경 문구가 몇 안 되는 탓에 별로 그럴듯하지 않은 인용이었다. 그래도 붙잡을 것이 간절하게 필요했던 사람들은 장로라는 권위에 현혹된 채 육만배의 말에 고개를 끄덕이며 눈물을 흘렸다.

"가이사의 것은 가이사에게, 하나님의 것은 하나님에게."

어깨너머로 보았던 기억을 되살려 모임을 마친 육만배는 양복 품에서 건빵을 꺼내 체육관 바닥에 얌전히 내려놓았다.

"십일조인가요? 수입이 아니라 배급을 받은 건데……."

옆자리의 여자가 부끄러워하며 물었다. 육만배는 당연하다는 듯 고개를 끄덕였다.

"이 역시 하나님이 베풀어 주신 양식이지요. 저는 열 끼마다 한 끼를 바쳐서 제 믿음을 증거하겠습니다."

"하지만 그걸 대체 어디에 씁니까? 목사님이 계신 것도 아닌데, 관리는 누가 하고요?"

아까부터 계속 의심스러운 눈길을 거두지 않던, 고지식한 사내가 또 딴죽을 걸었다.

귀찮은 놈.

하지만 육만배는 이런 놈들을 잘 다룰 줄도, 이용할 줄도 알았다.

"그러고 보니 이렇게 지내면서 통성명도 못 했군요. 형제님, 실례지만 성함이?"

육만배가 물었다.

"이요섭입니다. 갑자기 이름은 왜?"

뭔가 꺼림칙해하면서도 사내는 순순히 이름을 일러 주었다. 역시 순진한 놈이다.

"허허허, 의심이 많은 도마와 같은 우리 요섭 형제님. 이해합니다. 믿음보다 의심이 훨씬 더 영리한 것처럼 느껴지죠. 하지만 막상 세상을 겪어 보면 저런 분들이 또 항상 고지식하고 바른 분들일 때가 많더군요. 형제님, 형제님은 저를 믿지 않으시지만, 제가 먼저 형제님을 믿겠습니다. 어떻습니까, 여러분. 만약 누군가 십일조를 바친다면 요섭 형제께서 관리하시는 것으로 하면요. 그러면 공정한 일이 아닐까요?"

육만배가 인자한 미소를 얼굴에 그리며 말했다. 고지식한 남자가 당황해하는 것과 동시에 주변의 사람들은 육만배의 큰마음에 감탄하고, 내일부터는 자신들도 십일조를 바치겠다며 수군거렸다.

좋아, 좋아.

육만배는 고개를 끄덕였다. 지금 식량이 여유롭다고 해도 언제 보급이 끊길지 모르는 일이니, 이 겁에 질리고 어리석은 돼지들에게서 조금씩 거둬 비축해 놓을 필요가 있다.

어차피 저 고지식해 보이는 이요섭이라는 놈은 십일조에 손을 댈 만한 깜냥도 안 되기 때문에 은행에 맡겨 둔 것처럼 안전할 것이다. 사람 하나 구워삶는 것은 일도 아니지, 암.

"그럼 내일 또 이렇게 모여 함께 복된 시간을 가지시죠."

육만배가 모임을 마치려 할 때, 밖이 소란스러워졌다. 부르르릉 하는 디젤 엔진 소리, 워커가 철판을 딛고 뛰는 소리, 철제문이 삐걱대며 열리는 소리가 차례로 들려왔다.

이 쉘터의 보급이 잠실보다 풍요로운 진짜 이유, 외부에서 식료품과 생필품을 조달해 오는 병력이 귀환을 알렸다.

보통 자동차 높이의 두 배는 될 만큼 커다란 모래 수송용 차량의 철제 화물칸이 위로 열리고, 병사들은 인근 물류 창고를 털어 징발해 온 박스들을 하역했다.

"저, 저…… 무거워 보이는데, 우리 신도들이 좀 도울까요?"

육만배의 제안에 문가에 서 있던 남자들은 트럭 쪽으로 엉거주춤 다가갔다. 그리고 그 선두에 자연스레 육만배가 섰다. 봉사하는 리더이자 민간인들 전체의 대표자라는 인상을 남기기에 더없이 좋은 찬스이다.

"뭡니까?"

소위 계급장을 단 덩치가 육만배를 막았다. 육만배는 사업용 미소를 다시 만들어 냈다.
 "하하, 수고 많으십니다. 저희들을 위해 이렇게 애를 쓰시는데, 저희도 뭐 자그만 도움이라도 드릴 수 있을까 해서요. 젊은 분들만큼이야 못하겠지만, 그래도 라면 박스 하나쯤은 거뜬히 나릅니다. 아무거라도 팍팍 시켜 주십시오."
 "말씀이야 고맙지만…… 규칙에 어긋납니다. 민간인분들은 물러서 주세요."
 소위의 말에 망설임이 깃들어 있다는 걸 육만배는 눈치챘다. 이쯤 되면 웃는 낯으로 밀어붙여도 된다. 이렇게 해서 몇 번 말을 섞고 일을 돕는 시늉을 하면 그다음에는 군인 대 민간인이 아니라 아우와 형님의 관계가 될 것이다. 그때부터 주도권을 휘어잡고 휘두르면 된다.
 "아이구, 참. 언제까지 이렇게 대접만 받고 있을 수야 없죠. 자, 자, 뭣들 하십니까? 얼른 하나씩 받아서 안에 들여놓읍시다."
 육만배의 말에 소위도, 사병들도 잠시 멈칫했다. 사실 피곤하기도 하다. 보급품이 넉넉해야 쉘터가 평화롭다는 중대장의 지론 아래 외부로까지 나가서 위험을 무릅쓰고 물자들을 징발해 오기는 하지만, 매번 철책이 지켜 주는 게이트 바깥으로 차를 몰아 나갈 때마다 긴장감 때문에 땀을 한 바가지씩 쏟아야 한다.
 아무리 커다란 특장 트럭이라고 해도 좀비들의 거대한 파도와 맞닥뜨리게 되면 어쩌지 하는 걱정을 할 수밖에 없다. 게다가 매일 하루도 쉬는 날 없이 계속 철책을 넓히는 작업까지 병행하고 있으니, 체력적으로 꽤나 한계까지 와 있는 상황이기도 하다.
 괜찮지 않을까? 위험한 것도 아니고, 그저 짐을 안으로 들여놓는 정도라면?
 소위는 잠시 갈피를 잡지 못하고 얼굴의 땀을 쓸어내렸다. 그때, 체육관 위층에서 확성기 소리가 삐익— 하고 울려온다.
 "게이트에 계신 민간인 여러분! 게이트에 계신 민간인 여러분! 여러분의 안전을 위해 지금 즉시 체육관 내부로 이동하십시오!"
 확성기를 통해 메시지가 전달되자마자 소위와 다른 병사들의 얼굴이 경직됐다. 그러고는 황급히 사람들의 손에서 박스를 빼앗아 들었다.

"들으셨잖습니까? 안으로 들어가십시오, 빨리!"

소위가 원망스럽다는 듯 말하며 돌아보았다. 뻘쭘한 얼굴의 교인 남자들과 함께 체육관 내부로 돌아가며 육만배는 위층을 올려다봤다. 아직 젊은 티가 가시지 않은 얼굴의 사내 하나가 창가에 서서 아래쪽을 주시하고 있었다.

"저놈이 대장인가?"

육만배는 야비한 목소리로 중얼거리며 입가에 고인 침을 닦았다. 하필이면 대장이랍시고 어깨에 힘주는 놈과 만난 모양이었다. 그렇다면 대장 노릇을 하게 붕붕 띄워 주면 된다.

아무리 빳빳하게 구는 인간이라도 가까이에서 차분하게 관찰하다 보면 욕망으로 인해 뚫린 허점이 보이기 마련이니까.

저녁 식사 후, 육만배는 이요섭을 앞세우고 위층으로 이어진 계단을 올랐다. 계단 입구에 민간인 출입 금지라는 푯말과 함께 체인이 걸려 있었지만, 무시하고 지나쳤다.

그가 믿는 것은 교인들의 서명이 적힌 종이쪽지였다. 적극적으로 봉사하고 싶다는, 일종의 탄원서인 것이다.

"이쪽으로 더 확장을 했으면 하는데, 안전 구역을 말이야."

계단 중간쯤에 이르자 위층에서 나누는 대화 소리가 들려왔다. 육만배는 이요섭을 잡아당기며 가만히 귀를 기울였다.

"그만큼 큰 공사를 수행하기에는 건축 자재가 부족합니다."

"아니, 북쪽 외곽으로는 벽을 쌓지 않을 거야, 먼젓번처럼 그냥 폭약 설치해서 도로 자체를 건물들이랑 같이 날려 버려. 아예 유입 자체를 차단하고 싶으니까."

"그…… 상부 허가를 먼저 받지 않으셔도……."

"못 기다려. 그쪽도 지금 뭔가 어수선하고 정신이 없어서 이쪽에 크게 신경을 못 쓰는 분위기야. 그러는 동안 규모 넷짜리 같은 게 하나 밀려오면 너무 손실이 클 거야. 봐, 그쪽을 날리면 이 아래로 이만큼의 안전 지역이 확보된다……."

제법인데?

도로가 깊이 파여 버리면 좀비들에게는 낭떠러지가 되는 셈이다. 그거라면 굳이 시간과 노동력을 들여 벽을 쌓는 것보다 오히려 더 안전하기까지 하다.

육만배는 눈을 빛냈다. 계속 더 듣고 싶었는데 눈치 없는 이요섭이 큼큼, 헛기침을 했다.

"거기 누구야?"

대위가 지도에서 계단 쪽으로 시선을 돌렸고, 경비병들이 총을 겨누기 전에 이요섭이 먼저 입을 열었다.

"아, 저는 그…… 피난민 교인 대표 이요섭이라고 합니다. 그…… 저희가 저녁 시간 동안 이야기를 좀 해 봤는데요……."

이요섭은 종이 서너 장을 보이며 계단을 마저 올라갔다. 육만배는 서너 걸음 떨어져 그 뒤를 따랐다. 이요섭을 꼬드겨 앞세운 이유는 간단했다. 얼굴을 너무 팔아서 주의를 끌고 싶지 않아서다.

"민간인 출입 금지라는 푯말 없었습니까?"

대위는 감정이 섞이지 않은 말투로 물었다. 이요섭이 우물쭈물하는 동안 육만배는 위층의 모습을 눈으로 훑었다.

양쪽에 난 계단으로부터 거리를 두고 놓아둔 탄약 상자들.

이놈들은 민간인을 믿지 않는 모양이다.

"아, 그걸 보기는 했는데…… 안전한 일이라면 저희도 대위님 지휘를 받으면서 봉사를 하고 싶어서……. 지금 똑같이 힘든 위기 상황인데 군인들한테만 다 알아서 해 달라고 하기가…… 물론 저도 병장으로 전역을 하기는 했고……."

"내려가세요. 여러분이 작업해야 하는 상황이 오면 요청이 없더라도 제가 투입하겠습니다. 그런 것보다 규칙을 지키시는 게 지금으로서는 더 도움이 됩니다."

대위는 단호한 목소리로 이요섭의 말을 잘랐다.

"아…… 그……."

"내려가요! 저희가 보호해 드릴 수 있는 한은 보호하겠습니다. 그러니 대한민국의 군인들을 믿고 편안히 쉬십쇼."

말로 예의는 갖췄지만, 계단 아래를 가리키는 대위의 표정에는 권위 의식이 뚝뚝 흘러넘쳤다.

"갑시다, 이 대표님."

육만배는 이요섭을 당겨 먼저 계단을 내려가며 아주 약하게 고개를 저었다. 저 대위 놈은 자부심을 가진 군인이다. 꽤나 영리하고, 원칙주의자인 데다가 부하들을 장악하는 힘도 있는 모양이다.

다시 말해 제대로 된 인간이고, 그러니 그냥 내버려 둬서는 곤란한 놈이란 결론이 났다.

같은 시각, 유빈 일행은 모두 한곳에 시선을 집중하고 있는 중이었다. 죽은 사내에게서 받은 휴대폰. 그 안에는 신 차장이라는 사람의 최근 삶이 고스란히 담겨 있었다. 그리고 그중에는 지난 2주 가까이 그와 그가 속한 회사가 저질렀던 끔찍한 범죄의 기록도 포함되어 있었다. 별도로 모아 둔 폴더 속에……

— X-1 효과 참 좋구만. 몇 번을 봐도 신기해. 봐, 전혀 움직이질 못하잖아.

휴대폰 영상 속에서 신 차장이 중얼거리는 목소리가 들려왔다. 카메라가 비추고 있는 것은 방균복을 입은 사람들과 크레인에 매달린, 발가벗은 남자였다. 카메라의 각도나 화면 위쪽에 검은 그늘이 존재하는 걸로 봐서 아마 어딘가에 휴대폰을 숨겨 놓고 몰래 찍었던 모양이다.

— 내릴까요?

방균복을 입은 여자의 질문이 있은 후, 기이잉— 하는 소리와 함께 발판이 열리고 발가벗은 남자를 매단 크레인이 아래로 내려간다.

그러자 작은 회장이 뛰쳐나와 남자를 물어뜯기 시작한다.

콰드득~ 찌익! 꿀쩍, 꿀쩍, 우득!

남자의 얼굴에 작은 회장의 이빨이 닿을 때마다 소름 끼치는 소리가 났다.

"어흐…… 이거 정말이야? 개새끼들, 진짜 이 지랄을 하고 있다고? 미쳤나?"

보안관은 얼른 제니의 눈을 가렸고, 유빈은 구역질을 참으며 휴대폰 화면에서 시선을 피했다. 도저히 눈 뜨고 봐 주기가 어려웠다. 그런 동영상들이 몇 개나 이어졌다.

"이 사람, 왜 못 움직여? 발버둥이라도 쳐야지. 다리는 묶이지도 않았잖아?"

삼식이가 이해할 수 없다는 표정을 지었다.

"X-1이 뭐 어쩌고 했잖아. 아마 그게 마취약 비슷한 건가 보지……."

설명을 하려던 유빈이 말끝을 흐렸다. 그들이 보고 있는 이 미친 짓에 비하면 그까짓 약 같은 건 이상할 일도 아니었다. 어떻게…… 어떻게 사람에게 이따위 짓을 할 수가 있단 말인가.

게다가 그 일을 벌이는 주체가 조폭이나 미친 테러리스트들이 아니라 멀쩡한 대기업이라는 사실이 더 충격적이었다.

─ 진짜 위험한 걸…… 알려 줄까? 후우~ 후우~ 조금 전에 떠난 까만 헬기 봤지? 그게…… 제일 위험해. 그러니까 혹시라도 멀리서 그게 날아오는 걸 보면…… 끄으~ 무조건 피해. 후우, 후우, 그거에 타는 순간, 뒈지는 거니까.

담배 연기에 쿨럭거리며 남자가 내뱉던 말들. 그 당시만 해도 믿지 않았었다. 그냥 죽어 가는 사람이 정신이 이상해져서 헛소리를 내뱉는 거라고만 여겼는데…… 그런데 그게 휴대폰 안에서 생생한 화면으로 증명되는 걸 보니 온몸에 소름이 돋았다.

만약 몇 시간 전에 삼식이가 웃통을 벗고 뛰어나가 '여기요!'를 외쳤을 때, 그때 헬기가 멈춰 섰더라면…… 그랬다면 우리도 잡혀가서 저렇게…….

"아! 맞다! 걔들!"

닭살 돋은 팔을 만지며 상념에 잠겨 있던 유빈이 벌떡 일어나며 선로 저 너머를 돌아봤다.
"걔들? 누구 말하는 거야?"
"아까 길에서 만난 그 애들 말이야! 그, 무술 하는 여자랑 그 쫄자들······. 그리고 네 애인!"
아! 경순이!
뒤늦게 상황을 깨달은 삼식이도 다급해졌다.
아, 어쩌지? 어쩌지? 지금이라도 뛰어가서 알려야 되나? 그 검은 헬기가 구조 헬기가 아니라는 걸, 거기에 탔다가는 아주 더러운 방법으로 죽게 된다는 걸······.
고민 끝에 삼식이가 헤드 랜턴을 걸치고 일어나려 하자 보안관이 붙잡았다.
"진정해. 지금 뛰어간다고 해도 이미 늦었어. 아까부터 흘러간 시간이 얼만데. 헬기에 탔을 거였다면 벌써 다 타서 걔네 본거지로 돌아가고도 남았을 시간이야. 그리고 만약에 정말 하늘이 도와서 그 새끼들이 아직 거기에 머물러 있다고 가정해도 마찬가지야. 네가 막을 방법이 없어. 걔들 총소리 들었잖아. 맨손으로 총은 못 이겨."
"······하지만 혹시 아직 경순이네 있는 쪽으로는 안 왔을 수도 있잖아. 위험하다고, 그거 타지 말라고 미리 알려 줄 수 있으면 알려 주고 싶어."
"걔네가 그 말을 믿겠어? 더러운 면티 입은 놈들이 거지꼴을 하고 와서 헬리콥터 타고 오는 구조대를 무조건 피하라고 하면? 네가 아무리 이야기해 봐야 안 먹힐 거야. 우리가 어쩔 수 있는 일이 아니라고."
유빈도 보안관의 의견과 같았다. 사방이 어둑해진 이때, 상봉역까지 또 간다는 건 너무 위험했다. 게다가 정말 몇 개의 행운이 겹쳐서 혹여 경순이네 일행을 만날 수 있다고 해도 그렇게 믿기 어려운 이야기를 꺼낸다면 오히려 경계심만 부추길 게 뻔했다.
사람들을 잡아다가 좀비 밥으로 주는 인간 사냥꾼이 돌아다닌다는 말을 누가 믿겠는가.

"……그냥, 원래 약속했던 대로 내일 만날 수 있기나 바라자. 우린 지금 너 못 보내. 너무 위험해."

유빈이 차분하게 달래자 삼식이는 납득한다는 듯 고개를 끄덕이고 담배를 꺼내 물었다.

"근데…… 우리는 여기 이렇게 마음 놓고 있어도 되는 걸까?"

담배 연기를 길게 내뿜고 나서 삼식이가 중얼거렸다.

"아까 내가 웃통 벗고 나간 거, 그 새끼들도 분명히 봤을 텐데…… 그때 왜 우릴 태우지 않은 건지는 몰라도…… 하여간 여기에 사람이 산다는 건 알고 있는 거잖아."

"엇, 정말! 씨발…… 좆 됐네."

삼식이와 나란히 서서 담배를 피우던 신입이 욕설을 섞어 가며 탄식했다.

그렇구나, 젠장. 남의 걱정을 할 때가 아니었네…….

유빈은 얼굴을 쓸어내렸다. 가뜩이나 불안한 잠자리, 오늘부터는 더 마음을 졸이게 생겼다.

Chapter 32
Long and Winding Road

01

달이…… 점점 줄어들고 있다. 오른쪽 아래가 깎여 3분의 2쯤만 남은 달을 보면서 진우는 한숨을 쉬었다. 불을 피울 수도 없고, 플래시의 건전지도 바닥난 상황에서 희미한 달빛만이 그가 밤새도록 의지할 수 있는 유일한 조명이었는데…….

"끄응~."

나뭇가지에 걸터앉은 엉덩이가 배겨서 진우는 몸을 뒤척여 봤다. 그래 봐야 별로 나아지지 않았다. 나무와 허리를 묶어 고정한 전투화 끈을 다시 한번 점검했다.

매듭은 튼튼했다. 이렇게 해 두면 최소한 자다가 아래로 떨어지진 않을 것이다.

"여기까진 못 올라오겠지?"

진우는 아래를 내려다보며 혼잣말을 중얼거렸다. 지금 그는 사람 두 길은 족히 되는 높이의 나무 위에서 잠을 청하는 중이다.

이파리 사이로 날아다니는 온갖 벌레들이 콧구멍과 귀를 들락거리는 것 따위는 괜찮다. 참을 수 있다. 여름 볕에 익은 피부에조차 소름이 돋아 오를 만큼 싸늘한 밤공기도 견뎌 낼 만하다.

가장 견디기 어려운 것은 이 지독한 어둠이다. 정말 원시의 밤처럼 빛이라고는 구경하기 힘든 캄캄한 시간이 영원히 지속되는 것처럼 느껴질 때면 숨을 쉬기가 어려워진다.

풀썩, 사방에 안개처럼 무겁게 깔린 고요를 깨고 어딘가에서 수풀이 흔들리는 소리가 나면 가슴이 철렁 내려앉는 것 같다.

"자야 돼, 자 둬야 된다고."

이를 악물고 눈을 감으면 수많은 상념들이 눈꺼풀 안쪽을 헤집고 들어온다. 피 흘리고 죽어 간 동료와 선임들의 얼굴, 자신이 머리통을 날린 좀비들, 행복했던 과거, 그리고 그렇게 눈을 감고 나무 위에 기대앉아 있는 자신에게 좀비가 소리도 없이 다가와 목덜미를 꽉 깨무는 상상까지…….

보이지 않는다는 것만큼 괴로운 건 없다. 상상하는 만큼 고스란히 두려움이 되어 버린다. 그렇게 숨을 헐떡이다가 피곤한 육체는 잠에 빠져든다.

"훗! 후후후우! 우웃!"

올빼미의 울음소리 때문에 진우는 화들짝 놀라 깨어났다.

씨발! 씨발! 어떻게 든 잠인데!

진우는 뒤통수를 나무에 쿵쿵, 찧으며 화를 삭였다.

윽! 주먹을 꽉 쥐던 진우는 손톱이 빠져 버린 검지의 고통을 다시 실감했다. 왼손을 들어 바라봤다. 때마침 구름에 달이 가려지자 바로 몇십 센티 앞의 손도 보이지 않을 만큼 완전히 깜깜해졌다.

꼬르르륵―.

비어 있는 배에서 음식물을 찾는 소리가 울린다. 진우는 손으로 더듬어 수통을 열고 물 한 모금을 소중하게 마셨다. 물에서는 흙냄새가 났다. 이곳까지 오는 동안 민가를 찾는 데 실패했다.

"도로에서 벗어나지 말 걸 그랬어……."

Chapter 32 Long and Winding Road

진우는 자신의 선택을 후회했다. 그리고 다시 처음부터 반복이다. 숨을 헐떡이며 작아져 가는 달을 걱정하고, 바람에 흔들리는 나뭇잎 소리에 놀라고, 눈을 감은 채 온갖 두려운 상상 속에서 인내를 시험받는다.

금발의 백인 미녀 둘과 와이키키에서 물놀이를 하는 상상으로 공포를 몰아내 보려고 애를 썼지만, 이내 포기했다. 자료가 너무 부족하다.

후우~. 진우는 건빵 주머니 안에 손을 넣어 권총의 총신을 쓸었다. 차갑고 매끈하다.

이걸 턱에 대고 손가락만 한 번 까딱하면 편안해질 텐데…….

자신의 것이 아닌 악마의 목소리가 뇌에 직접 말을 건다.

'정말이야. 편안해진다고……. 이렇게 아프지도, 무섭지도, 배고프지도 않아진단 말이야……. 너도 알잖아. 구령대 아래 묻힌 만 발 같은 건 있지도 않아. 이럴수록 너만 힘들어지는 거야……!'

손잡이를 움켜쥐기 직전, 진우는 얼른 손을 빼 입술에 대고 엄지가 제멋대로 달아나지 못하도록 끝을 지그시 깨물었다.

이내 욱신욱신해진다. 하지만 가벼운 통증과 함께 돌아온 이성은 악마를 몰아내 줬다. 진우는 다시 와이키키와 빨간색 비키니를 입은 두 명의 글래머를 상상하려고 애를 썼다.

아직은 아니다. 아직…… 아직 싸울 수 있다.

잠이 든 것도 아니고, 깨어 있는 것도 아닌 상태에서 밤이 지나갔다. 길고 지루한 밤이었다. 목덜미 사이로 파고드는 추위에 이를 악문 채 진우는 어떻게든 정신을 꿈속에 머물게 하려고, 밝고 좋은 상상 속에서 쉬게 하려고 안간힘을 썼다.

현재의 상태도 꽤나 고통스럽지만, 눈을 뜨고 현실의 어둠과 마주하며 시간을 보내는 게 몇 배나 더 괴롭고 힘들다는 걸 알고 있기 때문이다.

그리고 이렇게나마 쉬지 않으면 몸이 버텨 내질 못한다.

자라! 잠들어! 꿈속에서 비키니 입은 글래머들이랑 놀아!

진우는 뇌에게 억지를 부렸다. 하지만 어슴푸레 동이 터 올 무렵에는 더 이상 그렇게 할 수가 없어졌다.

쿠르릉!

산 전체가 울릴 만큼 커다란 천둥소리.

진우는 깜짝 놀라 눈을 떴다. 며칠 전, 태풍 오던 밤의 온몸에 새겨졌던 악몽이 고스란히 되살아났다.

"하아~ 하아~."

어디지? 어느 쪽에서 비가 쏟아지는 거지?

진우는 겁에 질린 눈으로 사방을 둘러봤다. 오른편 하늘이 온통 시꺼멓다. 심상치가 않다.

번쩍.

멀리 구름 가운데에서 파란 벼락이 내리꽂히는 게 보인다. 그리고 몇 초가 지나서 다시 꽈르르릉! 하고 천둥이 울렸다. 꽤나 떨어진 곳이라는 것만 알 뿐, 정확한 거리가 가늠되지는 않는다.

"하아~ 하아~ 소, 소리가 1초에 340미터 가던가? 아, 아닌가? 420이었나?"

허리를 나무에 고정해 둔 전투화 끈을 서둘러 풀면서 진우는 저 벼락이 얼마나 먼 곳에 떨어진 것인지 계산을 했다. 하지만 막 잠에서 깬 터라 머릿속은 온통 뿌옇고, 초등학교 때 배웠던 지식은 긴가민가하다.

휘이이이~.

바람이 거세지고 있다. 주변에는 낙엽과 풀들이 어지럽게 날아다닌다. 불안하다.

이런 산속에서 폭풍우를 만나기라도 하면······.

게다가 이렇게 사방에 나무가 쭉쭉 솟은 지형은 낙뢰에 취약하다. 달아나야 한다. 아직 시간이 있을 때 한 발짝이라도 더 달아나서 어딘가 지붕 아래로 몸을 숨겨야 한다.

"젠장! 이게 왜 이렇게······."

전투화 끈이 시간을 잡아먹자 진우의 마음은 더 급해졌다.

쿠르르릉—.

그러는 사이에도 쉼 없이 먼 하늘은 번쩍이고, 커다란 소리는 귀를 울려 댔다.

당황스러웠지만 그래도 나무에서 내려오기 전에 한 번 더 사방을 둘러볼 정신은 있었다. 다행히 좀비는 눈에 띄지 않는다.

"윽!"

아무 생각 없이 나뭇가지를 잡다가 손톱이 벗겨진 검지가 닿았다. 묵직한 통증이 척추를 울렸다. 잊고 있었다.

후우~. 진우는 솟아난 진땀을 닦으며 조심조심 땅에 내려섰다.

꾸르릉—.

다시 엄청난 천둥소리!

텅 비어 있는 배 속까지 함께 울릴 만큼 가깝고 크게 느껴진다. 진우는 가지가 부러진 나무 쪽으로 달리기 시작했다. 걷는 방향을 잊지 않기 위해 어젯밤 미리 꺾어 놓은 것들이다.

"하아~ 하아~."

산의 정상에 가까운 곳이어서 호흡이 가빴다.

번쩍!

어둑한 하늘은 벼락이 칠 때마다 한 번씩 극적으로 밝아졌다가 다시 어두워지기를 반복한다.

공기는 벌써 싸늘해졌고, 바람이 휘몰아칠 때마다 소름이 돋았다. 시야가 탁 트인 위치에서 잠시 숨을 돌리기 위해 멈춰 섰을 때, 진우는 뒤를 흘끔 돌아보았다.

이미 먹구름이 가득 드리워진 고개 너머의 뒷산에서는 나무들이 춤을 추듯 흔들리며 폭우를 두드려 맞고 있었다. 비와 천둥이 아주 빠르게 이쪽을 향해 다가오는 중이다.

"산장이라도 하나 만났으면……."

다시 뛰면서 진우는 간절하게 빌었다. 그게 실현될 가능성은 아주 낮다는 걸 알고 있지만, 그에게는 달리는 동안의 고통과 불안을 상쇄해 줄 아주 작은 희망이라도 필요했다. 무성하게 자란 잡초와 나뭇가지가 자꾸 그의 발목을 잡았다.

길도 없는 산속에서 나무 사이를 비집고 걷는 것이어서 서두른다고 속도가 나지는 않았다. 조금만 방심해도 발이 미끄러지고, 아무리 발버둥을 쳐 봐도 지친 체력은 속일 수가 없었다.

결국 폭풍우는 금방 그를 따라잡았다. 고개를 하나 겨우 넘었을 때부터 진우는 차가운 비가 떨어지는 걸 얼굴로 느껴야 했다. 조금 뒤부터는 어깨가 축축해졌고, 허벅지와 몸통도 뒤이어 젖었다.

점점 그 기세가 강해지고 있지만, 그래도 아직은 그저 부슬비 정도였다. 본격적으로 쏟아붓기 전에 대피처를 찾아야 한다.

쿠르르르—.

천둥소리는 이제 아예 산 전체를 덮으며 계속해서 울렸다. 진우는 온통 피딱지가 앉은 손바닥으로 눈앞을 가로막는 가지들을 헤치고 열심히 걸어 나갔다.

하늘은 온통 어둑해졌고, 흐르는 빗물 때문에 호흡은 어렵다. 딱 한 가지 어제보다 나아진 점이라면, 오늘은 더 이상 갈증 때문에 괴롭지는 않다는 것이다. 볼을 타고 흘러내린 빗물이 의도하지 않아도 꿀꺽꿀꺽 입 안으로 들어왔다.

"길이다!"

진창과 미끄러운 돌바닥 사이에서 그렇게 사투를 벌이던 진우는 마침내 도로를 만났다.

2차선 도로.

바닥이 평평하고 장애물이 없다는 것만으로도 안도의 한숨이 나온다.

"자동차! 아무거라도 좋으니까 차 하나만 좀 서 있어라!"

텅 빈 도로를 달리며 진우는 혼잣말을 되풀이했다. 인적 없는 산속에 놓인 좁은 지선이어서 자동차를 만날 가능성은 희박했다. 그래도, 그래도 길이라는 건 어딘가로 연결되어 있기 마련이니까.

열심히 뛰고 있는데도 여전히 목덜미가 싸늘하고 오한이 난다. 밤새 얼어붙은 몸에 새벽부터 불어오는 비바람을 몇 시간째 고스란히 맞은 덕이다. 전투화 안에도 질꺽질꺽 물이 고여 있다. 분명 얼마 못 가 몸살이 잡힐 것이다.

"허윽~ 헉~."

빠르게 걷다가 좀 호흡에 여유가 생기면 달리고, 다시 턱밑까지 숨이 차오르면 속보로 바꿨다. 그렇게 30분여를 더 내달렸을 때, 구원이 나타났다.

터널이었다.

"그, 그래! 그래!"

불이 꺼져서 어두컴컴한 터널 입구가 그렇게 반가울 수가 없다. 예전 같았으면 귀신 체험이나 하러 올 만큼 으스스했지만, 지금 그에게는 비바람을 막아 줄 대피 공간이다.

기쁘면서도 한 가지 걱정이 되는 바는 저 안에 혹시 좀비가 있지는 않을까 하는 점이었다. 실탄은 이제 40발뿐이다. 권총에 들어 있는 여섯 발을 더해도 큰 무리의 좀비들을 상대할 수는 없다.

기대와 두려움이 번갈아 밀려오는 속에서 걸음을 옮기던 진우는 터널을 100여 미터 남겨 두고, 길가를 향해 쓰러진 나무에 기대 잠시 숨을 돌렸다. 싸한 기운이 없는 걸로 봐서 좀비가 숨어 있지는 않은 것 같다. 그런데…….

"읏!"

터널 안에서 난데없이 쏟아져 나온 환한 빛 두 줄기. 진우는 반사적으로 고개를 숙이며 잎이 무성한 나뭇가지 아래로 몸을 숨겼다. 그 빛의 모양이며 크기가 너무도 익숙한 것이기 때문이었다.

부르르릉~!

속도를 높인 군용 트럭이 진우가 숨은 곳 옆을 스치고 지나갔다. 한 대, 그리고 또 한 대. 더 이상 엔진 소리가 나지 않을 때, 진우는 고개를 빼꼼 들어 트럭의 화물칸을 살폈다. 무장한 병력들이 빼곡하게 들어차 있었다.

"어후~ 씨발, 놀라라. 뭐야? 왜 이런 데까지 군인이 있어? 젠장."

가슴을 쓸어내린 진우는 시선을 다시 터널 쪽으로 돌렸다. 터널 안은 어느새 희미한 노란 조명이 밝혀져 있었다.

저 안에 사람이 더 있는 걸까?

확실하게 알려면 더 가까이 가 보는 수밖에 없다. 진우는 가드레일을 넘어 다시 숲속으로 들어갔다. 그러고는 소리를 내지 않도록 조심하면서 천천히 터널을 향해 다가갔다.

20미터 내외로 거리가 줄었을 때, 풀 냄새와 흙냄새 사이로 낯선 냄새가 풍겨 왔다. 음식 냄새다. 그리고 저벅거리는 발소리, 사람들의 두런거림도 들려왔다. 진우는 수풀 속에 엎드려 기척을 숨긴 채 기다렸다.

"아, 씨발. 맛없어, 좆도!"

상병 하나가 전투식량을 들고 우물거리며 터널 입구로 나와 섰다. 그 바로 뒤에는 일병과 이병이 무거워 보이는 바리케이드를 낑낑대며 밀고 있었다.

"소고기 맛 고르신 거 아닙니까?"

또 다른 목소리의 주인공도 상병이다. 총 네 명. 진우는 눈을 깜빡거리며 열심히 관찰했다. 병사들의 군복이 비교적 말끔했다. 여기에서 계속 뒹굴던 게 아닌 모양이다.

"응? 아니, 소고기 맛인 줄 알았는데…… 아, 씨발. 햄 볶음밥이야, 존나 싱겁고 느끼해서 못 먹겠다. 너 먹을래?"

"하, 저는 괜찮지 말입니다. 저는 김치볶음만 먹습니다."

"음, 김치볶음? 나도 그걸 먹을까? 이따 내 것도 데워 봐라."

제일 상급자로 보이는 상병은 전투식량 봉지를 이병에게 안기고는 간식 과자를 우물거리기 시작했다. 눈치를 보던 이병은 도로 가장자리 배수로에 볶음밥을 부어 버렸다.

콸콸―.

물과 함께 볶음밥 덩어리들이 둥둥 떠내려간다. 그걸 보면서 진우는 꿀꺽, 침을 삼켰다.

"근데 말입니다······."

넘버 투인 듯한 상병이 바리케이드에 기대며 묻는다.

"암만 한적한 데라도 그렇지, 여기에 저희 다섯 명만 꼴랑 남겨 놓는 건 좀 너무하는 거 아닙니까?"

"왜? 무서워? 야, 뭘 그렇게 쫄아, 새끼야. 말로는 좀비니 뭐니 해도 여기 와서는 그딴 거 구경도 못 해 봤구만. 그리고 한 시간이면 다시 돌아온다는데, 계속 이딴 것만 먹고 있을 수는 없잖아. 읍내 나가서 구멍가게라도 좀 털어 와야 사제 물건 구경을 하지. 그리고······ 캬! 소주도 한잔 빨고, 이 새끼야!"

상급자는 이딴 거라는 말을 할 때 군홧발로 박스들을 툭툭, 걷어찼다. 아마 전투식량인 모양이다.

우와, 저게 다 먹을 거라고?

여러 줄 높이 쌓인 박스들을 보며 진우는 형언할 수 없는 부러움을 느꼈다. 꾸르르륵, 배에서는 난리가 난 지 좀 지났다. 세찬 빗소리가 아니었다면 터널 안의 병사들에게도 들렸을 것이다.

"어! 차 상병님, 여기서 담배 피우시면······ 탄약이랑 유류가 있어서 화기 엄금입니다."

시야에 닿지 않는 곳에서 들려오는 세 번째 목소리. 상급자는 곧바로 구시렁거렸다.

"그럼 이 새끼야, 저 비가 쏟아지는데 나가라고? 여기는 괜찮아. 입구잖아."

"그럼 저희도 여기서 피워도 괜찮습니까?"

"이런 미친 새끼가······ 눈깔을 그냥 콱! 작대기 두 개짜리가 어디서 개수작이야? 나가서 피워!"

그런 쓰잘데기 없는 이야기들이 빗소리에 섞여 들려온다.

하아아~. 진우의 입에서 한숨이 새어 나왔다. 탄약 상자라는 말에 미녀를 만난 것처럼 가슴이 두근거린다.

딱 한 박스씩만 나를 좀 줬으면. 전투식량과 실탄. 더도 말고 딱 한 박스씩만…….
 이성적으로 그러면 안 되는 걸 아는데, 자꾸 나가서 저 병사들에게 애원을 하고 싶어진다. 나 좀 살려 달라고, 너희들은 어차피 그 밥 먹기 싫고, 그 총알 안 쓰지 않느냐고.
 꾸르르릉—.
 천둥소리와 함께 비는 더욱 거세게 내렸다. 바람이 불 때마다 젖은 몸이 저절로 떨려서 이가 딱딱 부딪칠 지경이다.
 거짓말을 해 볼까?
 그런 미친 생각까지도 들었다. 어이, 아저씨들. 우리 지금 작전 중인데, 실탄 보급이 잘 안 돼서 그래요. 많이도 말고 천 발만 빌려줘요.
 어떻게든 핑계를 꾸며내 보려고 해도 머리가 잘 돌아가지 않는다. 게다가 이 꼬라지. 진우는 낡아 빠지고 너덜거리는 자신의 군복과 군용 배낭조차 없는 행색을 훑어보며 고개를 저었다.
 누가 봐도 탈영병이나 패잔병의 몰골이다. 저 친구들 앞에 모습을 드러내는 순간, 다시 저 터널을 마음대로 빠져나올 수는 없을 것이다. 사기꾼 뺨치는 언변의 넉살맞은 김 상병이나 있었다면 또 모를까…….
 "크흐~ 젠장!"
 포기해야 하는 게 분명하지만, 미련이 남아서 도무지 그럴 수가 없었다. 바로 눈앞에 박스 가득 실탄이 있고, 먹을 것이 있다. 저걸 손에 넣을 수만 있다면, 그 기약도 없이 먼 길을 굽이굽이 헤매고 가서 구령대 아래를 파내지 않아도 된다.
 게다가 하이바 위로 주르륵 부은 것처럼 흘러내리는 이 지독한 비바람도 피할 수 있는 좋은 장소이다. 어떻게 찾아낸 피신처인데, 왜 하필이면 저런 놈들이 먼저 선점하고 있단 말인가.
 물러나서 왔던 길을 다시 되짚어가는 것만 해도 멀고 괴로운 일이다. 생각도 하기 싫을 만큼 까마득한 일이다.
 "근데 우리 이 깊은 산속에서 이러고 있어도 되는 겁니까? 바깥세상은 난리가 났다는데 말입니다."

판초 우의를 걸친 상병 둘이 터널 밖으로 나와 나란히 서서 담배 연기를 뿜어 댔다. 상급자는 대수롭지 않게 히죽거렸다.

"어쩌겠어, 씨발. 상수원 보호구역 경비가 우리 임무인데. 까라면 까야지. 덕분에 우리 소대만 꿀 빨고 있는 거지, 뭐."

두런두런 두 사람이 이야기를 나누는 동안 나머지 세 명의 병사는 여전히 터널 입구와 바리케이드 사이에서 제자리를 지켰다.

그런데 정말로 긴장감이라고는 없는지, 상병 둘은 개인 화기도 소지하지 않고 있었다. 나머지 병사들에게서도 경계 태세 같은 건 찾아볼 수 없었다.

그저 대충 옆구리에 소총을 끼고 서 있을 뿐이다. 제압하기로 마음만 먹는다면 30초도 채 걸리지 않을 만큼 허술하다…… 라고 생각하는 순간, 진우의 마음에 악마가 지나갔다.

'빼앗으면 되지.'

그것은 너무나 달콤한 유혹이었다. 벌떡 일어나서 '손 들어!'라고 외치기만 하면 된다. 상병 둘은 짬밥이 있으니 아마 그 말을 들을 정도로는 약을 것이다. 위협 사격 두세 발이면 이쪽이 몇 명인지도 모르고 투항할 테고…….

하지만 뒤쪽에서 어리바리 서 있는 저 일병 둘과 이병이 마음에 걸렸다.

미친 척하고 방아쇠에 손을 가져가면 어쩌지? 터널 안으로 뛰어 들어가 버리거나, 대치 상황이 되면 어쩌지? 확률은 반반……인가?

아니다! 막상 소리가 나면 저 병사들은 재빨리 터널 안으로 뒷걸음질을 칠 것이다. 그게 자연스러운 반응이다. 지금 엎드려 있는 각도에서는 녀석들의 얼굴이 보이지만, 놈들이 두어 발짝 물러나고, 내가 일어서면 사각에 가려지는 형세가 돼 버린다. 그리고 적이 한 명뿐인 게 밝혀지면 놈들은 분명 뭔가를 해 보려 들 것이다.

진우는 일어날 수 있는 최악의 상황을 머릿속으로 그려 봤다.

교전이 벌어질 테지.

말이 교전이지만, 그건 분명히 일방적인 학살이 될 터였다. 이 썩어 가는 K-2라고 해도 겨우 다섯뿐이라면, 그것도 거리가 20미터 내외에 불과하다면 열 발도 필요치 않다. 게다가 두 명은 현재 무장하지도 않았다.

불과 5초? 아니, 3초? 아마 가장 뒤에 선 이병이 허둥대며 안전장치를 풀기도 전에 총을 가진 셋은 쓰러뜨릴 수 있을 거다. 그다음 둘은 문제도 아니다.

하지만 사람을 쏜다고?

그건 정말 완전히 다른 문제였다. 지금껏 사람의 모습을 한 좀비들을 헤아릴 수 없이 벌집으로 만들고 머리통을 터뜨렸지만, 살아 숨 쉬는 진짜 사람을 향해 방아쇠를 당겨 본 적은 없었다. 그렇게 하고 싶지도 않고.

'너는 장교 대갈통도 개머리판으로 후려갈겼고, 지프에 탄 병사들에게 총도 겨눠 봤잖아. 삼척에서 빠져나오던 날, 중위의 턱에 총구를 들이댔을 때, 그때는 무슨 각오였어? 여차하면 정말로 당길 생각이 아니었다고? 그때랑 지금이랑 똑같아.'

악마에게 강하게 유혹받은 또 하나의 자아가 진우를 설득한다. 진우는 이를 빠득, 갈았다.

아니, 그건 분명히 다른 일이었어. 그때는 지켜야 할 동료 분대원이 있었고, 지금은 그저 내 몸 하나 편해지자고 다른 사람을 죽이겠다는 거야. 완전히 달라.

진우는 가볍게 도리질을 하며 이 자리를 피하겠다고 마음먹었다. 하지만, 하지만 배가 너무 고프다. 견딜 수 없는 허기와 추위가 자꾸 미련을 갖도록 만든다.

'그런 건 핑계에 불과해. 동료 같은 소리 하네. 그냥 넌 지금 마음이 약해진 거야. 너무 힘들어서 뒈지고 싶은 것뿐이라고. 잘 들어 봐. 저것들, 저렇게 허접하니까 분명히 얼마 못 살고 죽어. 지금까지는 그저 운이 좋았던 거야. 좀비들이 이 길로 들어서는 순간, 죽은 목숨이라니까? 진우야, 내일 죽을 애들 오늘 죽인다고 해서, 그거 그렇게 큰 죄 안 된다. 살 사람이나 좀 살자. 그러니까 총알을 빼앗으라고!'

의도하지 않았는데 어느새 진우는 가늠자 사이에 가장 먼 이병의 얼굴을 집어넣고 있었다. 아주 맞히기 쉬운 표적이었다. 아까 밥을 버리던 그 밉살맞은 놈. 놈이 히죽거리며 뭔가 농담을 하고 있다. 손가락만 까딱하면 놈의 숨은 끊어진다.

'이것 봐! 이렇게 쉽다고! 너 많이 해 본 그대로만 하면 돼. 가장 터널에 가까운 이병 놈부터 탕! 그다음에 일병 둘, 타당, 탕! 눈 깜짝할 사이에 끝나. 어차피 생판 모르는 놈들이야! 네 생명이 우선이잖아! 지금 네가 죽게 생겼다고! 아무도 몰라! 네가 살인을 했다는 거, 너만 입 꾹 다물면 평생 비밀로 남을 거야! 앞으로 한 시간 뒤에 더 많은 놈들이 돌아와. 그때 가서 후회하지 말고 지금 저질러 버리자.'

"후우~ 후우~."

심장이 쿵쾅쿵쾅 뛴다. 동그란 가늠자 안에는 여전히 그 자리를 지키는 이병의 얼굴이 고정되어 있었다.

빼앗고 싶다. 저질러 버리고 싶다. 이 자리에서 벌떡 일어나 위협 사격을 하고, 경고가 통하지 않으면 모두 갈겨 버린 뒤에 유유히 실탄과 식량을 취해서 그대로 서울을 향해 가고 싶다.

그러기만 해도 생존할 확률이 수십 배는 더 높아진다. 거기에 보송보송한 새 옷, 새 양말로 갈아입고 판초 우의까지 걸치면 날아갈 듯 가벼운 기분이 들 것이다.

"하아~ 하아~ 정신 차려."

진우는 빗물과 눈물이 섞여 흐르는 눈가를 손바닥으로 훔쳤다. 그러고는 눈을 꾹 감았다.

악마로 살 것인지, 사람으로 죽을 것인지 선택을 하라면……

"후우우~."

진우는 방아쇠에서 손가락을 빼고 아주 천천히 뒤로 기었다. 와스락거리는 풀잎과 나뭇잎들은 이 비바람 속에서 전혀 눈길을 끌 만하지 않았다.

터널 앞에 선 병사들은 자신들이 방금 전까지 사신과 마주 서 있었다는 것도 까맣게 모른 채 희희낙락하고 있다.

'너, 상처 어떻게 할 거야? 저 터널 안에 분명 구급상자도 있을걸? 아무도 몰라. 증인이 한 사람도 없다고. 너 그러다가 죽어! 저체온증으로 죽는다고!'

나무둥치 아래에서 몸을 일으켜 돌아설 때, 악마는 한 번 더 수십 가지 이유를 대면서 진우를 유혹하려 들었다. 그러나 진우는 더 이상 듣지 않았다. 듣지 않기로 했다.

"씨발! 씨발! 멍청한 새끼! 미친 새끼!"

코너를 돌아 도로로 올라선 진우는 누구에게 하는 것인지 분명하지 않은 욕설을 내뱉으며 달렸다. 친구들과 가족의 얼굴이 조금 전 가늠자 안의 그놈 얼굴과 교차하며 휙휙 스쳐 간다.

거세진 비바람은 몸이 휘청거릴 만큼 휘몰아쳤고, 배 속에서는 뜨거운 위액이 느껴진다. 죽을 것처럼 괴로운데 몸을 숨길 만한 곳은 여전히 눈에 띄지 않았다.

02

"경순아!"

삼식이가 다시 한번 힘차게 이름을 불렀다. 벌써 열 번? 아니, 열댓 번은 불러댄 것 같다. 그러나 여전히 아무런 답이 돌아오지 않았다.

다섯 명은 어제보다 조금 이른 시간, 같은 장소. 태권 소녀와 경순이를 만났던 그 도로에 똑같이 서 있었다. 어제와 다른 건 그들을 반기는 게 도로 표지판에 거꾸로 매달린 중년 남자의 시체뿐이라는 점이다.

"경순아아아~ 나야! 삼식이이~!"

목청을 최대한 높이느라 삼식이의 흰 얼굴은 터질 것처럼 빨갛게 피가 몰렸다. 보안관이 삼식이의 어깨를 두드렸다.

"그만해. 걔들 없어. 이쯤 되면 확실한 거지 뭐."

유빈도 쓸쓸한 눈으로 고개를 끄덕였다. 헬기가 이 근방을 돌았으니까 경순네 무리가 구조대인 줄 알고 그 그물망에 올라탔다고 해도 이상할 건 없었다.

"안 끌려갔으면 했는데…… 그 까만 헬리콥터에 타 버렸나 봐."

"그러게, 그랬나 보다."

납득하는 삼식이의 목소리에 기운이 하나도 없다.

"아, 젠장. 또 메슥거린다. 걔들이 어떻게 될 건지 생각하니까."

보안관이 눈살을 찌푸리며 입가를 닦았다. 다들 말은 안 하고 있지만, 생각은 비슷했다. 어제 아주 짧은 시간이지만 같이 대화를 나눴고, 밉살스럽기는 해도 통할 점이 있으리라는 기대도 들었다. 말하자면 미래의 이웃이 될 거라고 생각했던 사람들이다.

그런데 그들이 인간 도살장으로 끌려가 버린 거다. 하지만 유빈과 보안관, 삼식이는 그들을 위해서 아무것도 하지 못했다. 어쩔 수가 없었다…… 라고 변명을 할 수는 있겠지만, 그래 봐야 마음이 무거워지는 걸 막지는 못했다.

"퉤—!"

유빈은 입 안에 가득 고인 쓴맛을 바닥에 뱉어 냈다.

"뭐…… 어쩔 수 없는 일이니까. 이제 어떡하지?"

삼식이가 고개를 들고 물었다. 선로 위로 피한 지 이틀 만에 또다시 거처를 걱정해야 하는 신세가 되었다. 햇살을 가리기 위해 선로 위에 쳐 놓은 천 쪼가리들은 시선을 끄는 물건들이고, 직선으로 곧게 뻗은 선로에서는 여차할 때 달아나기도 어려웠다.

인간 사냥꾼들이 돌아다닌다는 걸 알게 된 이상, 그렇게 허술하고 눈에 잘 띄는 곳에서 계속 살 수는 없는 노릇이었다. 좀비 하나만으로도 골치가 지끈거리는데…….

"와요! 오빠! 오고 있어요!"

승합차 위에 서서 삼식이의 망원경으로 망을 보고 있던 제니가 도로 끝을 가리켰다. 하긴 어제 이맘때에도 좀비들의 행렬을 알리는 호각 소리를 들었었지.

그때, 뭔가 반짝하는 게 유빈의 뇌리를 스쳤다.

"피해 있자!"

보안관은 제니를 번쩍 안아 내린 뒤, 선로를 향해 뛰었다. 삼식이는 뒤쪽을 감시하던 신입을 챙겼고, 유빈은 아쉬움이 가득한 시선으로 다시 한번 어제 그 녀석들이 숨어 있던 가발 가게와 다른 건물들을 훑어봤다. 그러고는 손목시계를 힐끗 본 뒤, 친구들의 뒤를 따랐다.

"걔들이 살던 곳을 찾아내야 돼."

선로 방음벽 뒤에 숨어서 좀비들의 행진이 지나기를 기다리던 유빈이 제안했다. 니코틴 냄새라도 맡고 싶다며 불 꺼진 담배꽁초를 물고 있던 신입이 어처구니없어했다.

"우와! 이 새끼, 태세 전환 엄청 빠르네. 끌려간 애들 불쌍하니 뭐니 하더니, 금방 걔들 살던 자리를 꿰차겠다고?"

"잘난 척하지 마. 어차피 다 지나간 일이고, 우리 살 궁리는 해야지."

"찝찝하잖아. 걔들 뭔 일 당했을지 빤히 아는데. 씨발, 귀신 돼서 나올까 봐 무섭다. 그러지 말고 차라리 코스트코를 뚫자. 저기에 진짜 물건들 장난 아니게 쌓여 있을걸? 건물도 튼튼하잖아."

"코스트코는 좀비들 행진하는 경로의 중간에 있어. 까딱 방심하면 그 안에 갇혀. 그러니까 걔들 살던 데가 더 나아. 그리고 생각해 봐. 걔들 아지트가 어디든지 간에 우리보다 훨씬 더 오래 있었어. 복지 센터보다 더 안전한 곳이었던 거야."

"아, 씨발. 그 헬리콥터 탄 새끼들이 또 오면 어떻게 할 건데?"

"전쟁 영화도 안 봤냐? 폭탄은 한 번 떨어진 자리에는 안 떨어져. 거기 살던 사람을 싹 다 실어 갔는데 걔네가 왜 또 오겠어?"

유빈과 신입이 말싸움을 하는 동안 펜스 틈으로 바깥을 내다보며 시간을 체크하던 삼식이가 입을 열었다.

"근데 유빈아, 암만 안전한 데라도 걔들 살던 데가 어디인지 어떻게 찾아? 이 넓은 동네에서 저 많은 건물들을 다 뒤지고 다닐 거야?"
"아, 그건 짚이는 데가 있어. 제니가 좀비들 온다고 신호 보낸 다음 여기까지 와서 숨는 데 얼마나 걸렸을 것 같아?"
"글쎄, 30초 정도일까? 거리가 별로 멀지는 않았는데……."
"2분 반이야. 뛰어오는 시간은 얼마 안 되지만, 담을 넘는 데 꽤 걸리더라고. 그리고 나서 1분도 안 지나니까 저 틈 사이로 맨 앞에 선 놈들이 지나가는 게 보였지."
유빈은 자신의 시계를 가리키며 말했다. 제니가 고개를 갸웃거렸다.
"왠지 그렇게 초 단위로 들으니까 더 아슬아슬한 기분이네요. 근데 갑자기 시간 이야기는 왜 해요, 오빠?"
"어제 걔들도 호각을 불고 나서 우리한테 주어진 만큼밖에 달아날 시간이 없었다는 거야. 왜, 호루라기 소리 들리니까 전부 싹 사라져 버렸던 거 기억나지? 그러니까 걔들이 숨은 곳도 그 가발 가게에서 2, 3분 내에 닿을 수 있는 거리에 있다는 이야기고."
"잔대가리 쩌네……."
신입은 누렇게 찌든 담배꽁초를 쭉쭉 빨면서 감탄하는 건지, 비꼬는 건지 모를 아리송한 반응을 보였다. 유빈은 모두를 둘러보며 말을 계속했다.
"2, 3분 내에 닿을 수 있는 곳이라면 꽤나 범위가 한정돼. 또 걔들이 저 도로를 가로질러서 이 선로 쪽으로 오지 않았다는 것도 확실하니까 찾아야 되는 건물 수는 더 줄어들지."
"그게 걔네 살던 곳이라는 근거는 뭐야? 그냥 잠시 몸을 숨기는 데일 수도 있잖아."
보안관이 물었다.
"그야 뭐, 아지트 근처가 아니라면 걔들이 그렇게 경계를 설 이유가 없을 거 아니야. 보아하니까 숨어 있는 건물의 위치나 인원 배치 같은 게 하루 이틀 해본 솜씨가 아니던데. 그러니까 우리가 찾아야 하는 건물은 저 남자 시체에서 오른쪽으로 3분 정도 거리에 있어. 그건 확실해 보여."

유빈이 설명을 마치자 다들 잠시 생각에 잠겼다. 간단한 것처럼 말하지만, 180도 가까운 각도로 퍼져 나가는 수많은 건물들 중 3분 거리라는 건 꽤나 넓은 범위다.

그 정도 시간이면 눈에 보이지 않을 만큼 멀리 뛰어가 버릴 수도 있다.

"……그걸 오늘 찾을 수 있다고? 저렇게 건물들이 많은데? 또 어디가 안전한지도 모르고?"

보안관과 신입은 썩 내키지 않는 모양이었다. 나머지 둘도 막막한 표정으로 유빈을 바라보았다. 그들이 무슨 생각을 하는지는 유빈도 잘 안다. 낯선 동네를 무작정 헤매고 다니기에는 너무 위험한 세상이다. 유빈은 자신의 계획을 설명했다.

"그렇게 막무가내로야 안 하지. 너희들도 잘 알잖아, 내가 얼마나 겁이 많은지. 일단 우리가 가지고 있는 정보에서부터 출발하자. 걔들이 숨었던 가발 가게, 또 삼식이가 그……."

경순이랑 들어갔던 편의점……이라는 말을 하려다가 삼켰다. 삼식이가 우울해질 것 같아서. 그런데 정작 삼식이는 괜찮다는 얼굴이었다.

"됐어, 그렇게 말조심하지 마. 같이 잤던 여자들이 좀비 된 것도 많이 봤는데 뭘."

"그래, 삼식이가 그 여자애랑 갔던 편의점. 그 두 가게는 안전하다는 걸 알고 있잖아. 걔들이 거기에 숨을 만큼 말이야. 거기에서부터 출발하면 되지."

"뭘 어떻게 출발한다는 거야?"

"땅따먹기랑 비슷해. 그 건물에서 시작해서 하나씩, 둘씩 갈 수 있는 곳을 넓혀 나가는 거야. 시간은 좀 걸리겠지만, 안전하고 확실하지."

"음……."

보안관과 삼식이가 마치 미리 입을 맞춘 것처럼 미적지근한 반응을 보였다. 게다가 제니까지도 삼식이 옆에 서서 갸우뚱하고 있었다.

이 새끼들, 아까부터…….

유빈은 한숨을 쉬었다. 속에 다른 생각이 있는 게 분명했다.

"아휴~ 됐어. 대체 뭘 하고 싶은 건데? 그렇게 시간 끌지 말고 말을 해. 어디 먼저 가고 싶어?"

"코스트코지."

삼식이가 기다렸다는 듯 냉큼 대답했다. 코스트코로 가자는 삼식이의 말에 나머지 모두가 '옳소' 하는 표정으로 고개를 끄덕였다.

"거기 물건 엄청 많아. 가구도 있고, 발전기까지 다 있어. 상상해 봐. 냉장고를 돌려서 얼음을 먹을 수 있다고! 소파에 탁 걸터앉아서 이렇게!"

말은 얼음이라고 하면서 삼식이는 맥주를 따서 마시는 시늉을 했다. 속마음을 숨기지 못하는 놈이다. 제니도 우물거리며 자신의 환상을 말했다.

"그, 조그만 욕조가 있어요. 외국 영화에 나오는 거. 어떤 모양인지 아시죠? 그 마트에 물도 엄청 많거든요. 제, 제가 제일 처음 안 들어가도 돼요! 우리 가위바위보로 순서 정해서 해요!"

"그래그래, 걱정하지 마, 제니야. 내가 다 찾아서 준비해 줄게."

보안관까지 거들었다. 이쯤 되면 다수결로 하는 것도 무의미해진다. 신입은 '봤지?' 하는 표정으로 얄밉게 싱글거렸다.

"엇! 비 오네. 소나긴가?"

삼식이가 하늘을 향해 두 팔을 벌렸다. 새파랗던 하늘이 갑자기 어둑해지면서 굵은 빗방울이 뚝뚝 떨어진다.

이제 어디를 가든 가야 할 상황이고, 다시 선로 위의 허름한 아지트로 돌아가 무의미하게 하루를 그냥 보내기는 너무 아까웠다. 게다가 그곳의 허술한 천막은 비를 온전히 막아 주지도 못한다. 유빈은 깨끗이 항복했다.

"좋아, 가 보자. 그런데 한 가지만 확실히 해 줘. 만약에 문이 잠겨 있으면 그냥 포기하는 거다?"

"그건 왜?"

"원래 이곳에 있던 애들은 우리보다 많았어. 그런데도 문을 열지 않았다는 건, 안에 들어 있는 걸 감당하기 어려웠다는 이야기 아냐."

"아! 오케이! 그럴 일 없으니까 걱정하지 말고 가자!"

보안관이 유빈의 등을 팡팡, 두드리며 제니와 함께 앞장을 섰다. 유빈은 땀과 흙먼지가 잔뜩 엉겨 끈적거리는 목덜미를 훑었다. 하긴 목욕을 할 때가 이미 한참 전에 지나긴 했다.

사내의 시체가 매달린 도로 표지판으로부터 코스트코까지는 꽤 가까웠다. 거의 한 블록 전체를 차지하고 있는 커다란 건물에 가까워질수록 모두 가슴이 두근거리는 걸 느꼈다.

생존이 우선이니, 욕심을 부리지 말아야 한다느니 따위의 말을 하는 사람들에게 돌바닥 위에서 종이를 깔고 이삼일을 자면서 제니가 해 주는 요리만 먹고도 그런 주장을 계속할 수 있을지 묻고 싶다.

인간이니까 몸을 편하게 해 주는 물건, 입을 즐겁게 해 주는 물건을 욕심내기 마련이고, 이 박스형 건물 안에는 그런 것들이 꽉 채워져 있다. 문제는 입구의 몰골이었다.

"……셔터는 안 내려져 있네."

대로와 직각으로 만나는 정문 앞에 섰을 때, 삼식이가 중얼거렸다. 맞는 말이다. 하지만 입구 주변의 넓은 공터가 온통 시체투성이다. 처참하게 훼손된 몸뚱이들이 아무렇게나 뒹굴고, 카트는 정신없이 흩어져 있다.

이게 무슨…….

보안관은 구역질을 삼키려고 하늘을 보며 숨을 들이켰다. 아무리 다시 봐도 좀비 사태 첫날 이후 사람이 다닌 것 같지는 않다. 왕래가 있었다면 이 몰골을 그대로 두었을 리가 없다. 여름의 더운 기온 속에 부패한 시체에서는 엄청난 악취가 났다. 하루 이틀 방치된 게 아닌 듯했다.

"대체 왜 이렇게 해 놨지? 웬만하면 좀 치우고 살 것이지……."

제니에게 달려드는 파리들을 쫓으면서 보안관이 혀를 끌끌, 찼다. 그 이유야 유빈도 모른다. 빗줄기는 거세지고, 불안감은 커진다. 이제 빨리 그 가발 가게로라도 들어가서 거기에서부터 시작하고 싶다.

어제 그 새총을 들고 있던 녀석들이 어디로 도망을 쳤고, 어떻게 몸을 숨겼는지를 알아내는 게 중요했다.

"근데 있지, 유리문은 또 멀쩡해."

간이 큰 건지, 물건에 대한 욕망이 너무 강한 건지, 삼식이는 시체들 사이로 걸어가 마트의 문에 다가섰다. 튼튼해 보이는, 널찍한 유리문은 삼식이의 말처럼 꽉 닫힌 채였다. 다만, 기름기와 피로 얼룩진 손바닥 모양 자국들이 10여 미터 길이의 유리문 이곳저곳에 잔뜩 찍힌 채다.

통통. 삼식이는 들고 있던 망치로 유리를 두들겨 봤다. 단단하다.

"젠장, 뭐가 아무것도 안 보이네."

워낙에 어두운 데다 비까지 내리는 바람에 불 꺼진 실내는 말 그대로 암흑이었다. 내부의 모습을 보기 위해 삼식이는 손으로 그늘을 만들고 유리에 얼굴을 바짝 가져다 댔다. 윤곽으로나마 내부의 모습을 보고 싶었다.

"어때?"

자동차 위에 올라 망을 보던 신입이 이마를 잔뜩 찌푸리고 묻자 삼식이는 여전히 얼굴을 바짝 붙인 채 대답했다.

"잘 안 보여. 워낙에 깜깜해서…… 이렇게 하면 보이려나?"

삼식이는 망치도 내려놓고 두 손을 모두 유리에 바짝 붙였다. 보이는 게 조금은 나아졌다.

"안에도 카트가 잔뜩 있어! 물건도 그대로인 거 같아! 저거…… 물놀이 용품들인가? 저기에 바람 집어넣어서 욕조로 쓰면 되겠네."

삼식이는 오른쪽에서 왼쪽으로 천천히 고개를 돌리며 마트 내부를 훑었다. 왼쪽으로 고개가 반쯤 돌아갔을 때, 어둠 속에서 뭔가가 확 튀어나오는 걸 봤다. 비명을 지르는 것보다 빠르게 벌려진 좀비 아가리가 시야 전체를 덮었다.

쿵―.

유리문이 흔들리며 좀비의 침이 묻었다.

"으아아악!"

그롸아아아아!

좀비와 삼식이는 거의 동시에 비명을 질렀다. 말 그대로 놀라 자빠진 삼식이를 보며 보안관과 유빈도 심장이 떨어지는 것 같았다.

"뭐야? 뭐야? 왜 그래?"

망치를 움켜쥔 보안관이 이내 달려왔다.

쿵―.

그러는 동안에도 유리문 건너편의 좀비는 또 한 번 유리에 대가리를 박았다. 간만에 만난 먹이를 보고 엄청 흥분한 모양이다.

"하아, 하아~. 우와! 완전 간이 떨어지는 줄 알았어."

보안관에게 안긴 삼식이가 벌어진 입을 다물지 못하는 동안, 더 많은 좀비들이 속속 문 쪽으로 다가와 소리를 지르고 대가리를 박아 댔다. 코스트코 쇼핑은 아무래도 오늘 내엔 어려울 성싶다.

"열 마리 정도 되는 건가? 아니네, 저 뒤에 세 마리 더 있으니까……."

보안관은 해머를 꽉 쥔 채 유리문 안쪽의 좀비들을 헤아리면서 혼잣말을 중얼거렸다. 그 모습을 보고 있자니 유빈은 등에서 식은땀이 좌륵 흘렀다.

아까 제니가 목욕하고 싶다 운운했던 것도 있겠다, 당장 건물 안에 산더미처럼 쌓인 물건들이 유혹도 하고 있겠다, 이래저래 이 우직한 놈이 지금 당장 저것들을 다 죽여 버리겠다고 달려들 게 빤해서다.

"잠깐만, 잠깐만."

유빈은 다급하게 보안관에게 다가가 귀엣말을 하기 위해 어깨를 끌어안았다.

"왜 그래? 안 그래도 척척하니까 붙지 마."

이미 전투 모드에 돌입해 있는 보안관의 눈에서는 살기가 돌았다.

저 눈, 익숙하다. 보안관이 저 눈을 하는 밤이면 친구들도 함께 파출소에서 잠을 자야 했다.

유빈은 설득을 시작했다.

"너, 설마 저기 들어가려고?"

"응. 그러려고 여기까지 온 거잖아."

"위험해. 우리 여기 지리도 잘 모르고, 안에 몇 마리나 더 있는지도 몰라. 그러니까 여길 터는 건 좀 더 시간을 두고 준비를 해서 하자. 그래도 안 늦어."

"괜찮아. 뭘 그렇게 쫄아? 내가 앞장설 테니까 걱정하지 마."

보안관은 제니를 돌아보고 환하게 웃으며 말을 보탰다.

"제니야, 좀만 기다려! 오빠가 목욕하게 해 줄게."

막무가내다. 물론 보안관의 능력이면 불가능한 일도 아니고, 보안관의 심정이 이해 안 가는 바도 아니었다. 어제 제니와 그놈의 스마트폰 영상을 두고 좀 티격태격하며 잃은 점수를 오늘 보충하고 싶은 남자의 순정!

하지만 100퍼센트 완전하게 안전하지 않다는 것은 변함이 없다. 돌아갈 수 있는 쉬운 길이 있는데 지금 당장 열매를 맛보려고 위험을 감수하는 건 유빈이 살아온 스타일이 아니다.

그렇다고 해서 이렇게나 열을 내고 있는 보안관을 말리면 오히려 더 고집을 부릴 거라는 걸 잘 알고 있다.

비는 조금씩 더 거세지고 하늘도 대낮인 게 믿기지 않을 만큼 어둑해졌다. 이래저래 좀비들과 싸우기에는 영 좋지 않은 조건이다. 다급해진 유빈은 제니를 향한 간절한 찡긋거림으로 눈짓을 하고 턱을 휘둘러 보안관을 가리켰다.

야, 얘 좀 말려. 자존심 건드리지 말고 지금 이 안으로 뛰어들지 좀 못하게 해 봐!

그런 메시지를 담았다고 생각은 했지만…… 글쎄, 그런 게 얼마나 전달이 될는지 의심스러웠다. 영악하게도 눈빛을 읽은 제니는 아주 살짝 고개를 끄덕인 후, 연기 모드에 돌입했다.

"콜록! 콜록!"

제니가 갑작스레 기침을 하자 보안관이 돌아보며 물었다.

"왜 그래, 제니야?"

"아, 아무것도…… 쿨럭, 사실은 좀 추워요, 오빠. 으슬으슬하고…… 어제 그 비디오를 보고 너무 충격을 받아서 그런가? 으, 콜록, 콜록!"

제니는 두 팔로 어깨를 감싸며 보안관을 슬쩍 올려다보았다. 연기 자체도 훌륭하지만, 워낙에 비주얼이 좋았다. 비에 촉촉하게 젖은 갈색 머리가 얼굴에 반쯤 드리워진 채로 그 핑크색 입술을 떨며 그런 말을 하는데, 안 흔들릴 남자가 몇이나 될까.

뭔가 해 보라고 시켰던 유빈조차 목구멍 안쪽으로 뜨거운 게 치미는 정도였으니, 단순한 보안관이 1초도 안 걸려서 홀딱 속아 넘어간 것은 물론이다.

"이, 이거라도 머리에 걸쳐!"

보안관이 자신의 티셔츠를 벗어 물기를 꽉 짠 후 제니의 머리와 어깨에 걸쳐 주자, 그의 넓은 등 근육을 힐끔 돌아본 신입이 혼잣말을 중얼거렸다.

"씨발 새끼가 진짜, 몸 좋다고 아무 때나 훌떡훌떡 벗고 지랄이야. 저거 입고 계속 땀 흘려서 냄새도 드럽게 날 텐데."

축축한 티셔츠를 덮고도 제니가 계속 떨어 대자 보안관의 마음속에서 코스트코는 이내 지워졌다.

"유빈아, 어디로 간다고 했었어? 걔네들 있던 데로 가자. 얘 아무래도 감기가 왔나 보다."

생마초 곰탱이 보안관을 속이기 위한 제니의 연기는 감탄스러울 만큼 대성공이었다.

"가발 가게부터 가자. 거기에 숨어 있었으니까 안전할 거야."

보안관이 스스로 고집을 거둔 것에 대해 안도하면서 유빈이 대답했고, 일행은 왔던 길을 다시 되짚어 내려갔다.

쯧, 저 안에 담요도 존나게 많을 텐데…… 라고 신입이 투덜댔지만, 삼식이가 얼른 달려들어 입을 막아 버렸다.

어차피 싸우는 건 녀석이 아니고 보안관이다. 그러니 가장 덜 위험한 방법으로 싸울 수 있을 때까지 충돌은 미뤄 둬야 한다.

03

"이 새끼들, 이런 걸 해 놓았었구나."

가발 가게로 올라가는 2층 계단의 그늘에는 밧줄로 만든 바리케이드와 몇 가지 쇠붙이가 달려 있었다. 거기에 장치가 되어 있다는 걸 아는 사람이라면 피해 갈 수 있겠지만, 무심코 뛰어 올라갔다가는 발목이 걸리기 딱 좋은 형태였다.

어두운 실내에서 보면 한눈에 알 수 없도록 밧줄이 검은색으로 칠해져 있다는 게 신기했다. 암만 봐도 좀비가 아니라 사람의 침입을 대비해 만들어 둔 장치다.

"어쩐 얘들은 좀비보다 사람에 더 신경을 썼던 것 같네."

배낭에서 커터를 꺼내 밧줄을 자르면서 유빈이 중얼거렸다. 그렇다는 것은 녀석들이 이 가게에 들어와 있으면서 대규모 좀비의 습격으로부터 달아날 자신을 가지고 있었다는 뜻이기도 했다.

그건 좋은 징조였다. 어쨌든 녀석들은 좀비들이 득시글거리는 이 동네에서 열흘 이상을 버텨 냈으니까.

보안관의 어깨에 기댄 제니는 아직도 추운 연기를 계속하고 있었다. 위험지역에서 벗어나자마자 아픈 것이 다 나았다고 하면 너무 이상할 테니까 썩 내키지는 않지만 엄살을 유지하느라 애를 쓰는 중이다.

"제니야, 이거라도 둘러."

가게 문을 열자마자 보안관은 벽에 걸려 있던 커다란 걸개그림을 북 뜯어서 제니의 어깨에 걸쳐 주고 소파에 앉게 했다. 그렇게 하고도 모자라서 뭘 더 줄게 없나 사방으로 눈을 굴렸다.

"여기 전망이 꽤 좋구나."

창가에서 밖을 내다보며 삼식이가 중얼거렸다. 그의 말대로 지하 차도와 이어지는 삼거리가 한눈에 다 들어왔다. 게다가 가발이 걸린 마네킹들이 죽 늘어서 있는 가게 특성상, 사람 머리 한두 개가 더 기웃거린다고 해도 밖에서 보기에는 그리 크게 시선을 끌 것 같지 않기도 했다.

가게 안에는 벽돌 수십 장과 빈 병 따위의 소위 던질 만한 무기, 빠루와 쇠파이프 따위의 근접전 무기가 잔뜩 준비되어 있었다. 가게 내부는 생각했던 것보다 넓었다.

"어! 이거 좀 좋아 보인다."

1미터 정도 길이의 와이어 절단기를 발견한 유빈이 그걸 챙겨 들었다. 무게는 좀 나가지만, 헤드 부분과 손잡이까지 모두 쇠로 되어 있어서 웬만한 망치보다도 타격력이 세 보이고, 케이블 따위도 쉽게 자를 수 있을 듯했다.

"이건 뭐야? 뭘 숨겨 놨지?"

캐비닛 안에 별 신통한 게 없다는 걸 확인한 신입은 한구석에 놓인 커다란 플라스틱 통의 뚜껑을 열었다. 그러고는 곧바로 우우욱— 헛구역질과 함께 뚜껑을 급하게 다시 닫았다.

"뭔데? 뭔데?"

삼식이가 관심을 보인다. 유빈은 손사래를 쳐서 통에 다가가려는 삼식이를 말렸다.

"뭐겠어? 똥 싸 놓은 거겠지. 저건 오줌통일 거고."

그 옆에 죽 늘어놓은 건 노란색 액체가 든 페트병들이었다. 매일 버리지 않은 모양이다.

"구역질 난다, 씨발! 빨리 나가자! 뭐 이런 데를 오자고 해서."

신입이 씩씩거렸지만, 유빈은 신경 쓰지 않았다. 찾아야 할 게 있다. 이 녀석들은 여기에 있으면서 좀비가 온다는 호각 소리가 울리면 몇 분 내에 어디론가 달아났었다. 어딘가 안전한 곳으로. 그 통로를 발견해야 했다.

뒤쪽으로 나 있는 쪽문을 열자 진짜 화장실이 나타났다. 그런데 벽면 한쪽 아래가 천으로 덮여 있었다.

"여긴가?"

천을 들추니 바짝 붙은 뒤쪽 건물과 연결된 널빤지가 보였다. 건너편 건물의 벽에도 커다란 구멍이 나 있었다. 첫 번째 통로를 발견했다. 유빈은 비에 젖은 널빤지에 반쯤 몸을 걸친 채 절단기를 뻗어 건너편 구멍을 덮고 있는 천막을 들춰 보았다.

날이 날인지라 캄캄했다. 그래도 위험해 보이지는 않았다. 위험하다면 원래 여기를 지키던 녀석들이 이렇게 허술한 관리를 하지는 않았을 테니까.

가방에서 꺼낸 플래시로 안쪽을 비춰 보았다. 거의 텅 빈 방이고, 움직이는 건 보이지 않는다. 유빈은 널빤지를 천천히 기어서 맞은편 건물 구멍 안으로 넘어갔다.

한쪽 구석에는 재봉 기계들과 작업을 하다가 만 천 쪼가리들, 굵은 실뭉치들이 몰려 쌓여 있다. 작은 공장이었던 모양이다. 창문이 다 깨져서 비바람이 고스란히 날아들던 가발 가게에 비하면 이곳에는 아직 후끈한 여름의 기운이 아직 남아 있었다. 문이 철제라는 것도 마음에 들었다.

"얘들아."

플래시로 방 안을 꼼꼼히 비춰 본 유빈은 널빤지에 기댄 채 친구들을 불렀다.

"이리 와. 거기보다 훨씬 아늑해."

그런 식으로 아주 천천히 건물 몇 개를 이동했다. 별로 대단한 미로나 수수께끼는 아니지만, 그래도 미지의 공간에서 진행해야 할 방향을 찾고 어두운 건물들 안으로 점점 더 깊숙하게 들어간다는 건 꽤나 체력을 소진하는 일이었.

원래 살던 경순이 일행은 허술하지만 나름대로 꼼꼼하게 미로를 만들어 두어서 밖에서 본다면 절대로 길이 아닌 것처럼 보이는 곳들을 연결 통로로 삼고, 일부러 벽을 쌓아 시야를 가려 둔 곳도 있었다.

"아, 얼마나 더 가야 돼? 이 길이 맞는 거긴 해?"

여관 건물 안에 들어섰을 때, 신입이 맥 빠진 한숨을 내쉬었다. 지치기는 앞장

서서 길을 트는 유빈도 마찬가지다.

지금까지 온 거리를 익숙한 걸음으로 달리면 얼마나 되는 걸까? 왜 이만큼이나 왔는데도 아지트 같은 건 보이지 않을까?

점점 자신의 계획에 회의가 든다.

"좀 채워 놓을 것이지……."

카운터 옆의 자판기를 열어 보고 텅 빈 걸 확인한 보안관이 혀를 끌끌, 찼다. 먹는 걸 정말 알뜰하게도 치워 뒀다. 그리고 시체도.

오는 동안 벽지에 튄 핏자국은 봤어도 시체나 잘려 나간 신체 부위 따위는 구경도 못 했다. 코스트코 앞이 시체들로 뒤덮여 있던 것에 비하면 너무 대조적이다.

"아마…… 허수아비 같은 거였나 봐."

유빈이 혼잣말을 하자 보안관이 물었다.

"뭐라고? 허수아비가 뭐야?"

"그 시체들 말이야. 매달아 둔 아저씨 시체도 그렇고, 얘들 시체를 일부러 눈에 잘 띄는 큰길 쪽에 가져다 뒀나 봐. 허수아비처럼, 누가 보면 무서워서 가까이 오지 말라고."

"그런 소리는 됐어. 이 시간이면 벌써 코스트코에 있던 좀비들 다 털고도 남았겠다. 젠장."

보안관도 슬슬 짜증이 나는 모양이었다. 제니는 그걸 무마시켜 보려고 한동안 쉬고 있던 기침을 다시 하기 시작했다.

1층은 깨끗했고, 정문에는 셔터까지 굳게 잠겨 있었다. 창문에는 전부 단단히 방범창이 채워져 있었다.

"창고로 쓰는 방 같은 게 있을 거야. 거긴 혹시 먹을 걸 놔뒀을지도 모르지."

2층으로 올라간 일행은 나란히 서서 첫 번째 방문을 열었다.

침대. 당연한 거지만 침대가 있었다. 여관이니까.

"으아!"

배낭을 바닥에 벗어 던진 삼식이가 가장 먼저 널찍한 더블베드로 몸을 던졌다. 냉장고 문을 여니 들어 있는 건 생수 두 병뿐이다. 이래서야 오늘 저녁을 굶을 판이다.

선로로 돌아가서 먹을 것을 더 가져오든지, 아니면 나가서 끼니가 될 만한 걸 찾아와야 한다. 배낭 안에 든 비상식량에는 웬만해서는 손을 대지 않고 싶다. 그건 정말 어디까지나 비상시에 먹어야 하는 음식이다. 유빈이 물었다.

"삼식아, 너 편의점에 들어갔을 때, 거기 먹을 거 있디? 기억해 봐."

"유빈아……."

"응?"

"나한테 아무것도 물어보지 마. 난 지금 빠다야. 으아, 녹는다."

삼식이는 고양이처럼 온몸을 배배 꼬면서 침대의 촉감과 쿠션을 만끽했다.

"장난치지 말고 일어나! 아직 바빠!"

유빈이 잔소리를 하며 손을 뻗자 삼식이는 그 손을 피하고 대신 제니를 침대로 잡아당겼다.

"정말이야. 일단 누워 보면 내가 무슨 말 하는지 알걸?"

못 이기는 척 당겨 가서 침대에 무릎을 걸친 제니의 표정이 극적으로 변했다. 삼식이는 빙글거리면서 고개를 끄덕였다.

"그렇지? 내 말이 맞지?"

삼식이 옆에 제니도 벌렁 누웠다. 그러더니 으흐흐흥~ 하는 앓는 소리를 냈다. 남자의 뭔가에 피가 쏠리게 만드는 소리였다.

아! 제니는 곧 깊은 탄식을 했다. 삼식이는 여전히 빙글거렸다. 보안관이 질투를 못 이기고 참전했다.

"얀마! 일어나! 누가 제니랑 나란히 누우래!"

"하하하, 그런 말 말고 너도 누우면 되잖아. 이 침대, 넓다고."

삼식이가 궁둥이를 조금 옆으로 움직여 주자 보안관은 그 큰 덩치로 틈새를 파고들어 누웠다. 믿어지지 않는 편안함! 어깨와 갈비뼈, 척추가 녹아나는 것 같다.

돌이켜 보면 2주일 가까운 기간 동안 딱딱한 바닥에서만 잠을 청했다. 가장 편했던 게 자동차 시트에서 쪼그리고 쪽잠을 잔 거였고, 스티로폼 패드, 심지어는 선로 자갈에 종이 박스를 깔고 새우잠을 자야 했으니까.

그렇게 온갖 고생을 하던 등에 갑자기 침대가 닿으니, 이건……. 게다가 바로 곁에는 제니가 누워서 가벼운 신음을 흘리겠다, 이것이야말로 그가 꿈꾸던 파라다이스가 아닌가. 온몸에 잊고 있던 피로가 밀려오고 정신이 아득해졌다.

"더 좋은 걸 알려 줄까?"

삼식이와 신입이 침대 끄트머리를 두고 티격태격하고 있는 동안 샤워실 안을 살펴본 유빈이 물었다. 하지만 다들 관심이 없다. 침대에 등을 대고 잘 수 있는 것보다 더 좋은 거라니, 상상도 잘 안 된다.

"뭔데요? 그런 거 생각하지 말고 오빠도 낑겨서 누워요."

제니가 반쯤 감긴 눈을 하고 이미 네 사람으로 포화된 침대의 구석을 두드렸다. 유빈은 아주 잘난 척하는 미소를 지으며 말했다.

"이 변기 안 막혀 있어. 게다가 물통도 차 있고. 무슨 말인가 하면, 단 한 번이기는 하지만 여기에서 문명인처럼 느긋하게 일을 볼 수가 있다는 거야."

'느긋하게'라는 말을 할 때 눈을 반짝 뜬 제니가 아주 행복한 미소를 지어 보냈다. 보고 있는 유빈조차 행복해지는, 그런 미소를.

04

진우는 도로변의 튀어나온 바위 아래 몸을 숨기고 있었다. 수직으로 떨어지는 비는 바위가 막아 주지만 흩날리는 빗방울들이 날아드는 데에는 속수무책이었기에 그는 근처의 나무에서 꺾어 온 나뭇가지들로 겹겹이 몸을 감쌌다.

그 정도만 바람을 막아 줘도 추위가 한결 덜했다. 그렇게 완벽에 가까운 위장을 하고서 그가 기다리고 있는 것은 돌아오는 트럭들이다.

아까 터널에서 보초병들이 나누었던 이야기, 그들은 분명 한 시간이면 트럭이 다시 돌아올 거라고 이야기했다. 읍내에 도착해서 작업하는 시간을 감안하면 아무리 멀어도 트럭으로 20분이 걸리지 않을 거리에 사람들이 살던 동네가 있다는 뜻일 터다.

육공 트럭의 속도를 감안해 보면 그 거리는 20킬로미터 안쪽. 그 정도라면 평지에 직선 도로니까 비가 오는 날이라고 해도 도보로 세 시간 정도면 도착할 수 있다. 게다가 아까부터 한참 동안 이 도로를 따라 뛰어 내려왔으니 그 시간은 더 단축될지도 모르겠다.

"흐으으~ 흐으으~."

진우는 가지고 있던 사탕 중 마지막 두 알을 입 안에 털어 넣고서 배고픔을 달랬다. 이제 조금만 더 참으면 트럭이 지나갈 것이고, 그러면 마을로 달려가 이 지긋지긋한 폭풍우를 피하면서 온갖 음식들을 입에 쑤셔 넣어 주리라 다짐했다.

아무리 군인들이 열심히 털어 간다고 해도 분명히 흘리고 지나치는 음식들이 있을 것이다. 아니, 있어야 한다.

진우는 퀭해진 눈으로 전방의 도로와 건너편의 어두운 숲속을 응시했다. 바람에 흔들리는 나뭇가지들 때문에 심장이 철렁한 게 한두 번이 아니다. 무의미한 그늘의 무늬조차 자꾸 좀비의 얼굴처럼 보여서 자신도 모르게 방아쇠에 손이 간다.

— 한 점만 계속 보고 있지 마. 그러면 헛것에 홀린다.

처음 야간 경계 근무를 나갔을 때 선임이 해 주었던 충고가 떠올랐다.
그래, 맞는 말이었어.
진우는 고개를 끄덕이며 이성을 잃지 않으려고 이를 악물었다. 비바람에 줄

기차게 두드려 맞은 몸은 떨리고, 발아래에는 불어난 물이 콸콸 흘러내렸다.

배에서 꾸르륵 소리가 날 때마다 입에 맞지 않는다고 전투식량을 버리던 병사의 얼굴이 떠올랐다. 그리고 전혀 논리적이지 않은, 엄청난 적의가 가슴속에서 끓어오른다.

그놈도 아무 죄 없이 끌려와 소모되고 있는 놈일 뿐이라고 몇 번이나 스스로를 달래 보지만, 자꾸 자신의 배고픔이 녀석의 탓인 것만 같아 그게 화가 나는 것이다.

그렇게 공포와 추위, 배고픔과 분노, 기대와 우려 사이에서 흔들리는 동안 자꾸 졸음이 밀려든다.

"잠들지 마…… 잠들면 죽어……."

재난 영화에서 수없이 들었던 상투적인 대사를 읊으면서 진우는 자신을 다그쳤다. 뭔 놈의 시간이 이렇게 더디게 가는지 도무지 이해가 가지 않는다. 몇 번이나 아주 얕은 잠에 빠졌다가 진저리를 치며 깨어나곤 했다.

결국에는 졸음이 밀려올 때마다 극약 처방을 내리는 심정으로 손톱이 벗겨져 나간 상처를 꾹 눌러 그 통증으로 제정신을 차렸다.

우르릉— 쾅쾅—!

천둥과 번개는 계속해서 울리고 번쩍였다. 바람도 점점 거세져서 조금만 넋을 놓고 있으면 안고 있던 나뭇가지들이 날아가 버렸다.

그렇게 초조히 기다리기를 얼마나 더 했을까. 마침내 도로 저쪽이 훤하게 밝아 온다. 트럭이 돌아오는 것이다.

아아~. 진우는 안도의 한숨을 내쉬었다.

부우우웅~!

두 대의 트럭이 물을 튕기며 바쁘게 지나가는 것을 확인한 뒤에도 혹시 몰라 200까지 헤아린 후에야 진우는 도로로 내려왔다.

쏴아아아~.

차가운 비바람이 세차게 얼굴을 때려 댔다.

"가자!"

진우는 지친 허벅지를 채찍처럼 내려쳐 깨운 뒤, 비를 뚫고 달리기 시작했다. 완만한 내리막이어서 그나마 다행이지만, 돌풍이 지날 때마다 몸이 휘청거린다.

"멀어······."

마침내 어두컴컴한 하늘 아래로 집들의 윤곽이 보이기 시작했을 때, 진우는 완전히 녹초가 돼 있었다. 아직도 그칠 기미가 없는 굵은 빗줄기들 사이로 비치는 컴컴한 마을의 그림자는 그야말로 괴기스러웠다. 게다가 느낌이 영 안 좋았다.

등을 얼리는 것 같은 이 한기가 차가운 비바람에 두들겨 맞은 탓인지, 아니면 늘 그랬듯 그놈의 좀비들 때문인지 확실하지가 않아서 정작 마을에 가까워질수록 진우의 걸음은 더 무거워졌다.

"이런 데가 있는 줄 알았으면 내가 먼저 오는 건데······."

다리로 연결된, 마을 어귀에 걸린 소주 광고판을 보니 생활의 냄새가 물씬 풍겨 온다. 입대한 이후부터 제대로 느끼지 못했던 사제 생활의 기운이다. 이런 곳이 근처에 있는 줄도 모르고 그저 죽어라 산길로만 다니며 제대로 먹지도 마시지도 못했던 게 분했다.

진우는 흥분되는 가슴을 진정시키기 위해 잠시 멈춰 서서 심호흡을 했다. 제대로 판단하지 못하면 죽는다. 퇴로나 도주로를 확보하지 않고 함부로 뛰어들어도 죽는다. 괜찮겠지 하고 방심하는 그 순간이 제일 위험하다.

얼굴을 타고 흐르는 빗줄기를 씻어 낸 진우는 K-2를 어깨에 바짝 붙이고 천천히 한 발을 내디뎠다.

콰르릉! 쿵!

쉬지 않고 울리는 천둥소리 때문에 그렇지 않아도 바람 소리에 시달린 청각이 거의 마비되는 것 같다. 분명 아직 대낮일 텐데 태양이 먹구름에 가려지고 일체의 인공조명이 없는 마을은 커다란 그림자 덩어리처럼 음산했다.

포장도로에서 벗어난 공터에서 트럭들이 서 있던 것 같은 타이어 자국을 발견했다. 그리고 그 바로 옆의 담 윗부분이 무너진 걸 보았다. 진우는 담에 가까이 다가가서 그 흔적을 살폈다.

깊이 팬 시멘트, 관통된 흔적.

총알에 맞아 부서진 것이다.

조금 전 생긴 것일까, 아니면 예전에 처음 좀비들이 이 마을에 왔을 때 그걸 사살하는 과정에서 만들어진 흠집일까?

강한 비바람 때문에 화약 냄새 같은 건 남아 있을 수도 없다. 핏자국도 마찬가지다.

혹시 조금 전 그 트럭에 탄 병사들이 좀비에 놀라 그대로 달아났던 거라면? 그러면 어떻게 하지?

트럭 내부의 모습을 유심히 살펴보지 않은 게 후회스럽다. 좀 더 침착했어야 했다.

"손전등부터…… 챙겨야 돼. 하아~ 손전등부터…….''

야트막하게 이어진 담 사이로 아주 천천히 걸어가며 진우의 눈은 정신없이 좌우를 훑었다. 벽을 따라 집요하리만큼 계속 나 있는 총알 자국이 달아나라는 신호처럼 보인다.

하지만 어디로 달아난다는 말인가. 여기에 좀비들이 있다 해도 다시 비바람 속에 몸을 맡길 수는 없다. 그랬다가는 몇 시간을 넘기지 못할 게 분명하다.

"후우~! 후우!"

긴장감 속에서 진우의 숨소리는 커지고 심장은 빠르게 뛰었다. 진우는 공터에서 가장 가까운 집의 대문을 아주 천천히 밀었다.

끼이이―.

빗소리를 뚫고 녹슨 철제 대문이 열리며 나는 마찰음이 한층 더 분위기를 냉각시킨다.

아무것도 움직이지 않는다는 걸 확인한 진우는 마당 안으로 천천히 걸어 들어갔다. 한지로 된 여닫이문은 구멍이 숭숭 뚫린 채 바람에 따라 열리고 닫히기를 반복했고, 그 안에는 악마의 눈동자처럼 캄캄한 어둠이 있다. 귀신이 기어 나온다고 해도 이상하지 않을 풍경이었다.

"괜찮아, 괜찮아……."

진우는 파도처럼 밀려오는 두려움을 달래면서 삐걱거리는 대문을 닫고 자물쇠까지 찔러 넣었다. 이래야 뒤가 좀 안전해진다.

으스스하지만 겨우 좁은 집 한 칸이다. 실탄 40발로 해결 못 할 만큼 많은 좀비가 이 안에 모여 있지는 않을 것이다.

"사람이 살던 집 맞아?"

진우는 얼굴을 찡그리며 썩어 가는 툇마루 위로 올라섰다.

삐걱, 금방이라도 무너질 것 같다. 하지만 아무리 허술해도 농가였을 테니 손전등이나 기본적인 연장은 있으리라.

방 두 개, 주방, 그리고 허름한 창고가 화장실과 붙어 있는, 작은 집이었다. 안방에 들어선 진우는 널브러져 있는 이불을 걷어차 한쪽으로 치우고, 총을 문 쪽으로 겨눈 채 왼손만으로 서랍장들을 열기 시작했다.

좀처럼 쓸 만한 게 나오지 않는다. 약봉지, 각종 영수증과 고지서, 명함, 통장 따위의 것들. 그리고 꼬질꼬질한 손지갑들을 꺼내 버리고 난 뒤, 양초와 성냥이 나왔다. 불을 켜도 될까 하는 걱정이 잠시 들었지만, 촛불 정도는 괜찮을 거라고 내부의 다른 목소리가 속삭인다.

치익—.

축축해진 성냥을 몇 번 두드려 켜고, 양초에 불을 붙였다. 그 정도의 조명만으로도 세상이 다르게 보였다. 방 안은 순식간에 동화 속 세계처럼 노란 불빛으로 가득해졌다.

촛불을 들고 서랍장을 모두 열어젖힌 끝에 진우는 손전등과 덕 테이프를 손에 넣었다. 손전등을 테이프로 친친 감아 총신에 고정하니, 한고비를 넘은 것 같은 기분마저 들었다. 이제 시야가 확보됐다.

"먹을 거."

손전등이 부착된 K-2를 앞세우고 주방으로 이동했다. 벽에 걸린 망 속의 야채는 이미 곰팡이가 피어 있었고, 썩은 내가 진동하는 냉장고에도 별로 먹을 만한 게 없었다. 하지만 찬장 안에서 통조림을 발견했다. 꽁치 통조림 캔 두 개가 소주 팩과 나란히 놓여 있었다.

"하아~ 꽁치! 꽁치!"

음식을 보자마자 위가 뒤틀리는 것 같다. 진우는 캔 두 개를 모두 가방 안에 집어넣었다. 그리고는 서둘러 안방으로 돌아와 구석에 쭈그리고 앉아 캔의 뚜껑을 땄다.

수저를 챙길 여유도 없었다. 일단 짭짤하고 비린 통조림의 국물을 입에 털어넣고, 손가락으로 꽁치 토막들을 꺼내 씹었다.

달다! 꽁치라는 게 이렇게 맛있는 생선이었구나!

진우는 그야말로 게걸스럽게 꽁치들을 입에 욱여넣고 또 욱여넣었다. 고개를 두 번째 통조림에 처박고 있을 때, 갑자기 예의 그 싸한 느낌이 들어 진우는 머리를 들었다. 조금 전 대문 밖에서 뭔가가 지나갔다…….

뭐지? 착각인가?

보이는 것은 바람에 날리는 나뭇가지들뿐이지만, 입 안에 가득 든 꽁치가 갑자기 맛을 잃었다. 진우는 통조림을 바닥에 내려놓고 손전등을 대문 쪽으로 향했다.

아닌가? 괜히 나 혼자 불안했나…… 라는 생각이 들 때, 대문 사이로 그림자가 비친다. 국방색 하이바를 쓰고 있다.

"컥!"

너무 놀라 입 안의 것이 반쯤 튀어나왔다.

군인?

진우는 서둘러 플래시 스위치를 끄고 일어나 장식장 위에 쌓인 이불 뒤로 몸을 숨겼다. 혹시나 흥분하고 겁먹은 상대편 군인이 무작정 발포를 할 경우를 대비해야 했다.

군인들, 다시 돌아온 건가? 트럭 소리는 못 들었는데…… 플래시를 켜지 말걸…….

순식간에 후회가 진우의 뇌리를 스치고 지나간다.

하지만 이미 늦었다. 이쪽의 존재와 위치는 손전등 불빛을 통해 고스란히 대문 너머로 전달돼 버렸을 것이다. 진우는 곰팡이 냄새가 풍기는 이불에 바짝 얼굴을 댄 채 바깥을 살폈다.

쏴아아아—.

총알 대신 지독한 바람과 폭우가 퍼부어진다. 시야는 좁고 사방이 깜깜하다.

쿵— 쿵—.

대문이 흔들린다. 하지만 그게 비바람 때문인지, 누군가 흔들고 있는 건지 알 수가 없다. 사방은 깜깜하고, 매서운 바람 속에 나뭇가지와 소쿠리가 하늘을 날아다닌다.

군인이라면 어떻게 하지? 또 그 반대로 좀비라면 그땐 어떻게 여길 벗어나지?

두 가지 경우 모두 좋을 게 없다. 그래도 하나를 고를 수 있다면 사람의 목소리가 더 듣고 싶다. 대화로 이 상황을 벗어날 수만 있다면…….

쿵—.

대문이 다시 한번 더 크게 흔들렸을 때, 어두운 틈 사이로 군인의 그림자가 비쳤다.

그리고 다시 한번 더 쿵—!

슬슬 확신이 간다.

이건…… 사람이 아니다. 사람이었다면 벌써 아까 플래시를 켜고 이쪽을 비추었을 테니까.

진우는 총을 바짝 든 채 마루로 걸어 나갔다. 애초부터 낡아 있던 대문은 벌써 반쯤 밀어젖혀졌다.

쿵—.

대문을 밀어 치는 병사의 손!

팔목 부분이 잘려 나가 있다. 뼈가 하얗게 드러난 그 팔로 병사는 열심히 철제 대문을 두드려 밀어 댔다.

"이 새끼들…… 버리고 갔구나……."

그제야 상황이 이해된 진우는 이를 바득 갈았다. 대문 경첩을 부수다시피 한 좀비 병사는 상반신을 벌어진 틈 사이에 밀어 넣고 이쪽을 향해 입을 쫙 벌렸다.

크롸아아아악—!

바람 소리가 잠시 잦아진 사이, 놈의 포효가 고막을 찢는다. 진우는 가늠자 안에 놈의 얼굴을 집어넣고 방아쇠에 손가락을 걸쳤다.

불과 몇 시간 만에 다시 아군의 머리를 가늠자 원 안에 넣고 보자니 기분이 묘해졌다. 하지만 이번에는 쏠 수 있다.

놈은 가까워진 진우를 발견하고부터 더욱 흥분해서 쉬지 않고 몸과 머리를 흔들어 대면서 어떻게든 빠져나오려고 안간힘을 썼다.

하나, 둘, 하나, 둘…… 진우는 숫자를 세면서 놈의 움직임에 호흡을 맞췄다. 하이바가 보호하고 있는 머리를 쏘지 않기 위해서였다.

"하나……."

가늠자 속 놈의 머리가 앞으로 기울었다.

"둘……."

놈의 머리가 뒤로 젖혀지면서 턱이 드러났다. 진우는 곧바로 방아쇠를 당겼다.

타앙—!

음속을 돌파한 총알은 좀비의 얼굴을 관통하며 하이바까지 닿았고, 그 운동 에너지는 녀석의 아래턱과 광대뼈, 그리고 뇌를 산산이 부쉈다.

툭. 조금 전까지 그렇게 맹렬하게 움직이던 놈의 목이 뒤로 꺾인 다음, 더 이상 움직이지 않았다. 뼈와 찢어진 가죽이 뒤엉킨 좀비의 얼굴로 빗방울이 쏟아져 붉은 핏물과 함께 울컥울컥 솟아올랐다.

"어쩌지?"

진우는 초조한 표정으로 입 주변을 닦았다. 담장 밖에는 조금 전까지 그가 달려왔던 그 긴 도로가 다리 너머에 펼쳐져 있다. 제멋대로 춤을 추는 도로 주변 아름드리나무들이 바람의 세기를 짐작할 수 있게 해 준다.

지금 빨리 여기에서 빠져나간다면 다른 좀비들을 만나지 않고 달아날 수 있을지도 모른다. 그러나 지금 이 상태로 저 차가운 비가 거센 바람과 함께 쏟아지는 산속으로 도망가는 것은 아주 느린 속도의 자살과 다를 바가 없다. 지금도 이미 푹 젖은 그의 몸은 얼음처럼 차갑고 부들부들 떨리는 중이니까.

싸운다면? 그런데 대체 몇 마리와 싸워야 하는 거지?

그게 두렵다. 트럭 두 대에 나눠 탈 만큼의 무장한 병력이 동료를 그냥 내버려 두고 달아났다. 그 정도라면 엄청나게 다급했다는 의미고, 그건 곧 그 자신이 처한 위기의 절박성이기도 했다.

진우는 지금까지 헤아릴 수 없을 만큼 여러 번 자기의 목숨을 구해 주었던 K-2를 내려다보았다. 그 자신처럼 낡고 닳아 있지만 여전히 믿음직했다. 다만, 아무리 좋은 총도 실탄이 없으면 그저 플라스틱이 붙은 쇳덩이에 지나지 않는다.

전투 조끼에 붙은 마지막 탄창을, 열 발밖에 들어 있지 않은 그 탄창을 감안하더라도 그에게 남은 실탄은 모두 40발. 아니, 조금 전에 한 발을 쏴 버렸으니 이제는 39발뿐이다.

고작 이 정도의 화력을 가지고 이렇게 깜깜하고 비바람이 치는 상황에서, 게다가 처음 와 보는 낯선 동네에서의 싸움을 이겨 낼 수 있을까?

아니, 잠깐. 실탄?

진우는 문에 걸려 있는 좀비의 시체 쪽으로 시선을 돌렸다. 목이 꺾인 채 기묘한 자세로 대문 사이에 끼어 있는 시체는, 당연한 이야기지만 전술 조끼를 입고 있었다.

예비 탄창!

진우는 곧바로 뛰어가 녀석의 전술 조끼를 살폈다.

있다!

하지만 탄창은 두 개뿐이고, 수류탄 따위도 없었다.

"좀 많이 줘서 보내지, 개새끼들…… 이걸로 무슨 싸움을 하라고."

진우는 끔찍한 형태로 박살 난 녀석의 얼굴을 보지 않기 위해 눈살을 찌푸리면서 시체가 가지고 있던 탄창을 챙겼다.

"총은? 이 자식 총은 어디에 뒀지?"

혹시 떨어뜨린 건가 싶어 시체를 당기며 뒤쪽 공터를 살펴봐도 총은 보이지 않았다. 하긴 오른팔이 이렇게나 잘려 나갔으니 총은 녀석이 습격을 당한 현장에 버려졌으리라.

어쨌든 아쉬운 대로 실탄을 보강했다. 이제 1분 전보다 이길 확률이 두 배가량 올라갔다.

"으흐읏~!"

테이프로 감아 둔 플래시에 물이 들어가지 않을까 살피던 진우는 갑자기 밀려온 오한에 온몸을 떨었다. 돌이켜 보면 오늘 거의 한나절 동안 계속 조금씩 체온을 빼앗긴 채 이동을 해 왔다. 지금 당장 쓰러진다고 해도 이상하지 않다.

05

"소주……."

방으로 돌아가 소주 팩을 들었다.

취해 버리면 어쩌지?

진우는 잠시 망설이다가 팩의 주둥이를 찢고 크게 한 모금을 들이켰다.

달콤하면서도 뜨거운 기운이 식도를 지나 배 속까지 확 훑고 내려간다. 이제 조금은 열이 날 것이다. 더 마시고 싶은 유혹을 꾹 눌러 참고 진우는 얼굴을 문

질렀다.

탄창 두 개가 더 생겼다고 해도 여전히 그는 불리한 입장이다. 쓰러뜨려야 할 좀비가 몇 마리인지도 모르고, 무엇보다 칠흑 같은 어둠이 너무 두렵다.

슥, 진우는 플래시를 붙인 총구를 전방의 허공에 비춰 보았다. 아주 약한 빛의 원은 거리가 멀어질수록 그 힘을 잃어서 불과 10미터 앞만 해도 형체를 분간하기 어렵다.

좌우로 총구를 움직여 봤다. 광원의 지름은 대략 4~5미터. 그 외의 부분은 잘 보이지 않는다. 반면에 좀비들은 빛과 상관없이 내가 어디에 있는지 훤히 안다. 더럽게도 불공평한 싸움이다.

"차라리 여기를 지키면서 방어를 할까?"

진우는 고개를 돌려 집의 구조를 살폈다. 시골집답게 개방적이다. 담은 낮고, 창문은 사방으로 뚫려 있어서 안전한 방향이 하나도 없다.

맑은 날이었다면 소리로라도 좀비들이 달려드는 방향을 가늠할 수 있겠지만, 이 폭풍우 속에서는 그것마저 어렵다. 혼자서 여기를 지키며 싸운다는 것은 불가능하겠다는 결론에 도달했다.

삼척 시내에서 분대원들과 치렀던 전투가 떠오른다. 그때, 순식간에 뛰어드는 규모 삼의 좀비들을 아무 희생 없이 저지할 수 있던 것은 놈들이 한 방향에서만 몰려왔기 때문이다.

"그래, 한 방향으로 몰아야 해."

말은 쉽지만 방법은?

진우는 자신이 지금 활용할 수 있는 것들을 짚어 봤다. 그렇게 하면서도 끊임없이 주변을 돌아보고 혹시라도 몰래 접근하는 좀비들은 없는가를 경계해야 했다.

입은 바짝바짝 마르고, 간만에 술맛을 본 혀끝에서는 자꾸만 소주 한 잔을 더 달라는 유혹을 보낸다.

"불, 불을 좋아해, 이 새끼들은."

불을 피웠다 하면 놈들은 어김없이 찾아왔다. 그러니 여기에 있는 놈들도 다르지 않을 것이다.

그래, 이 집에 불을 지르자. 그러면 놈들이 그걸 보고 달려오겠지.

나는, 나는…… 마을 입구의 다리 부근에 서 있다가 놈들이 몰려오면 원거리에서 하나씩 처리하면 된다. 불이 주변을 환히 밝혀 줄 테니 시야도 어느 정도 확보가 될 거다.

혹시라도 내가 가진 실탄의 수보다 놈들이 많으면, 그때는 얼어 죽는 한이 있어도 산으로 도망가자…….

생각을 정리한 진우는 성냥을 집어 불을 긋고 그걸 다시 통 전체에 옮겨 붙였다.

화르륵—.

성냥 수백 개가 동시에 발화하면서 매서운 기세로 타올랐다.

타닥거리며 시커먼 연기를 내뿜는 성냥 통을 이불에 올려놓고, 그 위에 집주인이 고이 모셔 두었던 각종 청구서와 영수증들을 뿌렸다.

불은 금방 눅눅한 습기를 날리고 종이를 잡아먹으며 몸집을 키웠다. 벽에 걸려 있던 허름한 옷가지들도 던져 넣자, 얼마 지나지 않아서 불길은 벽과 이불을 타고 번지기 시작했다.

"좋아."

비바람에 꺼지지 않을 만큼 확실하게 불이 자리 잡은 것을 확인한 진우는 크게 심호흡을 하고 마당으로 뛰어나갔다. 소주 덕인지, 아니면 불에 살짝 덴 것인지, 비로소 얼굴에 따뜻한 기운이 돌기 시작한다.

이제 놈들이 불을 보고 달려오기 전에 공터를 지나서 다리까지만 가 있으면…….

진우는 대문을 열기 위해 휘어진 자물쇠를 억지로 빼 봤다.

빡빡해서 도무지 움직일 생각이 없다. 문틈에 낀 좀비를 밀쳐 버리고 경첩을 바로 하기 전에는 대문을 여는 게 불가능해 보였다.

휘이이잉— 쏴아아아—.

세차게 몰아치는 비바람 때문에 고개를 똑바로 드는 것조차 어렵다. 좀비를 밀치려면 방아쇠에서 손가락을 떼고 두 손을 동원해야 한다.

차라리 담을 짚고 넘어갈까?

진우는 옆으로 고개를 돌렸다.

"씨발……."

담장 위를 꽉 잡고 있는 시커먼 손들을 보니 심장이 멎는 것 같다.

어느새!

진우는 손전등으로 담장을 비추며 뒤로 물러섰다. 손이 많다. 하나, 둘…… 적어도 열대여섯 마리는 된다.

쾅—.

또 다른 좀비들이 문 쪽으로 몰리면서 군인 좀비의 시체가 끼워진 대문이 격하게 흔들린다.

도대체 밖에 몇 마리나 와 있던 거냐?

"후우~ 후우~."

진우의 숨소리가 거칠어진다. 등 뒤에서는 한창 기운이 오른 불길이 활활 바람을 타며 열기를 뿜어내고, 앞쪽에는 좀비들이 쳐 놓은 벽이 있다.

그야말로 진퇴양난!

허술한 시멘트 벽은 부딪쳐 오는 좀비들을 이기지 못하고 금이 가기 시작했다.

진우는 젖은 소매로 얼굴을 막고 빨간 화염이 날름거리는 마루로 뛰어올랐다. 그러고는 망설임 없이 곧바로 뒤쪽의 골목으로 난 창문을 향해 몸을 던졌다.

철썩!

물웅덩이로 떨어진 진우는 벌떡 일어나 총구를 좌우로 돌렸다.

"하아~ 하아~."

좁은 골목 안에서 바람은 돌풍이 되어 있었다.

쐐애애애앵—.

바람 소리가 고막을 찌르고 지나며 매캐한 연기를 함께 안겨 준다.

"쿨럭! 쿨럭!"

한 번 들이마신 것뿐인데 가슴이 터지는 것처럼 괴롭다. 차라리 불을 지르지나 말걸 하는 뒤늦은 후회가 밀려온다. 이제 여기에는 더 머물 수 없다. 진우는 새로운 계획을 세울 틈도 없이 무작정 뛰어야 했다.

탁탁탁탁—.

한 걸음씩 내디딜 때마다 총구가 흔들리고, 그 움직임에 맞춰 손전등의 불빛도 좌우로 흔들린다. 한 지점을 똑바로 보기조차 어려운 상황이어서 모든 것이 불분명하고 두렵다. 그냥 무작정 뛸 수밖에 도리가 없다.

자동차 한 대가 겨우 지날 수 있을 좁은 길, 양쪽으로 허술한 시멘트 담이 죽 늘어서 있는 미로 같은 골목을 달리면서 진우는 자신을 향해 욕설을 퍼부었다.

"젠장! 이게 뭐야! 작전을 짜지 않은 것만도 못해졌잖아! 멍청한 새끼! 그걸 계획이라고!"

번쩍!

벼락이 부근에 내리꽂히는 순간, 갑자기 멀리까지 전방이 훤하게 밝아졌다. 과장된 음영의 파란색 조명 아래 일군의 좀비들이 섬뜩한 모습을 드러냈다. 골목 끝에서 그를 향해 달려오고 있다.

그롸아아아—!

"으아아아!"

진우는 멈춰 서서 조준을 하고 방아쇠를 당겼다.

투투툭— 투둑— 투둑—.

순식간에 네 마리의 좀비가 머리를 잃고 바닥에 나동그라진다.

총알을 낭비했지만, 그래도 이 비바람이 부는 상황 속에서 꽤나 선방했다. 뒤이어 달려오는 놈들이 자빠진 동료의 몸뚱이를 짓밟고 뛰어오른다.

진우는 뒷걸음질을 치며 놈들의 머리에 5.56㎜탄을 꽂아 넣었다.

투투툭— 투두둑— 투둑—.

아홉 마리째 좀비를 잡았다는 기쁨보다 순식간에 탄창의 반을 넘게 비웠다는 사실이 더 절실하게 느껴진다.

그리고 자꾸 뒤쪽을 돌아보게 된다. 혹시라도 협공을 당하면 끝이다. 진우는 그의 오른쪽 무너진 벽 내부를 비춘 뒤, 그 안으로 뛰어들었다.

창고를 거쳐 주방으로, 주방에서 다시 마루로, 마루에서 내려와 반파된 대문을 박차고 뛰어나왔다.

그와아아아—.

두 번째 집에 들어섰을 때, 유리로 된 마루문을 깨고 얼굴이 썩어 가는 좀비가 달려들었다. 마치 플래시의 광원 안에 갑자기 나타난 귀신 같다. 너무 가깝다!

투투투두둑—.

진우는 앞뒤 계산하지 않고 K-2를 연사했다. 좀비의 머리가 엉망으로 뚫리고, 목뼈가 박살 나 사방으로 튄다. 어깨 위로는 전부 산산조각 난 좀비의 시체가 발치에 쓰러지기도 전에 진우는 돌아서서 그 집을 뛰쳐나왔다.

썩어 가는 돼지와 닭의 시체가 뒹구는 우리 몇 개를 지나고, 무너진 장작더미를 뛰어넘었다. 그렇게 코너를 꺾어 가며 서너 집을 횡단하고 나니 방금 전 그를 쫓던 좀비들에게서 벗어나기는 했으나, 이제는 방향감각이 얽혀서 자신이 어디를 달리고 있는 건지도 모르게 되어 버렸다.

"하아~! 하아~! 여긴……."

주변에 길고 넓게 늘어선 것은 온통 찢어지고 색이 바래 버린 비닐하우스들. 그리고 네 시 방향 하늘은 진한 노란색으로 물들어 있다.

그건 자신이 맨 처음 들렀던 집이 타오르면서 주위를 밝히는 빛이리라.

저기에 몇 놈이나 모여 있는 걸까?

진우는 불안하게 눈동자를 굴리면서도 걸음을 멈추지 않았다.

휘이이이이— 위이이—.

모든 소음을 삼켜 버린 매서운 바람 소리 때문에 좀비들의 포효가 들리지 않는 게 너무 큰 변수가 되었다. 놈들이 어디에 얼마나 모여 있는지 도대체 짐작하기가 어려웠다. 돌풍이 몰아칠 때마다 비닐하우스의 찢어진 비닐들이 소복처럼 나풀거린다.

진우는 미친 사람처럼 바쁘게 손전등을 움직여 혹시 이 어둠 속에 좀비가 숨어 있지 않은지를 살폈다. 그러면서 동시에 조금 전 자신이 도망 나온 그 골목길도 돌아봐야 했다.

"윽!"

눈을 때린 빗물에 진우는 얼굴을 찡그렸다. 거센 비 때문에 고개를 똑바로 든 채 전방을 보는 것마저 힘이 든다.

그런 상황에서 비닐하우스 내부는 꽤나 유혹적이었다. 비도, 바람도 맞지 않고 잠시 여유를 가질 수 있다. 너무 숨이 차서 심장이 터질 것 같다.

모르는 동네를 헤매고 다니는 것보다는 차라리 바둑판 모양으로 배치된 이 비닐하우스 밭에서 기다리는 게 더 안전하지 않을까?

초조한 마음과 괴로운 육체는 진우를 유혹한다. 그리고 진우는 유혹에 넘어가 개중 가장 멀쩡한 형태로 남은 비닐하우스 안에 몸을 숨겼다.

"하아~! 하아~ 우웨엑!"

주변이 안전하다는 걸 확인하자마자 곧바로 구토가 올라왔다. 계속 너무 열심히 뛰었고, 스트레스가 심했다. 뭉개진 채 위액에 섞인 꽁치를 한 무더기 토해 낸 다음에야 진우는 겨우 숨을 쉴 수가 있었다.

젠장! 젠장!

눈가에 맺힌 눈물과 입가 주변의 토사물을 훑어 내고, 진우는 자신의 뺨을 쫙쫙, 두들겼다. 계속 생각하고 판단을 내리지 않으면 죽는다.

일단 거의 다 빈 탄창부터 갈아 끼웠다. 궁지에 몰렸을 때 탄창을 교환하다가 맥없이 물려 버리고 싶지는 않다. 그리고 작전을 바꿔야 한다.

여기까지 오는 동안 다시 확인했듯이, 돌파는 전혀 경제적인 전술이 아니다. 에너지는 에너지대로 소모하고, 실탄도 필요 이상으로 낭비하게 된다.

원거리에서 저격했다면 지금 쓴 탄의 절반만으로도 똑같은 수의 놈들을 처리

할 수 있었다. 게다가 너무 위험하다.

"높은 건물……."

진우는 찢어진 비닐 틈으로 밖을 내다보며 마을의 그림자 중에서 제일 높은 곳을 찾았다. 그냥 단순히 지붕 위에 올라서는 건 안 된다. 전투가 길어질 경우, 야산에 숨어 있는 것과 똑같이 비바람을 맞으며 체온을 잃기 때문이다.

"저긴가……."

열한 시 방향. 다 고만고만한 낮은 집들 사이에 그나마 조금 더 우뚝 솟은 3층 건물 하나가 눈에 들어온다. 거리가 가늠되지는 않지만, 적어도 맨 처음 그가 불을 질렀던 집보다는 가까워 보인다. 게다가 직선으로 뚫린 도로만 따라가도 된다.

가 볼까?

한 발짝을 내디딘 진우는 흠칫 놀라며 제자리에 멈춰 섰다. 분명…… 주변에 뭔가가 있다. 비닐을 두드리며 쏟아져 대는 빗소리와 바람 소리에 가려져 있어 몰랐지만, 목덜미에 소름이 돋게 만드는 그런 것이…….

"어디야? 응? 어디냐고?"

진우는 총을 어깨에 바짝 붙인 채 사방을 둘러봤다. 손전등의 불빛은 비닐하우스에 막혀 밖을 비춰 주지 못한다. 지금 저기 어른거리는 그늘은 바람에 흔들리는 나무인가, 아니면 좀비인가.

그롸아아아!

습격은 여섯 시 방향에서 왔다. 비닐에 축축하게 젖은 손 모양 두 개가 찍히고, 사람 얼굴의 윤곽 그대로 밀린 비닐이 안으로 쑥 들어온다.

"죽어!"

진우는 비닐을 찢기 위해 발버둥 치는 놈을 향해 K-2를 발사했다.

찌이이익―.

초록색 뇌수가 가득 튀며 비닐은 맥없이 찢어졌고, 머리 위쪽이 박살 난 좀비의 시체가 모습을 드러낸다.

그 찢어진 틈으로 두 번째, 세 번째, 네 번째 좀비가 연달아 뛰어들었다. 진우는 더 상대하지 않고 문밖으로 달아났다. 이렇게 좁은 곳에서 난사를 해 가며 일일이 대응했다간 한도 끝도 없다.

쏴아아아―.

비닐하우스를 벗어나자마자 매서운 폭우가 그를 반긴다. 진우는 조금 전 보아 두었던 건물을 향해 전속력으로 달렸다.

세 시 방향과 아홉 시 방향에서 그를 발견한 좀비들이 달려오는 것이 얼핏 스쳐 보였다. 뒤쪽의 비닐하우스와 씨름을 하고 있던 좀비들도 곧 뒤를 쫓을 것이다. 그리고 진우는 지금까지 사람보다 느리게 달리는 좀비를 한 번도 본 적이 없다.

뿌리칠 수 있을까?

두려운 마음은 자꾸 그에게 돌아서서 난사라도 하라고 설득한다. 하지만 그랬다가는 정작 3층 건물을 점거한 뒤에 제대로 싸울 실탄이 없게 된다.

지금 그가 해야 하는 일은 최대한 빠르게 저 건물 안으로 뛰어들어 문을 잠그는 것이다. 현재로서는 그게 가장 생존 가능성을 높여 줄 방법이니까.

쨍그랑!

뒤쪽에서 유리창이 박살 나는 소리가 울리며 진우의 초조함을 더해 준다. 분명 좀비가 몸을 던진 것일 테지. 그래도 진우는 돌아보지 않았다.

그롸아아아―.

앞을 막아선 채 달려오는 좀비 세 마리.

툭― 툭― 투둑―.

진우는 속도를 줄이지 않은 채 놈들의 머리에 차례로 총알을 박아 넣었다.

네 발. 그래도 준수해. 아직은 승산이 있어.

진우는 계속 스스로에게 긍정적인 메시지를 전달했다. 가까이에서 보니 사거리는 치열한 전투의 흔적을 고스란히 보존하고 있었다.

수류탄이 터졌는지 움푹 팬 도로, 벽 전체에 걸치다시피 길게 나 있는 탄흔,

그리고 웅덩이에 떨어져 있는 조각난 몸뚱이와 대가리가 날아간 채 널브러진 시체들.

휘이잉—.

바람에 날린 유리 조각과 쇠붙이들이 어깨를 때리고 지나가도 진우는 속도를 줄이지 않았다. 방향을 바꾸지도 않았다.

3층 건물까지는 이제 겨우 20미터 정도만이 남았다. 하지만 그놈을 보았을 때, 진우는 시선을 빼앗길 수밖에 없었다.

그롸아아!

셔터가 내려진 쌀가게 쪽에서 달려오는 녀석은 그가 오늘 만난 두 번째 군인 좀비였다.

탄창!

진우는 자기도 모르게 속도를 줄이고 손전등으로 녀석의 가슴팍을 비췄다.

주렁주렁 달린 탄창들!

진우는 침을 꿀꺽 삼켰다. 뒤를 돌아보았다. 쫓아오는 좀비들과의 거리는 대략 40여 미터. 여기까지 닿는 데 5초도 걸리지 않는다.

그 직각에서 뛰어오는 군인 좀비가 그가 서 있는 지점에 도달하기 이전에 놈들이 먼저 자신을 따라잡게 될 것이다. 그렇다면 차라리 이쪽에서 군인 좀비와의 거리를 줄이는 편이 나을 테지.

그러고 난 다음에는 우회하여 쌀가게 뒤로 돌고 몸을 숨긴 채 3층 건물로 잠입하면…… 그래, 그렇게 하면 될 거다.

찰나에 뇌리를 스치고 간 계획이니만큼 허술하기 짝이 없었지만, 그 정도에도 목숨을 걸고 싶을 만큼 탄창의 유혹은 컸다.

진우는 쌀가게 쪽으로 방향을 틀었다. 두 팔을 벌리며 달려드는 군인 좀비의 얼굴은 광대뼈가 드러날 만큼 잘려 나가 있었다.

탕— 탕—!

아낌없이 두 발을 쏘았다. 총탄의 충격을 고스란히 얼굴로 받은 군인 좀비는 크게 원을 그린 뒤, 물웅덩이에 쓰러졌다. 녀석의 머리를 있는 힘껏 걷어차 죽은 걸 재확인한 진우는 놈의 시체 옆에 앉으며 방향을 돌렸다.

투둑— 투두둑— 투투툭—.

가장 앞서 쫓아오던 놈들을 쓰러뜨리자마자 진우는 왼손으로 군인 좀비의 가슴팍을 더듬었다.

몰리 시스템이 적용된 신형 전술 조끼라 탄창이 네 개나 있었다. 두 개를 챙기고 다시 한번 도로의 좀비들을 향해 K-2를 훑었다. 그러고는 다시 또 두 개.

다급한 마음에 손이 떨린다. 피가 마르는 심정으로 총알을 챙긴 진우는 쌀가게 뒤로 돌아 건물의 어둠에 바짝 붙은 채 몸을 숨기며 뛰었다.

3층 건물의 뒷문이 이쪽을 향해 나 있다는 것도 반가운 일이었다.

이제 빨리 저 건물 2층으로 올라가 문을 잠근 채 농성만 하면…….

계획대로 된다는 미소가 슬쩍 번질 때였다.

콰장창!

쪽창을 깨뜨리며 뻗어 온 손!

정말 순식간의 일이었다. 유리 조각이 박힌 손이 진우의 얼굴을 할퀴려 들었다. 진우는 반사적으로 총을 들어 막았다.

그게 실수였다.

Chapter 33
둥지

01

진우에게 그 상황은 마치 슬로비디오처럼 느리게, 그리고 너무도 비현실적으로 다가왔다. 예상치 못한 장소에서 뻗어 나온 좀비의 손, 그 회색으로 부패한 손이 K-2의 레일을 꽉 움켜쥔다.

"이런!"

진우는 곧바로 자신의 실수를 깨닫고 몸을 뒤로 뺐다. 하지만 이미 늦었다. 좀비는 진우의 소총을 창문 안쪽으로 잡아당겼다. 무시무시한 힘이었다. 그 바람에 진우는 총을 놓쳐 버렸지만, 어깨에 걸린 멜빵 때문에 총과 함께 끌려 들어갔다.

"아아악!"

창틀에 남아 있던 유리 파편이 팔의 살갗을 찢으며 꿈속처럼 멍하던 진우의 정신을 현실로 되돌려 놓는다. 진우의 입에서는 비명이 터졌다. 좀비는 계속해서 총을 잡아당기고, 그렇게 한 번씩 놈이 힘을 줄 때마다 유리는 더 깊숙하게 박혔다.

"끄으으으윽!"

어떻게든 총을 포기하지 않으려고 안간힘을 쓰던 진우는 더 이상 참지 못하고 스스로 멜빵을 풀었다.

쿵!

팽팽히 당겨지던 무게가 사라지자 좀비는 K-2를 움켜쥔 채 바닥에 뒹굴었다.

그롸아아—.

건물 안에 있던 다른 좀비들의 포효가 마치 패배자를 조롱하는 노래처럼 울려 댄다.

"안 돼!"

총을…… 내 총을 빼앗겼다…….

진우는 온몸의 피가 한꺼번에 빠져나가는 것 같았다. 실탄을 확보하려고 그렇게 죽을 애를 썼는데 이제 그걸 넣고 발사할 무기가 없다!

되찾아야 해…….

진우는 어린아이처럼 단순해져서 겁먹은 눈으로 상황을 부정했다. 하지만 정들었던 K-2를 되찾는다는 건 지금 상황에서는 불가능한 일이었다. 그에게는 무기가 없는데, 저 쌀가게 안에는 좀비들이 우글거린다. 권총의 탄창 안에 든 여섯 발로는 저놈들을 다 죽일 수 없다. 절망적이다. 그나마 다행이라면 이 쪽창의 크기가 작아 좀비들이 곧바로 뒤쫓아오지 못한다는 정도뿐이었다.

"야이, 씨발! 씨발! 으아아!"

분을 이기지 못해 진우는 건물 벽을 걷어차다가 뒤돌아서 달아났다. 총에 달아 놓은 플래시마저 사라진 지금, 시야는 더욱 좁아졌고 아무것도 또렷하게 보이지 않는다. 그저 무작정 빗속을 뛰어 도망가는 것 외에 할 수 있는 게 없었다.

"총…… 권총…….'

진우는 미친 사람처럼 웅얼거리며 건빵 주머니에서 권총을 꺼내 들었다. 1킬로그램의 무게가 너무 가벼워서 발가벗겨진 것 같은 박탈감이 밀려든다.

하지만…… 아직, 아직 싸울 수 있다! 사방이 막힌 좁은 장소까지만 이걸로 뚫고, 들어오는 놈들의 머리를 하나씩 후려치면!

진우는 자신을 다그쳤다. 그러나 그건 막다른 현실을 부정하려는 발버둥일 뿐이었다. 그 증거로 진우는 홀린 듯 조그만 구멍가게를 향해 뛰고 있었다. 그곳에는 막힌 공간 따위는 없다. 그저 마지막 한잔의 쾌락을 위한 음식과 술에 본능적으로 이끌리고 있는 것이다.

탕— 탕— 탕—!

진우는 뒤쫓아오는 좀비들을 향해 권총을 쏘았다. 하지만 모두 빗나가 버렸다. 애초에 그가 손에 쥐고 있는 것은 이렇게 태풍이 부는 밤에 원거리의 적을 쓰러뜨리기 위해 만들어진 무기가 아니다.

세 발을 허비하고, 이제 세 발이 남았다. 구멍가게의 부서진 유리문 앞에는 좀비의 시체가, 시체를 넘어 안으로 한 발을 디딘 곳에는 진득하게 굳은 붉은 피가 잔뜩 흩뿌려져 있다.

아무 소용이 없다는 걸 알면서도 진우는 깨진 유리문을 닫고 그곳을 주변에서 끌어온 상품 박스들로 막았다. 가슴 높이까지 박스를 쌓으려는 순간, 문 안으로 좀비의 얼굴이 들어왔다.

찌익—!

유리에 가죽이 찢겨 나가는데도 전혀 망설이거나 주저하는 기색이 없다. 오직 살아 있는 사람의 신선한 살을 뜯어 먹겠다는 일념뿐이다.

"꺼져!"

진우는 놈의 눈에 바짝 대고 권총의 방아쇠를 당겼다.

펑—.

놈의 눈이 뚫리고, 주변의 가죽이 가스의 압력 때문에 찢어지는 것과 동시에 뒤통수 쪽에는 커다란 구멍이 생기면서 초록색 뇌수들을 흩날린다.

끄륵—.

기이한 소리와 함께 좀비의 시체가 뒤로 허물어진다. 진우는 다시 박스들을 쌓고, 카운터의 탁자를 끌어와 덧댔다.

찰칵—!

카운터에 쌓여 있던 일회용 라이터들 중 하나를 집어 켜는 순간, 암흑 속에 묻혀 있던 조그만 가게 내부가 모습을 드러냈다. 바닥에는 온갖 물건들이 널려 있어 이 안에서 얼마나 지독한 난리가 났는지를 보여 준다. 깨진 병, 뒹구는 깡통, 과자 봉지와 라면들…….

시선을 위로 올렸다. 사방에 피가 튀지 않은 곳이 없지만, 음료용 쇼케이스 주변이 특히 심하다.

우리 나눠 마실까?

쇼케이스에 붙은 핑크 펀치의 포스터에는 그렇게 적혀 있었다. 제니는 도도하게 콜라 캔을 내밀고, 그 뒤에 다소곳한 테라가 슬쩍 미소를 짓는다.

기억난다, 저 사진…….

진우의 얼굴이 일그러졌다. 비바람에 낡은 그 포스터를 보는 것만으로도 죽음을 목전에 둔 삶에 대한 미련이 더 강해지고 커졌다.

쿵—.

문이 밀쳐지며 가장 윗단의 상자가 굴러떨어져 내린다.

쿵—! 쿵—!

카운터 탁자도 조금씩 밀리고 있다. 어두워서 보이지는 않지만, 저 밖에는 그의 살과 피를 맛보고 싶은 좀비들이 긴 줄을 이루고 있을 것이다.

지금 남은 총알은 두 발. 아니, 보다 엄밀하게 말하자면, 총알은 꽤 많지만, 그 중에서 발사가 가능한 건 단 두 발뿐이다.

이게, 이게 뭐야, 씨발!

조금 전 획득한, 이제는 아무 쓸모도 없어진 탄창을 주무르면서 진우는 이를 바득 갈았다.

그롸아아아!

또다시 가게 안으로 좀비의 팔이 비집고 들어왔다. 썩은 팔이 박스를 붙잡고 흔들어 댄다.

"잘라 버릴까?"

진우는 대검을 빼 들었다가 더 상대하기도 싫어져서 뒷걸음질을 쳤다.

와자작!

병 조각이 밟혀 부서지며 기분 나쁜 소리를 냈다. 이제 선택을 해야 할 시간인 모양이다.

칼인가, 총인가.

진우는 입술을 깨물며 생각했다. 아무래도 총이 편하겠지만, 마지막 실탄을 놈들이 아닌 자신의 머리를 향해 쏜다는 게 좀 걸린다. 꼭 최선을 다하지 않은 사람인 것 같아서……. 아무리 그래도 칼은…… 한 번에 제대로 해낼 자신이 없다.

"후우~ 씨발, 잠깐만 기다려. 생각 좀 하자."

가게 문이 흔들릴 때마다 빨리 결정하라고 강요하는 내부의 목소리에 진우는 말미를 요청했다.

'킥킥킥, 그것 봐. 그러게 내가 뭐랬어? 아까 터널에서 그 새끼들 쏴 버리라고 했잖아. 거기에서 실탄이랑 다 챙겨서 튀었으면 이런 일은 없지. 등신, 남 생각하다가 제가 뒈지게 생겼네. 크크크.'

악마의 목소리는 한껏 신이 나서 설쳐 댔다. 진우는 머리를 감싸 쥐었다. 보고 싶던 얼굴들이 어둠 속에 떠오른다. 그걸 실제로 보지 못하고 이렇게 끝나야 한다는 게 너무 분하다.

쿵—!

또다시 박스가 나뒹군다. 이제 조금만 있으면 문이 열릴 것이다.

"까불지 마, 이 개새끼들아! 한잔만 하고 결정할 테니까!"

진우는 쇼케이스 쪽으로 걸어가서 유리문을 열었다. 그러고는 늘 마시던 브랜드의 소주를 집어 들었다. 열린 병뚜껑이 떨어지면서 또르르 쇼케이스와 진열대 사이로 굴러 들어갔다. 인생 마지막의 소주를 벌컥벌컥 들이켜며 그 굴러

가는 뚜껑을 눈으로 좇던 진우는 자신이 본 걸 믿을 수가 없었다. 틈새에 기대 세워져 있는 것!

K-2!

"진짜?"

진우는 다급하게 손을 뻗었다.

이 감촉!

틀림없이 K-2다. 이 여름 내내 그가 끌어안고 다니던 것과 똑같은 총이다!

철컥!

탄창은 실탄으로 가득하고, 심지어 작동하는 야간 조준경까지 부착되어 있다.

"……이게 왜?"

K-2의 안전장치를 풀면서도 진우는 자신에게 허락된 이 행운이 믿기질 않았다.

설마…… 좀 전에 마신 소주가 벌써 확 돈 걸까? 그래서 이런 헛것을 보는 걸까? 아니, 아무리 배 속에 든 게 없다고는 하지만 겨우 소주 한두 모금에…….

툭. 그때, 발에 차인 뭔가가 어지럽게 널린 피투성이 과자 봉지 사이를 비집고 불쑥 모습을 드러냈다. 뜯긴 손이다. 조금 전, 불을 지른 집에서 만났던 손 없는 병사가 떠올랐다.

그래, 그놈의 총이었구나. 명청한 놈이 총을 구석에 세워 두고 소주 박스를 양손으로 들다가…… 총을 몸에서 떼어 놨다고? 어지간히 고문관 같은 놈…….

아니, 그게 중요한 게 아니잖아!

생각이 쓸데없는 곳으로 번져 갈까 봐 진우는 얼른 고개를 젓고 이를 악물었다. 살 수 있다. 이제 싸울 수 있는 수단이 생겼다.

진우는 가게의 입구로 걸어가면서 왼손으로 진열대의 물건을 챙겼다. 생수 두 병과 팬티스타킹, 번데기 캔 두 개.

마음 같아서는 가지고 싶은 것들 천지지만 욕심을 부려서는 안 된다. 박스가 흔들리는 유리문 앞에서 진우는 K-2의 레일에 달린 플래시를 켜고 머릿속으로 빠르게 작전을 짰다.

　흔들흔들. 바깥의 좀비가 쿵쿵거리며 몸을 부딪쳐 올 때마다 박스로 만든 간이 바리케이드가 춤을 춘다. 그리고 몇 초 후, 박스들이 와르르 무너지면서 좀비 한 마리가 그 틈으로 상체를 쑥 집어넣었다.

　크롸아악―.

　박스 틈으로 몸을 집어넣은 좀비가 진우를 보며 발광을 한다.

　쿵!― 끼기긱―!

　놈이 체중을 실을수록 문의 아래쪽을 고정하고 있던 탁자가 안으로 밀려 들어왔다. 곧이어 또 한 마리가 머리를 쑤셔 넣는다. 문이 충분히 벌어진 걸 확인한 진우는 곧바로 방아쇠를 당겼다.

　타앙―.

　근거리여서 빗나갈 일도 없다. 좀비는 뼛조각을 흩뿌리며 뒤로 날아갔고, 진우는 곧바로 두 번째 놈의 머리도 날렸다.

　끄롸아아아!

　뒤로 날아가는 좀비의 단말마와 새로 달려드는 놈들의 포효, 그리고 총성이 겹쳐져 가게 내부를 흔들며 메아리친다.

　휘이이―.

　불어오는 바람 속에는 놈들의 악취가 가득 섞여 있다.

　서둘러 입구의 놈들을 정리한 진우는 진열되어 있던 신문 뭉치를 들어 라이터로 불을 붙였다. 불이 어느 정도 타올랐을 때, 부탄가스가 진열된 쪽을 향해 던졌다.

　타닥― 타닥―.

　신문은 제법 화력을 뽐내면서 부탄가스의 표면을 검게 그을렸다. 이제 얼마 지나지 않아 폭발과 함께 더 큰 불이 날 것이다.

　진우는 가게를 빠져나와 원래 목표로 삼았던 3층 건물을 향해 뛰었다. 몇 마리가 앞을 가로막아 대도 이젠 총이 있다. 총이 있는 한 그쯤은 별 장애가 되지 않는다.
 투투둑- 투두둑-!
 남의 총이라서 영점이 정확하지는 않지만, 그래도 3점사로 두 다리를 날리는 것 정도는 문제없다. 하체를 잃은 좀비들은 곧바로 다시 기어서 그의 뒤를 쫓았다.
 휘이이-!
 차가운 비바람이 시야와 호흡을 어지럽히며 얼굴을 때린다.
 농협 마크가 찍힌 3층 건물은 공공건물답게 문이 크고 많았다. 장기적인 기지로 삼으려면 문제가 되겠지만, 어차피 3층에서 오늘 밤 하루만 쓸 거니까 괜찮다.
 농협 건물 1층에서 서성거리던 좀비들이 낌새를 느끼고 돌아보기도 전에 진우의 총알이 놈들의 뒤통수를 관통하며 탄착군을 이루었다. 총알을 아끼는 것보다 속도를 높이는 게 더 중요했다. 진우는 야시경을 눈에 바짝 붙인 채 시체들이 널브러진 문 안으로 뛰어들었다.
 그롸아아!
 뒤쪽에서는 쫓아오는 좀비들의 아우성이 폭풍우를 뚫고 들려온다. 놈들을 상대하기 위해 돌아설 여유도, 건물 안에 놈들이 몇 마리나 숨어 있는지를 살펴볼 겨를도 없었다. 지금 빨리 3층에 도달하지 못하면 포위되고 만다.
 진우는 이 안에 있던 좀비들이 불에 이끌려 나갔기를 바라며 곧바로 계단을 올랐다. 녹색으로 변환돼서 표시되는 좁은 계단과 복도. 2층에 도달했을 때, 자판기 뒤에서 한 마리가 뛰쳐나왔다.
 투투둑!
 목 위를 날려 버린 좀비의 시체를 지나쳐 다시 한 층 위로 올라갔다. 사무실 서너 개가 보인다. 사거리 쪽, 그중에서도 구멍가게 방향으로 창문이 난 방을 찾아 들어간 진우는 쇠문을 잠갔다. 커다란 소파가 두 개나 있는 걸로 보아 여기가 제일 높은 사람이 쓰던 방인 모양이다.

Chapter 33 둥지

입구에 받쳐 두기 위해 소파를 끌던 진우의 눈에 깜깜한 사무실 한쪽 구석에 있는 뭔가 커다란 덩어리가 들어왔다. 웅크리고 있는 비대한 사내였다.

"으앗!"

진우는 깜짝 놀라 방아쇠에 손가락을 걸었다. 하지만 이내 그 사내의 몸이 미동조차 하지 않는다는 걸 깨달았다. 야간 조준경을 통해 보이는 사내는 혀를 빼문 채 눈은 위로 치뜨고 벽에 기대 죽어 있었다. 그의 목을 꽉 졸라맨 넥타이가 어디에 연결된 것이 아니라, 힘없이 축 늘어져 있다는 게 특이하다. 자살이 아니라 누군가 혼란을 틈타 죽여 버린 것이리라.

그 살인의 원인이나 이유가 어떻든 간에 지금 진우에게 중요한 것은 사내가 더 이상 움직일 수 없다는 점이었다.

관심을 끊은 진우는 소파를 끌어다가 입구에 받치고 가게에서 집어 온 팬티스타킹을 꺼내 여전히 핏물이 뚝뚝 떨어지는 팔을 꽉 졸라 묶었다. 그러고는 창문을 활짝 열었다.

쐐에ㅡ.

비바람이 휘몰아치는 건 여전했지만, 그 차가움조차도 즐거운 자극처럼 느껴진다. 어쨌든 다시 얻은 생명이나 마찬가지니까.

"너부터 가자."

생수병과 탄창을 창가 근처 바닥에 나란히 세워 둔 진우는 총구를 바깥으로 겨누고 첫 번째 목표를 찾았다. 영점을 조절하려면 조금 멀리 있는 놈이 좋을 것이다.

타앙ㅡ.

첫 발은 놈의 오른쪽 어깨를 날렸다. 불길에 홀려 가게 쪽으로 걷던 녀석은 길바닥에 내동댕이쳐졌다.

"조금 아래로 처지나?"

조절을 마칠 때쯤 어깨가 날아간 좀비도 다시 몸을 일으켰다. 진우는 두 번째 발을 쏘았다. 좀비의 왼쪽 머리가 움푹 파여 날아간다. 겨냥했던 것보다 미세하게 왼쪽으로 치우쳤다.

다섯 발째부터는 그가 원하는 곳에 총알을 꽂아 넣을 수 있었다. 좀비들은 불이 난 가게와 진우가 위치한 3층 건물 사이로 사방에서 꾸역꾸역 모여 들어온다. 진우는 서두르지 않고 천천히, 그러나 집요하게 방아쇠를 당기고 탄창을 교체했다. 찢어진 팔이 저리거나 어지러워지면 잠시 벽에 기대 쉬면서 물을 마시고 짭짤한 번데기를 씹었다.

"홋, 후후훗……."

입 안에 남은 번데기를 우물거리면서 다시 좀비의 머리를 겨눌 때, 실없는 웃음이 터져 나왔다. 도로에 가득 쓰러져 있는 시체들. 자신의 손으로 저렇게나 끔찍한 꼴을 만들어 가면서 뭘 먹을 수 있다는 게 너무 어처구니가 없다.

게다가 불과 몇 미터 떨어지지 않은 같은 공간 내에도 목이 졸려 죽은 사내의 시체가 있는데, 그게 거의 신경이 쓰이지 않는다. 삼식이가 똥 이야기를 할 때마다 밥맛이 떨어지던 예전의 그가 더 이상 아닌 것이다.

'나는 뭔가를 잃어버린 걸까?'

방아쇠를 당기면서 스스로에게 질문을 던졌다.

퍼억―.

기어서 농협 건물로 다가오던 좀비의 정수리가 산산조각 난다. 빗물 웅덩이에 떠다니는 뇌 조각을 빤히 보면서도 여전히 입 안의 번데기를 토해 내지 않았다.

다시 총구를 틀어 그 웅덩이 바로 옆을 뛰어오던 놈의 이마에 총알을 꽂았다. 총탄에 꿰뚫린 좀비는 목이 꺾인 채 옆으로 쓰러졌다.

'뭔가 끊어지긴 했어. 그게 뭐냐고 묻지는 마. 그건 나도 정확히 표현할 수 없으니까.'

이번에는 스스로에게 대답을 해 줬다.

타앙―.

입구를 향해 뛰어들려던 녀석의 대갈통이 터졌다. 세 번째 탄창이 다 소진됐다. 탄창을 갈아 끼우면서 진우는 환하게 미소를 지었다.

아직 살아 있고 탄창은 세 개나 더 남았다. 그 대신에 내 안의 뭔가를 조금 덜어 내 주었다고 한들 그게 뭐 그리 대수겠는가.

타앙—.

다시 또 한 놈의 머리가 날아간다.

얼마나 오랜 시간 동안 그렇게 쏘아 댔는지 모른다. 바닥에 탄피들이 잔뜩 굴러다니고, 좀비들을 거의 다 청소했을 때에는 그 지독했던 비바람도 슬슬 잦아들 기미를 보였다.

사거리를 아무리 노려보고 있어도 더 이상 새로운 좀비가 나타나지 않게 되자, 진우는 비로소 창문을 닫고 긴 한숨을 내쉬었다.

눈은 가물거리고, 계속해서 찬 비바람과 맞섰던 머리는 핑핑 돌았다. 두 팔이 저리고, 쪼그려 앉아 있던 무릎은 감각이 없다. 유리 조각에 찢어진 팔도 불에 댄 것처럼 화끈거렸다.

쉬고 싶다. 저 푹신해 보이는 소파 위에 누워서 아주 깊게 잠이 들고 싶다. 하지만 그 전에 반드시 해야 할 일이 아직 한 가지 더 남았다.

끼이익—.

소파를 받쳐 둔 채 문을 아주 조금만 열어 본다. 만약 밖에 좀비가 서성이고 있다면 곧바로 달려들 것이다. 하지만 조용했다. 진우는 소파를 넘어 복도로 나왔다.

텅 빈 계단을 따라 내려와 거리에 발을 내디뎠다. 그가 더 이상 움직일 수 없도록 만든 수많은 좀비들의 시체가 널려 있는 거리로. 파인 곳마다 고여서 흐르는 빗물을 따라 뼛조각과 살점들이 부유하고 있다.

황량한 바람이 한차례 휩쓸고 지나간다. 가게에서는 마지막 불꽃의 연기가 검게 피어오르는 중이다. 진우는 어두컴컴한 거리를 횡단해서 쌀가게 정면으로 갔다. 문은 스테인리스 파이프 재질의 셔터가 내려진 채 단단히 잠겨 있었다.

콰창!

가게 안에 갇혀 이 싸움에 참전하지 못했던 좀비들이 분하다는 듯 셔터를 두들긴다. 진우는 가게 안쪽으로 플래시를 비췄다. 그러고는 놈들의 썩어 버린 눈을 노려보며 말했다.

"내 총 찾으러 왔다."

02

비가 그쳐 가는 강원도와 달리 서울의 폭우는 시간이 흐를수록 더욱 기세를 올렸다. 굵은 빗방울은 유리창을 부술 듯 때려대고 바람은 창틀 사이를 울리며 소름 끼치는 소리를 만들어 냈다.

덕분에 보안관 일행은 여관 2층에 발이 묶인 채 몇 시간을 보내야 했다. 빗물이 줄줄 흘러내리는 창문에 이마를 대고 바깥 풍경을 보던 유빈이 힘없이 중얼거렸다.

"선로에 갖다 놓은 박스들 다 찢어지고 난리도 아니겠다. 진짜 엄청 쏟아붓네. 좀 멎지. 선녀님 빤쓰에 구멍이 났나……."

"푸하하하! 선녀님 빤쓰래. 큭! 오빠, 완전 노인 말투."

엎드린 채 온몸으로 매트리스의 쿠션을 느끼며 발을 동동거리고 있던 제니가 엉뚱한 지점에서 빵 터졌다. 침대와 깨끗한 변기, 그리고 지붕이 있는 장소에 너무 오랜만에 와 봐서 어지간히 기분이 좋아졌나 보다.

그 옆에 나란히 엎드려 있던 보안관도 제니의 웃음소리에 반사적으로 맞장구를 쳤다.

"그러게! 큭큭, 우리 할머니도 그런 말 썼었는데."

음? 침대 모퉁이에서 도롱도롱 졸고 있던 삼식이는 웃음소리에 깼다가 다시 베개를 끌어안고 입맛을 다신다. 신입도 비웃는 듯한 표정으로 입술 끝을 씰룩거렸다.

하아~. 유빈은 가볍게 한숨을 내쉬었다.

참 좋기도 하겠다, 이 대책 없이 긍정적인 새끼들. 먹을 거라고는 배낭에 든 게 전부고, 비가 언제 멎을 거라는 보장도 없는데…….

물론 선로 위가 여기보다 더 낫다는 주장은 아니다. 거기에 그대로 있었더라면 이보다 훨씬 더 심란한 꼴을 당했을 것이 자명하기 때문에.

그런 점들을 다 감안하더라도 코는 정말 고생을 하는 중이다. 좁은 여관방 안에 창문까지 닫고 모여 있으니 땀 냄새, 발 냄새가 진동을 한다. 누군가가 몸을 들썩일 때마다 썩은 수박에서 나는, 그런 냄새가 확확 퍼지며 후각을 파고들었다.

그롸아아아—!

멀리서 또다시 좀비들의 포효가 울려온다. 이 모진 비바람 속에서도 행진을 거르지 않을 만큼 놈들은 성실하다.

"삼식아, 삼식아…….'

신입이 자꾸 삼식이를 흔들어 깨운다. 담배를 피우려면 옥상으로 나가야 하는데, 이 깜깜한 밤중에 그 어두운 계단을 혼자 오르는 게 별로 내키지 않는 모양이다. 조명 하나 없는 복도는 귀신의 집처럼 으스스했다.

"음냐…… 너 피우고 와. 난 그냥 잘래."

삼식이가 거절을 하자 초조해진 신입은 똥 마려운 강아지처럼 어쩔 줄을 몰라 했다.

"신입, 나랑 같이 가자. 어차피 바람도 좀 쐬고 싶었으니까."

기대도 하지 않던 유빈이 나서 주자 신입은 반색을 하며 플래시를 챙겼다.

"웃! 바람 진짜 장난 아니네. 이래서야 담배 피우는 것 같지도 않겠다."

옥상 문을 열던 유빈이 주춤한다. 차가운 비와 바람이 얼굴을 때리고 우비 대신 머리에 덮고 나온 큰 비닐봉지는 뒤집힌 채 미친놈처럼 춤을 추었다. 손으로 바람을 가리며 라이터를 켜던 신입이 툴툴거렸다.

"아, 씨발. 그냥 다른 방에서 피우면 안 돼? 빈방 존나 많잖아. 문 꼭 닫고 피울게."

"냄새가 배서 안 된다고! 여기 얼마나 더 있어야 할지도 모르는데…… 불편해도 좀 참아."

"전에 있던 동네에서는 방에서 피워도 뭐라고 안 했으면서 왜 갑자기 그래?"

"거기는 좀비들이랑 꽤 떨어져 있었으니까 그렇지. 여기는 바로 저기 큰길에 좀비들이 떼로 몰려다니잖아."

마침 겨우 담배에 불이 붙어 이야기는 거기에서 일단락이 됐다. 신입은 찌푸린 얼굴로 담배가 젖지 않도록 보호해 가며 뻑뻑 빨아 대는 데에 집중했다. 연기는 바람에 실려 큰길 반대 방향으로 빠르게 흩어졌다. 그 정도라면 좀비들도 어디에서 이 연기가 시작된 것인지 모를 것이다.

녀석이 니코틴을 보충하는 동안 유빈은 다시 한번 주변을 둘러봤다. 어제 만났을 때 태권 소녀 일행에게서 굶주림의 기운은 느껴지지 않았었다.

분명 이 여관 너머 어딘가 그리 멀리 떨어지지 않은 장소에 열 명 이상이 생활을 하던 아지트가 있을 거다. 식량과 음료, 그리고 좀 더 안심하고 잠들 수 있는 아지트.

과연 그게 어디일까…….

숨어 있던 녀석들의 입장에서 생각을 해 보기 위해 애를 쓰는 중이다. 그 애들은 좀비에게 신경을 쓰는 것만큼이나 다른 사람들을 경계하고 있었다. 그래서 늘 망을 보았던 거고, 또 그래서 미로 같은 피난처도 만들어 뒀을 테지…….

가발 가게에서부터 여기까지는 그 비밀 통로를 잘 쫓아서 왔는데, 더 이상은 단서를 발견하지 못했다.

내일 날이 밝으면 다시 한번 더 꼼꼼히 찾아봐야지…….

분명 어딘가에 다음 장소로 이어지는 비밀 경로가 있으리라는 확신이 든다.

"아, 씨발. 깜깜하니까 괜히 후달린다. 혹시 저런 데서 좀비 새끼들이 뛰어내릴까 봐."

신입이 길 건너의 건물을 플래시로 비추며 투덜거렸다. 터미널 부근답게 여관이 많아서 그 건물 역시 모텔이다.

불과 5층짜리 건물이지만 나지막한 2층 옥상에서 올려다보자니 까마득히 높게 느껴진다. 물론 거리가 좀 있기 때문에 저기에서 뛰어내린다고 해도 이곳에 닿을 리는 없겠지만.

"파, 라, 다, 이, 스 모텔."

플래시로 비춰 가며 건너편의 모텔명을 읽던 신입이 갑자기 재미있다는 듯 킥킥거렸다.

"큭큭, 야, 씨발. 근데 저기 3층이나 4층에서 보면 우리 있는 이 여관에서 떡치는 거 고스란히 다 보였겠는데? 무슨 건물을 이렇게 마주 보게 지어 놨냐? 그것도 모텔을. 민망하게시리. 큭큭큭."

"누가 그걸 문 활짝 열어젖히고 하겠냐, 커튼 치고 하지. 봐, 저기도 다 커튼 쳐져 있구만. 담배 다 피웠으면 들어가자. 비 맞고 있으려니 춥다."

건물 안으로 들어와 보니 보안관과 제니가 방 앞에 나와 서성이고 있었다.

"너희, 왜 그렇게 하고 있어?"

"삼식이 오빠가 자면서 자꾸 방귀를 뀌어서……."

제니가 뭔가 미안한 표정을 짓는 동안에도 방 안에서는 뿌웅, 하는 소리가 울려 나온다.

"것 봐, 제니야. 예전에 그 방귀, 그거 내가 뀐 거 아니었다니까. 저 새끼, 저게 범인이야……. 보안관은 잘 기억도 안 나는 일까지 끄집어내 자기변호를 하느라 열을 올렸다.

"야, 배낭만 가지고 나와. 저 새끼 놔두고 우리는 옆방으로 가자."

미리 코를 막아 쥔 신입이 유빈의 등을 떠밀었다.

"그게 뭐 그렇게 유난 떨 일이냐? 어차피 아까부터 우리 땀 냄새도 장난 아니었는데 뭐."

대수롭지 않은 듯이 말하며 대범하게 문지방을 넘던 유빈은 허겁지겁 달려가 창문을 열어젖혔다.

"우와! 이 새끼, 이거. 제대로 꿰었잖아!"

휘이잉—!

차가운 공기가 빗방울을 싣고 날아와 얼굴을 때린다. 갇혀 있던 공기가 한 바퀴 도니 숨쉬기가 한결 편해졌다.

"엇, 차가! 뭐야, 왜 창문 열어어~?"

삼식이가 얼굴에 튄 빗물을 닦으며 웅얼웅얼 볼멘소리를 한다.

그냥…… 환기 좀 시키려고 그래…… 라고 말하며 배낭에서 마실 것을 꺼내던 유빈은 딱 집어 설명하기 어려운 위화감을 느꼈다.

내가 조금 전에 한 행동 중에 부자연스러운 뭔가가 있었다. 미처 깨닫지 못하고 넘어갔던 어떤 것…… 그게 뭐였지?

"젠장, 초코바만 잔뜩 넣어 왔네. 아까도 이거 먹었는데. 다른 거 있는 사람? 바꿔 먹자."

삼식이도 주섬주섬 일어나서 배낭을 뒤졌다. 제니가 과일 맛 에너지 바를 건네준다.

"자요, 이거라도 먹을래요?"

"근데…… 이거, 암만 아껴도 내일 아침 먹고 나면 그다음부터는 손가락 빨게 생겼는데?"

친구들이 그런 이야기를 하는 동안에도 유빈은 손톱을 물어뜯으며 인상을 썼다.

뭐였지? 뭐가 이상한 거지? 난…… 방에 들어와서 창가로 걸어갔었다. 그리고는 창문을 최대한 들어 올렸고, 아무리 생각해 봐도 그게 다인데…….

아닌가? 뭔가 더 있었나?

유빈은 창 쪽으로 고개를 돌렸다. 깜깜한 밤이라 보이는 것은 오직 어둠과 이따금씩 불빛에 어른거리는 빗물들뿐이다.

번쩍—!

근처에서 번개가 치자 밖의 풍경이 아주 잠시 동안 훤하게 밝혀졌다. 그래 봐야 마주 보고 선 파라다이스 모텔에 꽉 막혀서 다른 건 뵈지도 않는다. 여러 개의 창문과 내부의 짙은 색 커튼, 그리고 모텔 간판 따위가 잠시 모습을 드러냈다가 이내 어둠 속에 묻혔다.

정말이네, 이 방 대실했던 사람들은 신경 좀 쓰였겠는데…… 라고 생각하며 멍하니 창문을 보던 유빈은 허벅지를 탁, 내려쳤다.

"그래! 맞아! 그거였구나! 이제 알았다!"

응? 플래시 주위에 옹기종기 앉아서 과자로 주린 배를 채우던 나머지 넷이 놀라 유빈을 쳐다본다. 유빈은 얼른 옆방으로, 그리고 그다음 방으로 뛰어다니며 창문마다 플래시를 비춰 봤다. 전부 마찬가지다.

"쟤 또 왜 저래? 야, 너 왜 그래? 무슨 일인지 같이 좀 알자."

유빈이 미친놈처럼 복도를 뛰어다니자 보안관이 붙잡으며 묻는다. 유빈은 들뜬 목소리로 말했다.

"커튼! 커튼이 없어! 이 방에! 이 방만 그런 게 아니라, 2층 전체가 다 그래! 뭔가 이상했는데, 그게 뭔지를 정확히 몰랐거든!"

잔뜩 흥분한 유빈과 달리 이야기를 전해 들은 나머지 넷의 반응은 별로 신통치 않았다. 이해를 하지 못한 것 같아 유빈은 설명을 덧붙였다.

"생각해 봐! 저기, 저렇게 다른 건물들이랑 마주 보고 있는데, 창문에 커튼이 없다고! 말이 안 되잖아! 여기 여관인데, 이런 데서 어떻게…… 그, 그, 그런 걸 하겠어? 알잖아? 다 들여다보일 텐데."

제니 때문에 뒷부분은 얼버무렸다. 잠시 창문과 유빈의 얼굴을 번갈아 보던 보안관과 제니가 거의 동시에 물었다.

"그래, 커튼이 없다는 건 알겠어. 그런데 그게 대체 뭘 의미하는 건데?"

어? 그, 그건…….

순식간에 흥분이 가라앉은 유빈도 눈만 멀뚱거렸다.

글쎄, 커튼이 없는 여관이라는 게 대체 뭘까?

"나는 알 것 같은데."

날카로운 눈빛을 번뜩이며 명탐정 연기를 하던 삼식이가 입을 열었다.

"여기는…… 보여 주는 걸 즐기는 취향의 마니아들 전용 여관이었던 거지."

네 사람은 잠시나마 기대를 했던 걸 후회하며 각자 생각에 잠겼다.

경계, 미로, 비밀 통로, 그리고 이 여관, 커튼이 없는 방…… 외부 사람을 지독히도 경계하던 그 시선……. 그런데 왜 하필이면 가발 가게에서부터 여기까지는 한 번에 이어지도록 만들었을까…….

"우리가 용케 비밀 통로를 찾은 게 아니었네요."

플래시로 건너편의 파라다이스 모텔을 비춰 보던 제니가 중얼거린다. 비슷한 때에 답을 얻은 유빈도 고개를 끄덕였다.

응? 보안관은 아직도 이해를 못 한다.

"낯선 사람이 뒤를 밟으면 이쪽으로 오도록 유도를 해 놨던 거예요. 자기들이 빤히 보고 감시를 할 수 있는 장소로요. 바로 저기에서."

파라다이스 모텔을 가리키며 제니가 말했다.

아하, 그래서 커튼도 다 떼어 버렸구나! 보안관과 신입이 손바닥을 친다.

"그럼 저기가 걔들 아지트였다, 이런 말이야?"

"그럴 가능성이 높지. 적어도 중간 기지 정도는 될걸?"

파라다이스 모텔의 입구는 셔터도 내려져 있지 않고 유리문이 박살 나서 엉망이다. 다가가고 싶지 않을 만큼 불길하고 으스스하다. 엉망이다.

도로 외부와 코스트코 앞에 시체를 잔뜩 가져다 놓았던 것과 비슷한 수법이다. 자신들이 숨은 곳 앞을 일부러 훼손해 놓은 것이다.

"그렇다는 건, 어제 그 애들이 지금 저기에 숨어서 우릴 보고 있다는 의미? 경순이나 그런 애들이?"

삼식이의 얼굴에 반가운 기대가 스친다. 유빈은 고개를 저었다.

"아니, 누가 있었다면 당연히 아까 우리가 부를 때 대꾸라도 했겠지. 아니면 어제처럼 시비를 걸었든가. 걔들은 다 잡혀간 것 같아. 그 헬리콥터 탄 놈들한테 말이야. 봐, 저 건물. 불빛 하나 안 새어 나오잖아."

끄응~. 삼식이는 아쉬운 표정을 지었지만, 나머지 넷은 흥분을 감추지 못했다. 그들에게는 안된 일이지만, 우리는 이제 내일 아침, 아니, 나아가서는 한동안 먹을거리에 대해서 걱정하지 않아도 된다. 제니와 유빈의 추리처럼 저 모텔이 그 애들의 아지트라면.

03

"뭐 하고 있어? 빨리 가방 챙기고 준비해."

배낭을 메고 헤드까지 든 보안관이 채근을 한다. 유빈은 망설였다.

"엇, 지금 가자고? 이렇게 깜깜하고 비도 많이 오는데? 내일 날이 밝으면……."

"날 밝는 것 같은 소리 하고 있네. 야, 바로 옆에 보물 창고가 있을지도 모르는데 배를 곯아 가면서 잠을 자자고? 딴소리하지 말고 빨리 가 보자. 어두운 거는 이렇게 하면 해결되잖아."

헤드 랜턴을 쓰는 보안관을 보며 신입이 걱정스러워한다.

"씨발, 그러다가 좀비 있으면 어쩌려고 그래? 위험하잖아."

"그럼 넌 여기 있든가. 야, 그리고 좀비 없어. 있으면 너희 둘이 계속 옥상 들락거리면서 담배 뻑뻑거릴 때 벌써 튀어나왔어도 나왔겠지."

그 부분에 대해서는 유빈의 생각도 크게 다르지 않았다. 다만, 100퍼센트라는 확신이 없을 뿐.

음……. 유빈은 창밖을 내려다보며 잠시 고민했다. 비가 쏟아붓기 시작한 지 몇 시간 만에 길거리에는 찰박하게 물이 고여 있다. 내일 아침에는 당연히 더 높이까지 물이 차오를 것이고, 그러면 운신하기에 몇 배나 불편해진다. 여기에서 오래 머물 생각이 없다면, 더 나은 가능성을 찾아가야 하는 게 맞다.

"그래, 가자. 대신 가 봐서 영 아니다 싶으면 곧바로 이리 돌아오는 거다."
"오케이, 오케이. 그거야 당연하지!"
보안관은 호언장담을 하지만, 혹시라도 다시 도망 와야 할 경우를 대비해서 삼식이와 제니, 신입은 정문 앞에 남겨 두고 가기로 했다.
"계속 플래시를 비추고 있어. 그리고 우리 둘이 뛰어들면 곧바로 이걸 들어 올렸다가 내려 줘. 뭐냐고 물어볼 것도 없어. 도망 오는 경우는 하나뿐이니까."
제니에게는 플래시를, 남자 둘에게 정문 셔터를 잡고 있게 했다.
드륵, 드륵.
다행히도 셔터는 매끄럽게 작동한다. 자물쇠는 없지만, 드라이버 정도만 레일에 박아도 급한 대로 어느 정도 고정은 될 것이다.
둘 다 헤드 랜턴과 무기만 들고 배낭은 놓고 가기로 했다. 몸이 가벼운 편이 운신하기 좋으니까.
출발하기 전에 유빈이 한마디를 더 보탰다.
"음, 그리고…… 만약에 30분이 넘도록 돌아오지 않으면 그때도 셔터를 내리……."
"어휴! 재수 없는 소리 하지 말아요! 그런 일 없다고요!"
제니가 조그만 손으로 얼른 입을 틀어막는다. 보안관도 유빈의 등짝을 쫙, 후려쳤다.
"맞아! 바로 요 길 건너로 가는 건데 요란 떨지 마! 하여간 걱정 박사야! 가자."
보안관에게 끌려 문을 나섰다.
드르르륵—.
등 뒤에서 셔터가 내려지는 소리가 나자 갑자기 단절되는 기분이 든다.
첨벙첨벙. 발을 내디딜 때마다 물보라가 튄다. 벌써 물이 발목 근처까지 차올랐다.
"난리네."
박살이 나 있는 유리문을 보면서 보안관이 중얼거렸다. 통유리문이 아니라

삐죽삐죽 깨진 유리 조각이 위협적이다. 유리와 문틀 사이로 자빠진 냉장고 모서리가 튀어나와 있다. 보안관이 씩 웃는다.

"이걸 보니까 점점 확실해지는 것 같네. 이쪽으로 들어오지 말아 달라, 이건가?"

현관이 'ㄱ' 자로 꺾여 있어서 플래시를 비춰 봐도 그 안쪽이 어떤지는 알 수 없다. 보안관은 일단 문을 밀어 봤다.

빠지직—.

문이 움직이자 냉장고가 더 기울면서 유리 조각들을 깨뜨렸다. 하지만 아주 약간 뒤로 밀린 뒤, 문은 더 이상 움직이지 않는다. 안쪽에서 냉장고가 버팀대 역할을 아주 충실히 하고 있는 모양이다.

끄응~. 보안관이 힘을 써도 안 된다면 그 방법은 아니라는 뜻이다.

"아예 이쪽으로 당겨서 문이랑 같이 뜯자."

바깥으로 돌출된 냉장고의 양쪽 끝을 잡고 둘이서 앞뒤로 조금씩 흔들다가 움직임이 조금 커졌다 싶을 때, 아래 방향으로 확 잡아당겼다.

빠지직—!

냉장고의 무게에 두 친구의 힘까지 더해지자 스테인리스 문틀이 휘고, 유리 파편이 튄다. 케블라 장갑이 아니었다면 진작 손이 작살나고도 남았을 것이다.

같은 동작을 서너 번 반복하니 진폭이 커졌고, 한 번 더 당기니 프레임과 경첩에서 요란한 소리를 내며 드디어 문이 뜯겨 나온다.

끼이잉— 콰장창!

보안관과 유빈은 얼른 뒤로 물러나 발을 피했다.

"뭐야? 무슨 소리야?"

뒤쪽에서 삼식이의 놀란 목소리가 들려온다.

아, 맞다. 쟤들은 큰 소리가 날 줄 몰랐지……. 유빈이 밖으로 나가 알려 줬다.

"막아 놓은 게 넘어진 소리야! 걱정 안 해도 돼!"

보안관과 유빈은 자빠진 냉장고를 타 넘어 안으로 걸음을 옮겼다. 현관 내부도 지저분하기는 마찬가지여서, 자빠진 화분에서 흘러나온 흙들과 말라 죽은 화초, 시뻘건 얼룩 따위로 가득하다. 위쪽에는 이가 듬성듬성 빠진 주렴도 걸려 있어서 한결 더 으스스하다.

게다가 이 지독하게 쏟아붓는 비까지 더해지니 스산함은 몇 곱으로 늘었다. 아지트로 점찍지 않았다면 애초에 발을 들이고 싶지 않을, 그런 분위기였다.

"거기, 발 조심해. 그나저나 이렇게 해 놓고 원래 있던 애들은 어떻게 왔다 갔다 다녔지?"

"여긴 아예 안 쓴 것 같은데, 안에 들어가 보면 뭔가 뒷문 같은 게 있지 않을까?"

장애물들을 대충 한곳으로 몰아 놓고, 신경 거슬리게 하는 주렴도 통째 뜯어내 버렸다. 그렇게 하고 나니 한결 마음이 안정되는 것 같다.

"아! 이거, 철문이네. 애들한테 큰 소리 날 거라고 알려 줘. 또 놀랄라."

보안관이 해머를 꽉 잡는다. 손잡이와 자물쇠를 통째로 박살 내서 열 심산이다. 유빈이 물었다.

"근데, 그거 잠기기는 한 거야?"

"응? 아니, 확인은 안 해 봤는데. 그렇지만 당연히 잠가 뒀겠지……."

그렇게 말하며 보안관은 손잡이를 돌렸다. '어? 의외로 돌아간다?' 하는 표정의 보안관이 문을 당겼다. 그때였다. 근래에는 들은 적 없는 종류의 소음이 귀를 때렸다.

삐융~! 삐융~! 삐융~! 위이잉!

난데없는 알람에 보안관은 화들짝 놀라 문을 쾅! 닫았다. 유빈도 간이 떨어지는 것 같았다. 애초에 전기로 작동하는 장치가 살아 있을 거라는 가능성 자체를 머릿속에서 깨끗하게 지우고 있었기에, 그 낯선 소음이 주는 충격은 엄청났다.

삐융~! 삐융~! 삐융~!

문을 닫았는데도 알람은 계속 울린다. 다급해진 보안관은 몇 번이고 반복해서 문을 다시 여닫았다. 그래 봐야 삥삥거리는 소리는 멈추지 않는다.

"야, 이, 이거 어떻게 꺼? 이거 뭐야? 야이, 씨발! 왜 여기만 전기가 들어와?"

흥분한 보안관이 악을 쓰는 것에 알람 소리까지 더해지니 정신이 홀랑 빠지는 것 같다.

빨리 안으로 들어가야 하나…….

어쩔 줄 몰라 하던 유빈은 크게 심호흡을 하며 마음을 가다듬었다. ……진정해. 별로 큰 소리도 아니야. 게다가 빗소리에 묻혀서 큰길까지는 안 가. 그러니까 침착해야 돼.

삐유웅~! 삐유웅~!

그러는 동안에도 알람은 쉬지 않고 그 짜증스러우면서도 단조로운 소리를 내고 있다. 살짝 열린 문틈으로 안쪽을 엿보는 보안관이 흥분해서 앞뒤 안 가리고 뛰어들까 봐 두려워진다.

유빈은 보안관의 팔을 잡았다. 우선 진정시켜야 할 것은 알람이 아니라 보안관이다.

"보안관! 보안관!"

침착해야 돼, 차분하게 가자…… 라고 말하려 하는데, 보안관이 갑자기 휙 뒤를 돌아보며 인상을 썼다.

"아, 그 새끼. 거기 가만히 기다리고 있으라니까……. 위험할지도 모르는데!"

"자꾸 이상한 소리가 나니까 걱정이 돼서 그러지! 안으로 들어와 버려서 보이지도 않고. 근데 이 알람 뭐야?"

삼식이였다. 그리고 바로 곁에는 제니까지 와 있다. 큭! 유빈은 잠시나마 보안관을 진정시키려고 했던 자신이 우스워졌다. 보안관은 그 시끄러운 소음 속에서 문 안쪽을 살피면서도 뒤에 삼식이가 다가오고 있다는 것까지 눈치채고 있던 것이다.

애초에 신체 능력 자체가 다르다. 이미 알고 있던 사실이기는 하지만, 다시 한 번 절감했다.

"몰라. 하여튼 이런 요망한 짓까지 해 놓은 거 보면 여기가 맞나 봐. 제니야,

내 근처에 있어. 아, 맞다. 신입은?"

"딱 문 위에 서서 여차하면 셔터를 내릴 준비 하고 있어. 뭐, 그런 보험도 있어야지."

흥, 그 새끼가 퍽이나 보험이 되겠다. 문답을 마친 보안관은 다시 시선을 앞으로 향하고 해머를 꽉 움켜쥔 채 문 안으로 들어섰다.

삼식이와 제니의 합류로 플래시의 광원이 두 개 늘자 시야도 한층 넓고 밝아져서 내부가 훤히 보인다. 어수선한 바깥쪽과 달리 모텔 내부는 깔끔하게 정돈되어 있었다.

"이건가?"

보안관이 카운터 안쪽을 살펴보고 있을 때, 삼식이가 뭔가를 주물렀다. 그러자 그렇게 신경을 긁어 대던 알람 소리가 그쳤다.

뚝. 그리고 쏴아아―.

다시 들리기 시작한 빗소리가 그렇게 반가울 수가 없다.

"너 재주 좋다? 어떻게 하니까 꺼지디? 나는 열었다 닫았다 암만 난리를 쳐도 안 되던데."

보안관의 물음에 삼식이는 문틀에서 떼어 낸 조그만 플라스틱 조각 하나를 들어 보여 주었다.

"여기에 스위치가 붙어 있어."

설명을 듣고 다시 보니 신기할 것도 없는 장치였다. 문과 문틀에 하나씩 붙여 두고 스위치를 켜 두면 그 사이가 벌어질 때 알람이 울리는 구조다. 배터리로 작동하는 거니까 정전과도 무관하다.

"이거 굉장히 싸. 혼자 사는 여자애들이 이런 거 많이 달거든."

삼식이가 부연 설명을 하면서 뭔가 아득하게 그리운 표정을 짓는다.

개새끼, 또 무슨 좋은 추억이 떠오른 거냐……

보안관과 유빈은 삼식이를 한 번 흘겨봐 주고 다시 실내를 수색하기 시작했다.

지금까지 보았던 다른 건물들과 마찬가지로 1층에서는 생활의 흔적이 거의 눈에 띄지 않았다. 창고를 열어 봐도 시트와 청소 용품 따위뿐이다.

주차장과 연결된 후문 안팎 역시 뭔가가 잔뜩 어지럽혀져 있다. 그리고 거기에서도 문제의 그 싸구려 알람이 발견됐다.

일행은 계단을 통해 2층으로 올라갔다. 1층과는 사뭇 분위기가 달라서 복도에서부터 벌써 여러 개의 박스가 그들을 반겨 준다. 음료수, 라면, 과자, 생수, 통조림…… 온갖 먹을 것들이 편의점 창고처럼 한쪽 벽을 따라 그득하게 쌓여 있다.

"우와, 빙고!"

보안관의 목소리가 밝아졌다. 물론 한 가지 해결해야 할 사소한 문제는 있었다. 계단에서 복도로 진입하는 부분에 설치된 바리케이드가 바로 그것이다.

노가다끼리 아시바라고 부르는 굵은 비계용 파이프 대여섯 개가 가로로 박혀 있다. 꽤나 공을 들여 설치한 물건이지만, 해머를 든 보안관이 있을 때 그 정도는 장애물로 쳐 주지 않는다.

콰앙—.

해머질 여섯 번에 파이프 두 개가 떨어져 나갔고, 아무리 덩치가 큰 사람이라도 충분히 지나갈 수 있는 공간이 만들어졌다.

"파라다이스 모텔이라더니, 진짜 파라다이스 맞네. 흐흐."

복도 안에 들어선 보안관은 만족한 표정으로 음식 박스들을 쓸었다.

딸깍, 삼식이도 스포츠 음료 캔부터 따서 벌컥벌컥 들이켰다.

"이 방은 옷이네. 크, 무슨 옷가게를 차려 놨어."

첫 번째 방문을 열어 본 보안관이 껄껄 웃는다. 그 호기로운 모습에 제니가 걱정스러운 표정을 지었다.

"저기…… 오빠, 아직 남은 사람이 숨어 있을지도 모르는데. 그리고 그 사람들 총도 갖고 있었잖아요."

"하하! 제니야, 괜찮아. 아무도 없어. 생각해 봐. 공격할 시간이 얼마나 많

있었는지. 예를 들어서…… 에, 우리가 저쪽 여관에서 모여 있었을 때, 그다음에 우리가 현관문 뽀갤 때, 또 1층에서 알람 때문에 우왕좌왕하고 있을 때, 그리고 좀 전에 여기에서 저 아시바 부술 때만 해도 무방비였잖아. 그렇지? 그러니까 안심해도 돼. 좀비는 말할 것도 없고."

그런 말을 하는 동안에도 보안관은 두 번째, 세 번째, 네 번째 방문을 확확 열어젖혔다. 휴지, 물티슈, 비누…… 다람쥐처럼 정말 알뜰하게도 골고루 모아 뒀다.

그렇게 확실한 건가요? 정말 그런 거면 좋겠지만……. 제니가 유빈을 돌아본다. 유빈 역시 안전하다는 의미를 담아 미소를 지어 줬다.

보안관의 말이 맞다. 만약 누군가 자신들을 공격하려 했다면 이미 차고도 넘칠 만큼 충분히 기회가 있었다. 그리고 그가 어제 겪어 본 태권 소녀 일행은 외부인이 자신들의 아지트까지 들어와 활개를 치도록 내버려 둘 만큼 너그러운 성격은 아니었다. 즉, 지금까지 아무 반응이 없다는 건 여기가 텅 비어 있다는 의미인 것이다.

"맥주네. 소주도 있고."

복도 끝 방에서 주류를 찾은 삼식이는 곧바로 그 방 창의 커튼을 젖혔다. 건너편 여관 입구에서 셔터를 꽉 쥔 채 불안해하는 신입의 모습이 한눈에 들어온다.

"신입! 올라와! 괜찮으니까!"

창문을 열고 소리를 치자 신입이 반신반의하는 얼굴로 올려다본다. 플래시 불빛이 유리에 반사되어 잘 보이지 않는 모양이다.

"파티라고!"

삼식이는 맥주 박스를 들어 올리며 크게 외쳐 주고 복도로 나왔다. 객실마다 돌아다니며 문을 활짝 열고, 안에 들어 있는 게 뭔지 확인하느라 모두의 머리에 달린 랜턴이 정신없이 흔들거리며 사방에서 빛을 냈다.

처음엔 주저주저하던 제니도, 걱정 전문가인 유빈조차도 열심이다. 그만큼 이 아지트를 찾아냈다는 건 흥분되는 일이었다. 더 이상 한뎃잠을 자지 않아도 되고, 끼니를 거르게 될까 봐 전전긍긍할 일도 당분간은 없다.

"3층엔 뭐가 있나 보자!"

2층 맨 끝 방까지 돌아보고 난 뒤, 보안관은 모두를 데리고 다시 계단을 올랐다. 때마침 신입도 숨을 헐떡이며 합류했다.

창고처럼 물건들을 모아 둔 2층과 달리 3층은 사람이 살던 흔적이 여기저기서 눈에 띄었다.

이불이 흐트러진 침대, 머리맡에 놓여 있는 잡지들, 랜턴과 향초들, 방 입구에 가지런히 모아 둔 신발들과 무기, 그리고 쓰레기통에 들어 있는 음식 포장지까지…….

음, 생필품과 음식에 눈이 돌아가 있다가 그런 풍경을 보니 갑자기 모두의 마음에 숙연함이 찾아들었다. 이곳을 사용했던 주인들의 죽음이 예정됐음을 이미 아는 입장에서 얼마 전까지 머물렀던 생활의 흔적을 마주하자 가슴 한구석이 아려 왔다.

"화장실을 이렇게 해서 썼구나."

객실에 딸린 욕실의 문을 열어 본 유빈이 중얼거린다. 흰 흙 같은 것이 담긴 종량제 쓰레기봉투를 변기 안에 넣어 놓고 커버로 눌러 고정하는 방식이다. 모래를 채운 페인트 통 위에 엉덩이를 대고 앉아 볼일을 보던 다섯 명의 눈높이에서 보자면 초고도 문명에 가깝다. 물론 그런 수준까지 오르기 위해서는 머리도, 몸도 꽤나 고생을 했을 테지…….

그다음 방은 아예 문도 열려 있다. 바닥에 내던져져 내용물이 쏟아진 과자 봉지를 보니 저절로 상상이 되었다.

이 방에 살던 누군가는 어제 헬리콥터에서 흘러나오는, '오늘이 마지막 구조 기회입니다.' 어쩌고 하는 그 개소리를 들었을 것이다. 물론 벌떡 일어나 이 문을 열고 뛰어나와서 죽어라 복도를 내달렸을 거고, 그리고 아마…… 지금쯤은 어딘가에 갇혀서 죽을 순서를 기다리고 있을 것이다. 자신이 어떤 운명에 처해 있는지도 모르는 채로…….

"젠장, 여기에서 잘 살고 있었구만. 그냥 더 버티지."

보안관이 쓰게 입맛을 다셨다. 2층에 쌓여 있는 모든 물건들이 하늘에서 뚝 떨어진 게 아니라, 이 객실들에서 살던 자기 또래의 누군가가 목숨을 걸고 조금씩 가져와 모은 것이라는 게 실감되었다.

내일, 일주일 뒤, 한 달 뒤에 먹을 것들을 모아 놓기 위해 갖은 애를 썼을 텐데, 정작 그 주인들은 헬리콥터를 탄 인간 사냥꾼들에게 끌려가 버렸다.

이 얼마나 억울하고 좆같은 일이란 말인가. 신입조차도 얼굴에서 웃음기가 사라졌다. 초상집에 온 것처럼 꽉 눌린 공기를 깨뜨린 것은 제니였다.

"그만 생각해요! 우리한테 집중하자고요!"

제니가 두 손으로 보안관의 양 뺨을 꽉 붙잡아 고정하고 목소리를 높였다. 제니가 손바닥으로 두 볼을 꾹꾹 누르자, 똥구멍처럼 모아진 입술을 오물오물 움직이며 보안관이 대답했다.

"알았어, 알았어. 우리 내려가자. 괜히 우울해진다."

"그래, 맞아. 어쨌든 여기를 찾는 데 성공했잖아. 그러니까 오늘은 좀 기뻐해도 돼."

삼식이도 머리카락을 쓸어 올리며 애써 표정을 바꿨다. 경순이 생각이 나는 것도 무리가 아니다. 계단을 내려가며 신입이 꺾는 시늉을 한다.

"그럼 술 한잔하는 거냐, 우리?"

"고오럼! 안주도 잔뜩 있는데."

삼식이가 일부러 톤을 올린다. 분위기가 더 들뜨기 전에 시어머니 유빈이 끼어들어 한마디를 붙인다.

"일단 아시바부터 다시 붙여 놓고."

"후우우~ 후우우~. 너 차, 차, 차, 참 잘 걸렸다. 너, 너 없었으면 오, 오늘 진짜

빠, 빡 돌았을 텐데……. 사, 사람이 아주 죽으라는 법은 없나 봐."
 말을 마친 메이저는 탁자로 가서 온더록스 잔에 위스키를 채웠다. 한참 열심히 몸을 움직였더니 목이 탄다.
 황금빛 조니 워커 블루가 얼음 사이를 타고 흐른다. 두어 번 술잔을 빙글거리던 메이저는 천천히 한 모금을 음미했다. 짜릿하다.
 역시! 양놈들이 술 하나는 참 기가 막히게 만든다니까…….
 메이저는 입술을 닦고 다시 돌아섰다. 주먹에 묻은 피가 입 안에 번지며 비릿한 향을 풍긴다.
 좋아, 안주로는 이만한 게 없지.
 메이저는 혀를 날름해서 입술에 남아 있던 피를 마저 핥았다.
 기분이 더럽다. 오늘 하루 만에 섀도 실드 멤버가 둘이나 병신이 됐고, 문제를 일으킨 신 차장 개새끼는 잡아 족치지도 못한 채 놓쳐 버렸다. 신 차장을 데리고 나갔다는 말에 오 박사가 거품을 물고 길길이 날뛰는 걸 받아 주는 것도 고역이었고, 뭐 하나 마음에 드는 일이 없다.
 "크으!"
 메이저는 잔에 남은 술을 마저 비웠다. 이런 날은 손맛을 좀 봐야 한다. 불행 중 다행이라면 이번에 구해 온 식삿감들 중에 마침 아주 맷집 좋은 년이 하나 끼어 있었다는 거다.
 "자, 사, 사, 삼 회전을 시, 시작해야지, 우리?"
 철컹!
 기둥에 오른손이 고정된 수갑이 흔들린다. 경순이는 자유롭게 쓸 수 있는 왼팔을 굽혀 얼굴을 보호했다. 눈 주변이 부어올라서 저 망할 놈의 움직임이 잘 보이지 않는다.
 쟤들은 죽은 걸까…….
 그녀의 곁에 쓰러져 있는 두 명의 여자. 온몸에 피멍이 든 여자들의 가슴이 들썩이는 기미가 없다. 이 방에서 눈을 떴을 때부터 그녀들은 이미 반송장 상태였다.

하긴 그렇게 모진 매질을 당했으니……. 바닥은 온통 핏자국으로 얼룩져 있고, 숨을 들이쉴 때마다 옆구리에 찌르는 듯한 통증이 느껴진다. 갈비뼈가…… 나간 게 분명하다.

어쩌다…… 어쩌다 이렇게 되어 버린 걸까? 분명히 구조대라고 했는데…… 모두 구조해 줄 테니까 걱정하지 말고 순서대로 그물망에 들어가라고 했는데…….

샤워를 마치고 나왔을 때 예방접종이라고 놓아주던 주사. 그것이 마지막 기억이다. 깨어나 보니 속옷만 입은 채 이렇게 수갑으로 기둥에 결박당해 있었다.

"으윽! 후~!"

경순이는 차오르는 숨을 헐떡이며 이를 악물었다. 바닥에 발을 디딜 때마다 종아리에 전기가 오르는 것 같다.

"주, 주, 준비 다 됐지? 가, 가, 가, 가도 되지?"

메이저가 오른 주먹을 빙글빙글 돌리면서 히죽거린다. 그러다 갑자기 간격을 좁히면서 뛰어 들어와 옆구리에 훅을 먹인다.

흑! 대비도 못 한 경순이는 숨넘어가는 소리를 내며 옆구리를 접었다. 그러느라 가드가 빈 얼굴로 또다시 놈의 주먹이 날아든다. 이미 마른 피딱지로 가득 차 있던 콧속에 혈관이 터지면서 뜨거운 피가 콸콸 쏟아진다.

개새끼, 주먹도 어지간히 맵다.

으아아아! 경순이는 아무렇게나 주먹을 휘둘렀다.

크크크, 놈은 뒤로 훌쩍 물러나 피하면서 기분 좋게 웃어 댄다.

"퉤! 치사한 새끼! 오른팔만 묶여 있지 않았어도 너 같은 건……."

입 안에 고인 피를 뱉으며 경순이는 오열했다. 너무도 분하다.

철컹! 철컹!

잡아챌 때마다 수갑에 긁힌 오른 손목에서는 피가 계속 흐른다.

"아! 수, 수갑? 그, 그, 그거 풀어줘?"

메이저는 미처 몰랐다는 표정으로 가까이 다가와 주머니에 손을 넣었다. 그러더니 갑자기 표정을 바꾸며 경순의 따귀를 후려친다.

"나도 그, 그, 그렇게 해 주고 싶은데, 규, 규정 위반이라 안 돼. 흐흐흐~."

악—! 무차별로 휘두르는 놈의 주먹을 한 팔만으로 어떻게든 막아 보려던 경순의 입에서 비명이 터진다.

빠악!

이미 피멍이 든 허벅지에 워커 발이 날아들었다. 다리가 풀린 경순은 그 자리에 허물어졌다. 무방비로 노출된 그녀의 가슴에 메이저의 팔꿈치가 날아와 꽂힌다.

죽는구나……. 의식이 가물거리는 순간, 그녀는 차라리 다행이라는 생각이 들었다. 눈꺼풀이 무거워지고 모든 것이 까만 어둠 속에 묻혀 간다.

치이익—.

흐윽! 정신을 잃어 가던 경순은 진저리를 치며 깨어났다. 코 점막을 강하게 자극하는 암모니아 냄새. 그 개자식이 눈앞에서 스프레이를 흔들며 웃고 있다.

"이, 이제 시작인데 벼, 벼, 벌써 뻗으면 고, 곤란하지. 왜? 너무 힘들어? 좀 쉬, 쉬게 해 줘?"

경순이의 머리채를 잡고 일으켜 세운 메이저는 옆에 쓰러져 있던 두 여자의 얼굴에도 차례로 스프레이를 뿌렸다.

으으으~. 여자들은 의식을 찾은 이후에도 좀처럼 몸을 가누지 못했다.

"일어나!"

메이저는 그녀들의 팔목을 고정한 수갑을 잡아챘다. 벗겨진 피부에 통증이 가해지자 여자들의 입에서 앓는 소리가 흘러나온다.

"너, 넌 좀 쉬어. 근데 나도 손을 푸, 풀어야 되니까 너 대신 마, 맞을 애를 고, 고, 골라. 얘, 아니면 얘?"

여자 둘의 머리카락을 한 번씩 움켜쥐며 메이저가 물었다. 분한 마음에 입술을 깨물고 있느라 아무 말이 없는 경순에게 메이저가 언성을 높였다.

"이 돼지 쌍년이 대, 대, 대답 안 해? 왜? 가, 같이 수, 숨어 있던 년들 보고 싶어? 하, 하나 더 데리고 올까? 가, 같이 맞을래?"

"걔들은 내버려 둬!"

경순은 세차게 고개를 저었다.

이런 꼴을 당하는 건 나 하나로 충분하다.

"그러니까 빠, 빨리 골라. 부, 분홍 빤쓰? 하얀 빤쓰? 어, 어떤 년?"

악마가 따로 없다. 경순이는 주먹에 힘을 줘 봤다. 아직 감각이 있다. 저 밉살스럽게 이죽거리는 얼굴에 한 방은, 최소한 한 방은 먹일 수 있을 것 같다. 아니, 꼭 먹이고 싶다. 하지만 그러기 위해서는 또 그 지옥 같은 고통을 맛봐야 하는 거겠지······. 두렵다. 경순은 눈을 질끈 감았다가 뜨며 외쳤다.

"약한 애들 괴롭히지 말고 덤벼, 이 개새끼야!"

04

"술 남기는 사람 없기. 안주도."

술병을 뜯기 전에 보안관이 말했다.

응? 무슨 의미야?

파라다이스 모텔 2층 특실에 앉아 있던 여덟 개의 눈동자가 보안관의 얼굴로 향한다.

"잔뜩 있다고 막 까 놓기만 하고 안 먹고 버리지 말자는 이야기야. 우리가 땀 흘려서 구해 온 게 아니니까."

곁에 쌓여 있는 박스를 두드리며 보안관이 설명을 하자 삼식이가 고개를 끄덕인다.

"아하, 그런 의미로······ 동감. 딱 맥주 세 병씩만 마시자. 깔끔하게."

그렇게 나름 장중하고 검소하게 시작을 했건만, 한 시간도 못 돼서 주변에는 빈 맥주 캔들이 굴러다니고, 소주도 몇 병이나 비워졌다. 근 2주 만에 가지는 술자리니까 어찌 보면 당연한 일이기도 하다.

"야, 한잔하자? 씨발, 너 아까부터 계집애처럼 뒤로 자꾸 빠진다?"

버터 구이 오징어를 질겅거리면서 다가온 신입이 소주를 권한다.

휴, 얘는 왜 술만 취하면 나한테 와서 이렇게 찍자를 놓을까.

유빈은 웃는 낯으로 손사래를 치며 거짓말을 했다.

"아, 미안, 미안. 난 소주 잘 못 먹어. 지금 딱 정량 채웠어."

암만 바리케이드를 다시 세워 놨다고는 해도 정신 줄을 잡고 있는 사람이 하나쯤은 있어야 된다. 유빈은 세 번째 맥주 캔을 딸 때, 그걸 막잔으로 정했었다.

"신입, 왜 자꾸 거기 가서 치근거려어~ 유빈이 좋아해? 암만 그래도 그리로 도망가면 안 되지. 너, 내가 준 잔 아직 안 비웠잖아."

신입 킬러 삼식이가 얼른 커버에 나섰다. 보안관은 제니의 곁에 바짝 달라붙어서 그녀의 얼굴을 안주 삼아 홀짝거리느라 정신이 하나도 없다. 하긴, 예전에도 제니 얼굴이 캔에 박혀 있는 콜라만 골라 마시던 녀석이니까 지금 이 상황은 일종의 자아실현인 셈이다.

"……맛있다."

맥주 한 모금을 넘기고 나무젓가락으로 고추 참치 통조림을 먹으면서 유빈은 인간의 간사함을 절감했다.

잡혀간 녀석들이 불쌍한 것도 맞고, 이렇게 남이 쟁여 둔 걸 마음대로 집어 먹는 게 염치없는 짓이라는 것도 잘 알지만, 그래도 이렇게 하고 있으니 몸이 즐겁다.

건너편에 앉은 제니가 찡긋 윙크를 보내며 맥주 캔을 들어 올린다. 유빈도 마주 웃어 줬다. 제니는 보안관과 캔을 부딪치고 원샷을 외쳤다.

랜턴의 불빛에 비친 그녀의 모습은…… 뭐랄까…….

어이, 어이, 뭐 해, 이 새끼야. 유빈은 정신을 차리기 위해 머리를 흔들고 두 손으로 얼굴을 쓱쓱 비볐다. 안 그러려고 의식하는데도 자꾸 시선이 그녀에게로 가 꽂힌 뒤, 움직일 줄을 모른다. 대체 무슨 분란을 만들려고…….

분위기 전환을 해야겠다 싶어서 유빈은 자리에서 일어났다. 아까부터 방광도 적잖이 빵빵하다.

"응? 어디 가, 유빈아?"

소주 세례를 퍼부어 신입을 공격하고 있던 삼식이가 물었다.

"……오줌 눌 건데."

"뭐 하러 멀리 가? 여기에서 눠. 화장실 있잖아."

보안관이 방에 붙은 욕실을 가리킨다. 칸막이가 통유리로 되어 있어서 안이 훤히 다 보이는데도 저런 말을 하는 걸 보면 벌써 얼큰하게 취했다. 악당에게는 세고 술에는 한없이 약한 녀석이다.

"나도 같이 가자. 첨부터 맥주를 먹었더니……."

삼식이가 따라나선다. 두 사람은 플래시를 들고 복도를 지나 3층으로 올라갔다. 음식이 쌓여 있는 방 화장실에다 지린내를 풍기고 싶지는 않다.

"어이쿠!"

플래시를 앞세워 아무 방이나 열고 들어가려던 유빈이 깜짝 놀라 얼른 다시 문을 닫았다. 벽에 걸려 있는 커다란 옷들을 보자마자 그게 누구의 방이었는지 알 수 있어서였다. 공연히 삼식이에게 경순이를 기억나게 할 필요는 없잖은가.

"왜 그래? 뭐가 있어?"

"아니, 그냥 여자 방이라서…… 괜히 민망한 것 같잖아."

대충 얼버무리며 서둘러 그다음 방을 연다. 똑같은 구조다. 침대, 냉장고, 컴퓨터, 그리고 코너에 화장실 문.

유빈은 화장실 문손잡이에 손을 댔다. 그때였다. 어둠 속에서 뭔가가 확 튀어나온다.

"으억!"

첫 번째 공격을 겨우 피한 유빈의 입에서 놀란 숨소리가 터졌다. 삼식이도 덩달아 비명을 지른다. 유빈은 놀란 눈으로 돌아봤다.

뭐지? 좀비인가? 아니다! 아는 얼굴이다!

"너!"

반가움과 놀람, 그리고 두려움의 감정이 한꺼번에 밀려드는 바람에 유빈의 뇌는 혼란스러워졌다. 그래서 그 긴박한 순간에도 제대로 반응을 하지 못했다.

그때…….

덜컥!

두 번째 공격을 정통으로 맞은 유빈의 턱이 휙 돌아갔다. 유빈은 피시싯, 거품을 뿜으며 복도에 나가떨어졌다. 게슴츠레한 눈이 감기기 직전 그가 본 것은 어제의 그 태권 소녀다.

"야! 너!"

당혹스럽기는 삼식이도 마찬가지여서 한 글자짜리 단어만 계속 주워섬겼다. 하지만 유빈보다 나은 운동신경 턱에 날아오는 주먹은 피할 수 있었다.

"너! 너! 살아 있었구나! 경순이는? 경순이는 어딨어? 걔도 그 헬리콥터 안 탔어? 아! 아야! 아파! 그만해!"

쉴 새 없이 날아오는 주먹을 어깨로 받아 충격을 줄이면서 삼식이가 물었다. 쉽게 쓰러지지 않는 적을 보고 당황했는지 태권 소녀의 인상은 한층 더 일그러졌다.

"뭐야? 삼식아, 왜 그래? 억, 너! 야! 야!"

비명 소리를 듣고 한걸음에 뛰어 올라온 보안관에게도 한 글자 바이러스가 전염되었다. 보안관은 '야!'만 죽어라 외치면서 삼식이와 태권 소녀 사이로 끼어들었다.

"야, 너! 근데…… 다리가 왜 그래? 다쳤냐?"

"익! 이잇!"

태권 소녀는 힘찬 발차기를 시전하던 어제의 그 당당함 대신 독기 어린 표정으로 주먹만 날려 댔다. 보안관이 그녀를 상대하는 동안 삼식이는 얼른 유빈이에게 뛰어가 뺨을 두들겨 깨웠다.

"으으음~ 어후~."

정신이 돌아온 유빈의 입에서 앓는 소리가 났다. 복도 저 끝에서 비추는 플래시 불빛 두 개가 더해진다.

신입과 제니겠지. 젠장, 기절했던 건가. 세상에 망신도 이런 개망신이…….

"왜 이래? 우리가 뭘 어쨌다고!"

손바닥으로 태권 소녀의 공격을 쳐내면서 보안관이 짜증을 부렸다.

"어쨌냐고? 내 집에 들어와서 도둑질한 새끼가, 뭘 어쨌냐고? 응? 이야아!"

목의 핏대를 올리던 태권 소녀는 곧바로 훅을 날렸다. 물론 빗나간다.

"갚아 줄게! 주면 되잖아! 너 있는 줄도 몰랐어! 그러니까 왜 우리가 부를 때 대답을 안 해?"

도둑놈으로 몰린 것 때문에 발끈한 보안관이 오히려 더 큰 소리를 질렀다. 거기에 태권 소녀가 내지른 주먹이 살짝 스치자 인내심이 폭발했다.

"아이, 계집애가 진짜!"

태권 소녀를 밀쳐 낸 보안관은 자신의 분노를 킥에 담아 벽을 걷어찼다.

쿠웅―.

유리창이 흔들릴 정도로 엄청난 옆차기다. 그 위력을 본 태권 소녀는 곧바로 두 팔에서 힘을 빼고 쓸쓸히 고개를 숙였다.

"……내가 졌다. 마음대로 해."

"뭐어? 뭐라는 거야?"

"반항해 봐야 소용없다는 거 알았으니 이제 다 각오했다고, 새끼야! 좋겠다? 다리 다친 여자를 이겨서. 이렇게 긴말 필요 없잖아? 여기 말고 2층으로 가. 가서 아무 방이나 잡아."

"뭐어? 아오~ 이게, 말을 해도 꼭! 누구를…….

졸지에 성폭행범 비슷한 취급을 받은 보안관은 분해서 펄펄 뛰었다.

"네가 일방적으로 때렸잖아! 그래 놓고 무슨 피해자인 척을 해, 이 또라이야!

쟤 좀 봐! 너 쟤 저렇게 한 게 미안하지도 않냐? 보나 마나 쟤는 너 여자라고 손도 안 댔을 텐데."

어휴······. 유빈은 얼굴을 감싸 쥐었다. 보안관이 자신을 말싸움에 끌어들이는 바람에 쪽팔려서 죽을 맛이다. 여자한테 맞고 기절했다는 게 무슨 자랑이라고 저렇게 시끄럽게 구는지.

"오빠, 괜찮아요?"

제니가 다가와서 걱정스럽게 묻는다.

어후~ 제니야, 남자가 이런 상황일 때는 제발 그냥 못 본 체해 주면 좋겠는데······.

얼굴에 불이라도 붙은 것처럼 화끈거린다. 맞은 곳이 부어오르느라 그런 것인지, 부끄러워서 그런 것인지도 분간이 가지 않는다. 어쨌든 이젠 정말 창피함의 극치에 올라간 거라고 생각했는데, 한 단계 더 기다리고 있었다.

그녀가 입 주변을 닦아 준다. 아마 거품까지 물었던 모양이다.

큭, 그래. 긍정적으로 생각하자. 적어도 똥은 지리지 않았잖아······.

모든 걸 포기한 유빈은 손을 들어 제니에게 괜찮다는 표시를 했다. 그러고는 삼식이의 부축을 받아 일어서려는데, 바닥이 소용돌이라도 치는 것 같다. 다리가 후들거려 제대로 서지 못하는 유빈에게 태권 소녀는 경멸의 시선을 던졌다.

아, 쟤도 성격 참 어지간하네. 유빈은 얼얼한 턱을 어루만지며 바닥에 떨어뜨렸던 플래시를 집었다.

"됐어, 보안관. 그만 열 내고······ 저기, 너. 너도 이제 그만둬. 주먹질해 봤으니 너도 대충 알잖아. 우리 그렇게 나쁜 애들 아니야······. 음식 먹은 거랑, 정문 망가뜨린 거는 미안하게 됐어. 그건 변상하라면 비 그치는 대로 해 줄게. 우린 그냥 너희가 여기 없다고만 생각했어. 그 까만 헬기에 속아서 끌려간 줄 알았다고."

"아니! 계산이 그게 아니지! 유빈이, 너 맞은 건 어떻게 보상받을 건데?"

나 뻔은 이야기 좀 그만해라······. 근데 태권 소녀, 넌 대체 왜 헬기 이야기를 전혀 모르는 사람처럼 아무 대꾸도 없냐…….

유빈이 한숨을 쉬는 동안 삼식이가 끼어들었다.

"경순이는?"

태권 소녀는 삼식이를 향해 도끼눈을 부릅떴다.

"나 하나로는 모자라서 걔까지 또 어떻게 해 보겠다고? 너희, 정말 바닥이 어디니?"

"아니, 그게 무슨……."

"내가 졌다고. 마음대로 하라고 했잖아! 변상이고 뭐고 다 필요 없으니까, 그냥 빨리 할 짓이나 하고 가라고! 패싸움 나 봐야 여럿 다치기만 할 테니까!"

그러니까, 그 패싸움을 할 네 패거리들이 어디로 갔냐고…… 라는 말이 삼식이의 입에서 나오기도 전에 보안관이 또 버럭 한다. 원래 체온이 99도라서 언제나 끓어오를 준비가 되어 있는 데다가 술까지 들어갔으니…… 뭐, 놀랄 일도 아니긴 하다. 상대가 여자만 아니었다면 벌써 작살이 나도 여러 번 났을 상황이다.

"이 계집애가 진짜! 우리를 뭐로 보고! 할 짓이라니? 내가 언제 너를 뭘 어쩐다고 한마디라도 했어? 응? 너희는 그렇게 난잡하게 하고 살았었냐?"

"훗, 그래. 마음대로 모욕해라. 이런 것도 패자인 내가 감당해야 할 수모 중의 하나겠지."

한쪽은 계속 가련한 피해자 코스프레를 하고, 다른 한쪽은 흥분해서 방방 뛰는 것의 무한 반복이다. 여기에 술기운이 얼큰하게 오른 신입도 보안관의 뒤에 숨어 분란을 키운다.

"미친년, 삼류 영화 찍고 자빠졌네. 너 은근히 바라나 보다?"

이러니 대화라는 게 될 리가 없다. 참다못한 제니가 나섰다.

"그만! 그만! 다들 더 이상 아무 말 하지 마요!"

"하지만 제니야……."

"아니요! 하지만이고 뭐고 없어요! 딱 1분만! 1분만 조용히 생각 좀 해요! 실컷 싸웠잖아요!"

"훗, 네가 뭔데……."
"언니도! 입 다물어요!"
역시 가수!
압도적인 성량의 사자후가 터지자 기세에 밀린 태권 소녀도 주춤한다.
쏴아아—.
그제야 다시 빗소리가 들린다.
보안관과 태권 소녀는 아직도 분이 풀리지 않아서 씩씩거리며 서로를 노려보고 있다. 그래도 조금은 열기가 가라앉은 것 같아서 제니는 유빈이 들고 있던 플래시와 자신의 것을 바닥에 내려놓았다. 어지럽게 흔들리던 여러 개의 불빛 중에서 두 개가 벽 쪽으로 돌려지자 그것만으로도 분위기는 한층 더 안정되었다.
처음 3층으로 올라와서 거품을 물고 쓰러져 있는 유빈을 봤을 때엔 제니도 태권 소녀를 용서할 수 없었다. 게다가 사람을 깔보는 저 건방진 말투, 그리고 모든 것을 다 안다는 듯 구는 태도까지 전부 다 마음에 들지 않았다. 그런데 갑자기 머릿속에 섬광처럼 기억이 스쳐 가면서 태권 소녀가 왜 저런 행동을 하는지 이해할 수 있을 듯했다.
테라와 소속사 사장을 차례로 잃고 처음 세 친구를 따라 복지 센터로 가던 그때, 제니의 가슴도 불안으로 터질 것 같았었다. 무력한 존재가 되어 낯선 사람들에게 자신의 운명을 맡기는 순간이었으니까. 겉으로 내색하지 않으려 애를 썼지만, 사장이 경고했던, 그 험한 꼴을 정말로 당하게 될지도 모른다는 걱정에 이가 딱딱 부딪칠 만큼 떨었었다.
제니는 세 명의 오빠를 만나게 된 것이 정말 큰 행운이라는 걸 잘 알고 있다. 그렇지 못한 다른 수많은 여자들에게 법과 문명이 사라진 세상은 가혹하고 끔찍한 곳이었으리라는 것도.
왜 혼자만 여기에 있는지 그 이유는 모르겠지만, 조금 전까지 태권 소녀는 외롭게 다섯 명의 이방인과 맞서고 있었다. 그것도 다리가 불편하기까지 한 상황에서……. 물론 그녀를 공격하려는 사람은 아무도 없었지만, 그녀는 그런 사실을 모를 테니까.

깊은 어둠 속에서 다섯 개의 플래시 불빛이 정신없이 자신의 얼굴을 비춰 대고, 바로 눈앞에서는 결코 이길 수 없는 압도적인 무력의 보안관 오빠가 흥분해서 소리를 버럭버럭 지른다. 거기에 술 냄새까지 풍겼으니 저 태권 소녀가 험한 꼴을 당할까 봐 지레 겁을 먹은 것도 무리는 아니다. 밉살스러운 말투는 아마 두려움을 감추려는 몸부림일 테지…….

거기까지 생각이 미치자 더 이상 태권 소녀가 밉지 않았다. 후우~. 보안관 곁으로 걸어가며 생각을 정리한 제니는 차분하게 말을 건넸다.

"언니, 좀 진정됐어요?"

"흥, 난 처음부터 흥분한 적 없어. 저기 이 고릴라가 혼자 흥분해서 방방 뛰었지."

"뭐어? 고릴…… 이 미친…….”

제니는 곧바로 끓어오른 보안관의 손을 꽉 잡아 진정을 시키며 말을 이었다.

"믿든 안 믿든 그건 자윤데요, 이 오빠들…… 정말 좋은 사람들이에요. 언니가 걱정하는 그런 일, 절대 없어요. 제가 보장할 수 있어요. 그러니까 그렇게 날을 세우지 않아도 돼요."

"내 말투는 원래 이래. 그러니까 듣기 싫으면 나가. 그러면 서로 깔끔하잖아?"

"언니가 정 싫어서 못 견디겠다면 그렇게 할게요. 하지만 지금은 밤이고, 비도 오니까…….”

"비가 오면 남의 집에 마음대로 들어와서 도둑질해도 되는구나? 몰랐네."

제니에게 비아냥거리는 동안에도 태권 소녀의 시선은 보안관에게만 고정되어 있다.

이 여자, 경계심이 지독하게 단단하구나…… 라고 느낀 제니가 말을 고르고 있을 때, 삼식이가 불쑥 물었다.

"야, 너 근데 그 방 화장실에 뭐가 있기에 그렇게 하고 있냐?"

"뭐, 뭘? 무슨 소리야?"

태권 소녀의 목소리가 흔들렸다. 마음대로 하라고 할 때보다도 더 큰 떨림이다.

"아까부터 계속 화장실을 가로막고 서 있잖아. 계속 문손잡이를 주물럭거리면서 잘 닫혔는지 확인도 하고."

"내, 내가 손잡이를 만졌다고? 아닌데?"

태권 소녀의 얼굴에 순식간에 당혹감이 가득 차올랐다. 연기가 어설프다.

그래? 화장실을 보호하려던 게 아니란 말이지…… 라고 말하며 삼식이는 화장실 쪽으로 저벅저벅 걸어갔다.

"그럼 좀 비켜 봐. 나 오줌 좀 싸게. 아까부터 계속 참았단 말이야."

"나한테 이래라저래라 하지 말고 다른 방에 가! 화장실이 여기밖에 없어?"

절뚝이며 삼식이를 막아서는 그녀에게서 조금 전까지의 도도함과 밉살스러움은 싹 사라져 버렸다.

"이것 봐라? 정말로 수상하네. 너 대체……."

"야, 얘 좀 말려! 너 조금 전에 뭐라고 했어? 얘들 다 정말 좋은 사람들이라고 했지? 네가 보장할 수 있다면서? 이렇게 남이 싫다는 일을 억지로 하려고 하는 게 네가 말하는 좋은 사람들이야?"

다급해진 태권 소녀는 삼식이의 팔을 잡고 늘어지며 제니에게 구원을 요청했다.

아……. 제니는 혼란스러웠다.

이게 대체 무슨 상황인 거지? 대체 뭘 숨겨 놓고 있으면 저 도도한 척하는 여자가 저렇게 간절해지는 거지? 삼식이 오빠를 말려야 하는 걸까?

제니는 도움을 요청하며 유빈의 눈을 봤다.

유빈도 당혹스럽기는 마찬가지였다. 그런데 이제 보니 화장실 문 앞의 카펫에 곡선을 그리며 두 줄로 파인 자국이 있다.

뭐지, 이 자국? 뭘 끌고 간 건가?

그렇게 그들이 갈등하는 동안 누구보다 빠르게 결단을 내린 삼식이가 냉정하게 말했다.

"경순이가 어디 있는지 말해. 안 그러면 난 네가 걔한테 몹쓸 짓을 하고 여기에 숨겼다고 생각할 수밖에 없어. 딱 셋까지만 센다."

"그런 거 아니야!"

"하나!"

"저기, 그냥······."

"둘!"

"······제발."

이제는 완전히 여자의 목소리로 돌아온 태권 소녀가 애원을 하며 두 손을 꼭 붙든다.

하지만 태권 소녀의 애원에도 삼식이는 흔들리지 않았다.

"셋!"

그렇게 긴장이 최고조에 달했을 때, 쾅! 소리가 나도록 요란하게 화장실 문이 열렸다. 그리고 안에서 분노로 떨리는 앳된 목소리가 소리쳤다.

"혜주 누나 그만 괴롭혀, 이 개새끼야! 죽여 버릴 거야!"

모두의 시선이 화장실 내부로 향한다. 거기에는 휠체어에 탄 소년이 있었다. 한 손에는 식칼, 한 손에는 플래시. 아직 솜털이 채 가시지 않은 소년의 얼굴은 분노로 이글이글 타올랐다.

"너냐? 네가 혜주 누나 괴롭혔냐? 응? 이 씨발!"

소년은 꼭 쥔 식칼을 들어 보이며 삼식이를 위협한다. 너무도 예상 밖의 광경이어서 모두 할 말을 잃었다.

"규영아! 문 열지 말랬잖아!"

태권 소녀가 소년을 감싸며 주저앉자 소년은 울음을 터뜨렸다.

"그치만, 흐윽! 누나가 힘들어하잖아. 으으~ 이 나쁜 개새끼들아! 우리 누나가 나 때문에 이런 더러운 새끼들한테! 나 같은 건 죽어 버렸어야 했는데! 으앙!"

신입이 술에 잔뜩 취해서 나불거린 말이 맞았다. 삼류 신파 영화도 아니고, 이게 무슨······.

난데없는 울음바다에 세 친구와 제니는 아연할 수밖에 없었다. 부상당한 여자가 휠체어 탄 미성년자를 보호하려고 그렇게 애를 썼는데, 삼식이는 그런 비밀을 억지로 까발리려 들었으니…….

상황만 놓고 보면 이제 정말로 보안관 일행은 나쁜 놈들이 되어 버린 거다. 모두의 등골에 식은땀이 주르륵 흐른다.

"경순이 아니잖아, 이 바보 새끼야! 애초에 머리 나쁜 새끼가 왜 갑자기 예리한 척 추리는 한다고 지랄을 해 가지고. 너, 이 상황 어떻게 수습할 거야?"

보안관이 진땀을 뻘뻘 흘리며 삼식이에게 귀엣말로 타박을 한다. 어지간해서는 뻔뻔함을 잃지 않는 삼식이도 당혹스럽기는 마찬가지였다.

"아니…… 상황이 의심하기 딱 좋았잖아……. 여러 가지 단서로 볼 때."

"단서 같은 소리 하고 앉아 있네. 아, 나 미치겠다. 쟤 왜 저렇게 우냐? 이러면 진짜 우리가 큰 죄 지은 거 같잖아."

보안관은 어쩔 줄을 몰라 한다. 억울하다. 냉정히 말해서 우리 편은 계속 일방적으로 두드려 맞다가 그저 문 한번 열어 보자고 했던 것뿐인데…… 문제는 그 문 안에서 나온 상대가 너무 엉뚱한, 해결 불능의 존재인 것이다.

"아, 그 새끼 존나 징징거리네. 씨발, 나라 잃었냐? 명색이 사내대장부라는 게. 남자는 말이야…… 이 새끼야, 딱 일생에 딱 세 번 우는 거…… 읍!"

알딸딸하게 취한 신입이 되지도 않는 꼰대 소리를 늘어놓다가 유빈에게 입을 틀어막힌 채 뒤쪽으로 끌려 나갔다.

"저기, 진정해. 그만 좀 울어."

제니가 달래 보려 다가가자 보안관이 가로막는다.

"오빠, 왜요? 저렇게 울다가 정말 기절할 것 같아요."

"쟤 칼 있어. 게다가 이빠이 흥분해 있고. 애든 어른이든 칼로 그으면 다쳐. 가까이 가지 마. 야! 걔 칼 버리라고 해!"

보안관이 태권 소녀에게 소리치자 휠체어에 탄 소년이 곧바로 받아쳤다.

"으아아! 나를 죽이기 전에는 이 칼을 빼앗을 수 없을걸? 죽은 다음에도 악귀가 돼서 평생 저주할 거다! 죽는 순간 똑똑히 보고 다 기억할 거야! 너도! 너도!"

손발이 오그라드는 멘트를 잘도 진지하게 날린 소년은 한 사람, 한 사람의 얼굴을 향해 플래시를 비추며 온갖 저주를 퍼부었다.

"너도 저주할 거야, 덩치 큰 바보 새끼야! 너도! 그리고 너! 어…… 어라?"

제니의 얼굴을 비춘 소년은 잠시 할 말을 잃었다. 한동안 그녀의 얼굴에 멈춰 있던 플래시가 천천히 아래로 훑고 내려갔다가 다시 올라와 가슴에서 멈췄다. 확신을 얻은 소년은 큰 소리로 외쳤다.

"제니?"

조금 전에 통곡하던 때와는 목소리의 톤이 완전히 달라졌다. 눈물이 쏙 들어갔다.

"우와, 짱이다! 진짜 제니야! 누나, 저거 제니라고!"

'저거? 이런 싸가지…… 이 새끼야, 저분이라고 해야지!'라며 나서려던 보안관을 제니가 얼른 제지했다.

제니? 태권 소녀가 반문하자 소년은 답답하다는 듯 대답했다.

"그래, 누나! 핑크 펀치 제니!"

그제야 태권 소녀도 깜짝 놀라 고개를 돌린다.

참 일찍도 알아봐 주는군. 그만큼 긴장해서 아무것도 안 보이는 상태였단 의미겠지.

어쨌든 이제는 대화가 가능할 것 같아서 제니는 머리카락을 쓸어 넘기며 한 발짝 앞으로 나섰다.

"진정이 좀 됐니?"

"어…… 어, 네. 네!"

"그럼 우리 이제 이야기 좀 할까? 이야~ 안 우니까 훨씬 잘생겼네."

"정말이요?"

땡그렁—.

소년의 손에서 힘없이 떨어진 칼이 화장실 타일을 때렸다. 태권 소녀가 복잡한 표정으로 제니를 바라본다. 제니가 자애로운 미소를 곁들여 손을 내밀었다.
"그러엄~ 자, 일단 나오자. 누나가 도와줘도 될까?"

05

그 후에는 일이 매끄럽게 진행됐다. 연예인 파워가 톡톡히 발휘되는 순간이었다. 태권 소녀도 처음보다는 훨씬 경계를 푼 시선으로 보안관과 나머지 남자들을 대했지만, 완전히 믿는 눈치는 아니다.

양쪽으로 갈라 앉은 두 팀의 사이에 제니는 플래시를 켜 뒀다. 은은한 조명은 대화하는 상대의 마음을 연다. 유빈이 이야기의 물꼬를 텄다.

"자, 그러면 우리부터 먼저 소개를 할게. 전에도 말했다시피 우리는 이렇게 다섯 명이 전부야. 첨부터 남자 넷, 여자 하나였어. 태릉 위쪽에서 여기까지 정말 힘들게 왔고, 동료가 필요해. 믿을 만한 동료. 제니는 따로 설명 안 해도 잘 알고 있을 테니까…… 나는 유빈이야. 그리고 저기 덩치 큰 애는…….”

보안관이 말을 자르며 끼어든다.

"아니, 무슨 미팅하냐? 그딴 호구조사 말고 헬리콥터 이야기부터 해야지! 그거 타면 다 죽는다고. 야, 너희 나머지 어디 있어? 걔네들한테도 빨리 알려야 돼. 까만 헬리콥터 타고 구조대라고 구라 치고 다니는 새끼들이 있단 말이야. 아마 너희도 그 방송 들었을 거라고 생각하는데, 어차피 이 근처로 날아다녔으니까."

"뭐라고?"

태권 소녀의 미간이 깊은 상처처럼 팼다.

아, 좀 한 번에 알아먹어라. 보안관은 귀찮아하면서도 한 번 더 반복해서 설명을 해 줬다.

"구조해 준다고 다니는 헬리콥터가 있는데, 그거에 타는 순간 저세상행이라고. 그것도 아주 좆같은 방법으로 죽으니까 절대 타지 말라는 이야기야. 그거 알려 주려고 기껏 찾아와서 하루 종일 헤맸는데 도둑놈 취급이나 당하고, 에휴~ 지랄 맞게. 하여튼, 뭐, 그건 지난 일이고, 너도 빨리 네 일행들한테 알려. 이 밤중까지 헬리콥터가 돌아다닐 것 같지는 않지만, 미리 조심해서 나쁠 것 없잖아. 어린애는 우리가 봐주고 있을게. 저거 봐라, 저 새끼. 눈이 아주 제니한테 가서 꽂혔네. 야, 인마. 시선 관리 좀 해."

"……거짓말하지 마. 군인들이 그런 짓을 왜 하겠어?"

"걔들 군인 아니야. 태양 그룹 직원들이 군인인 척 구라 치는 거야."

"그런 말도 안 되는 소리를 믿을 것 같아? 대체 무슨 꿍꿍이야, 너희들?"

"이거 봐, 삼식아. 내가 안 믿을 거라고 했지? 그러니까 어젯밤에 안 오길 잘한 거야. 괜히 그 깜깜한데 위험하게……."

보안관이 '그것 봐.' 하는 표정으로 돌아보자, 삼식이가 진지한 얼굴로 끼어들었다.

"정말이야. 우리한테 증거도 있어. 거기에서 일하던 사람이 찍은 건데…… 아 참, 배낭 저쪽 여관에 두고 왔지? 하여튼 그 사람 핸드폰에 비디오가 엄청 많이 있어. 잡아 온 사람들 좀비 밥으로 주는 비디오."

"……그런 게 어떻게 너희 손에 들어갔어?"

태권 소녀의 목소리가 떨린다.

음, 이야기하자면 긴데……. 삼식이가 머리를 긁적이며 말했다.

"이렇게 하자. 백 번 듣는 것보다 비디오 한 번 더 보는 게 나으니까, 내가 지금 가서 핸드폰을 가져올게. 넌 경순이랑 애들한테 알려서 이리로 오라고 해. 같이 보면 되잖아. 아, 혹시 보조 배터리 있어? 그거 아마 간당간당할 텐데. 어제하도 많이 주물럭거려서."

"……애들 여기 없어."

"응? 좀 크게 말해. 안 들려."

"애들 여기 없다고! 다 그 헬리콥터 탔단 말이야!"

태권 소녀가 얼굴을 감싸 쥔다. 휠체어 소년도 다시 울상이 되었다.

하아아~. 삼식이가 깊은 한숨을 내쉬었다. 파라다이스 모텔 314호실에는 잠시 무거운 정적이 찾아왔다.

"너희가 봤다고 하는 비디오. 그게 사실이 아닐 가능성은 없어?"

침묵을 깨고 태권 소녀가 물었다. 그녀의 질문이 내포한 간절함을 알기에 유빈은 잠시 유혹을 느꼈다. 그녀의 마음을 편하게 해 주고 싶다는 유혹. 기르던 개가 죽었을 때 시골의 친척에게 보냈다는 거짓말로 아이들을 안심시키는 부모들처럼…….

하지만 그녀는 어린아이가 아닐뿐더러 이 일에는 자신들의 목숨도 걸려 있다. 냉정하게 바라보지 않으면 살아남기 어려운 세상이다. 유빈은 딱 잘라 말했다.

"아니, 그럴 가능성 없어. 증거가 너무 확실해."

"내 눈으로 보기 전에는 안 믿어!"

태권 소녀가 고함을 지르자 삼식이가 곧장 일어났다. 금방 가서 핸드폰 가져오겠다며 방을 나서려 할 때, 태권 소녀가 다급하게 삼식이를 불러 세운다. 영문을 모르겠다는 표정을 짓는 삼식이를 마주 보지도 못하고 태권 소녀가 모깃소리로 중얼거렸다.

"그냥…… 가지고 오지 마. 안 볼래."

그러고는 넋 나간 얼굴로 보안관과 삼식이, 제니의 얼굴을 차례로 돌아본다. 친구들 모두 조금 전 유빈이 단호하게 한 말에 긍정하는 표정을 지어 보였다.

"흑! 으으으흑~!"

다시 머리를 감싸 쥐고 있던 태권 소녀가 소리 죽여 흐느끼기 시작했다. 그녀의 울음이 잦아들기를 기다렸다가 유빈이 물었다.

"그래도 다행히 너랑 얘는 여기 있어서 살았네. 다른 애들은 다 그 헬기에 탔다면서?"

후우~. 태권 소녀는 눈물과 콧물로 범벅이 된 얼굴을 닦아 내고 초점 없는 눈으로 허공을 본다.

"어제…… 너희들 가고 좀 지나서 헬리콥터 두 대가 왔어. 구조대라고 하더라. 정말 그렇게 보였고. 우린…… 큰길에서 감시를 하고 있었어. 손을 흔드니까 헬기에서 군인들이 내려와서 그물망 안에 들어가라고 하는 거야. 수용소로 데려가 주겠다고. 그때 내가…… 내가 기다려 달라고 했어. 일행이 더 있으니까 잠시만 기다려 달라고. 그리고 여기로 뛰어왔어. 야간 감시조 애들이 쉬고 있었거든. 왔더니 애들도 벌써 뛰어나올 준비를 하고 있었어. 걔들도 확성기 소리를 들었으니까. 구조대래! 내가 소리를 질렀지. 바보처럼 잔뜩 들떠서……. 그런데 5층에서 내려오는 애들 중에 규영이가 없는 거야. 뭐…… 이해는 해. 다들 흥분해서 자기 한 몸 챙기기도 바빴을 테니까. 그래서 내가 올라왔지. 멍청했어. 두 번 왕복하면 되는 거였는데, 급한 마음에 규영이를 업고 휠체어까지 들고……."

"그러다가 계단에서 굴렀구나? 여기는 그때 다친 거고?"

보안관이 태권 소녀의 오른쪽 발목을 가리킨다. 긴 트레이닝복과 신발에 가려져 미처 몰랐지만, 지금 자세히 보니 꽤나 부어 있다. 태권 소녀는 잠시 뜸을 들이다 고개를 끄덕였다.

"그래. 내가 멍청해서 하마터면 규영이까지 죽을 뻔했어."

"아니야! 나 다치는 거 막으려다가 그렇게 된 거잖아! 내가 짐이 돼서!"

휠체어 소년이 태권 소녀를 두둔한다. 보안관은 소년의 말을 끊었다.

"누가 짐이고 뭐고 그런 이야기는 됐고…… 너, 치료는 제대로 했어? 그냥 놔뒀다가 일주일 고생하면 나을 거 한 달 내내 고생한다."

"지금은 많이 괜찮아졌어. 어제 잠깐 고생했지만……."

그 거짓말을 하는 동안에도 태권 소녀의 얼굴에서는 굵은 땀이 뚝뚝 떨어졌다. 조금 전 남자들과 난투를…… 아니, 일방적으로 죽기 살기의 주먹질을 해 댔던 게 어지간히 무리였던가 보다.

그렇게 계단에서 구른 뒤 태권 소녀는 다시 소년을 업고 절룩이며 한 계단씩, 한 계단씩 걸었다. 자신과 규영이가 합류할 때까지 당연히 기다려 줄 것이라고 생각했기에 불안하지는 않았다. 정 급하면 누군가 데리러 올 수도 있는 일이고.

그렇게 비지땀을 흘리며 겨우 한 층을 내려왔을 때, 머리 위로 지나가는 프로펠러 소리를 들었다. 그리고 잠시 후에 또 한 대. 두 대의 헬기가 모두 날아가 버린 것이다.

태권 소녀는 무슨 일이 벌어지고 있는 것인지 도무지 이해할 수가 없어서 잠시 멍해져 있었다.

설마…… 버림받은 건가? 아니, 그럴 리가 없지. 군인들이 왜 하필 나만 내버려 두고……. 그리고 군인들이 출발하겠다고 해도 다른 친구들이 그걸 얌전히 수긍했을 리가 없다. 우리가 어떤 사이인데. 2주 동안 서로 의지하면서 목숨을 걸고 함께 싸운 동료인데…….

설령 다른 사람들은 다 그럴 수 있다고 해도 경순이 언니만큼은 믿을 수 있는 사람이다. 혼자만 피신할 만큼 의리가 없는 사람이 아니었다.

어쨌든 떠나간 헬기는 돌아오지 않았고, 옥상에 올라가 기다리던 태권 소녀는 구름 속에 달이 떠오른 이후에야 깨달았다. 자신이 여기 버려졌다는 것을…….

"그 일로 맘 상해 있을 때 우리가 온 거구나. 흠, 하필이면 한창 예민해져 있을 때……. 혼자만 남겨졌지, 몸은 불편하지, 게다가 지켜야 하는 애도 있지. 우리가 믿을 만한 사람들인지 아닌지도 그때는 확실히 몰랐을 테고."

"난 지금도 너희 별로 안 믿는데?"

태권 소녀의 퉁명스러운 말에 유빈은 미소를 지었다.

"믿어도 돼. 아니, 믿어 줘. 나도 너를 믿을 만하다고 생각해."

"뭘 보고 나를 믿는다는 거야? 네가 나에 대해서 뭘 안다고."

"너, 말은 이렇게 사납게 해도 모질지 못한 애인 거 다 알아. 아까 나 덮칠 때 만약에 그게 주먹이 아니라 칼이었다면 난 지금쯤 저세상에 있을걸? 칼까지는 아니더라도 망치나 그 정도만 됐어도 턱뼈가 작살났을 테고. 너 엄청 무섭고 긴장했는데, 그런 상황에서도 일단 한 수 접어 준 거잖아."

"누, 누가!"

태권 소녀의 얼굴이 빨개진다.

"그냥 주먹만으로도 충분했을 뿐이야, 너 같은 약골 상대로는······."

"그런데 저 애새끼는 왜 변소에 처박아 뒀던 거냐? 저까짓 놈 누가 욕심부린다고. 혹시······ 쟤 무슨 엄청난 사연이 있거나 그런 새끼인가? 재벌 2세라서 현상금이 붙었다거나······."

맥주를 가지고 올라와 홀짝거리던 신입이 규영을 가리킨다. 규영은 곧바로 받아쳤다.

"네 상상력은 그게 전부냐? 출생의 비밀? 막장 드라마 어지간히 봤나 보다? 혜주 누나는 그냥 나를 보호해 주려고 했던 거야! 숭고한 희생이라고!"

규영아······. 태권 소녀는 소년을 진정시켰다. 보안관 일행이 정문을 부수고 들어오는 소리를 들었을 때, 그들이 할 수 있는 최선의 방법은 그저 숨는 것뿐이었다.

그리고 화장실 문을 닫기 전, 그녀는 규영에게 신신당부를 했었다. 무슨 일이 있더라도 문을 열지 말라고. 꼭 돌아와서 구해 줄 테니까 3, 3, 7 노크 소리가 들리기 전까지는 절대로 문을 열지 말라고.

무슨 수모를 당하더라도 그 꼴을 규영이가 보게 하고 싶지 않았다. 게다가 몸이 불편한 아이를 단지 거추장스럽고 손이 많이 간다는 이유만으로 죽이려 드는 놈들도 있다. 인철이도 그런 부류였으니까.

"너희 몇 명이었는데?"

유빈이 물었다.

"나까지······ 스물세 명 남았었어. 계속 줄어서."

"그럼 널 놓고 간 게 말이 되네. 들어 봐. 아마 경순이도 너랑 같이 가겠다고 버렸을 거야. 그런데 힘으로 끌고 갔거나 다음 헬기 편으로 온다고 속이거나 했겠지. 스물한 명이나 스물세 명이나 큰 차이가 없는데, 차라리 그 시간에 한 군데 더 도는 게 나으니까."

"걔들을······ 원망했었어. 후우~ 정말 바보처럼 아무것도 모르면서······ 그저 날 버리고 간 배신자라고만 생각해서······. 내가, 부르러 오지만 않았다면 여기 있던 애들은 살 수 있었는데. 내가 죽인 거야…….”

또다시 눈가가 촉촉해진 태권 소녀를 제니가 가만히 안아 준다.

“아니에요! 언니 잘못이 아니에요. 그 사람들이 나쁜 거지, 언니는 아무 잘못 없어요. 그리고 언니는 도와주려고 했던 거잖아요. 저 같은 겁쟁이처럼 도망치지 않고…….”

제니의 목소리가 떨렸다. 아마 테라와 헤어지던 때, 도와달라고 내민 그녀의 손을 잡아 주지 못했던 것이 두고두고 가슴속 칼날이 되어 자신의 가슴을 후벼 파고 있을 터였다.

공명이라도 하는 것처럼 태권 소녀의 울음소리는 더 커졌고, 소년까지 눈물을 뚝뚝 떨구었다. 일이 이렇게 되자 난감해진 것은 남자들이다.

“아…… 난 담배 좀 피워야겠어.”

여자 전문가인 삼식이까지 신입과 함께 빠져나가 버린다. 경순이를 다시 만나게 될 거라는 생각에 잠시나마 어지간히 설렜을 녀석의 심정을 알기에 참으라는 말도 못 했다.

방에는 보안관과 유빈만 남았다.

하아아……. 저절로 한숨이 난다. 머쓱할 뿐 아니라 우는 소리를 듣고 있기도 괴로워서 영혼이 빠져나가는 것 같다. 하지만 아직 낯선 사람들과 제니만 남겨 두고 자리를 비울 수도 없어서 허벅지를 꼬집어 가며 버텨야 했다. 시간이 너무도 더디게 간다. 아까부터 소변을 보지 못한 유빈에게는 더욱 그랬다.

06

“아유, 강 소위님도 참! 그렇게 농담하시면 가희는 정말로 믿는단 말이에요.”

가희가 애교 가득한 웃음을 지으며 소위의 가슴을 두드렸다. 미녀의 손길이

스치는 것만으로도 젊은 장교의 얼굴은 붉게 상기되었다.

"농담이 아닙니다. 정말로, 진짜 아름다우십니다. 가희 씨가 커피 가져다주실 때마다 보면 뒤쪽에서 아우라가 뿜어져 나오는 것처럼 빛이 나요. 지금도 문 여시는데 저는 이게 꿈인가 해서⋯⋯."

"호호호! 강 소위님, 말씀을 너무 잘하신다. 바람둥이신가 봐. 조심해야겠는 걸요. 이러다가 홀랑 넘어가 버릴까 봐 무섭네요. 가희는 순진해서 잘 상처 받는데⋯⋯."

말을 하는 내내 가희는 쉬지 않고 강 소위의 어깨와 팔을 만지고 쓸어내린다. 호감을 가진 여자의 모습을 연기하기 위해 계속 머리카락을 뒤로 쓸어 넘기는 것도 잊지 않았다.

후리기 전문가에게 걸려든 것도 모르고 강 소위의 표정은 기대와 흥분, 그리고 승리감으로 도취되어 있다. 연예인이 나에게 커피를 가져다주고 친근함을 표시하고 있다. 그것도 모두 잠이 든 깊은 밤에 몰래 찾아와서⋯⋯ 이건 신호일지도 모른다.

가희의 콧김이 닿을 때마다 그 이상을 상상하며 그의 욕망은 부풀었다. 장교라는 완장을 달고 있지만 이제 겨우 스물다섯. 세상과 여자는 그에게 거의 미지의 영역과 다름없었다.

"가희 씨, 피곤하실 텐데 그렇게 서 계시지 말고 여기 좀 앉으세요. 비록 야전 침대지만 체육관 맨바닥보다는 훨씬 편안할 겁니다."

가희가 못 이기는 척 침대에 엉덩이를 붙이자 강 소위도 얼른 그 곁에 와 앉는다. 시험 삼아 소위의 허벅지 바깥쪽을 살짝 쓸었더니, 덥석 그 손을 잡는다.

이렇게 상대방의 행동에서 욕정이 노골적으로 묻어 나오기 시작하면, 유혹을 멈추고 발을 뺄 시간이다. 가희는 벌떡 일어나며 입을 가리고 웃었다.

"어머, 어머, 가희 바보가 하는 짓 좀 봐. 어떡해요, 가희가 또 바쁘신 분을 계속 붙잡았네요. 벌써 새벽 2시가 넘었는데⋯⋯."

"아니, 괜찮습니다. 더 계셔도⋯⋯."

가희는 강 소위의 목소리에 잔뜩 묻어 있는 아쉬움을 애써 모른 척하며 능청을 떨었다.

"이해해 주세요. 소위님과 이야기하고 있으면 마음이 편안해져서 자꾸 이래요. 꼭 오래 사귀었던 사이처럼 편안한 것 같아서. 조금 전에도 오빠라고 할 뻔했지 뭐예요."

"가희 씨만 좋으시다면 언제든지 그렇게 부르셔도 됩니다. 저도 아주 예쁜 여동생이 생긴 것 같아서 행복합니다."

너는 여동생 가슴골을 그런 눈으로 쳐다보니? 여동생 손을 그렇게 주물럭거려?

가희는 속으로 코웃음을 지었다. 물론 입술을 통해서는 전혀 다른 말이 나온다.

"정말이요? 그럼 무서워서 잠 안 오고 그럴 때마다 이렇게 와도 되는 거예요? 가희는 요새 자꾸 무서운 꿈 꾸거든요. 그런데 여기…… 민간인들 함부로 드나들면 혼난다고 들었는데. 힝~."

"후훗, 몰래 오시면 되죠, 오늘 밤처럼."

"네에! 그럴게요. 커피 드시고 힘내세요! 아 참, 이렇게 왔다는 거는 절대로 비밀이에요. 아시죠? 가희는 연예인이라서 아무래도 이미지라는 게……. 후훗."

그가 더 흥분해서 엉겨 붙기 전에 가희는 서둘러 인사를 했다. 빼꼼, 살짝 문을 열고 복도에 사람이 있는지부터 살핀 가희는 얼른 강 소위의 방에서 빠져나왔다.

"뭐라고 하더냐?"

가희가 어두침침한 복도를 지나 체육관 주차장으로 나왔을 때, 처마 그늘 속에 숨어 있던 육만배가 불쑥 모습을 드러내며 물었다. 밤새도록 펜스 주변이 서치라이트로 환히 밝혀지는 이 건대 쉘터에서 그들이 서 있는 자리가 가장 어두운 곳이다.

"아유, 깜짝이야. 회장님, 인기척이라도 좀……. 음, 얘는 고민도 안 하고 바로 몰래 오라고 했어요. 물어보자마자 바로 답이 나오던데요?"

"그래? 중대장에 대해서는 더 알아 온 것 없나?"

"뭐, 또 칭찬이에요. 문형식이라고 하면 육사 때부터 떠르르 했다대요. 딱 부러지고 머리도 좋고…… 근데 너무 유도리 없고 곧아서 별까지는 어려울지도 모른다고. 아, 맞다. 요즘 들어 부쩍 위쪽하고 마찰이 많다는 걱정도 하더라고요. 그런데 이런 이야기가 중요해요?"

"지금 만나고 온 놈이 누구라고 했지? 강 소위?"

"네, 맞아요."

육만배는 수첩을 꺼내 '강'이라고 적어 둔 줄에 X표 하나, 별표 하나를 추가했다. 이놈은 벌써 X표가 세 개나 된다. 가희가 고개를 갸웃거린다.

"그런데 회장님, 그런 건 매번 왜 물어보라고 하시는 거예요? 만나는 놈들한테 전부 똑같은 걸……."

중대장을 제외한 나머지 세 명의 장교와 개별적으로 접촉하라고 하면서 육만배는 한 가지씩 공통된 질문을 준다. 그리고 그 반응을 물어 혼자만 아는 기록으로 남긴다.

시키니까 하기는 하지만, 가희 본인은 그 영문을 모르겠다. 메모를 마친 육만배는 빙그레 웃었다.

"후후, 어떤 놈이 네 배필로 좋을지 고르느라 그렇지."

"네, 네. 제대로 말씀 안 해 주실 거 알고 있었어요. 알았는데 한번 여쭤나 봤네요. 하긴 뭐, 저 같은 년이 그런 복잡한 이야기 들어 봐야 뭐 하겠어요, 시키는 대로 하면 되는 거지. 그래서 이제 순서가 뭔가요? 강 소위랑 자요?"

"아니, 걔는 슬슬 멀리해라."

가희가 나름 비꼬아 봤는데 육만배의 어조에는 변함이 없다.

"그래요? 의외네요. 그래도 제가 보기엔 셋 중에 제일 약삭빠르고 눈치도 있는 것 같던데. 적당히 편법도 잘 쓰고. 저번에 담배 좀 구해 줄 수 있냐고 하니까 그것도 아무 말 없이 가져왔잖아요."

"그래, 그래서 이렇게 잘 피우지. 하지만 그건 그거고, 사업은 또 다른 거니까."

육만배가 담배를 물자 가희는 곧바로 불을 붙여 주었다.

후우우~. 담배 연기를 길게 내뿜으며 육만배가 말했다.

"그런 놈은 안 돼. 법 어기는 걸 우습게 아는 놈들은 죄책감 같은 것도 없거든."

나나 당신처럼 말이죠.

가희는 육만배의 교활한 눈을 보며 생각했다. 물론 그래도 그녀는 육만배를 싫어하지 않는다. 정말 견디기 힘든 짓까지도 서슴없이 시키는 잔인한 인간이지만, 주제넘은 짓만 하지 않으면 육만배의 그늘 아래서 그녀는 안전하다.

세상에는 그와 비슷하게 잔인하면서도 무능하기까지 한 놈들이 얼마든지 있다. 적어도 그녀가 겪은 세계에서는 그랬다.

힘 있는 놈의 노예냐, 떨거지들의 노리개냐 중에서 하나를 선택해야 했던 게 가희의 인생이고, 그녀는 기꺼이 앞엣것을 택했다. 그런 선택의 기회조차 가져보지 못하는 비슷한 처지의 년들도 수두룩하다.

"강 소위는 탈락이네요. 그럼 박 소위랑 김 소위 중에서 누구를 녹여 놓을까요?"

"글쎄다. 아직 고민 중이니까 적당히 조절해 가면서 애만 좀 태워라. 두 놈이 비슷하네."

육만배가 나직이 중얼거렸다. 두 애송이 장교가 비슷하게 미련하고, 비슷하게 충직하다. 앞뒤 재는 재주가 없는 점도 닮았다.

외부로 식량을 구하러 나가는 김에 담배 좀 몇 보루 구해다 달라는 사소한 부탁마저도 주저하다가 겨우 들어 줄 만큼 규칙에 매여 있고, 미녀가 야밤에 찾아왔는데도 지휘관의 명령을 어기지 않으려고 노력한다.

실로 바보 같은 놈들이다. 그래서 쓸모가 있다. 그가 꾸미고 있는 계획은 욕망에 눈이 먼 바보가 없으면 실현되지 않을 것이기에.

육만배와 가희가 음흉한 꿍꿍이를 꾸미고 있는 곳에서 채 10미터도 떨어지지 않은 체육관 3층에서는 대위 문형식과 박 소위가 커피로 졸음을 달래 가며 지도를 노려보고 있었다. 지도에 그어진 붉은 선은 좀비들의 공격을 차단해 줄 펜스가 설치된 곳이다. 아직 그어야 할 선이 많다.

거미줄처럼 복잡하게 여러 도로가 연결된 현 쉘터의 위치는 방어에 취약하다. 2만 평에 달하는 건국대 호수에서 끌어와 필터 처리를 거쳐 사용하는 생활용수만 아니라면 벌써 예전에 쉘터를 다른 곳으로 옮겼을 것이다.

대체 왜 이런 곳에 쉘터를 배치한 것인지, 문 대위는 아직도 이해할 수 없었다.

"가로수 제거 작업은 얼마나 진행되었나?"

문 대위가 물었다. 박 소위는 고민된다는 표정으로 대답했다.

"그렇게 속도가 나진 않습니다. 나무들도 워낙 촘촘히 박혀 있고, 작업 인원이 적은 것도 문제고…… 특히 안전 조치를 병행하느라 준비 시간이 오래 걸립니다."

솔직하게 성과 부진을 보고하면서도 박 소위의 얼굴에는 머뭇거림이 없다. 그것은 그간 쌓인 신뢰 덕에 가능한 일이었다. 군에서 너무도 흔하게 마주쳐야 하는, 무능한 권위주의자들과는 차원이 다른 지휘관을 모신다는 자부심과 믿음이 그들의 중대에는 존재했다.

"음……."

문형식은 하루 만에 빳빳하게 수염이 돋아 오른 턱을 어루만지며 생각에 잠겼다. 24시간 내내 휴식이 보장되어 있지 않은 대좀비전의 특성상, 병력은 늘 심각하리만큼 부족하다. 취침하는 병사들과 체육관 내부의 질서 유지 병력을 제외하면 평상시 운용이 가능한 수는 50여 명 내외에 불과하다.

거기에 또 근처 건물 옥상에 배치한 저격조들과 탱크 세 대로 구성된 기갑 소대 인원은 빼야 하니까 실제로 작업에 투입될 수 있는 수는 두세 개 분대를 넘지 않는다.

그런 상황에서 대로변의 가로수들을 잘라 내는 작업을 수행하고 있으니, 시간만 잡아먹는 것도 무리는 아니다. 하지만 생존의 문제가 걸린 일이므로 마냥 손을 놓고 있을 수도 없다.

 무성하게 자라나 있는 가로수들과 길 양쪽으로 밀어 놓은 자동차 더미가 방패 역할을 해 주는 바람에 밀려드는 좀비를 상대하는 게 여간 어렵지 않다. 그건 그저 선과 면으로 된 지도만 보고 병력을 배치하는 사령부에서는 결코 알 수 없는, 시가전 현장의 당면한 문제이다.

 "작업에 투입된 재소자들 보호를 더 낮은 수준까지 격하시키기만 해도 효율은 훨씬 증가할 겁니다. 작업 시간도 반으로 단축시킬 수 있습니다."

 적은 병력으로 이나마 건대 쉘터를 방어해 내고 가용 면적을 넓혀 가며 외부 식량까지 확보해 반입할 수 있는 것은, 국방부가 선심 쓰듯 배정해 준 교도소 재소자들의 노동력 덕이 컸다.

 그리고 그렇게 군인들의 손에 강제로 맡겨진 재소자들은 소모품처럼 취급되기 마련이었다. 어차피 이놈들은 죄수니까······. 박 소위의 이 제안도 그런 맥락에서 출발한 것이다. 문 대위는 곧바로 고개를 저었다.

 "그건 안 돼. 지금 실행하고 있는 보호 조치라야 겨우 안전 펜스를 설치해 주는 수준인데, 그렇게 하면 좀비들이 몰려왔을 때 그 사람들이 대피할 공간이 없어지는 거야."

 "하지만 그 사람들은 재소자잖습니까? 죄지은 놈들까지 보호하려다가 공연히 더 큰 위험을 감수할 수는······."

 "박 소위."

 문형식이 나지막한 목소리로 부른다.

 네, 넷. 박 소위는 하던 말을 멈추고 상관의 다음 이야기를 기다렸다.

 "자네, 우리가 왜 국군인지 아나?"

 "네? 잘 못 알아들었습니다."

 "국군이라는 명칭 말이야. 다른 이름이 붙었을 수도 있잖은가. 예를 들어······ 음, 대한군이나 대한민국군, 또 민주공화국의 군이니까, 공화국군이라고 할 수도 있잖나. 하지만 우리는 대한민국의 국군이라고, 더 흔히는 그냥 '국군'이라고 불리지. 그 이유를 알고 있는지 묻는 거다."

잠시 고민해 보던 박 소위는 결국 '잘 모르겠습니다.'라고 답했다. 솔직히 생각을 해 본 적도 없다.

"이걸 물어보면 다들 잘 모르더군. 의외로 간단한데. 우리를 부르는 명칭이 국군인 이유는 헌법에 그렇게 규정되어 있기 때문이야. 1장 5조 2항에 그 명칭과 할 일이 규정되어 있네. '국군은 국가의 안전보장과 국토방위의 신성한 의무를 수행함을 사명으로 하며, 그 정치적 중립성은 준수된다.'라는 문장이야. 만약 그 조항에 국군이 아니라 민국군이라고 적혀 있었다면 나는 민국군 대위였겠지. 우리가 누구이며 뭘 해야 하는지 그 모든 걸 헌법이 규정하는 거니까."

'좋은 걸 배웠습니다! 앞으로는 항상 명심하겠습니다.'라고 말하면서도 박 소위는 그의 상관이 재소자 이야기를 하다 말고 왜 이런 뚱딴지같은 이야기로 옮아가는지 이해할 수 없었다.

그런 그의 마음을 다 안다는 듯 문형식은 이야기를 이어 갔다.

"헌법에는 군에 관한 조항이 그리 많지 않아. 관심만 가지면 누구나 외울 수도 있을 정도니까. 하지만 그중 그 어떤 조항에서도 일개 장교에게 민간인을 임의로 심판할 권리를 부여하지는 않았네. 설사 비상계엄이 선포된 상황에서라도 군사재판이라는 과정을 거치도록 되어 있어. 자네나 나나 재판관이 아니고, 이 쉘터는 군사 법정도 아니지. 저기 저 건물에 수용되어 있는 사람들은……."

문 대위는 창가로 걸어가 재소자들의 숙소를 바라봤다. 그들을 좀비에게서 보호하는 것은 그저 두 겹으로 둘러쳐진 철책이 전부다. 그 허술한 보안만으로도 이미 쉘터에서 안전을 보장받고 있는 다른 민간인들과는 충분히 차별되고 있는 것이다.

"여기에서 격리 수용된 채 매일 노동을 하는 것만으로도 사법부에서 명령한 징역보다 나을 게 없는 삶을 살고 있다고. 하지만 저 파란 수의를 보며 절대 착각하지 말아야 할 것은 저들 역시 엄연한 대한민국의 국민이고, 민간인들이라는 사실이야. 다시 말해 우리가 보호해야 하는 대상이지. 그걸 꼭 기억하고 한시도 잊지 않도록 해야 돼."

 이야기를 하는 내내 문형식 대위의 눈은 확신과 신념으로 빛난다. 마주 보고 있는 부하 장교가 도저히 반론을 제기할 수 없는, 그런 표정이었다.

 박 소위는 마지못해 고개를 끄덕일 수밖에 없었다. 하지만 그는 이미 예전부터 자신의 입장을 확실히 정해 두고 있었다. 죄수는 죄수다. 그런 것들을 위해서까지 목숨을 걸 생각은 없다.

Chapter 34
암야행

01

계엄하의 제주에는 왕래하는 행인이 그리 많지 않았다. 요 며칠 전부터는 경비가 훨씬 더 삼엄해져서 길목마다 설치된 바리케이드를 굳은 얼굴의 군인들이 지키고 있다.

덕분에 사람들은 어지간한 일이 아니면 아예 바깥출입 자체를 자제했다. 그 정도는 신경 안 쓴다고 큰소리를 뻥뻥거리던 한량들도 총을 겨눈 군인들로부터 한 번 시달리고 나면 간이 콩알만큼 줄어들어 방구석에 처박혔다.

— 이거 어떻게 할까요?

그 한량들이 군인들에게 검문을 받으며 들었던 가장 무서운 말이었다. '이거 어떻게 할까요?', 그 말이 얼마나 두려운 것인지는 직접 당해 보지 않으면 모른다. 대여섯 명의 무장한 군인들이 빙 둘러싸고 주소와 이름, 외출한 이유 등을 질문하다가 갑자기 상관에게 그렇게 묻는 것이다. '이분'이 아니고 '이거'다.

게다가 어떻게라니……. 죽일 수도, 살릴 수도, 혹은 어딘가로 끌고 갈 수도 있다는 말로 들린다. 그래 봐야 아무도 모른다. 길거리에 사람이 없으니 보는 눈도 없다. 아무 죄도 없이 그런 취급을 받는데도 분노보다 공포가 더 크게 마음을 흔들었다.

하이바 그늘 아래에서 눈빛을 번뜩이며 총으로 자신의 가슴을 겨누고 있는 군인들을 보며 사람들은 법이고 뭐고 다 소용없어졌다는 것을 절실하게 느꼈다.

"걔들 왜 눈이 돌아갔는지 알아? 현직 장관이 서귀포에서 죽었대. 그것도 대낮에 대갈통이 터져서."

"아닌데. 내가 들은 이야기로는 죽은 사람이 해병대 사령관이라던데? 그 호텔 폭파된 날, 거기서 죽었다더구만."

사람들 사이로 유언비어와 진실이 적당히 섞인 채 빠르게 퍼져 나갔다. 그리고 시간이 갈수록 민심은 흉흉해졌다. 배급이 곧 끊길 것이라는 소문이 돌면서 남의 것을 탐내는 사람들이 생겨났고, 강도를 색출한다는 핑계로 군인들이 벌이는 가택수색 때문에 온갖 말썽이 끊이질 않았다.

우리 집에 강도 없으니 귀찮게 하지 말라고 항의를 해 봐도 군인들은 강제로 밀고 들어와 워커발로 집 안 곳곳을 헤집다 사라졌다.

"문단속 잘하십쇼!"

'미안합니다.'라는 말 대신 마치 명령과 같은 고압적 음성을 남기고 가는 군인들의 뒤통수에는 당연히 원망과 저주의 욕설이 퍼부어졌다. 들리지 않을 정도로 낮은 목소리의 욕설이…….

이럴 때 죽어나는 것은 말단 사병들이다. 병사들은 장교의 닦달에 지치고, 민간인들의 원망에 시달리면서 매일 진땀을 쭉쭉 뽑아야 했다. 물론 이렇게 대대적인 규모의 가택수색은 강도 따위 때문에 실시되는 것이 아니다. 국가 전복을 꾀한 역도의 무리를 색출하기 위함이다.

킹메이커가 살해당한 이후 교수와 해군 장성들의 불안감은 극도까지 치달았다. 즉시 동원할 수 있는 거의 모든 병력으로 대규모 수색을 진행했지만 이렇다 할 성과를 거두지 못했기 때문에 교수는 밤에도 잠을 제대로 이루지 못했다.

당연히 제거됐다고 믿었던 채 장군의 시체가 쉐라톤 호텔의 폭발 현장에도, 그리고 서귀포의 횟집에도 없다는 사실이 가장 충격적이었다. 그것은 그가 아직 살아서 이승남과 함께 쿠데타를 획책한다는 의미였고, 현 정부의 최고 실세인 교수와 그의 손을 잡은 해, 공군 장성들의 불안감을 몇 배나 증폭시키기에 충분한 사건인 것이다.

육군에서 채 장군이 가지고 있는 라인의 힘은 결코 무시할 수 없다. 그가 섬 안에 고립되어 있는 동안 반드시 제거해야 한다.

"이틀 주겠어. 이틀 안에 그 두 새끼 내 앞에 데려와. 모가지만 잘라 와도 되고, 산 채로 개처럼 끌고 와도 돼. 어쨌든 채양균, 이승남, 그 두 새끼가 뒈졌다는 걸 내가 이 두 눈으로 직접 확인할 수 있도록 해. 당신의 능력이 별 네 개를 달기에 충분하다는 걸 증명하라고."

이승남의 자리를 꿰찬 신임 해군 참모 총장 안병도에게 교수는 악에 받친 명령을 내렸다. 안병도는 득의만면한 미소를 지으며 고개를 주억거렸다.

"네! 실망시켜 드리지 않겠습니다!"

하지만 호기로운 대답과 달리 이틀은 아무것도 이루지 못한 채 훌쩍 지나가 버렸다. 두 놈의 명은 질겼다. 게다가 놈들은 단순히 숨어 지내기만 하지도 않았다. 아니, 그러기는커녕 날카로운 발톱을 드러내서 오히려 이쪽의 목숨을 하나씩, 하나씩 빼앗아 갔다.

첫 희생자는 안병도였다. 방탄 처리가 된 관용차에서 내려 음식점으로 들어가는 순간, 타앙— 하는 소리가 들렸고, 7.62㎜탄이 헤집고 나간 안병도의 두개골에는 커다란 구멍이 뚫렸다. 이틀 만에 해군 참모 총장 자리를 다시 공석으로 만든 저격이었다.

그 뒤로도 하나씩, 하나씩 장성들과 정부의 고위직 관료들이 어디에서 날아온 것인지도 모르는 총알에 목숨을 잃었다. 이제 더 이상 아무도 강정 기지 밖으로 나가려 하지 않는다.

당연히 검문과 수색을 강화했지만, 그래 봐야 별다른 소득이 없었다. 아무리 제주도가 좁다고 해도 상주인구만 60만이 넘는다. 그 모든 집을 샅샅이 뒤지는 동안 시간은 흐르고, 주택가가 아니어도 도망쳐 숨을 곳은 얼마든지 있었다.

결정적으로 교수 쪽에서는 채 장군이 대체 몇 명의 병력과 함께 이동하고 있는지, 그 정확한 규모조차 파악하지 못하고 있었다. 그렇게 연기처럼 자취를 감췄던 채 장군의 반란군이지만, 오늘 오후 드디어 꼬리를 잡는 데 성공했다.

516로와 산록북로를 잇는 삼거리 초소 경계 분대가 전원 살해된 채 발견된 것이다. 교전의 흔적이 역력한 현장에는 산록북로를 따라 올라가며 점점이 혈흔이 뿌려져 있었다.

그때부터 비상이 내려지고 새벽 3시가 넘은 지금, 산록북로의 끝자락에는 수색 작전에 투입되기 위해 도열한 1개 대대 병력이 불안함에 지친 표정으로 한라산 북쪽 능선의 검은 그림자를 노려보는 중이다.

언제 머리 위로 총알 세례가 퍼부어질지 모른다는 공포, 게다가 밤이 되어도 가실 줄 모르는 이 찌는 듯한 더위, 거기에 방탄 조끼까지 입고 있자니 그저 죽을 맛이었다.

가만히 서 있을 뿐인데도 병사들은 하이바 아래로 땀을 뚝뚝 떨어뜨렸다. 피아 식별 표식이라고 헬멧에 둘러 준 초록색 밴드가 너무나 허접해서 오히려 비현실적이기까지 했다.

"아, 아, 거기, 끝에 줄 맞춰. 야! 너, 좌로 2보 가."

신경질적이 된 부사관들이 병사들 사이를 돌아다니며 간격을 조정한다. 살해당한 초소 경비병들의 처참한 시신을 본 터라 그들도 기합이 바짝 들어갔다.

까딱 마음을 놓았다가는 자신들도 같은 처지가 될지 모른다. 태어나서 처음으로 그들은 정말 죽고 죽이는 전쟁을 경험하고 있는 것이다.

"명심해라. 이 간격을 항상 유지한다. 수상한 움직임이 발견되면 경고 없이 곧바로 방아쇠를 당긴다. 트랩을 발견하면 즉시 멈춰 선 다음 소리쳐서 알린다. 이 세 가지만 명심하면 아무도 다치지 않고 적을 섬멸할 수 있다. 블랙 호크가 작전 내내 상공에서 지원과 엄호를 해 줄 거다."

지시를 내리는 장교 본인조차도 그 말을 믿지 않았기에 목소리는 떨리고 갈라졌다. 그에게 애초부터 이 수색은 미친 짓으로밖에는 보이지 않았다.

야간에 저 광활한 한라산 전체를 샅샅이 훑어 올라가며 매복해 있을 적을 찾는다니……. 동네 뒷산 수색도 이렇게 해서는 별 소득을 거두기 어렵다. 이건 그저 빨리 저격의 공포에서 벗어나 두 다리를 뻗으며 자고 싶다는 욕망밖에 없는 윗대가리들이 죄 없는 병사들을 갈아 넣는 짓이 아닌가.

하지만 이런 상황에서 하달되는 명령에 반기를 드는 것은 자살행위다. 그러니까 안 되는 일인 줄 빤히 알면서도 시키는 대로 하는 것 외에는 선택지가 없었다.

군이란 내려오는 명령을 수행하는 집단이지, 논쟁으로 정답을 찾는 집단이 아니다. 건국 이래 한 번도 바뀐 적이 없는 문화다.

훙훙훙훙— 투두두두—.

서귀포항 방향에서 날아온 네 대의 블랙 호크가 완만한 호를 그리며 회전한 뒤, 상공에 머문다. 블랙 호크의 서치라이트가 닿는 지역에는 대낮만큼이나 환하게 밝혀진 빛의 원이 만들어졌다.

밝게 도색된 그 해군용 헬기들이 이 작전의 모든 성격을 다 말해 준다. 염분 부식 방지 처리가 된 고가의 시호크가 아니라, 일반 블랙 호크라도 감지덕지하게 구입해서 시호크처럼 꾸며 썼을 정도로 해군은 군 예산이라는 파이를 제대로 나눠 먹지 못해 왔고, 그것을 독점해 온 육군의 채양균에게 해묵은 앙금이 있다.

이제 그 빚을 갚아 주고 군 내부의 서열을 재조정할 시간이다. 따라서 코브라 공격 헬기를 비롯한 육군의 모든 병력 자원은 이 작전에서 배제되었다. 아예 작전이 실시된다는 정보 자체가 하달되지도 않았다. 그들은 채 장군의 라인이므로 신뢰하고 제주도에 들일 수 없는 것이다.

와삭와삭.

일렬로 늘어선 제1조가 군견들을 앞세운 채 수풀을 헤치며 한라산을 오르기 시작했다. 그들을 엄호하기 위해 대기하던 제2조도 20여 분의 시간 차를 두고 출발했다.

깊은 밤의 어둠을 덮어쓴 산은 수색자들에게 호의적인 협력자가 아니었다. K-2의 레일에 부착된 플래시와 516로에 세워진 차량들이 비추는 서치라이트, 거기에 헬리콥터의 지원까지 다 더해졌어도, 빽빽하게 자라난 나무들에 가로막혀 여전히 사방에 음영 지역이 존재했다.

그리고 이 망할 놈의 잡초들이 자꾸 발목을 잡는다. 식은땀을 줄줄 흘리며 한 발짝, 한 발짝씩을 떼는 병사들은 나직이 한숨과 욕설을 내뱉었다.

소문에 의하면, 쿠데타에 가담했다가 실패하고 도주한 해병대 병력만 일개 소대가 넘는다고 한다. 쉐라톤 호텔에 폭발이 일어나던 날, 그곳을 경비하던 부대가 통째로 사라졌다는 말도 있다. 그런데 이렇게 촘촘히 선 채로 전략적으로 불리한 낮은 지대에서 걸어 올라가도 되는 것인지…….

수류탄 몇 발만 날아와도 수십 명이 몰살당하기 딱 좋다. 자꾸 두려운 망상이 마음을 휘젓는다.

"씨발, 이런 거는 UDT가 하면 되잖아. 왜 걔들이 안 오고 우리가…….”

한 병사가 원망 가득한 마음을 담아 중얼거렸다. 다른 병사들의 생각도 크게 다르지 않았다. 하지만 그들이 모르고 있는 것은 이미 UDT도 이 작전에 참여 중이라는 사실이었다.

한라산을 오르고 있는 수색대로부터 북쪽으로 300미터 떨어진 폴리텍 대학 본관 건물의 옥상에서는 헤클러 & 코흐 사의 MSG90 저격 소총 여섯 정이 한라산의 북쪽 능선을 계속 훑어 댔다.

야간 조준경을 통해 그들을 지켜보는 저격수들과 감적수들은 UDT SEAL의 최정예 팀. 저격수들은 덤불 속 어딘가에 숨은 반란군들이 수색대라는 미끼를 덥석 물기만을 기다리고 있다.

어디 소속인지 상대방 역시 꽤나 솜씨가 좋아서 아직 위치를 숨기고 있지만, 놈들이 수색대 병사들을 사격하기 위해 방아쇠를 당기는 그 순간, 총구의 불빛만은 감출 수 없을 것이다. 그래 주기만 하면 이 승부는 끝난다.

저격수는 차분히 기다리고 또 기다렸다.

후우우웅~.

축축하고 후텁지근한 바람이 대학 건물 주변을 휘돌아 나간다.

한동안 순조롭게 진행되던 수색이 난항을 맞은 것은 새벽 4시가 막 지난 시점이었다.

턱, 관음사 탐방로 우측의 완만한 비탈을 오르던 병사는 자신이 뭔가 심상치 않은 걸 건드렸음을 깨달았다. 뗏장 속에 묻혀 있던 가느다란 낚싯줄이 전투화 부리에 걸려서 들어 올려진다.

허윽ㅡ! 병사는 공포에 사로잡힌 상태에서도 출발 전 지휘관이 지시했던 당부를 용케 기억해 냈다.

"트랩! 트랩입니……."

'트랩입니다!'라는 말을 다 외치기도 전에 엄청난 열과 에너지가 그의 몸 전체를 튕겨 올리며 갈가리 찢는다.

콰앙ㅡ!

파편과 돌 조각이 사방으로 튀었고, 주변은 순식간에 아수라장으로 변했다.

끄아아아~! 으아아아악~!

크고 작은 부상을 당한 병사들의 절규가 메아리를 만들어 내며 울린다. 블랙호크의 서치라이트가 폭발이 일어난 지역을 비추는 동안, 의무반이 달려가 부상자들을 끌어냈다. 개들이 미친 듯이 짖어 대고, 그곳에서 멀리 떨어진 병사들조차 두려움을 절감하면서 발이 얼어붙었다.

"멈춰 서 있지 마! 오히려 더 위험하다! 계속 움직여!"

장교와 부사관들이 열심히 독려를 해서 수색대의 긴 행렬은 다시 위쪽으로 오르기 시작했다. 가라니까 가기는 하지만, 병사들의 마음속에는 이미 불만과 공포가 가득 들어찼다.

그리고 잠시 후, 그 부정적인 감정에 부채질이라도 하듯 두 번째, 세 번째 폭발이 연이어 일어났다.

콰아아앙—!

크레모어의 살상력은 수류탄과는 달랐다.

끄아악!

툭, 투투둑.

부채꼴로 확산된 폭발에 휘말려 날아가며 피폭자들의 방아쇠가 당겨졌고, 그 총성을 조준 사격이라 오인한 주변의 병사들이 지형지물 속에 몸을 숨기면서 전방의 막연한 어둠 속을 향해 대응 사격을 시작했다.

사방으로 날리는 예광탄이 시선을 어지럽힌다. 그러는 동안 죄 없는 아름드리나무들만 벌집처럼 파이고 터지고 부러졌다.

"사격 중지! 사격 중지!"

지휘관이 악을 써 보지만, 이미 폭발과 총성으로 마비된 병사들의 청각은 그것을 알아듣고 방아쇠에서 손을 떼기까지 한참의 시간을 필요로 했다.

하아, 하아~. 거친 숨소리를 내뱉는 병사들은 좀처럼 앞으로 발을 내디딜 용기를 내지 못했다. 자욱한 연기와 화약 냄새로 뒤덮인 숲속에서 수색 병력들은 지옥을 실감하고 있었다. 하지만 우습게도 그들은 아직 적군을 구경조차 하지 못한 상태이다.

02

"우와…… 뭔가 장난 아니네. 씨발, 무섭다, 야."

"저희가 차출된 게 아니라서 다행이지 말입니다."

크레모어의 폭발음은 2.5㎞ 떨어진 용강마을 회관에까지 전해졌다. 임시 창고로 사용 중인 그 건물에서 경계 근무를 서던 병사들은 삼삼오오 모여 서서 멀리서 울리는 총성과 불빛을 보며 뭐라고 한마디씩 중얼거렸다.

이 새벽에 근무를 선다는 게 좋을 리는 없지만, 그래도 저렇게 한라산을 기어오르느라 피똥을 싸는 녀석들에 비할 바는 아니었다.

타타타타타—.

조용한 새벽 공기를 타고 계속 총소리가 날아온다.

"애들 존나 죽어 나가겠다. 저게 뭔 난리냐. 으! 저거 봤어? 불꽃이 팍 퍼지는데?"

"근데 분대장님, 이렇게 뒤숭숭한 상황이면 우리한테도 추가 병력 지원해 줘야 하는 거 아닙니까?"

"크크, 이 새끼야. 여기에 뭐가 있다고 추가 병력씩이나 파견을 해? 기껏해야 전투식량 나부랭이나 조금 쌓아 놓고 있는데. 네가 탈주병 새끼들이면 이딴 거 먹으러 여기까지 오겠어? 편의점 아무 데에만 가도 사제 식량이 산더미같이 쌓여 있는데. 안 그래?"

"흐흐, 하긴…… 저 같아도 안 먹을 것 같습니다."

"그런 거야, 인마. 그리고 낮에 한라산 쪽으로 들어간 핏자국을 발견했대. 어떤 새끼들인지 몰라도 이제 다 뒈지는 일만 남았어. 포위망 금방 좁혀들 건데 뭐."

그런 이야기를 나누는 동안 그들의 배후로 검은 그림자가 천천히 좁혀 들어오고 있었지만, 그 낌새를 알아차리는 사람은 아무도 없었다. 10년 이상 살인 기술을 연마한 프로들이 이제 겨우 1년 남짓 총 쏘는 법을 배운 아마추어들을 덮치는 것이기에 어찌 보면 당연한 일이었다.

"전원 준비 마쳤답니다."

부근의 숲속에 모습을 감춘 채 슈타이어 SSG-69 저격 소총에 부착된 야간 조준경으로 마을 회관을 살피던 특임대원이 보고했다. 소령은 감정이 없는 어조로 명령을 내렸다.

"신호 보내 줘."

신호 보내겠습니다. 그의 좌우에 있는 두 저격수가 작게 복창한 후, 거의 동시에 방아쇠를 당기자 두 가지가 훌륭하게 기능을 했다. 선더 트랩 소음기와 서브소닉 308 실탄.

찰칵, 탁, 하는 소리밖에는 들리지 않았다. 그리고 그마저도 수색 지역에서 울려오는 소음에 묻혀 완전히 사라졌다. 하지만 225그레인의 화약이 날려 보낸 탄자는 침묵을 지키면서도 똑바로 300미터 이상을 날아가 목표물을 꿰뚫었다.

퍽—!

옥상의 사대를 지키고 있던 K-3 사수의 얼굴 한가운데에 구멍이 생겨났다. 피가 만들어 낸 안개구름을 확인하는 것과 동시에 저격수는 노리쇠를 당겨 재장전을 했다. 그런 후, 곧바로 첫 번째 목표에서 2미터 떨어진 위치의 경기관총 부사수를 쐈다.

탁.

이번에도 총알은 깨끗하게 명중했다. 모래주머니 위에 기대 쓰러진 부사수의 눈에서 피가 솟는다.

복창부터 분대 지원 화기가 무력화되기까지의 총 소요 시간은 채 2초도 걸리지 않았다.

"깔끔하지 않았습니까, 소령님?"

여전히 조준경에 눈을 붙인 채 첫 번째 저격수가 묻는다. 아주 약간의 애교와 웃음이 섞인 그 자랑에 소령은 냉담하게 대꾸했다.

"똑같은 걸 K-2로 하는 놈도 있었다. 게다가 뛰어다니면서."

그들이 이야기를 나누는 동안 옥상에 있던 나머지 경비병을 처리한 두 번째 저격수가 표적을 바꾸어 방아쇠를 당겼다.

파삭, 마을 회관 현관의 등이 깨지고 마당 전체가 순식간에 어둠에 묻힌다. 그리고 그것을 신호로 이미 잠입해 있던 특임대원들도 행동을 개시했다.

"흡!"

불꽃과 헬기에 정신이 팔려 있던 병장의 목을 울트라마린 나이프가 훑고 지나간다. 곧바로 입을 꽉 틀어막은 손이 얼굴을 뒤로 꺾어 그어 놓은 상처를 벌렸다. 잘린 경동맥에서는 피가 왈칵왈칵 솟아올랐고, 그 피는 다시 기도로 역류해 들어간다.

죽음의 고통과 공포를 채 온전히 느끼기도 전에 날카로운 칼날이 겨드랑이를 반복적으로 뚫고 들어왔다가 다시 나가며 반항의 시도 자체를 무력화한다.

퓨욱— 퓨욱—.

주변에서는 영화에서나 들어 본 적 있는 소음기의 소리가 불규칙하게 울리고, 뿌옇게 감겨 오는 시야에 조금 전 함께 이야기를 나누던 상병의 모습이 들어온다.

바닥에 쓰러져 경련하는 상병의 얼굴에 검은 옷을 입은 놈이 MP5를 겨누고 두 발을 더 쏘았다. 거기까지가 그가 본 세상의 마지막 풍경이다. 그에게도 확인 사살을 위한 사격이 가해졌지만, 이미 그는 더 이상 아무것도 느낄 수 없는 상태였다.

퓨욱— 퓨욱— 퓨욱—.

마을 회관 안쪽에서도 불꽃과 함께 소음기 소리가 울렸다. 그 단조로운 소리 외에는 비명도, 아우성도 없이 아주 고요하게 특임대의 습격은 진행됐다.

옥상으로 올라가 기관총 사수들의 시체를 확인한 특임대원이 수신호를 보내는 것으로 모든 작전은 완료되었다.

"정리했습니다, 장군님."

소령이 보고하자 채양균은 몸을 일으켰다. 둘은 저격수와 병력의 호위를 받으면서 마을 회관으로 걸어갔다. 가로등조차 변변히 밝혀지지 않아서 주변은 완벽하게 어둠 속에 묻혀 있다.

쿠쿵—.

또다시 산 쪽에서 폭발음이 들린다. 헬리콥터도 라이트를 번쩍거리며 쉬지 않고 날아다니고 있다.

"저 새끼들, 진짜 저기로 가서 그 지랄을 하고 있구만. 속을 거라고 예상은 했지만, 막상 뻘짓거리 하는 걸 보니까 참 마음이 복잡해진다. 봐라, 저런 새끼들이 애들을 지휘하고 있으니 내가 속 편히 이선으로 물러나 쉴 수가 있겠냐? 어떻게 생각해, 조철웅?"

환하게 불이 밝혀진 한라산 북쪽을 보며 채 장군이 중얼거렸다. 특임대 소령이 가볍게 미소를 지었다.

"큰 어른이 자리를 비우시면 군이 흔들립니다. 그리고 군이 흔들리면 그때는 국가도 없습니다."

"하하, 새끼. 이건 군인 안 했어도 먹고사는 데 지장은 없었겠어. 하여튼 말 잘해. 그건 그렇고……."

채 장군이 돌아서서 시체들로 뒤덮인 마을 회관을 굽어본다. 약관의 군인들이 두 눈을 부릅뜬 채 차갑게 식어 간다. 바닥에는 그 시체들을 끌어 이동시키는 동안 흘러나온 붉은 선혈이 길게 선을 그리며 이어져 있다.

"얘들한테는 좀 안된 일이긴 하네. 뭐, 군인이니까 죽이기도 하고 죽기도 하는 거지만."

무책임한 소리를 지껄이며 채 장군은 담배 연기를 내뿜었다. 주변에서는 정신없이 얽힌 핏자국 사이로 그의 병사들이 뛰어다니며 음식을 꺼내 와 방금 징발하기로 결정한 트럭에 싣고 있다.

성동격서. 오늘 아침 초소병들을 죽인 후 혈흔까지 남겨서 모든 시선을 돌려 놓고, 그쪽으로 병력이 집중된 틈을 타 이렇게 허술해진 배후를 친 것이다. 대단한 피해를 준 건 아니지만, 식량을 성공적으로 확보했다는 점에서 의의가 있다.

애초 80명이 잠입한 데다 쉐라톤을 지키던 해병들까지 모두 끌고 나온 터라 음식이 절대적으로 부족하다. 하지만 해병 애들 역시 똘똘해서 데리고 나온 보람은 확실히 있다.

"이것 봐라. 이 새끼들, 내 사진도 어디서 이런 걸…… 잘 나온 것도 많은데. 철웅아, 얘들 하는 짓 봐라, 이거. 하여간에 맘에 드는 게 한 개도 없구나. 음, 이승남이 사진은 좀 닮았네."

회관 입구에 붙어 있던 수배 전단을 떼어 내며 채 장군이 투덜거렸다. '반란 수괴 — 사살 시 2계급 특진과 포상'이라는 빨간 글씨 아래에는 정면을 보고 있는 채 장군과 이승남의 사진이 나란히 붙어 있다.

변장을 했을 때의 사진도 어설픈 합성으로 만들어 하단에 추가해 두었다. 채 장군은 가만히 전단을 바라보다가 곱게 접어서 주머니에 넣었다. 이런 흉악한 것도 세월이 한참 흐른 뒤에 보면 좋은 기념이 될 것이다.

투타타타타타— 콰아앙—.

아직도 한라산 북쪽에선 끊임없이 고성이 이어지고 있다. 불빛도 어지럽게 번쩍인다. 고작 폭발물 트랩 몇 개로 저만큼의 병력을 이렇게 장시간 붙들어 놓고 있다니, 우습기까지 하다.

"왜 죽은 놈들이 지키던 위치 부근에 우리가 숨었다고 생각할까? 아니, 아무리 급해도 자기가 마시는 우물 옆에 똥 싸 놓겠냐고. 밥통 같은 새끼들. 아 참, 저기 매복해 있는 애들 말이야, 혹시 정말로 발각되고 그러는 거 아니냐?"

물론 북쪽 능선 방향에 숨지는 않았지만, 한라산에는 아직 특임대 병력이 꽤 잠복해 있다. 그들은 앞으로도 일주일간 쉼 없이 들락거리며 경비병들을 교살하고 더 많은 트랩을 설치해야 한다. 이 혼란을 만들어 내는 데 있어 가장 핵심적인 역할을 담당할 그들이 사살되어 버린다면 여러모로 골치가 아파질 것이다. 채 장군의 물음에 소령은 자신 있게 말했다.

"굴 파고 들어가서 덤불 속에 숨어 지내는 것만 10년 가까이 훈련한 애들입니다. 바로 옆에서 일주일을 지내도 절대 알아차리지 못합니다."

"좋아, 그 자신감. 그래야 내 새끼들이지."

채 장군은 만족스러운 표정으로 시간을 확인했다. 04시 35분. 지금쯤이면 남동쪽의 표선해 비치와 북서쪽의 애월항 쪽에서도 별동대의 초소 급습이 끝났을 시간이다.

"한 교수, 이 새끼. 감히 나를 숙청하려고 해? 매일 아침 네가 받게 될 보고에 우울하고 불안한 내용만 가득 채워 주마!

그의 플랜 B는 그렇게 양복쟁이들의 혼을 빼고 서서히 지치게 하는 것이다. 내일 아침이면 수색대는 아무 전과도 올리지 못한 채 수많은 사상자와 부상병들만을 데리고 복귀할 테고, 한 교수는 아무 죄도 없는 애들을 달달 볶아 다시 한라산으로 내몰 게 분명하다.

그런 일이 얼마나 사람의 진을 빼고 소모시키는지 양복쟁이 놈들은 모른다. 그리고 사람은 지치고 얼이 빠지면 누구나 멍청한 실수를 저지른다. 그는 그걸 기다리고 있었다.

"가자."

채 장군이 문을 닫자 그를 태운 차량이 라이트도 켜지 않은 채 어두운 골프장을 향해 출발했다. 조금 전 탈취한 트럭이 그 뒤를 따른다.

채 장군에게는 남겨진 시간이 별로 많지 않다. 앞으로 일주일, 그에게 허락된 7일 동안 그는 하루도 빠짐없이 테러를 하고, 일부러 단서를 남겨 적의 신경을 끊어지기 직전까지 당길 것이다. 그리고 7일째에 탈진해서 허술해진 그들의 심장을 쳐 정권을 장악할 것이다.

일주일이라……. 채 장군은 손을 꼽으며 다시 날짜를 확인했다. 이미 플랜 D는 카운트다운에 들어갔고, 여기에 갇힌 그는 그 가동 시간을 되돌릴 수 없다.

성공 아니면 공멸. 두 가지의 선택지만이 존재한다. 그 외의 타협은 불가하다. 그것이 그가 선택한 도박이었다.

Chapter 35
멋진 신세계

01

제니는 자기도 모르게 깜짝 놀라 눈을 떴다.
이상하다. 너무…… 편안하다. 뭐지, 이 푹신함은?
자신이 파라다이스 모텔의 침대에 있다는 것을 인식할 때까지 아주 짧은 시간 동안 그녀는 약간의 불안함마저 느꼈다. 딱딱한 바닥에서 잠이 들고, 새벽 공기에 부들부들 떨다가 깨어나던 습관이 이제는 아예 몸에 밴 모양이다.
아아, 맞아. 여기였지…….
머리맡에 놓여 있는 랜턴을 보자 어젯밤의 일들이 기억난다. 밤이 아주 깊어서야 새로 만난 사람들과 헤어지고 이 방에 들어왔다. 혼자 방을 쓴다는, 그 당연했던 일이 이제는 꽤나 어색하게 느껴져서 랜턴의 불빛을 한참이나 들여다본 후에야 겨우 잠이 들 수 있었다.
제니는 다시 침대에 몸을 눕히고 눈을 감았다. 간만에 느끼는 이 안락함을 좀 더 즐겨 보고 싶다. 커튼 사이로 햇살이 비쳐 들지 않는 걸 보면 아직 아침이 밝지 않은 모양이니, 좀 더 여유를 부려도 괜찮지 않을까.
그렇게 잠시 더 누워 있는 동안 감각이 하나씩 살아나면서 창문을 두드리는 빗소리가 들린다. 그리고 창밖이 어두운 게 이른 시간이라서가 아니라 궂은 날씨 때문이라는 걸 깨달을 정도로 뇌도 움직임을 시작했다. 제니는 팔목을 들어 시간을 확인했다.

7시. 착한 어린이는 일어나야 할 시간이다.

"우웅~!"

길게 기지개를 쭉 켜고 침대에서 벗어나 문을 열었다. 그런데 놀랍게도 벌써 복도를 서성이던 사람이 있다.

"아, 오빠. 일찍 일어나셨네요? 잘 잤어요?"

복도에 서 있는 유빈에게 제니가 인사를 건넸다.

으응, 안녕……. 손을 들어 보이는 유빈의 눈은 퀭하고, 얼굴에는 졸음이 덕지덕지 붙어 있다. 아무리 봐도 잘 잔 얼굴은 아니다.

"왜 그렇게 피곤해 보여요? 혹시…… 밤새웠어요? 이 자리에서?"

"아니, 아니. 사실 난 일어난 지 얼마 안 됐어. 처음엔 삼식이가 먼저 보초 서 줬거든."

"그 오빠도요? 왜요?"

드르렁, 삼식이의 코 고는 소리가 우렁차다. 당연하다는 표정의 유빈은 눈짓으로 301호를 가리켰다. 태권 소녀와 규영이 든 방이다.

"왜겠어, 낯선 사람끼리 어찌어찌 같은 공간을 쓰게 됐으니까 그렇지."

"에? 뭐야……. 그거 감시잖아요. 믿는다면서요? 믿으니까 그 언니한테도 믿어 달라고 했었잖아요."

"믿는 건 믿는 거고, 그래도 또 해야 할 일은 해야지. 그건 별개의 문제인데."

"그건 무슨 억지예요? 게다가 감시를 하려면 오빠가 아니라 보안관 오빠한테 부탁했어야죠. 오빠는 어차피 저 언니한테 못 이기니까."

눈에 장난기가 데구루루 흐른 제니가 유빈을 놀리고 있을 때, 301호 문이 열리고 태권 소녀가 얼굴을 내밀었다.

"아, 다들 일어났네. 잘 잤니?"

"네, 언니. 방 내주셔서 고맙습니다."

"다행이네."

태권 소녀가 쑥스러운 미소를 지어 보였다. 막 일어난 척하고는 있지만, 그녀의 얼굴도 유빈만큼이나 지쳐 보여서 피곤이 뚝뚝 떨어진다. 아마 계속 잠을 이루지 못하고 있으면서도 남자들이 왔다 갔다 하는 인기척 때문에 복도에 나오질 못했던 모양이다. 제니의 목소리가 들리자마자 저렇게 자신이 깨어 있음을 알린 걸 보면, 어지간히 답답했던 게 분명하다.

제니는 그런 태권 소녀의 행동에 안쓰러움과 기쁨을 함께 느꼈다. 아직 이 새로운 조합은 서먹서먹하기 짝이 없고, 서로에게 신뢰 같은 건 성급한 단어다. 그러나 적어도 상대방은 제니를 완충제 정도로는 생각해 주는 것 같다. 새 일행이 마음을 열기까지 그녀의 역할이 중요했다.

"뭘 해야 돼?"

유빈에게 고개를 돌린 태권 소녀가 진지한 표정으로 물었다.

어? 예상치 못한 질문에 유빈은 금방 답을 못 하고 머뭇댔다. 지금까지 그들은 세 친구의 자연스러운 라이프 사이클 안에서 살았었다. 일어나면 당연히 다 같이 모여서 수다를 떨며 씻고 밥을 먹었다. 그다음에 유빈이나 보안관이 하자는 일을 함께했다. 거기에 신입이 끼어 있었고, 또 중간에 제니를 만나 함께 살기 시작했지만, 사이클에 변화는 없었다.

조금 쑥스러워하면서도 '밥 먹어.'라고 말할 수 있던 건 그게 그들이 구해 온 식량이고, 그 장소가 그들이 지켜 낸 공간이었기 때문이다. 또 복지 센터의 구조가 뻥 뚫려 있어서 다 함께 모여 앉는 것이 자연스러운 일이기도 했다.

하지만 여기는 애초에 사생활을 극대화하기 위해 만들어 놓은 모텔이라는 곳이고, 아래층에 쌓여 있는 음식은 그들의 땀과 무관한 것들이다. 이래라저래라 하기가 망설여질 수밖에 없다.

"아침 먹으면 좋겠는데, 그…… 너희는 밥 어떻게 먹었어?"

"어떻게라니? 대충 알아서 먹는 거지. 요리 당번 같은 건 따로 안 뒀어."

식순이 역할을 시킬까 봐 불안해진 걸까?

태권 소녀의 목소리에 다시 가시가 돋으려고 한다. 유빈은 다급하게 설명했다.

"아니, 아니…… 그런 게 아니라 방식을 물은 거야. 어딘가에 다 같이 모여서 먹었는지, 아니면 따로 자기 방에서 먹었는지…… 뭐, 이런 거."

아…… 그거.

태권 소녀는 고개를 끄덕이더니, 무표정하게 대답했다.

"그냥 너희가 하던 대로 해. 우리는 두 명뿐이니까."

"그래. 그러면 30분 뒤에 내 방에서…… 뭐, 정확히 말하면 내 방은 아니지만, 어제 내가 304호에서 잤거든……. 거기에서 볼까?"

알았어. 규영이 깨울게, 라는 말을 남기고 태권 소녀가 문을 닫자 유빈은 가볍게 숨을 몰아쉬었다. 처음이다 보니 조심스러운 게 한두 개가 아니다. 옆에 와 있던 제니가 어깨로 툭, 치며 속삭인다.

"우와, 오빠, 저 언니한테 마음이 있나 보다. 얼굴이 아주 그냥 새빨개졌는데요? 새벽부터 복도에서 서성거리던 게 괜히 그런 게 아니었네. 그렇구나, 오빠는 강한 여자를 좋아하는 타입이었구나. 이런 거죠? 두근! 날 기절시킨 건 네가 처음이야."

"하, 하하……. 네…… 여자한테 맞고 거품 문 사람입니다. 놀림 받아도 싸지요. 그냥 처음이라 말 한마디도 조심스러운 거야. 워낙 성격도 까칠한 것 같고, 괜히 오해 사고 싶지 않으니까. 아, 그리고 왜 보안관을 안 세웠냐면, 걔는 좀 쉬어야 돼."

유빈이 중얼거리는 모습은 가히 걱정 박사답다. 하지만 30분 뒤, 304호의 분위기는 그가 우려했던 것보다는 훨씬 호의적이고 밝았다. 스타트는 태권 소녀가 끊어 줬다.

"뭘 좋아하는지 몰라서 그냥 내가 아침에 먹는 걸로 가져왔어."

말로는 그렇게 했지만, 한쪽 발을 절며 들어온 그녀가 침대에 내려놓은 묵직

한 봉투 안에는 다양한 종류의 음식들이 골고루 들어 있었다.

즉석 밥, 즉석 죽, 통조림 반찬, 캔에 든 연어와 햄, 육포, 크래커, 봉지에 든 누룽지, 그리고 시리얼까지. 음료도 여러 가지여서 멸균 팩에 든 우유부터 물, 주스, 캔 커피. 거기에 종이컵과 일회용 식기도 있다.

누가 봐도 정말 신경을 써서 골고루 담았다는 걸 알 수 있을 정도였다. 그 아픈 다리를 끌고 계단을 오르락내리락했다는 점을 감안하면 고마움은 더 컸다.

"고마워. 잘 먹을게."

배낭에서 비상식량을 꺼내 먹어야 하나 어쩌나 망설이고 있던 유빈이 감사 인사를 하자 태권 소녀가 무뚝뚝하게 몇 마디를 보탰다.

"다음부터는 안 가져다줄 거야. 음식 어디에 있는지 너희도 다 알잖아."

"우리가 게을러서 안 가지고 왔냐? 네가 하도 도둑놈 취급 하니까 또 그 소리 들을까 봐 무서워…… 읍!"

보안관이 또 입바른 소리를 땍땍거려서 유빈이 얼른 입을 막았다. 하여간 이놈은 전쟁의 화신 같은 놈이고, 분위기도 모른다. 태권 소녀는 보안관을 힐끔 쳐다보더니, 고개를 다른 방향으로 돌리며 중얼거렸다.

"맘대로 하라고 말했잖아. 당연히 물건도 포함되지, 멍청이."

"너, 사람 볼 줄 아는구나!"

멍청이라는 말에 꽂힌 삼식이가 환하게 미소를 지었고, 신입도 술이 덜 깬 탱탱 부은 눈으로 킥킥거린다.

윽, 죽을 떠 넣으려고 입을 벌리던 유빈은 아주 작게 신음을 흘리며 턱을 잡았다.

으~. 인정하기 쪽팔리지만, 어제 맞은 곳이 아프다. 관절이 제자리에 있기는 한 건가……. 시험 삼아 몇 번 턱을 움직여 보다가 태권 소녀의 시선을 느낀 유빈은 친절한 표정을 지으며 웃어줬다.

"아니, 아니. 괜찮아. 그냥 조금 부은 거야. 이도 다 멀쩡하고, 씹는 데도 문제 없으니까 미안해하지 않아도 돼."

"미안하다고 한 적 없는데? 근데 너, 운동 좀 해야겠더라."

태권 소녀는 진지하게 대꾸했지만, 보안관과 삼식이는 깔깔거리며 좋아서 아주 죽는다.

허…… 흐흐……. 유빈도 쓸쓸하게 웃었다.

아무래도 이 건은 두고두고 아주 오래갈 것 같다…….

증인도 너무 많고, 게다가 그 증인들이 놀리기를 워낙 좋아하는 것들이라 잘하면 묘비에까지도 써 줄는지 모른다.

'여자에게 맞아 기절했던 남자 여기 잠들다' 뭐, 이렇게…….

"근데 제니 누나, 한강으로 가던 길이라고 했죠? 우리도 같이 갈 수 있을까요?"

방에 들어오고부터 내내 오직 제니에게만 눈을 고정하고 있던 규영이가 물었다.

"그러엄~ 당연히 같이 가지. 그런데 이렇게 비가 와서는 당분간 어려울 거야. 산책로를 따라 차를 타고 가야 하는데, 물이 안 빠지면 길이 막히거든."

"좀 기다리다 보면 금방 마를 거예요. 그때까지 제니 누나도 여기서 안전하게 기다리면 되죠. 그치, 혜주 누나~!"

제니가 웃으며 말 상대를 해 주자 규영의 얼굴은 금방 홍조를 띠었다. 어제 칼을 휘두르며 저주를 퍼붓던 때와는 목소리도 달라져서 혀 짧은 소리로 귀염을 부린다. 시리얼을 떠 넣던 태권 소녀가 고개를 갸웃거렸다.

"거기에 있다는 수용소인지 뭔지는 안전한 곳이 맞아? 어제 너희가 말한 그런 데가 아니라는 걸 어떻게 알 수 있어?"

"그야…… 정부가 운영하는 데라고 했으니까요. 군대가 보호해 준다는 말도 있었고."

"그거 그냥 찌라시에 적혀 있던 거잖아. 인쇄기만 있으면 그런 거는 누구라도 찍어 낼 수 있어."

태권 소녀의 우려를 확실하게 안심시켜 줄 수 있는 사람은 없다. 그제 그 비디오를 보고 난 후부터 세 친구 역시 모든 게 혼란스러웠으니까. 유빈이 머리를 긁적이며 말했다.

"우리도 그 부분이 영 찜찜하긴 해. 처음 출발할 때에는 그저 밥 주고 재워 준다고 하니까 그 전단지 하나만 믿고 출발한 거지. 태양 그룹같이 큰 회사가 그런 짓을 할 거라는 상상도 못 했었고, 게다가 우리 살던 데에 워낙 좀비가 많이 몰려와서 더 버티고 있을 수도 없는 상황이었거든."

"여기도 별로 나을 거 없어. 이제는 큰 도로에 좀비가 없는 시간이 더 적을 정도니까. 그것들은 한번 몰려들기 시작하면 감당이 안 돼. 너희는 무슨 실수를 저질렀어? 어제 보니까 담배 피우는 녀석들도 있던데."

태권 소녀의 시선이 삼식이와 신입에게로 향한다. 신입은 움찔했지만, 삼식이는 태평하게 물었다.

"너도 담배 이야기 하는 것 보니까 무슨 상관이 있긴 하나 보네. 정말 좀비들이 그 냄새 맡고 오는 거야? 아는 거 있어?"

"몰라. 확실하게 아는 게 있었다면 어제 네가 담배 피울 때 못 하게 했겠지. 그냥 나도 누군가에게서 주워듣고 말하는 것뿐이야. 얼마 전에 누가 그러더라고. 담배 피우는 놈이랑 같이 숨으면 좀비들이 거길 귀신같이 알고 쫓아온다고. 그러니까 조심하자는 분위기였어. 혹시 모르는 일이면 안 하는 게 나으니까……. 그럼 너희는 담배 계속 피웠다는 거네? 그래도 괜찮았어?"

"아니, 뭐…… 딱히 맘대로 피운 거는 아니고, 우리도 신경이 쓰이기는 했는데…….."

삼식이가 머뭇거리자 태권 소녀가 그럴 줄 알았다는 식으로 고개를 끄덕인다.

"남자애들 방에 올라가 보면 전자 담배 있을 거야. 그걸로 바꾸든가."

"별걸 다 가지고 있네. 그건 안 피워 봤는데…… 정말 담배 피우는 맛이 나기는 할까? 맞다. 그리고 그거, 전기 쓰는 거잖아. 충전을 어떻게 해? 아, 그것도 보조 배터리를 쓰면 되나?"

삼식이가 자문자답을 하는 동안 곁에 앉은 신입은 '그거 다 소용없어. 괜히 뻘짓거리 하는 거야.'라며 손을 내저었다. 제니가 태권 소녀의 어깨에 살며시 손을 얹으며 물었다.

"언니, 혹시 구급약도 가지고 계세요? 파스나 소염제나 압박붕대 같은 거. 언니 발목 치료해 드릴게요. 지금도 많이 부었어요."

"돼, 됐어. 그런 거는, 그냥 내가 하면 돼."

태권 소녀는 완강하게 거절했다.

에잉, 혹시 의사 놀이를 같이하게 될 수 있을까 들떴던 삼식이가 괜히 아쉬워한다.

휘이이이~.

음식 냄새도 뺄 겸, 사람들의 체취도 뺄 겸 해서 열어 둔 창문 사이로 강한 악취가 바람을 타고 날아 들어왔다. 좀비들 특유의 그 지독한 냄새는 비가 오는 날에도 예외 없이 강렬하다. 그리고 규모에 비례해서 냄새의 스케일도 달라진다.

읍, 유빈이 얼른 창문을 닫았다. 그래 봐야 이미 들어온 냄새는 그대로다. 태권 소녀는 담담하게 말했다.

"익숙해질 거야. 요즘은 하루에도 열댓 번씩 저렇게 지나가니까."

"열댓 번이라고? 정말 그렇게 자주?"

"낮이든 밤이든 정찰 나가면 일고여덟 번은 봐. 그거 곱하기 2는 할 줄 알잖아."

행렬이 길게 뻗은 도로를 통과하는 데만 30분은 걸릴 텐데, 그런 게 열댓 번이나 반복된다면 온종일 좀비들이랑 사는 거나 다름없다.

골목 안으로 숨어 들어와 있다고는 해도 대로까지 겨우 몇십 미터뿐인데…….

상상하는 것만으로도 유빈은 아찔함을 느꼈다. 번화가를 버리기로 결정했을 때, 좀비들은 1킬로미터 밖에 있었다. 그 정도도 무섭다고 도망을 쳤건만…….

물론 그때 그들의 머릿속에는 오로지 쉘터까지 한나절이면 닿을 수 있다는 섣부른 희망뿐이었지만, 하여튼 그렇게 텅 빈 곳을 버리고 온갖 고생을 해서 도착했더니 오히려 더 낯설고 힘든 환경이라니……. 자신의 멍청함에 새삼스레 질린다.

하지만…… 괴로워하고 자신을 연민한다고 해서 환경은 바뀌지 않는다. 환경을 바꾸려면 끊임없이 보고, 생각하고, 발버둥이라도 쳐 봐야 한다. 때로는 그 발버둥이 더 부정적인 결과로 이어진다고 해도 그저 얌전히 슬퍼하다가 죽어 줄 생각은 없다.

후우~. 한숨을 삼킨 유빈은 고개를 들고 애써 쾌활하게 웃으며 말했다.

"자, 밥 다 먹었으면 우리도 슬슬 정찰 한번 나가 봐야지?"

02

"으, 머리야……."

잠에서 깬 진우는 욱신거리는 관자놀이를 꽉 눌렀다. 바로 근처에 뒀던 생수병을 벌컥벌컥 들이켜도 갈증은 가시질 않고, 온몸은 열이 펄펄 끓고 쑤신다.

어후~ 젠장.

겹겹이 덮었던 담요를 걷어 내고 몸을 일으켜 소파 등받이에 기대는 그 간단한 동작을 하기 위해 진우는 이를 악물어야 했다.

더럽게 아프다. 하긴 그 비를 다 뒤집어써 가며 밤새도록 난리를 쳤던 걸 생각하면 무리도 아니다. 그나마 이 농협 사무실 소파에서 곰팡내 나는 담요라도 덮고 잤으니 이 정도지, 바람 맞고 찬 바닥에서 쓰러졌더라면 아마 일어나지도 못했을 것이다.

"약. 약 좀 먹었으면 좋겠다……."

얼굴을 쓸어 붙어 있던 잠을 털어 내고 바닥에 뉘어 둔 총을 버릇처럼 집으려던 진우는 가벼운 비명을 질렀다.

"윽—!"

잊고 있었다. 어제 쌀집에 숨어 있던 좀비, 그 개새끼와 총으로 줄다리기를 하다가 유리에 찢긴 오른팔을.

후우~. 진우는 몸 전체를 휘감는 격통이 지나가기를 기다렸다가 팔을 묶어 둔 스타킹을 풀었다.

찐득하게 마른 피딱지와 진물이 뜯겨 나가면서 날카로운 새 통증을 준다.

크흐흐흐~ 씨발~.

진우는 웃는 것도 아니고, 우는 것도 아닌, 애매한 소리를 내며 상처를 살펴봤다. 당연한 이야기지만, 아직 온전히 붙지 않았다. 그리고 문틀에서 떨어져 나온 작은 조각들도 점점이 박혀 있다.

"아아, 정말…… 좆같아서 진짜."

눈에 보이는 페인트 조각과 유리 조각들을 떼어 내는 동안 찌릿찌릿한 고통 때문에 손가락이 벌벌 떨린다. 진우는 훈련소에서 맞았던 파상풍 예방주사가 진짜 효과가 있는 것이기를 진심으로 빌었다.

다행인 점을 고르라면 힘줄이 찢겨 나가거나 신경이 다치지는 않은 것 같다는 정도이다. 아니었다면 어제 그만큼의 저격은 해낼 수 없었을 테니까.

그래도 불안해서 진우는 손가락을 오므렸다 폈다 하며 계속 테스트를 했다. 방아쇠를 당기는 이 감각이 그가 가진 힘의 9할이다.

"옷이나 나나, 아주 너덜너덜하구나."

군데군데 찢기고, 피 얼룩이 지고, 구멍이 난 군복을 보면서 진우가 한숨을 쉬었다. 우스운 건 이 허접하고 꼴 보기 싫은 옷이 어느새 몸에 배서 편안해졌다는 것이다. 주머니의 위치나 개수도 그렇고, 여차하면 숲속에 들어가 위장을 해야 한다는 점을 감안해도 그렇다. 카모플라주 무늬가 들어간 아웃도어 재킷을 구하기 전까지는 이걸 버릴 수는 없을 거라고 생각했다.

"아저씨는 편해요?"

전술 조끼를 걸치고 축축한 전투화 사이로 발을 집어넣던 진우가 사무실 구석으로 시선을 돌려 중년 사내의 시체에게 말을 걸었다. 어제 사무실에 뛰어들 없을 때 그를 놀라게 했던, 그 교살당한 시체다.

아침에 일어났을 때 놀라기 싫으니까 뭐라도 덮어 놓고 자야지 생각은 했는데, 자꾸 눈이 감겨서 그냥 둔 채 잠이 들고 말았다. 버릇처럼 생각이 혼잣말로 입 밖에 나온 것인데, 듣자마자 못 할 말을 했다는 후회가 들었다.

"편할 리가 없지. 저렇게 되어 있는데."

피가 몰려 부어 있는 사내의 얼굴을 보며 진우가 자신에게 답을 해 줬다. 튀어나온 눈, 길게 빼문 혀, 검게 변한 안색…… 어디 하나 편해 보이는 구석이 없지만, 무엇보다도 퉁퉁한 목을 꽉 조이고 있는 넥타이가 가장 신경 쓰인다. 오래 보고 있을 만한 모습이 아니었다.

"와! 이거, 뭐가 이렇게 뿌옇게……."

창가로 다가가자 블라인드 사이로 안개가 자욱하게 낀 바깥의 풍경이 들어온다. 강원도니까 안개가 놀라울 것은 없지만, 오늘은 유별나게도 짙다.

어제는 그렇게 퍼붓더니 오늘은 또 안개냐?

진우는 우호적이지 않은 날씨에 질려 고개를 설레설레 저었다. 지끈, 팔의 상처와 머리가 동시에 짜릿한 통증을 준다.

약. 그래, 약국부터 찾아야 해. 그런데 어제 돌아다니면서 약국을 봤던가?

진우는 기억을 더듬으면서 사무실 책상에서 찾은 종이에, 역시 사무실 책상 위에 놓여 있던 볼펜으로 필요한 물건들을 적기 시작했다.

가장 먼저 쓴 단어는 '약'이다. 진통제, 소염제, 배탈 약. 그리고 그다음에는 '반창고(붕대)'라고 적었다. 팔의 상처에 붙일 무언가도 필요하지만, 미리 챙겨 두면 앞으로도 요긴할 것들이다. 이제 더 이상 다치지 않을 거라고는 믿지 않으니까.

그리고 가방. 배낭도 좀 괜찮은 놈이 있으면 좋겠다. 할머니 장바구니는 여러모로 불편하다. 또 가방에 넣을 것으로 '점퍼'를 썼다. 고어텍스나 방수 방풍 기능이 있는 아웃도어 점퍼. 밤에 꺼내 입는다면 덜덜 떨며 잠을 청하지 않아도 될 테니까 꼭 필요하다.

긴 줄, 음료수, 음식, 라이터, 손전등, 배터리, 양말…….

적다 보니 갖고 싶은 게 점점 늘어난다. 모두 구할 수 있을지 어떨지도 모르지만, 구해진대도 휴대할 수 있는 부피와 무게에는 분명한 한계가 있다. 단순히 짊어지고 걷기만 하면 되는 게 아니라 언제라도 기민하게 뛰고 숨고 뛰어내릴 때 신체 능력이 제한되지 않아야 한다.

일단 K-2가 두 정이나 되니까 그것만으로도 벌써 7킬로그램이다. 담요를 쓸까 말까 고민하던 진우는 미련을 버리고 펜을 주머니에 넣었다.

그냥 이만큼만 챙겨도 장거리 이동을 하는 데 적잖이 도움이 될 것이다. 이렇게 작은 동네에서 부디 필요한 것들과 마주할 수 있기를 빌었다.

"운이 좋기를 바라자."

준비를 마친 진우는 두 정의 K-2를 챙겨 들었다. 되찾은 자신의 총은 허리 뒤쪽에 오도록 사선으로 메고, 어깨에는 어제 새로 주운 총을 걸었다.

"갈게요."

죽은 이에게 인사를 던지고 하이바를 쓴 진우는 계단을 반쯤 내려가다가 다시 사무실 문을 열고 되돌아왔다. 그러고는 중년 사내의 목을 단단히 조이고 있던 넥타이를 당겨 풀었다.

빳빳하고 차가운 시체의 목에서 넥타이를 벗겨 내 옆에 놓아준 뒤, 진우는 다시 문을 나섰다. 이제야 좀 숨이 트이는 기분이다.

"자, 약국부터 가 봐야 하나? 어디에 가면 약국이 있을까?"

기대 반, 걱정 반의 심정으로 거리에 발을 딛자 안개의 농도가 걱정스럽게 느껴졌다. 아침인데도 가시거리가 20미터는 될까 싶을 만큼 사방이 온통 뿌옇고, 공기는 축축하다.

농협과 슈퍼를 잇는 도로에는 머리가 날아간 좀비들의 시체가 어지럽게 널려 있다.

시체, 안개, 그리고 낯선 마을…….

한마디로 여러모로 불길해 보이고 으쌕한 풍경이다. 공포 영화에서라면, 그것도 주인공이 죽는 공포 영화에서라면 아주 좋은 조합일 테지만.

머리를 가볍게 흔들어서 밀려드는 두려움을 날려 버린 진우가 첫 번째로 만난 가게는 식료품점. 그걸 보자마자 그는 자신의 경솔함을 자책했다.

"아! 그렇구나. 멍청했다, 진짜."

불에 타서 내부가 온통 새까맣게 그을린 가게. 당연히 내부의 상품들도 다 못 쓰게 되었다.

하아~. 불을 질러도 그 많은 집들 중에 왜 하필이면 이런 시골에서 보기 드문 식료품점이자 잡화점에 불을 질렀던 걸까?

세상에, 어쩌자고 그 많은 라이터와 음식과 음료수와 술이 있는 곳에……. 흥분 속에서 앞뒤 재지 않고 내렸던 결정이 몇 시간이 지난 지금 커다란 아쉬움으로 돌아온다.

삐걱―.

아직 뭔가 쓸 만한 게 남아 있을까 해서 불타고 남은 잔해들 사이로 들어가려던 진우는 금방 포기해 버렸다. 그런 물건도 없거니와, 화재에 시달린 낡은 건물이 금방이라도 무너져 내린다면 더 상처를 입기에 십상이다.

"뭐…… 일반 가정집도 많이 있으니까."

진우는 계획을 전환하여 한 집씩, 한 집씩 차분히 뒤져 보기로 했다. 어차피 아무도 없는 마을이고, 하루나 이틀 정도 여기에서 허비하다가 늦는다고 해도 땅속에 묻혀 있는 만 발은 크게 화를 내지 않을 것이므로…….

편안하게 잘 수 있다는 점에서는 오히려 큰 이득이다. 수십 가구는 족히 되어 보이는 마을에서 한 집당 좋은 게 하나씩만 나와도 배낭 하나를 채우는 정도는 문제없으리라.

"실례합니다."

남의 집이니 말은 그렇게 했지만, 정작 진우는 총을 겨눈 채 대문을 발로 밀고 들어갔다.

삐이익―.

낡고 기름칠이 벗겨진 철문에서는 기분 나쁜 소리가 났다.
개집이 보이고, 원래 개가 묶여 있었을 목줄은 비어 있다.
집주인이 도망치면서 풀어준 걸까, 아니면 굶주림을 못 견딘 개가 제힘으로 풀고 나간 걸까?
중요한 건 개가 풀려났다는 사실이었다. 지난 며칠 동안 진우는 몇 번이나 들개 떼를 보았다. 시골이라 풀어놓고 기르는 개들도 많았을 테니, 그리 놀라운 일은 아니다.
아직 가까이에서 대치해 본 적은 없어도 진우에겐 그렇게 떠돌아다니는 개들은 작은 고민거리였다. 사람 모양의 좀비를 그렇게 많이 죽여 놓고서 이런 말을 한다면 좀 위선적으로 보일지도 모르지만, 그에게는 개를 죽일 용기가 없었다.
살아 있는 것이므로 죽이고 싶지 않다. 하지만 과연 개들도 같은 생각을 하고 있을지……. 그게 딜레마였다.
만약 개 떼들이 달려든다면 어떻게 하지?
머릿속으로 정리해 둔 매뉴얼은 있다.
제1단계, 하늘에 총을 쏴서 소리로 겁을 주어 도망치게 할 거다. 만약 그래도 개들이 도망가지 않으면 제2단계…… 2단계부터는 없다. 온통 뿌옇고 막연하기만 해서 엉망이다.
아까운 총알을 낭비하는 것도 문제고, 사람보다 개가 훨씬 빠르다는 것도, 개새끼들의 이빨에 무슨 균이 얼마나 묻어 있는지 모른다는 것도, 그리고 그놈들이 대단히 굶주려 있으며 떼를 지어 다닌다는 것도 다 골치 아픈 문제였다.
"개새끼들아, 제발 멀리 도망가 있어라. 근처에 있지 말아라……."
삐걱거리는 마루에 올라서면서 진우는 개를 위한 주문을 외웠다. 다행히 아무리 청각을 곤두세워 봐도 개 짖는 소리는 들리지 않는다.
안방으로 들어간 진우는 서랍들부터 다 열었다. 약, 진통제, 그리고 상처가 더 벌어지기 전에 꽉 조일 수 있는 깨끗한 뭔가가 필요하다.
약은 금방 찾았다. 그것도 엄청 많이. 시골에는 노인들이 많고, 노인들은 으레

약을 달고 사니까. 그런데 젠장, 문제는 그 약들이 설명서가 동봉된 케이스가 아니라 약국에서 조제된 것들이라는 데 있었다. 봉투 안에는 줄줄이 사탕처럼 묶인 치료제들이 한 번 먹을 양씩 포장된 채 주인을 잃고 남겨져 있다.

"신경통…… 당뇨…… 류마치스……."

맞춤법을 무시하고 삐뚤빼뚤 적혀 있는 봉지의 글씨가 진우에게 쓴웃음을 짓게 한다. 다 비슷하게 생긴 약들이 대여섯 알씩 묶였는데, 정작 각각의 효능이 뭔지 모르니 무용지물이다.

게다가 붕대는 없고 파스만 잔뜩 사다 모아 뒀다. 이 집은 포기다. 할아버지 체구가 어지간히 작은 사람이었는지, 건질 만한 옷 한 벌도 없었다.

"소주만 풍년이네……. 이게 당뇨니 류머티즘에 좋았을 리가 없잖아요."

냉장고 옆에 짝으로 놓여 있는 소주를 지나치며 진우는 군침을 꾹 삼켰다. 소주 한잔으로 통증을 달래고 싶은 마음은 굴뚝같지만, 감각과 판단력이 흐트러지면 안 된다. 당장 어제만 해도 슈퍼에 불을 질러 버리는 실수를 하지 않았던가.

낡고 조그만 진달래색 배낭을 찾아낸 진우는 거기에 사탕과 양갱, 그리고 마른 멸치가 든 봉지를 쑤셔 넣은 뒤 옆집으로 향했다.

"으아, 들어가기 싫다."

마당에 들어서자마자 눈을 찌푸리게 만드는 것은 유리가 날카롭게 깨진 마루 문과 거기에 뿌려 놓은 것처럼 안쪽에 잔뜩 달라붙어 있는 핏자국들이다.

핏자국은 마루 내부에서 길게 안방 쪽으로 이어졌다. 피의 색깔이나 말라붙은 정도로 봐서 요 며칠 사이에 생긴 건 아니다. 하지만 누가 봐도 이건 살인 사건의, 그것도 날카로운 흉기를 이용하여 반복적으로 찌른 아주 잔인한 살인 사건의 현장이었다.

난자된 시체가 기다리고 있을 게 뻔한 이런 곳에는 안 들어가는 게 낫다. 별로 무섭지는 않지만, 괜히 감정이 소모된다. 어차피 비어 있는 집이 많으니까, 라고 핑계를 대면서 진우는 고이 문을 닫고 돌아 나왔다.

그런 방식으로 열댓 집을 돌고 나니 그래도 꽤 수확이 있었다. 몇 개쯤 빼먹은 타이레놀을 발견해서 두 알을 우적우적 씹어 삼키고 나머지는 가방에 넣었다.

팔의 상처는 에틸알코올로 소독한 뒤, 유효기간이 한참 지난 상처 치료제를 듬뿍 바르고 거즈로 잘 동여맸다. 비타 500, 박카스, 구론산, 타우스까지. 자양 강장제도 종류별로 몇 병이나 들이켰다. 그렇게 하고 나니 기분 탓인지는 모르겠지만, 온몸을 콕콕 쑤시고 머리통을 옥죄던 통증이 조금은 가라앉는 느낌이다.

고이 접어 매듭까지 만들어 둔 빨랫줄도 세 묶음이나 챙겼고, 라이터에 두툼한 양말, 싸구려 전자시계, 맥가이버 칼까지…… 진우는 목록에 충실한 쇼핑을 해 나가고 있는 중이다. 장롱 안에서 포장도 뜯지 않고 고이 모셔 둔 새 U넥 반팔 셔츠와 팬티를 만났을 때에는 가벼운 설렘까지 느꼈다.

농협 사무실 1층에 정수기가 있었으니까 이따가 필요한 걸 다 찾고 나면 그 물로 목욕을 해야지. 그리고 위아래로 새 속옷을 입어야지.

정말 간만에 보송보송해질 걸 기대하니 콧노래가 절로 난다. 그런데 아직 못 찾은 것도 있다. 방수 방풍이 되는 아웃도어 점퍼가 영 마땅치 않다. 사이즈도 문제지만, 색깔이 너무 튄다.

"아, 이것도 색깔이 이렇게 알록달록하네. 아저씨들…… 그냥 검은색이라도 좀 사지."

붉고, 노랗고, 푸른색이 어지간히 촌스럽게 조합된 점퍼들. 입고 미팅에 나갈 것도 아니니까 대단한 걸 바라는 건 아니다. 그저 숲속에서 '나 여기 있소.'라고 두드러지게 위치 표시를 하지 않을 정도의 검은색이나 쑥색이면 만족할 건데, 그런 물건이 눈에 띄지 않는다.

결국 한참을 더 돌아다닌 끝에 조금 구식이기는 해도 많이 낡지는 않은 어두운 회색 점퍼 하나를 찾아냈고, 진우는 그걸 잘 접어서 배낭 위쪽에 넣었다.

휴우~. 큰 숙제를 하나 끝낸 스스로가 대견해서 뿌듯한 미소를 지었다.

두 번째 좀비 병사의 총과 약국은 아직 찾지 못했지만, 그래도 정말 간만에 씻을 수 있다. 이도 닦고, 면도도 하고, 근질근질한 사타구니에 비누칠도 좀 해야지, 그렇게 개운한 상태가 되어 마실 하듯 다시 한번 동네를 살살 돌다 보면 나머지도 다 찾게 되겠지…….

생각만 해도 청량감이 찾아오는 것 같아서 농협 건물로 돌아가는 길에는 가벼운 콧노래까지 흘러나왔다. 그렇게 모든 게 다 풀리리라고 생각하던 때였다.

부르르르릉~!

엔진 소리다. 잊기도 어려울 것 같은 군용 트럭의 엔진 소리.

어제 도망갔던 그놈들인가?

진우는 다급하게 주변을 둘러봤다.

어디에 숨지? 그런데 왜? 왜 갑자기 또 이리로 오는 거지? 어제 동료를 둘이나 버리고 갔으면 충분히 피를 본 거 아닌가? 혹시 복수를 하러?

아니, 그러기에는 너무 늦다. 전열을 재정비하고 돌아오는 데 열두 시간이나 걸릴 리가 없다. 골목 안으로 뛰어든 진우는 자세를 낮추고 벽에 기댄 채 귀를 기울였다.

부르르릉—.

고요하던 작은 마을이 순식간에 시끄러워졌다. 진우는 살그머니 고개를 내밀었다. 두 대, 세 대…… 총 네 대의 트럭과 두 대의 레토나가 농협 사거리 안으로 들어온다. 어제 그가 보았던 병력보다 오히려 늘었다. 그리고 온 방향도 반대쪽이다.

— 높으신 분들 없을 때 우리도 사제 물건 좀 먹어 보자.

어제 그 초소에서 병사들이 나누던 대화가 기억이 난다.

그런가? 어딘가로 행차했던 높으신 분들이 돌아오는 길인 건가?

아찔해진 진우는 눈을 질끈 감았다. 자유를 위해 그 개고생을 했는데 여기에서 붙잡혀 탈영병 취급이나 받다가 또다시 누군가의 쓰다 버릴 졸병으로 편입 되기는 싫다.

문제는 식료품점과 농협을 잇는 구간에 잔뜩 자빠져 있는 좀비의 시체들이었다. 레토나에 탄 장교들이 이 길을 지나 어딘가로 갔을 때에는 없던 시체 더미.

그 부자연스러운 광경을 보고도 과연 그냥 지나쳐 줄 것인지……. 진우는 바짝바짝 타들어 가는 입술을 움직여 작은 목소리로 계속 중얼거렸다.

제발 그냥 지나가라. 좀비 시체, 너희들도 많이 봤잖아. 그냥 눈살 한번 찌푸리고 지나가 다오…….

끼익―.

하지만 브레이크 소리가 울리며 차량들이 멈춰 섰다. 그리고 진우는 의외로 덤덤하게 그 사실을 받아들였다.

그럼 그렇지, 내가 언제 운이 그렇게 좋았다고. 후우~.

잡히기는 싫으니 이제 숨어야 한다. 진우는 발소리를 죽여 골목 안으로 조금씩, 조금씩 걸어 들어갔다.

"이 시체들 뭐야? 여기에서 교전이 있었나 본데? 야! 저기 저 죽어 있는 병사 확인해 봐. 저거 우리 애 아니야?"

"야, 빨리빨리 내려!"

정신없이 떠들어 대는 장교와 부사관들, 병사들의 복창과 전투화 소리. 사거리는 순식간에 장날처럼 왁자지껄해졌다. 아침나절에 그렇게 무성하던 안개가 그리워진다. 안개 속에 숨어서라면 여기에서 벗어나기도 그리 어렵지 않을 텐데.

"우와~ 쩐다."

"뭐야, 이 새끼야! 뭘 보고 쩐다 만다 멍청한 소리를 하고 있어! 야! 너희 사주 경계 똑바로 안 해?"

"중사님, 이 좀비들 말입니다. 전부 대가리에 한 방씩만 뚫려 있습니다."

"여태 좀비가 대가리 뚫려야 죽는 것도 몰랐어?"

"아니, 그런 의미가 아닙니다. 다른 데는 관통상이 없습니다. 대가리만 날린 겁니다."

"……그러면 저격이라는 이야긴가? 저격을 할 만한 데가…… 야, 너희! 저 건물 올라가 봐. 그리고 너희! 저 죽은 애 총 어디 있어? 빨리 찾아!"

"소대장님! 저희 중대 애 맞습니다!"

"걔는 왜 죽었어? 엉? 이거 무슨 상황이야? 왜 터널 경비 하던 놈이 여기에 시체가 돼서 누워 있어? 초소에 무전 때려! 야! 걔도 총상 있어?"

"그렇습니다! 아! 실탄도 분실된 것 같습니다!"

고요하던 사거리가 멍청하고 시끄러운 대화들로 가득 메워졌다. 정신없이 뛰어다니는 워커 소리. 진우의 마음도 덩달아 다급해졌다. 이제 여기서 잡히면 아군 살해범으로까지 몰리게 생긴 상황이다.

아니야, 이 멍청이들아……. 너희 부하들이 군기가 빠져서 소주 가지러 왔다가 좀비한테 물려서 작살난 거라고! 내가 죽인 건 좀비였어, 사람이 아니라!

그렇게 변명을 해 봐야 소용이 없을 것이, 그는 지금 이 순간에도 팔목 잘린 좀비의 총을 옆구리에 꽉 끼고 있는 채다.

삐이익—.

골목으로 나 있는 창문을 최대한 조용히, 살살 당겨 열었다. 그러고는 얼른 그 안으로 몸을 던져 넣었다.

쿵—.

마룻바닥이 조금 울렸지만, 이미 저 바깥의 농협 앞에서는 워낙 시끄럽게들 뛰어다니고 있어서 그 정도쯤의 작은 소리는 들리지 않을 것이다.

"아, 젠장! 하필이면……."

고개를 들자마자 진우의 입에서 탄식이 터져 나왔다. 깨진 유리창, 거기에 범벅이 되어 있는 핏자국, 마루에 길게 남은 피의 흔적.

아까 그 집이다. 끔찍한 시체의 모습을 보기 싫어 그냥 외면하고 나왔던 집. 옆집으로라도 갈까…… 하고 망설이는데, 골목 안으로 들어온 전투화 소리가 들린다.

저벅저벅, 진우는 얼른 안방으로, 그러니까 말라붙은 피딱지가 길게 라인을 그리고 있는 방향으로 뛰었다. 물론 피가 묻지 않은 부분만 골라 디뎠다. 그런데에 발자국을 남길 만큼 멍청하지는 않다.

쿵, 문을 열고 들어가려는데 뭔가가 걸려 더 이상 밀리지가 않는다. 반응을 보기 위해 한 번 더 세게 밀어 쳤다. 움직임이 느껴지지 않는다. 좀비는 아니다. 진우는 문 사이를 비집고 힘겹게 방 안으로 들어갔다.

"윽! 내가 이럴 줄 알았지."

문과 벽 사이에 낀 시체를 보며 진우는 인상을 찌푸렸다. 비스듬히 기대앉은 중년 여자의 시체는 어디 한 곳 멀쩡하다고 할 만한 데가 없다.

난자당해 잘리고 베인 상처들은 끔찍하게 벌어져 있다. 피투성이의 몸을 끌고 간신히 집 안으로 도망 온 것인지, 여자의 주위에 다른 발자국은 없었다.

몸 전체 중 부러지고 뒤틀린 손가락과 종아리뼈는 뭔가 크고 무거운 무기를 막으려다가 박살이 난 것으로 보인다. 원망스럽다는 듯 홉뜬 눈과 쩍 벌어진 입은 그 어느 공포 영화의 장면보다 오싹하다. 그녀의 시체에서 가장 끔찍한 점은 머리가 온전하다는 사실이었다. 다시 말해 좀비가 아니었던 상태인데 이렇게 잔혹한 테러를 당한 것이다.

"아…… 농협 그 아저씨도 그렇고, 이 아줌마도 그렇고…… 이 동네 인심이 왜 이리 흉악한 거야? 왜 멀쩡한 사람을……."

중얼거리며 방문을 닫는 동안에도 진우의 눈은 방 안 구석구석을 훑었고, 머리는 바쁘게 돌아갔다. 옆구리에 식칼이 꽂힌 채 죽은 아줌마의 일은 소름이 끼치도록 유감스럽지만, 일단 그 자신의 운명부터 챙겨야 한다.

이 방에 숨을까, 아니면 다른 방으로 옮길까?

"야! 나 엄호해라! 응? 확실히 해야 한다! 후우~ 후우~."

"네! 아, 알겠습니다!"

대문 밖에서는 병사들이 떨리는 목소리로 역할을 분담하고 있다. 아마 모든 집을 다 수색하고 다니려나 보다. 그 겁먹은 목소리가 진우에게 아이디어를 주었다.

몰랐는데 이 방은 꽤 입지가 좋다. 진우는 대문을 열자마자 시각을 압도하는 검붉은 핏자국에 승부를 걸기로 했다. 저 겁먹은 놈들이 그렇게 불길한 기운이 가득한 곳으로 들어올 리가 없다. 그리고 만약 정말 간덩이가 부어서 이 방의 문을 연다고 해도 섬뜩한 비주얼의 아줌마 시체가 그들을 물리쳐 줄 것이다.

하지만 이 각도라면 놈들이 시체를 바로 발견할 수 없는데…….

잠시 고민하던 진우는 오만상을 찌푸리며 시체의 양쪽 겨드랑이 사이로 손을 집어넣었다.

차갑고 뻣뻣하고, 정말이지 엄청난 냄새가 난다. 하지만 진우는 이를 꽉 물고 문과 마주 보는 위치까지 여자의 시체를 끌어내 와 가장 효과적인 자세로 앉혔다. 그러고는 문이 완전히 열리지 않도록 베개 따위들을 받쳐 뒀다. 준비를 마친 진우는 원래 시체가 있던 자리에 서서 숨을 죽인 채 기다렸다.

"으허억!"

대문을 열던 병사가 비명을 지르는 게 들려왔다. 고참이 곧바로 타박을 한다. 그의 목소리에도 긴장과 두려움이 가득했다.

"어우, 깜짝이야! 이 새끼! 왜 소리를 지르고 지랄이야! 놀랐잖아!"

"그게 아니고 말입니다! 저 피! 저 피가!"

"어휴~ 씨발, 진짜 좆같기는 하다. 무슨 도살장도 아니고."

두 병사가 더 들어오지 않고 주춤거릴 때, 멀리서 또 다른 누군가가 끼어들어 호통을 친다.

"야! 거기! 뭐 해, 이 새끼들아! 제대로 안 해?"

"네, 넷! 들어가고 있습니다!"

등을 떠밀린 병사들의 발소리가 마당을 울렸다.

저벅저벅, 들어오는 놈들도 죽을 맛이겠지만, 진우도 심장이 오그라드는 것 같다.

만일의 경우가 닥쳤을 때, 나는 뭘 할 수 있을까?

진우는 입술을 잘근잘근 씹으며 고민했다. 분명히 총구를 앞세워 들어올 테지. 그러면 그 총구를 잡아당기고 그다음 놈을 개머리판으로 후려치고…….

그렇게 저 두 놈을 제압하고 뛰어나가면 달아날 수 있을까? 괜히 등 뒤에 총알이 박히는 거 아닌가? 그렇다고 순순히 투항을 하면 나에게는 어떤 미래가 기다릴까?

진우는 자신과 마주 보는 위치의 중년 여자 시체로 시선을 돌렸다. 저 눈, 저 표정. 다시 봐도 정말 섬뜩하다.

제발, 저 시체의 저 끔찍한 모습이 병사들의 발걸음을 되돌리게 해 줘야 할 텐데…….

"고 상병님, 마루에 핏자국이 깨끗한 걸 보면 말입니다, 이리로는 안 온 것 같지 말입니다?"

"쓸데없는 소리 하지 말고 올라가. 올라가서 저 방 문 열어 봐."

"예? 제가 말입니까?"

"그럼 이 새끼야, 너 말고 할 사람이 누가 있어. 빨리 튀어 올라가."

마루 앞에서는 두 병사가 거의 만담을 하고 있다.

어제 그 터널 경비병들도 그렇고…… 이 녀석들, 실전 경험이 거의 없는 놈들이다. 어지간히 덜덜 떤다. 좀비들이 몰려오기만 하면 이놈들도 오래 버티기는 텄다.

삐거덕, 마루가 울리는 소리. 놈들이 겨우 용기를 쥐어짜서 다가온다.

삐거덕, 삐거덕, 그리고 끼이이익—.

문이 아주 천천히 밀렸다. 진우는 숨을 멈춘 채 문과 벽 사이에 몸을 밀착시켰다.

"으아아아아! 어후!"

두 병사가 거의 동시에 비명을 지르고 마당으로 뛰어나간다.

"왜 그래? 뭐 찾았어?"

외부에서 물어 오는 소리가 들린다.

아닙니다! 시체가 있어서 그렇습니다!

대답하는 병사들. 그런 후, 후다닥 발소리가 울렸다. 집 밖으로 나간 것이다.

"너희, 확실히 수색했어? 분실된 개인 화기 회수할 때까지 수색 안 끝나!"

"저, 전부 뒤졌습니다! 저기엔 시체만 있습니다. 예전에 죽은 시쳅니다!"

그 말이 별다른 의심을 받지 않았는지, 발소리들이 멀어져 간다. 그리고 옆집 대문이 열리는 소리.

하아아~. 그제야 진우도 참았던 숨을 내쉬었다.

그러나 아직 끝난 게 아니다. 병사들에게 명령을 내리던 목소리는 분명 총을 다 회수하기 전에는 돌아가지 않겠다고 했다. 완전히 빈말 같지가 않다는 게 문제다. 좀 전의 두 녀석보다 겁이 적은 놈들이 다시 이 집을 수색하러 오기 전에 달아나야 한다.

"달아난다고? 젠장, 내가 잘못한 게 뭔데······."

생각하고 보니 억울하다. 자신이 한 일이라곤 저 어리바리한 부대 놈들을 습격하러 올라가던 좀비를 싹 다 잡아 죽인 것뿐이다. 물론 그 과정에서 남의 총을 쓰기는 했지만, 수십 명의 목숨을 구해 주고 겨우 총 한 자루를 가져가는 건데, 그게 죄란 말인가.

마음 같아서는 지금 당장이라도 뛰어나가 큰 소리로 외치고 싶은 지경이다.

너희들, 오해하고 있어, 이 멍청이들아!

······뭐, 그건 어차피 실현될 수 없는 일이니까 진우는 상상을 그만두고 현실로 돌아왔다. 먼저 크게 신세를 진 중년 여자의 시체를 향해 눈으로 사과부터 건넸다.

가뜩이나 괴로웠을 텐데, 마음대로 움직여서 미안합니다······.

그러는 동안 어쩌면 저 사람도, 그리고 그 농협의 아저씨도 비극적인 최후를 맞은 게 오해 때문일지 모른다는 생각이 들었다. 공포에 질린 사람들로부터 좀비로 변할 것이라는 오해를 받아 살해당했을지도······ 끔찍하지만 이렇게 미친 세상에서는 충분히 일어날 수 있는 일이니까.
　자신의 손으로 묻어 주고 온 좀비 할머니, 농협의 그 아저씨, 또 이 아주머니까지……. 난 죽어 버린 이들에게만 이런저런 말들을 전하고 있구나, 생각하며 진우는 벌어진 문틈으로 바깥을 내다봤다.
　텅 비었다. 발소리는 조금 전보다도 더 멀어져서 이제 다음 골목으로 향하는 듯하다. 움직이려면 지금밖에는 없을 것 같다.
　심호흡을 마친 진우는 살금살금 마루로 나와 조금 전 자신이 들어왔던 창문을 열었다. 그러고는 고양이처럼 소리 없이 골목 위에 내려앉았다.
　"야! 건성으로 보지 말고 확실하게 수색해!"
　멀리서 들리는 말소리에 저절로 움찔한다. 가슴을 쓸어내린 진우는 자세를 낮추고 뛰었다. 어제 좀비들과 정신없이 뛰어다니기도 했고, 오늘 집마다 뒤지고 다닌 덕에 동네의 지도가 머릿속에 선명히 그려진다는 게 그나마 다행이었다.
　진우는 병사들의 시선을 피해 가며 달리고, 숨고, 지름길을 가로질렀다. 마침내 비닐하우스까지 도달했을 때에는 긴장감으로 심장이 터질 것 같았다. 비닐하우스는 어제 그가 잠시 몸을 숨겼던 때와 조금도 변함이 없는 상태로 서 있다. 그가 토해 냈던 토사물도, 머리가 터져서 죽은 좀비들도, 그 좀비의 머리에서 흘러나온 뇌수도 그대로였다.
　"아, 숨차. 하아~ 하아~ 여기만 오면 토할 것 같네. 무슨 악연이냐."
　비닐하우스를 벽 삼아 기댄 채 잠시 숨을 돌렸다. 일단 안전이 확보되자 미련이 생겨난다. 젠장, 마을에 남아 있는 수많은 먹을거리들과 편안한 잠자리, 그리고 끝내 하지 못한 목욕.
　아쉬운 것들이 너무 많아서 손으로 다 꼽지도 못할 지경이다. 멀리 뒤쪽에서는 아직도 삼삼오오 모여 다니며 여기저기를 헤집고 소란을 떨어 대고 있다. 그 꼴을 보니, 저놈들 정말 총을 찾기 전까지는 돌아가지 않을 기세다.
　수색 병력이 여기에 도착할 시간도 별로 머지않았다. 비단 그게 아니더라도 이 마을은 오래 머물 곳이 못 된다는 걸 진우는 절실히 깨달았다. 저들이 얼마나 자주 이 길을 지나는지 몰라도, 그때마다 오늘처럼 운 좋게 들키지 않기란 정말 어려울 것이다. 아쉽지만 다 버려 두고 가는 게 현명하다.

"진정하자, 진정해. 그래도 좋은 일이 많았잖아."

그래. 진우는 얻은 것에 집중하기로 했다. 방수 점퍼, 물, 음식, 실탄과 총, 그리고 무엇보다도 꼼짝없이 죽었다고만 생각했던 목숨.

뭐, 그 정도면 꽤 괜찮은 거래를 했다고 스스로를 납득시킨 후에 힘차게 고개를 끄덕이고 일어섰다.

배낭에서 물병을 꺼내 입술을 적신 진우는 비닐하우스 둘레에 쳐진 울타리를 넘어 비탈진 언덕의 나무들 사이로 걸어 들어갔다.

싸구려 전자시계에 표시된 시간은 오전 11시 51분. 잠시 표류했던 북쪽으로의 긴 여정이 지금 막 다시 시작됐다.

03

"11시 52분, 새로운 놈들 입장. 우와, 이 새끼들도 장난 아니게 많은데!"

"음, 이번에는 26분 간격이네. 어디 보자, 11시 52분……."

보안관이 망원경을 통해 저 멀리 망우로 사거리의 상황을 보고 알려 주면, 구구단을 못 외우는 기록원이 그 등장 시간과 앞 행렬과의 간격 따위를 계산해 자못 진지한 표정으로 적는다.

호랑이 담배 피우던 시절에 경전철역 옥상에서 번화가를 지나는 좀비 무리를 관찰하던 때와 거의 다를 바가 없다. 달라진 거라면 오늘은 신입 대신 어린애 하나가 끼어들었다는 것 정도.

제니 곁에 바짝 붙어 앉아 온갖 애교와 추파를 던지는 데만 열중하고 있던 규영은 좀비가 지나간다는 소릴 들으면 어김없이 가까이 와서 보안관의 옷깃을 잡아당기며 보챘다.

"나도, 나도 볼래!"

아, 또? 그냥 아까 봤던 거하고 똑같아. 별 차이도 없어…… 라고 귀찮아하면서도 보안관은 망원경을 넘겨 주었다. 유빈은 손톱 주변의 거스러미를 물어뜯으며 생각에 잠겨 있고, 제니와 태권 소녀는 빗방울이 닿지 않는 구조물 밑에 앉아 그런 남자들의 뒷모습을 물끄러미 바라보고 있다.

그들의 현 위치는 파라다이스 모텔에서 두 블록 정도 떨어진 7층짜리 건물의 옥상. 바로 길가는 아니지만 높이가 있어서 멀리 사거리 너머까지 시야가 확보된다. 그제 보안관 일행이 처음 이곳에 왔을 때 호루라기 소리가 들려왔던 그 장소이기도 하다.

'자식, 어지간히 호기심도 많구만. 하긴 굉장히 오랜만에 바깥 공기를 쐬는 거라고 했지…….'

앞으로 몸을 기울인 채 열심히 바깥 구경, 좀비 구경을 하는 규영을 보며 보안관은 자비로운 '큰형 미소'를 지었다. 데리고 나오길 잘했다는 생각이 든다.

길가의 건물로 이동해서 나오기까지 규영을 휠체어째 들고서 비밀 통로를 통과해 두 층을 내려가고, 다시 일곱 층을 올라오느라 몸은 상당히 힘들었지만, 그만한 보람이 있지 않은가. 흐뭇해진 보안관은 규영의 머리통을 잡고 장난스럽게 좌우로 휙휙 흔들었다.

탁, 갑자기 발끈한 규영이 보안관의 손을 쳐낸다. 그러고는 원망을 담은 눈으로 노려보았다.

어라, 이놈 봐라?

어처구니없어진 보안관은 즉시 쓰다듬던 손의 모양을 꿀밤으로 바꾸어 한 대 콩, 쥐어박았다. 그러고는 물었다.

"왜 까불어? 뭔데?"

선 응징, 후 질문. 애새끼라도 예외는 없다.

"아! 머리 만지지 말라고! 20분 동안 빗고 나온 건데!"

그 말을 하면서도 규영은 황급하게 모자를 벗어 허벅지에 올리고 두 손바닥으로 머리카락을 정성껏 펴서 붙인 다음, 구레나룻을 쭉쭉 잡아당겨 제비 꼬리처럼 정성껏 다듬었다.

"야! 비가 이렇게 오고 모자까지 썼는데 그게 네 생각처럼 스타일이 유지될 것 같아? 아까 벌써 다 흐트러졌지. 그리고 누가 본다고 그래? 아무도 네 머리 모양 안 봐!"

"안 보긴 왜 안 봐? 자기네들이 거지꼴을 하고도 창피한 줄 모르니까 남들도 다 그런 줄 아나!"

"거지꼴이라니! 이 셔츠도 제니가 직접 골라 준 거야, 뭘 알고 말해!"

"웃기시네! 꿈에서나 그랬겠지. 제니 누나가 잘도 그렇게 촌스러운 걸 골랐겠다. 레드 카펫 시선 강탈자인데!"

그렇게 항변하는 동안에도 규영의 시선은 제니를 슬금슬금 돌아보았다. 그리고 그때마다 매번 황홀한 표정을 짓는다.

좀비의 출현 시간과 규모, 간격, 시야 밖으로 사라진 시간 따위를 다 적고 나서 삼식이가 대화에 참전했다.

"근데 얘 테라에 대해서는 안 물어보고 용케 꾹 참네? 저렇게 연예인을 좋아하면서."

"흥, 그깟 빈유 로리, 어디서 뭘 하든 무슨 상관이야? 관심 없어."

과장되게 팔짱까지 낀 규영이 입술을 삐죽 내밀었다.

"죽었어."

헉, 규영은 깜짝 놀라 삼식이를 돌아봤다. 관심이 없는 게 아니었던 모양이다. 삼식이는 무표정한 얼굴로 덧붙였다.

"그러니까 제니 앞에서 걔 이야기 꺼내지 말라고."

시무룩해진 규영이 머리를 숙인 채 고개를 끄덕였다. 그리고 잠시 후, 다시 제니를 돌아보며 연극배우의 독백처럼 중얼거렸다.

"아직도 우리 곁에 남아 있는 아름다운 것들을 보자. 그리고 행복해지자."

"뭔 소리야, 뚱딴지같이?"

보안관이 물었다. 가만 보니 이놈도 꽤나 또라이 기질이 보인다.

"안네 프랑크의 말이야. 힘들 때마다 되새기면 용기가 생겨."

"그래, 용기 많이 생겨라. 그것도 나쁠 거 없지. 근데 반말 찍찍 싸지 말고 존 댓말 좀 써. 애새끼가 좀 굽히고 들어오는 맛이 있어야 귀여워해 주지."

"가슴을 펴라. 스스로 허리를 굽히는 자는 억압받을지니…… 마틴 루터 킹. 나는 존경하는 사람한테만 존댓말을 쓸 거야. 나이로 벼슬하던 시대는 이제 끝 났어."

보안관과 삼식이가 얼굴을 마주 봤다. 어이가 없다.

뭐지, 애들 보는 만화에서 막 튀어나온 것 같은 이 새끼는?

보안관이 물었다.

"너 몇 살이야? 설마 초딩이냐?"

"덩치가 작다고 얕보지 마! 엄연한 중학생이다! 그것도 2학년!"

중2…… 아아, 그랬구나.

모든 것이 이해가 된다. 세 친구 모두 고개를 끄덕였다. 이놈을 이기기란 쉽지 않을 것 같다.

"이젠 형들하고 잘 노네요? 역시 남자끼리라서일까요?"

멀찍이 떨어져서 보안관, 삼식이, 규영이가 옥신각신하는 걸 보고 제니가 흐 뭇한 미소를 지었다. 줄곧 말없이 생각에 잠겨 있던 태권 소녀가 무겁게 입을 열 었다.

"미안해."

"네?"

"어제 많이 힘들었지? 처음이라 좀 무서웠어. 그러면 안 되는 거였는데."

"아, 처음엔 다 낯설고 그러니까요. 오빠들한테 물어보세요. 저도 처음에 얼마 나 자주 울었는지 몰라요. 만날 긴장해서 눈치 보고."

"어휴~ 불쌍하게……."

제니를 돌아보는 태권 소녀의 표정에는 진심 어린 동정이 짙게 뱄다. 제니는 당황스러워서 두 손을 내저었다.

"아니에요, 불쌍하긴요. 오히려 전 진짜로 운이 좋았던 건데요. 지금도 그렇고요."

"오늘부터는 규영이랑 방 따로 쓸게. 그러니까 너 혼자 고생하지 말고 나눠서…… 나눠서 짊어져."

으응? 이거, 어째…….

둘이 서로 전혀 다른 주제에 대해 이야기하고 있던 것 같다. 제니는 눈을 가늘게 뜨며 물었다.

"언니…… 그…… 뭘 나눈다는 말이에요?"

"그렇게 무덤덤한 척하지 않아도 돼. 다 알아. 어젯밤에도 계속 남자들이 문을 열고 들락거리는 소리 들었어. 교대하자 어쩌고 하면서 역겨운 소리 하는 것도. 후~ 지금까지 매일 그랬을 테지……."

아, 또 그 이야기구나. 좋은 오빠들이라고, 걱정하는 그런 일 없을 거라고 했는데도…….

하긴 믿기 어려운 이야기이긴 하다. 제니는 쓴웃음을 지었다.

"그거 완전 오해예요, 언니. 저기 저 오빠랑 저 키 큰 오빠가 교대로 복도에서 밤새도록 서성거린 건 맞는데요, 그냥 버릇처럼 보초를 선 거였어요. 저 오빠들, 저한테 손끝도 대지 않았어요, 어젯밤은 물론이고, 지금까지 단 한 번도."

"그럼…… 그, 너는 저 고릴라가 독점했던 거야? 대장이랍시고?"

"아아뇨~! 그것도 아니에요. 보안관 오빠도 마찬가지예요. 그냥 저를 귀여워하고 아껴 주는 거지, 성적인 뭔가를 요구한 적은 한 번도 없어요. 정말 단 한 번도! 언니에게도 마찬가지일 거구요. 어제 제가 장담할 수 있다고 했잖아요."

이번에는 태권 소녀가 눈을 가늘게 뜨며 의심이 가득한 시선으로 제니를 본다.

"……그 말을 믿으라고? 성욕이 없는 것도 아니고, 당장 저 멀대만 해도 경순이 언니랑 같이 갔다는 걸 우리 둘 다 알고 있는데. 그런데 너를, 다른 사람도 아니고 너를 그냥 뒀다고? 보름이 다 돼가도록?"

"경순이 언니랑 삼식이 오빠는 억지로 한 건 아니었잖아요. 둘이 서로 갑자기 전기가 찌리릭 통했으니까. 제 생각에 저 오빠들은 뭐랄까, 세상이 이렇게 되어 버려서 오히려 더 조심하는 것 같아요. 강박적일 정도로요."

흠, 다시 침묵 모드로 들어간 태권 소녀는 빗속에 서 있는 세 남자를 다시 한 번 뚫어져라 쳐다봤다.

그녀는 사람의 호의라는 것을 믿지 않았다. 원래부터 그랬고, 좀비 세상이 온 후에 훨씬 더 불신하게 되었다가 조금 나아지는가 싶었지만, 이틀 전 검은 헬기가 왔을 때 아주 입장이 확고해졌다. 사람은 기대를 배신한다.

"네 말이 사실이라고 해도 그건 또 그것대로 힘들었겠네. 언제 저놈들이 돌변해서 덤벼들지 모르니까 지금도 계속 불안이랑 싸우고 있어야 하는 거잖아."

제니는 뒤로 기대앉으며 오빠들에게 시선을 두었다. 보안관과 삼식이가 번갈아 가며 규영이를 쿡쿡, 찔러 대고, 유빈은 그 모든 상황이 다 귀찮다는 듯 옆으로 자리를 피한다.

불안? 저 오빠들에게?

제니의 입가에 엷은 미소가 번졌다.

"음, 불안이라…… 그러네요. 생각해 보면 분명 그런 적도 있었는데, 이제는 아니에요. 지금 당장 흥분해서 달려든대도 하나도 안 무서워요."

"무슨 말이야? 왜 무섭지가 않아?"

"정말…… 좋아하게 됐으니까요."

태권 소녀는 이해할 수 없다는 표정으로 제니와 세 남자를 번갈아 봤다. 정말 좋다고? 저 거지 같은 꼴의 지독한 땀 냄새 풍기는 놈들이? 왜?

그녀가 뭔가를 더 물으려 할 때, 보안관이 큰 소리로 말을 걸었다.

"야! 네 동생 존댓말 좀 하라고 해! 내가 이런 애새끼한테 사사건건 반말 들어야겠냐?"

 엉덩이를 툭툭, 털고 일어나 다친 발을 절룩이며 빗속으로 걸어 들어간 태권 소녀가 방수 재킷의 후드를 올렸다. 그러고는 보안관에게 물었다.

 "그래, 안 그래도 서열 정리는 해야 할 것 같았는데…… 이참에 하자. 너희 몇 살이야?"

 "스물일곱 살이다!"

 바지춤에 손을 넣어 긁적거리고 있던 삼식이가 한 치의 망설임도 없이 태연한 표정으로 대답했다.

 어? 예상했던 것보다 고령이었는지, 태권 소녀가 주춤한다.

 태권 소녀는 잠시 유빈을 위아래로 훑어보더니, 이내 고개를 끄덕였다. 유빈이 발끈 성을 냈다.

 "내 얼굴 보고 납득하지 마! 그리고 삼식이, 너도 뻥치지 말고! 우리 스물하나야. 너는?"

 당연히 동갑이거나 한 살쯤 어릴 거라 여겼다. 키는 제법 크지만 피부나 짧은 커트 머리를 볼 때 딱 그 또래로 보여서다.

 훗, 태권 소녀가 콧방귀를 뀌더니 같잖다는 듯 말했다.

 "스물셋! 두 살이나 차이 나네? 그러니까 누나라고 불러."

 세 친구의 눈빛이 교차한다. 누나라고 하기 싫다. 지금도 저렇게 사람을 깔보는데, 거기에 호칭까지 더해지면 아예 종놈 다루듯 하고도 남을 계집애다. 호칭은 관계를 규정한다.

 하지만 어쩌지? 저 바보 같은 유빈이 새끼가 이미 나이를 까 버렸으니…….

 그때, 보안관이 아주 유치하지만 효과적인 대응법을 생각해 냈다.

 "민증 까!"

 "뭐?"

 태권 소녀의 눈살이 찌푸려졌다. 효과가 있다.

 "서열 정하자며? 서열 정리할 때 기본 아니냐? 민증부터 보고 얘기해야지."

"하, 진짜 유치해서. 이 난리가 났는데 지갑 가지고 다니는 사람이 어딨어?"
"오, 지갑을 잃어버렸구나? 아쉽게 됐네. 그럼 못 믿는 거지, 뭐."
"내 나이, 규영이가 알아. 쟤는 내 신분증도 본 적이 있고."
태권 소녀가 새로운 공격 방법을 찾아냈다. 증인으로 채택된 규영이 놈은 당연히 고개를 끄덕인다.
이건 뭐라고 반박해야 되지?
보안관이 망설이고 있을 때, 삼식이가 지껄였다.
"근데 지금 모텔에 남은 신입 알지? 걔가 스물넷이야. 나도 이력서에서 걔 생년월일 다 봤어. 그럼 너부터 당장 돌아가서 걔한테 오빠라고 할 거야? 그러면 우리도 누나라고 부르는 거 생각해 볼 수 있어."
신입 오빠 나이 그렇게 많았어요?
제니가 옆에 앉은 유빈에게 소리 죽여 묻는다.
아니, 그럴 리가. 걔, 우리보다 한 살 많은데 첨 일하러 왔을 때부터 말 놓으라고 제 입으로 그랬어. 그냥 삼식이, 저 미친놈이 뻥치는 거야.
유빈은 고개를 저으며 귓엣말로 알려 줬다. 하지만 이 구라를 기반으로 한 공격이 의외로 먹혀서 태권 소녀가 얼어붙었다.
그 멍청하게 생긴 놈…….
고릴라 뒤에 숨어서 계속 상스러운 말을 하던 놈에게 오빠라고 할 수는 없다. 그녀의 혼란을 읽은 삼식이는 승리의 미소를 지었다.
"너도 싫지? 왜인 줄 알아? 네 마음속에서 상대를 존중하는 마음이 안 드니까 그런 거야. 한 살, 두 살 차이? 그게 뭔데? 나이로 벼슬하던 시대는 이제 끝났어!"
삼식이는 조금 전 중2짜리에게서 배운 말을 그대로 써먹고, 보안관은 그 사실이 들통날까 봐 얼른 규영의 입을 막았다. 유치하기가 하늘을 찌를 것 같다. 틱틱거리고 있던 세 사람의 나이 전쟁이 갑자기 중지된 것은 좀비들의 포효 때문이었다.

그롸아아아—.

저 멀리서 들려오는 좀비들의 울음소리에 보안관과 삼식이, 그리고 규영이는 재빨리 거리가 보이는 난간을 향해 이동했다.

아차차차, 지금 시간 12시 45분. 야, 저거…… 안쪽으로 벌써 꽤 많이 들어와 있는데, 이거 시간 어떻게 하지? 한 2분 빼고 적을래?

보안관과 삼식이는 다시 망원경과 매직펜을 들었고, 규영이는 옆에서 참견을 한다. 갑자기 끊긴 논쟁 때문에 아직 열이 다 식지 않은 태권 소녀에게 유빈이 다가가며 살갑게 불렀다.

"누나~."

태권 소녀는 자기도 모르게 움찔하며 뒤로 물러났다.

징그럽다. 노숙자 같은 외모로 느물거리며 다가오는 저 얼굴이, 저 찐득한 말투가, 게다가 셋 중에서는 제일 별 볼일 없어 보이는 놈이라서…….

그녀의 반응을 보던 유빈이 싱긋 웃는다.

"그것 봐. 부담스럽지? 너도 아직 준비가 안 됐잖아. 저기…… 호칭 문제도 그렇고, 존댓말도 그렇고, 어차피 시간이 좀 필요할 거야. 일단 좀 더 가까워지자. 같이 살아남는 게 우선이니까."

태권 소녀를 달랜 유빈은 친구들이 있는 곳으로 뛰어갔다. 그런 남자들의 뒷모습을 보며 빙글거리던 제니가 태권 소녀의 옆구리를 툭, 치며 진심으로 행복한 미소를 지었다.

"후후, 이제 제 말을 알겠죠, 언니? 정말로 매력적인 오빠들 맞죠?"

그 순간, 태권 소녀는 두 가지 사실을 깨달았다. 첫째, 제니라는 아이의 웃는 얼굴은 TV에서보다 실제로 가까이에서 보는 편이 백만 배는 더 예쁘다는 것. 둘째, 자신의 새 일행들은 다들 나사가 하나쯤 빠져 있다는 것. 특히 뇌 쪽의 나사가.

"이번 건 좀 규모가 작았네."

벌써 꼬리 부분이 상봉역을 지나친 좀비들의 행렬을 보며 보안관이 중얼거렸다. 좀비들은 이제 거꾸로 매달린 중년 사내의 시체를 스쳐 가고 있다. 자연히 세 친구의 시선도 거기에 꽂혔다.

총에 맞아 거시기가 날아간 남자……. 총! 총이 기억난 보안관이 손뼉을 치며 물었다.

"맞다! 너희 총 있었잖아? 그거 어디 뒀어?"

"이젠 총알이 없어. 그래도 필요해?"

태권 소녀가 귀찮다는 듯 되물었고, 이번엔 유빈이 대답했다.

"빈총인 줄 모르는 사람 상대라면 요긴할 수도 있겠지. 너희가 우리 겁줄 때처럼."

"너희 보니 별로 겁먹는 것 같지도 않던데. 하여튼 총은 저 골목 중간쯤에 있을 거야. 들고 있던 애가 헬리콥터 내려오는 거 보고 신이 나서 휙 던져 버리더라. 뭐, 나도 굳이 줍지 않았고. 이젠 힘든 거 다 끝났다고 생각했으니까."

검은 헬기에 손을 흔들고 기뻐하던 그 상황이 떠오르자 태권 소녀의 미간에는 또 가느다란 주름이 생겼다. 유빈은 두 번째 질문을 던졌다.

"아까 아침 먹을 때, 우리한테 너희는 무슨 실수를 저질렀느냐고 물었잖아? 그 말을 돌려서 생각하면 여기에 있던 너희들 일행도 뭔가 실수를 했고, 그것 때문에 힘들어졌다는 뜻이잖아. 그렇지? 그 실수가 뭐였어?"

"후…… 너희는 정말 궁금한 것도 많구나. 게다가 내가 기억하기 싫은 것들만 골라서 물어보는 재주도 있고. 뭐, 어쩌겠어. 눈치 없는 놈들한테 항복했으니 내가 참는 수밖에……."

태권 소녀는 이마에 손가락을 짚고서 가볍게 한숨을 내쉬었다. 그러고는 몇 미터 떨어진 곳에 앉아 있는 규영을 물끄러미 바라보다가 목소리를 낮춰 말을 이었다.

"……그때도 나였어."

"응? 무슨 소리야, 나였다니?"

"우리들이 실수를 한 게 아니라, 내가 문제를 일으킨 거였다고. 그제 헬리콥터를 붙잡아 놓고 모텔로 아이들을 부르러 갔던 것하고 똑같이 내 잘못 때문에 사람들이 죽었다는 말이야."

"언니, 그건 언니 잘못이 아니라니까요. 그런 상황에서 그렇게 군인처럼 보이는 사람들이 물어보면 다들 일행이 어디 있는지 말할 거라고요. 저라도 당연히 기다려 달라고 했을 거예요."

제니가 달래 봐도 태권 소녀의 기분은 별로 나아지는 것 같지 않았다. 하지만 그녀는 가끔 깊이 한숨을 쉬면서도 자신의 실수가 무엇이었는지 설명을 해 줬다.

"너희는 애초부터 다섯 명이 전부였다고 했지? 우리는 아니었어. 훨씬 많았다고. 저기 보이는 저 주상 복합 상가에 갇혔다가 밖으로 나와서 음식을 찾고, 허술하기는 해도 안전한 곳을 구할 때까지…… 정말 힘들었고, 정말 많이 죽었어. 게다가…… 너희도 알겠지만, 죽었다는 게 정말로 죽는 게 아니잖아. 저것들에게 물리면 똑같이 좀비처럼 변하니까. 바로 조금 전까지 우리랑 함께 싸우다가 상처 입은 사람들의 머리를 부숴야 했어. 친한 사람이든, 낯선 사람이든 모두 다 말이야. 가까웠던 사람에게 그 짓을 해야 할 때의 그 기분은 정말…… 겪어 보지 않으면 몰라."

거기까지 말하고 태권 소녀는 또다시 규영을 돌아봤다. 거리가 꽤 되는데도 자신의 목소리가 혹시 들리지는 않을까 걱정하는 것 같았다.

규영이 여전히 보안관과 삼식이 사이에서 좀비들에 집중하고 있는 것을 확인한 태권 소녀가 말을 계속했다.

"이제는 조금 안전해졌다 싶었을 때, 내가 고집을 피웠어. 우리랑 함께 싸우던 사람들을, 그것도 가장 앞서서 싸우다가 당한 사람들을 저렇게 길바닥에서 썩게 놔두면 안 되는 것 아니냐고. 물론 내 말에 반대하는 사람도 있었지만, 장사를 지내 주자는 쪽이 더 우세했어. 그래서 화장을 하기로 했지. 하~ 그런데 막상 화장을 하려고 보니까 적당한 장소가 별로 없더라. 아무 건물에나 불을 붙였다가는 큰불로 번질 것 같고, 길에는 차들이 잔뜩 서 있으니 더 위험하고. 그래서 고른 게 저 뒤쪽, 길 건너 삼거리에 있는 주차장이었어. 거리나 다른 조건들이 다 맞았지. 죽은 사람들을 모아서 쌓고 불을 질렀는데, 정말 잘 안 타더라고. 끔찍해서 못 볼 수준으로 훼손만 되고…… 계속 불이 꺼지는 걸 막기 위해서 잘 탈 만한 걸 끼워 넣고 기름을 잔뜩 부었어. 그랬더니 그날 밤…….

"좀비들이 왔군요."

제니가 떨리는 목소리로 말하자 태권 소녀가 고개를 끄덕였다.

"그래, 맞아. 그 전까지는 상상도 못 했을 만큼 잔뜩 몰려왔지. 일부는 갇혔고, 우리는 도망쳤어. 갇힌 사람들은 아직도 저기에 있고, 나를 원망하면서……."

태권 소녀가 가리킨 것은 처음 보안관 일행을 유혹해서 이곳으로 끌어당긴 코스트코였다. 유빈과 제니도 뭔가 새로운 것을 대하는 심정으로 코스트코의 정문을 바라봤다.

강화 유리문을 들이받던 좀비들, 보안관이 후딱 죽여 버리자고 말했던 바로 그 좀비들이 이 태권 소녀의 일행이었을 수도 있다는 말이다.

으~. 이상한 기분이 들어 유빈은 얼굴을 찌푸렸다. 태권 소녀가 상념에 젖어 코스트코를 바라보고 있을 때, 새로운 좀비들이 또 대로로 밀려 들어왔고 보안관이 다가와 물었다.

"하루에 열댓 번 정도 지나간다고 했지? 그게 총 몇 덩어리가 그 짓을 하는 거야?"

"뭐? 무슨 말이야?"

보안관이 너무 앞뒤 잘라먹고 묻자 태권 소녀가 한 번에 이해를 못 하고 되물었다. 유빈도 궁금했던 사실이어서 보충 설명을 했다.

"그러니까 쟤 말은 하루 동안 열댓 개의 덩어리가 이 앞을 지나간다고 했는데 그게 전부 다른 놈들인지, 아니면 같은 놈들이 몇 번씩 도는 건지, 그걸 묻는 거야."

"……모르겠는데? 매일 망을 보는 것만으로도 지쳐서 그런 건 생각도 안 해 봤어. 그게 중요해?"

"나름 중요하다면 중요하지. 예를 들어서 서너 그룹이 네 바퀴를 도는 거라면 그렇게 큰 원을 그리지 않는 거잖아. 그러니까 이 근방 어딘가가 활동 반경이라는 말이고, 만약에 전부 다른 놈들이 하루에 한 번만 이 앞을 지나는 거라면, 엄청 멀리까지 빙~ 둘러보고 온다는 거니까. 게다가 얘들이 어떤 방향으로 회전하고, 어떤 방향에서 진입해 여기로 오는지 이런 것들까지도 다 알아 두면 나쁠 게 없는 정보지. 우리는 전에 있던 데에서 그런 걸 알게 된 덕에 먹을 것도 구하고 했었거든."

유빈의 이야기가 굉장히 신선했는지, 태권 소녀는 듣는 내내 놀랍다는 반응이었다. 하긴 애초에 삼식이가 여자 좀비를 알아보지 않았더라면 그들 역시 좀비 덩어리를 하나하나 구분한다는 발상 자체를 못 했을 것이다.

멀어져 가는 좀비들의 뒷모습을 보며 잠시 생각에 잠겨 있던 태권 소녀가 도저히 이해할 수 없다는 표정으로 물었다.

"저렇게 수천 마리씩 몰려다니는데 어떤 게 어떤 건지 구분을 할 수 있다고? 무슨 줄을 맞춰서 움직이는 것도 아니잖아. 차 사이로 막 들어가고 자빠지기도 하고, 뒤섞이고…… 그런데 딱 보고 있으면서 '아, 저건 몇 번째 놈들이구나. 아까 몇 시쯤에 지나갔었지!' 이런 식으로 알아볼 수 있다는 말이잖아, 지금. 그게 정말로 가능해?"

그녀의 말을 듣고 나서야 유빈도 상황이 번화가 쪽과는 많이 달라졌다는 걸 깨달았다. 여기에 비하면 그곳에 돌아다니던 좀비들은 규모가 거의 10분의 1 수준에 불과했고, 또 그룹의 수도 몇 개 안 됐으니까.

게다가 번화가와 달리 이 앞 대로에는 시선을 가리는 장애물이 너무 많다. 그룹을 특정하기 위해 점찍어 둔 좀비를 발견하지 못할 수도 있을 거다.

그렇구나, 거기랑 여기는 다르네. 변수도 너무 많고…….

상념에 젖었다가 갑자기 자신감이 사라진 유빈은 구원을 찾듯 삼식이를 돌아봤다. 좀비가 사라진 시간을 열심히 적으면서 유빈의 시선을 느낀 삼식이가 고개를 젓는다.

"아니, 아니, 무리야……. 쟤들은 지금 너무 상태가 안 좋아. 다 썩어서…… 이젠 정말 어디가 입이고 어디가 코인지도 잘 분간이 안 될 지경이잖아. 저걸 어떻게 알아봐. 변화가 때처럼 원래부터 잘 알던 애가 있는 것도 아니고. 제일 중요한 문제가 뭐냐면, 얘가 한 말처럼 너무 많아. '내가 점찍은 애 여기 있나?' 하고 망원경으로 하나씩 좇다 보면 그사이에 벌써 다 지나가 버릴걸? 에이~ 그럼 나 이거 지금 괜히 적고 있는 거야, 유빈아?"

매직으로 시간을 적어 둔 플라스틱 쪼가리를 흔들며 삼식이가 물었다. 원래부터 시크했던 태권 소녀의 시선이 아주 한심한 놈을 대할 때의 그것으로 바뀌어 머뭇거리는 유빈을 주시하고 있다.

멍청한 놈, 어디서 되지도 않을 소리를 잘도 지껄였던 거잖아…….

입술을 움직이지 않는데도 그녀의 생각이 고스란히 전달되는 것 같은 기분이다. 난간에 기대 좀비 행렬의 끝을 다 지켜본 보안관이 입을 연다.

"그건 그렇고, 너희들 나름 대단했는데? 저렇게 계속 좀비들이 틈을 주지 않고 돌아다니는데 용케 그만큼 음식을 챙기고, 비밀 통로도 만들고, 모텔도 청소해서 치우고, 그런 일들을 다 했다? 어차피 이 골목에도 좀비들이 꽤 많이 돌아다녔을 것 아니야? 그러면 걔들도 다 잡아 죽였으니 지금 안 보이는 걸 테고. 그 생각을 하면 더 아쉽네. 모텔에 모아 놓은 음식이나 물건들 보니까 그냥 구조니 뭐니 바라지 말고 너희들끼리 살았어도 충분했을 것 같던데."

"충분하다고?"

태권 소녀가 어처구니없어하며 되물었다.

응. 충분하지 않아? 그만큼이면…….

보안관은 순진한 표정으로 긍정한다.

훗, 쓴웃음을 지은 태권 소녀가 말했다.

"대체 몇 명이 며칠 동안 지내기에 충분하다는 거야……. 우린 스물세 명이었어. 한 사람이 물을 2리터만 쓴다고 해도 하루에 50리터씩이 없어져. 2리터라니까 많이 쓰는 것 같지? 그중에서 세수하고 양치하는 데 쓸 수 있는 건 한 컵도 안 돼. 물티슈로 몸을 닦고, 고양이 모래에 볼일 보고, 빨래 같은 건 생각도 안 하는데도 그만큼이 들어가는 거야. 상상해 봐. 하루 만에 커다란 음료수 캔 박스 여섯 개 분량씩이 사라지는 거야. 1.8리터 생수라면 여섯 개짜리 묶음이 다섯 개씩 없어지는 거고. 그런데도 충분하다고? 우린 매일 아주 느린 속도로 죽어 가고 있다고 생각했었어. 좀비들은 점점 더 늘어 더 가까이까지 행진을 하고 있고, 인철이 같은 미친놈들은 자꾸 몰래 숨어 들어와서 불을 지르고 도망가고. 이 근처에서 손에 넣을 수 있는 마실 것들은 다 긁어 왔는데도 겨울은커녕 가을도 넘기기 어려울 정도밖에는 안 됐으니까. 이젠 너희도 그 문제에 대해 아주 진지하게 생각해 봐야 할걸?"

태권 소녀는 비장한 말투로 보안관에게 일장 연설을 했다. 이 이야기를 다 듣고 나면 이 어리바리한 고릴라도 조금 겁에 질리게 될 거라고 생각하면서.

하지만 보안관과 유빈은 그다지 큰 심경의 변화가 없는 것처럼 태평한 표정으로 열심히 듣기만 한다.

6 곱하기 1.8에다가, 에…… 또 5를 곱하면…….

손바닥에 손가락으로 글씨를 그려 가며 태권 소녀가 말한 셈법을 확인하느라 잠시 뜸을 들이던 보안관은 계산이 끝났는지 고개를 들었다. 그러고는 태권 소녀의 눈을 보며 별거 아니란 듯 말했다.

"그건 걱정 안 해도 돼. 내가 어제 뭐랬어? 우리가 먹었던 거 다 갚아 준다고 했잖아. 일단 저기 보이는 코스트코부터 털자. 그러면 그걸로 가을 날 수 있고, 그다음 다른 대형 마트를 또 털면 겨울나겠지. 그럼 되는 거 아냐?"

미쳤구나, 자신만만하게 떠드는 보안관을 보면서 태권 소녀는 생각했다.

이놈…… 뇌까지 다 근육이었어.

"너 어린애냐? 코스트코를 털고, 그다음엔 다른 마트를 턴다고? 야! 생각을 하고 좀 말을 해! 여기서 코스트코가 빤히 내려다보이는데도 그래? 저 유리문 안에 좀비가 우글거려! 너무 많아서 몇 마리나 되는지도 몰라! 네가 싸움을 좀 잘한다고 해서 저 많은 걸 다 죽일 수 있다고 생각해? 허풍도 적당히 쳐! 계획도 없으면서! 계획이 있어?"

"계획? 없는데?"

하하하하, 보안관의 순진한 반응이 너무 어처구니가 없었는지 태권 소녀는 소리를 내서 웃었다. 그러고는 다시 그 특유의 깔보는 눈빛으로 돌아와 보안관을 향해 말했다.

"큰소리치는 용기는 재미있었어. 하지만 계획이 없다면 난 너희랑 같이 못 움직여. 하하…… 어처구니없다, 정말. 잠깐이지만 기가 막힌 방법이라도 있나 기대했던 내가 바보지."

"아! 기가 막힌 방법, 그건 말이지……."

보안관은 여전히 느긋한 표정으로 곁에 서 있던 유빈의 어깨를 확 끌어안아 당겼다. 그러고는 말했다.

"이제부터 얘가 생각할 거야."

"응, 이제부터 이 머리에서 나올 거예요."

제니도 환하게 웃으며 기름과 먼지로 떡 진 유빈의 머리를 쓸어 준다. 그때까지 한쪽에서 계속 규영이와 놀고 있던 삼식이도 힐끗 고개를 돌려 중얼거렸다.

"맞아, 걔가 계획을 짤 거야. 걱정하지 마."

뭐지, 이 분위기는?

태권 소녀는 어리둥절해져서 유빈을 바라봤다. 몇 개의 시선이 한꺼번에 자신에게 집중되자 유빈은 쑥스러워 어쩔 줄 몰라 하고 있다.

비에 젖은 머리에서 땟국이 주르륵 흘러내리고, 먼발치에서도 개 냄새를 풀풀 풍기는 얘가? 도대체 얘가 뭔데?

몇 번을 다시 봐도 어제 자신에게 맞아 거품을 물고 정신을 못 차리던 그 약골 맞다. 어쩔 줄 몰라 하며 '너! 너! 너!' 따위의 외마디 소리만 외치던 그놈. 신뢰가 생기지 않는다.

"아니, 아니…… 애들이 과장하는 거야. 저기, 그냥 며칠 동안 생각을 좀 해 볼게. 좀 쉽고 안전한 방법이 있을지. 그렇게…… 너무 기대를 하고 있으면 부담스러운데."

 유빈이 손을 내저으며 말을 더듬거리자 태권 소녀는 바람 소리가 날 정도로 휙 돌아서며 차갑게 내뱉었다.

 "기대 같은 거 안 해. 네 꼴을 보고 있으면 네가 나라고 해도 그럴걸?"

(다음 권에서 계속)